曹禺全集

·8·

北 京 出 版 集 团
北京十月文艺出版社

主编：王风

本卷责任编委：田露

约20世纪50年代中期

南开中学东楼。1922年9月—1928年6月，曹禺在此求学

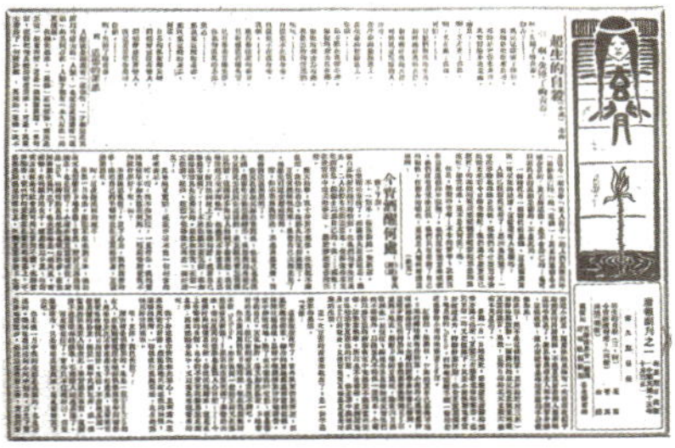

1926年10月3日《庸报 · 玄背》第9期。此副刊登载的《今宵酒醒何处?》，是以“曹禺”为笔名发表的第一篇作品

1928年《南开双周》，
曹禺在该刊发表数篇诗作

清华大学图书馆一隅。
1933年暑假，曹禺在此写作《雷雨》，并与郑秀定情

1933年曹禺、郑秀清华演出剧照

1946年与老舍应美国国务院邀请赴美讲学一年。
摄于加州伯克利大学

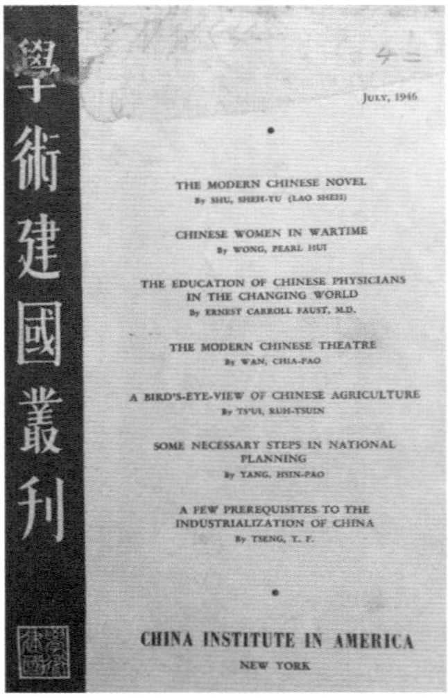

學術建國叢刊

JULY, 1946

THE MODERN CHINESE NOVEL
By SHU, SHEH-YU (LAO SHEH)

CHINESE WOMEN IN WARTIME
By WONG, PEARL HUI

THE EDUCATION OF CHINESE PHYSICIANS IN THE CHANGING WORLD
By ERNEST CARROLL FAUST, M.D.

THE MODERN CHINESE THEATRE
By WAN, CHIA-PAO

A BIRD'S-EYE-VIEW OF CHINESE AGRICULTURE
By TS'UI, RUH-TSUIN

SOME NECESSARY STEPS IN NATIONAL PLANNING
By YANG, HSIN-PAO

A FEW PREREQUISITES TO THE INDUSTRIALIZATION OF CHINA
By TSENG, T. F.

CHINA INSTITUTE IN AMERICA
NEW YORK

1946年5月初应"东西协会"之邀，与老舍在纽约市政厅演讲。演讲稿刊载本年美国《学术建国丛刊》第7卷第1号

1948年底，经中共安排南下香港，次年与夏衍合影，丁聪摄。
解放后，夏、曹二人分别担任上海人民艺术剧院和北京人民艺术剧院创院院长

1949年7月中华全国文学艺术工作者代表大会在北平召开，
曹禺（三排中）当选中国文联常委

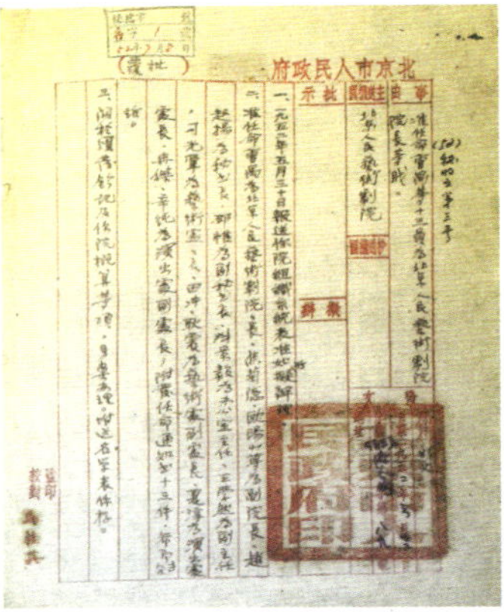

北京市人民政府

（批復）

事由：准任命曹禺為北京人民藝術劇院院長等職。

主送機關：北京人民藝術劇院

一、一九五二年五月三十日報送你院組織系統表准如擬辦理。

二、准任命曹禺為北京人民藝術劇院院長，焦菊隱、歐陽山尊為副院長，趙起揚為秘書長……

1952年6月北京市人民政府任命曹禺为北京人民艺术剧院院长，图为任命批复件。人艺戏剧博物馆藏

1954年6月曹禺与总导演焦菊隐在北京人艺院庆两周年纪念会主席台上。人艺戏剧博物馆藏

1953年曹禺在中央戏剧学院开学典礼上讲话，时任副院长

1954年9月曹禺作为湖北省代表出席第一届全国人民代表大会。
与中央戏剧学院人大代表，院长欧阳予倩、党委书记李伯钊合影

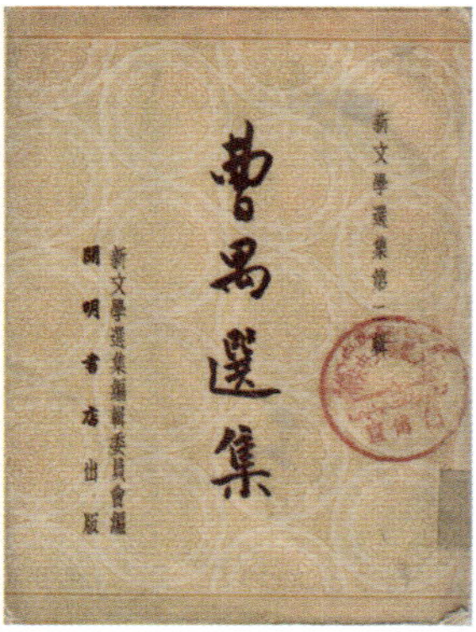

开明书店1951年版
《曹禺选集》书影

人民文学出版社1954年版
《曹禺剧本选》书影

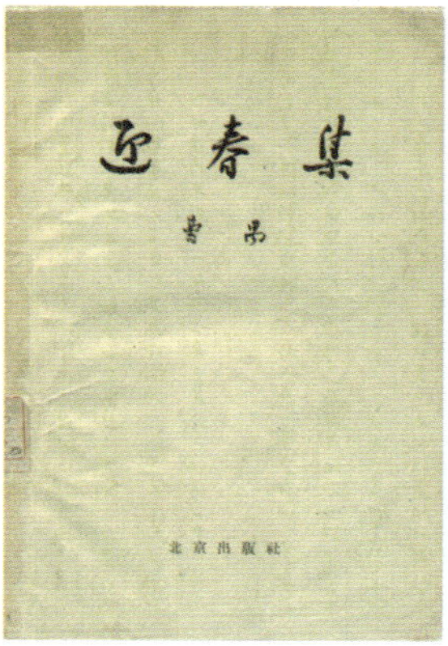

北京出版社1958年版《迎春集》书影

目　录

小　说

诗　歌

文　章

小说

今宵酒醒何处?

疲乏了么?

不，一点不。梅露出她一对酒靥。

音乐开始奏曲了，四周消失在黑暗里，眼前白幕映射出变幻的剧情[1]，但他们何曾注目及此。二人都似有些闷涩涩地，觉四周的空气干闷难忍，然而全以为自己的，他——或她——在欣赏剧中优美的事迹，终于静听凄悲的弦声。

【题注】此篇为残本，载1926年10月3日、10月10日《庸报·玄背》第9、10期，题下有“四续”“续完”字样。第10期文末附注:“嘿！这篇稿子，到现在才登完！曹禺君来信说把他的稿子‘大卸八块’，想起来，未免太残忍了！但这不算很残忍，你看世间的事，比这个残忍的多的多呢！错处太多，几乎错得全篇竟有一半不通的句子！改正也改正不了那么些，只好由它去吧！——但是在这里要请曹禺君原谅，更要请读者诸君特别原谅！——记者”。按，根据题下字样和文本附注可推知，未见部分应发表于第6—8期。《玄背》报头下有“《庸报》副刊之一，每星期日出版”字样，故此篇前三部分的刊载日期当为1926年9月12日、9月19日、9月26日。此篇是迄今所见以“曹禺”笔名发表的第一篇作品。文中的“野村重三郎”在第9期连载中均作“野村三郎”，现统一为“野村重三郎”，不一一出注。

1 “剧情”底本作“情剧”，当作“剧情”。

“前天的事，我十分对不起你。但我总不愿提起，我怕你着急。”梅终久沉重对他说了。

夏震突然惭愧起来，他觉自己太无主见了。他应先以话安慰梅璇的。

“璇，你不要为我难过，不过自那天后，我觉得前途逐渐黑暗了。”

“当天我在叔父面前责问他，他自己也承认失礼，然而昨天他忽然变卦，他居然以长辈的口气问我怎样同你认识的，并且说些交友慎择这些话，还讲许多侮辱人的例子给我听。我气得堵起耳朵不理他，他觉着不好意思，走出去了。所以我到晚上才给你几句话，或者你已等得不耐烦了。——不过你总不要气馁，我知道你极容易失去勇气的。望你相信我，在第一天你到Y院时，隐隐中觉得我已寻着一个好朋友了。”

真挚的夏震哟，感激中寻不出一句相当的话来表示。

“唉，璇，我不知怎样，一见着你，我的智识地位早不知失落在何处，一腹的情绪使我不知说什么好，唉，梅?”

“不要胡思乱想了。放下心去，我们谈旁的事!”她把自己的手轻轻放在夏震的掌里，夏震紧紧握住。

啊，这盈握柔软的嫩手!

倏忽一月过去。梅璇不但未到日本，她的叔父也预备在B地营商，当然，野村重三郎的回国念，也是取消了。小谢本与夏震常来往，于是Miss梅的性格及思想他也明白许多，在他同梅数次长谈之下，他承认梅是一个爽直，有感情，有判断力的女子。虽然他以为夏，梅的交友未经过为社会认可的正当的手续，他时常鼓励着，使他们的爱建设在巩固的地基上，不落在进锐退速的深谷里。他劝夏震移居K大学附近小村里，因为他听见梅有一次在深夜似乎跑到夏的房间里面。不过夏震居然搬入那所明亮的平房里了，并且每晨还走入林中练习身体，这种改革，据小谢说皆是梅璇看护的手段使他如此！

然爱恋，总不是这样简单，黑胖的野村重三郎一面对梅献殷勤，一面与梅的叔父有意无意地进夏震的谗言，果然，这几日梅的叔父竟数次推病不见夏震了。

暑期一日一日地逼近，母亲望儿速归的热情亦与日俱增，夏震三次接着老母的家书，他只呆望一时又把信掷下。只是小谢无聊地拿信封轻敲桌角，时时计算行期；他告夏震预备回S地见他的Fiancée[1]。行时梅璇亲手织一对枕套托他带给小谢的未婚妻Miss汪。

红满枝，绿满枝，江南的夏早已热得不堪。S地的蝉噪声有些秋意，小谢的心逐渐觉得烦躁而凄惶了。K大学的开学通知书已接到，这种有魔鬼性的公函，当然要使他离开Miss汪重到B地去。然而B地的夏震呢，除在六月间收到他一封短信，略述外界及梅的叔父对他们的不满而外，以后竟久不得他一些消息。小谢终以为夏震的静雅书室中充满说不尽甜蜜的爱恋，故无意执笔。所以也不通书翰，直到近几日他始函告夏震他的行期，他暑期中与母亲及Miss汪的欢聚，且恳切地问及梅与夏这长时期的生活。

这一次夏震的复书却收着了，是一封字迹潦草的长信。

---

1 “Fiancée”底本作“Fiancie”，当作“Fiancée”（法语“未婚妻”）。

文伟：

这是寂寂夜半了。窗外秋雨仍在淅沥，斜风吹进些峭寒，细冷的雨丝滴湿面前的信纸。阵阵狂飙过后，黑暗中惟闻柳叶沙沙地诉苦。室中静悄悄地，除了永不弃我的瘦影，便是凄惶的自己。天气如许，偏又如此孤寂，B地客居的光景，想江南的好友再也意想不到吧。

你不要以为我在B地寻乐，现在我几无时不在Suffering。昨夜我同一位姓王的又在那些荡妇里面混——恶浊的空气充满了兴奋的肉味，惨白死尸的蠢动也是动人心目哟！——今晚到村南酒铺里痛饮，昏沉沉地归来，睹见桌上你寄来的长信，良心的不安使我无勇气走到桌旁；因为醉眼昏花中，又以为是母亲寄来的呢！

我十分感激你对我如此关心，且尔为梅想出些周密的计划。然而此地只有感伤的回忆，凄切的秋声，一切俱成狂乱与烦躁，良友的热情只好付诸流水。

唉，文伟，我已失败了！

理由确是很简单的。她是一位Coquettish[1]的女人，在她面前现出金钱的偶像与青年的面影。然而恋爱决不能塞满女子的虚荣，这种缺陷便使她改变往日的意旨。文伟，不要想某国一位美丽的公主，因爱一个平民而私奔，或一个富族因拯其爱人而致死，事实终是事实，这类话不过是说部的故事，引起骚人的逸思

1 “Coquettish”底本作“Goquttish”，当作“Coquettish”。

罢了。

雨愈落愈狂了。窗外只不住地砰訇，空气益加凄冷，只是笔端温暖起来，还是继续写下去吧。

你走后一月中我的生活是美满的，也是凄迷的。我同她在溶溶的小河中划舟，月光下常在麦地间散步，那里空气带着土香，黄长的麦秆暗地迎风欺凌而呼号，回视村中，红光点点，闪烁着如远处的萤火。然而她抽噎了，她诉说野村重三郎不形于色的忌妒与逼迫，叔父时时对她行动的干涉，她怂激地哭求我与她一齐Elope。请你想彼时的情景，满地浮幻着月的海银光，夜半的夏风摇曳她的衣裙向我飘摇。这时一个女人倚着肩儿哭泣，哭诉她的痛苦，轻轻吐出elope字的颤声，这是如何地Romantic！大概我将要冒冒失失与她计划怎样逃奔的事情吧，然而文伟，我很聪明，凄迷的心境使我不止地劝慰着她，危险的关键，只放在河面轻浮的草叶上，颤巍巍地漂入大海里去了。

或者你要责备我吧，说我是负心儿。固然当时我不知如何把如此引人兴味的事情含糊过去，现在我始觉得排布得体。文伟，我不是诗人，她也决不够为诗人的爱者，读过几篇西洋诗人小传，便觉得自己是Shelley是Browning[1]，在如此令情迷的爱的过程中，也要加上同样的材料，诚然是天大的呆子！

你不要以为呆子是哲人，固然伟大的耶稣与但丁俱是有名的

---

1 “Browning”底本作“Bowning”，当作“Browning”。按，此处当指诗人雪莱（Percy Bysshe Shelley）和布朗宁夫人（Elizabeth Barrett Browning）。

呆子。或者你心中想出，假若我做一次呆子与这coquettish[1]的女人一同Elope，即便是被弃了，这样深刻失恋之苦必能把我逼成如Dowson[2]一般的诗人。然而文伟，现在我确实地被弃了！诗未作成，酒反喝的不少，由那些淫妇窝中半夜踽踽归来，仰视天上凄寂的星辰，反问自己适才为何那样狂暴的兽性的搂抱摸索，凄凉与苦闷催出我心中的热泪，独自在苍茫的田野里呜咽着，哲人般的呆子是如此么？

心花已经枯槁了，我的思想记忆也日渐衰颓，大脑总昏沉得发痛，假前优美的幻想早埋入坟中，现在只有空虚落寞占领着死闷寂寥的空庭。文伟，腹内的苦情道出则心痛，若让它腐败在久死的心室里，又感觉说不出的凄闷。在秋风中乱转的黄叶，终要留下它漂泊的痕迹，唉，让它留迹罢！

人类是这样险恶，床头金尽，村中放牛的牧童们也对我放出凶狠的目光，因为那辆鲜明宽阔的汽车已不在村中土道牛吼了。夜半归来，我踉跄地在人力车中颠扑着，颠扑不到几天，梅的叔父竟实行他保护者的责任，函告我自重自己的地位同她的名誉，事后始终没能与梅谈论。诚然，都因为汽车的威风丧失了。

事实不是如此简单，我仍然做我的呆子！日日远离她的大门前瞭望着，只是人影渺无。不过在那一夜，我却睹见着她。

---

1 “Coquettish”底本作“Goquttish”，当作“Coquettish”。

2 “Dowson”底本作“Dowon”，当作“Dowson”。按，根据后文引用的诗句，此处当指诗人道森（Ernest Dowson）。

在帝国影院屋顶跳舞场中，谐声流亮的音乐奏舞起，一双一双紧抱着惨白的男女。凄乱的舞步急随着悠谐的鼓拍，红绿的酒色，淡紫的烟氛，在惨青白亮的灯光下，何处不化成梅的飘逸的旧影。然而从迷乱的男女丛中姗姗地走来的不是她么，啊，她是这样带神秘性的女子。不过文伟，她打招呼了，在她身旁也同我行礼了。

“夏先生，好久不见呀！”她点头闪过。

“啊，mister[1]夏，真是久违的很。”野村重三郎发出他鹭鸶叫般的笑声。

眼前一阵乌黑，我突扑在桌上，醒来只有邻座男女的调笑声在我耳旁萦绕。

翌日，我收到她一封短信，她说她叔父与野村重三郎怎样压迫她，怎样干涉她行动！说叔父耳皮软，若能塞死野村重三郎的野心便能“恢复昔日的美快的生活”。现在她进行此事，望我忍耐地等她，并且望我恕她昨夜对我的落寞。文伟，你说我信她么？

只解欢娱的女子哟：怎么眼光如□[2]火般地狭小。假若你是为你日本的爱人，这有K大学教授名目的朋友也值得如此留恋？——梅璇，即以前月下的谈心是你一片谎语，现在只要你在我面前求恕，那么，因为你仍为惧怕触发我高傲的狂情而编集些悦耳的言语，我恕宥你了。即说你自己是富贵中人，不甘于清贫

---

1 “mister”底本作“misder”，当作“mister”。

2 底本不清。

的恋爱生活，那么，因为女子多爱名利的，我也恕宥你了，说我穷酸么？我回家变卖些财产，也足供给你开销一时。说我卑贱么？那么，今后我捐弃这“吃不饱，喝不足的教书生涯”，每日在漆黑的社会中钻营，将来弄几个督军几个总长的官职，想你的荣欲也能满足了。唉，只要你等待我，总有一天你知夏震为何如人。他给你钻石？我给你镭（Radium）珠。他不是日本野村公爵的长子？我要作世界的伟人。唉，梅呀！

You would have understood me, had you waited;

I could have loved you, dear! as well as he。(Dowson[1]'s Poem)

文伟，我常是这样思念，每日希望她的短札是出于真诚，冀望一日门外有她的足音，然而三星期前在街上，我又遇见她，她同那位日本绅士由金店走出，竟昂然迈入那轿式的汽车里。——事已至此，夫复何言！我的心身日益萧索。长日昏噩噩地，饮酒凄闷，到荡妇窝里，胡闹也是凄闷；终日觉得空虚落寞，不知怎样是好。

真的，我被旧情萦绕得怠倦了，心怀只感到寂寥。我不复以我为夏震，以前甜美的生活几乎完全忘记了。——不过在苍凉的夜半，月儿照在窗前。微风吹到的钟声，常常把我呼到那小溪旁边。在那里我忆起她笑眯眯的嫩面曾偎倚在我的胸旁，在她甜沁的小口中曾经又羞又慌地吐出，我爱你三字。远望黑魆魆的天

1 “Dowson”底本作“Dowon”，当作“Dowson”。

际，似满身光华的她向我飞来，看，一个流星！这个神秘的印象也化为无形。再听远处荒凉的犬吠声，满地的青草也应答着发出似闷似悲沙沙的感慨。

秋风逐渐萧飒了，母亲两次寄来的路费，俱为那些荡妇抢去作酒资。近来无日不梦见母亲，也无日不饮酒，终日无勇气回家，因为还有几架旧书同些过时的洋服可换钱能在此地逗留几日呢。昨夜大醉，酒酣耳热之际，拿笔乱涂一阵。醒来不知写的是什么，现抄下给你看。

朋友，举起这只满筛的酒杯，

让我们开怀痛饮；

人类本是残酷无知的蠢物，

何必如此拘谨！

且开怀畅饮呀，

听我痛诉忿激的狂情：

我原是伶仃的独人，余父早死。

吾母本无他儿，惟赖孤子是存。

儿病，母哭；

儿肥，母喜。

如今母瘦儿已壮，朝朝倚闾望儿归！

——唉，朋友！

因为那Coquettish的女人哟，我始将母爱忘记；

因为她有一对深黑的眸子，吾母才为我抛弃。

彼时老母望儿儿不归，滢滢珠泪如水流。

然而滴不断，

如丝的春愁！

不过朋友，你莫心惊：

人间本无同情，何处见爱诚？

昨夕她把头儿贴在我底心窝，

今晨却与他男行！

——日暮凄风摇我裾，唉，孤零！

西风紧，雁南归，梦里老母望儿回：

儿不归，

何处飞？

寒衣热泪垂！

朋友，便是我重返故乡啊，

怎处此凄闷的心伤！

便是再得一番喜悦啊，

依然是我故样！

岂不知，朝朝老母念儿涕，

——争奈此番心灰呀，如烟氛的凄迷！

切莫悲哀呀，朋友放下你的幽凄的弦琴！
再斟一杯热酒呀，朋友浇浇我们的愁心！
人类本是残酷无知的蠢物，
你我何必如此拘谨。
今朝有酒今朝醉，莫提明日呀，
——心凄紧！

寒渗的雨意透进窗棂。冷风细细把一丝丝酒意吹得毫无。窗外的檐漏点点滴滴，窗内只有摇曳的孤灯闪闪地照着我；想潇潇秋雨早已滴尽了。我忆起宋人周邦彦一首妙词，恰是如此的孤凄。

“秋阴时作，渐向暝，变一院凄冷。伫听寒声，云深无雁影。更深人去寂静，但照壁孤灯相映，酒已都醒，如何消夜永?”

啊，文伟，再见吧！

震上，旧八月二日

凄惶的中秋在失意的期望中淡淡地过去，梅的消息更是渺茫了。近几日虽有小谢时谈几句幽默（Humor），然而烦乱的夏震毫未引起往日的兴会，惟日日凝望黯灰秋云里一群一群南飞的大雁。他的教授生活，已不能继续下去，大概有些学生不满于他近来的行为吧。在晚秋的薄暮里，窗纸为风吹得呼呼作声。室中气象逐渐阴暗，夏震的面目也灰黑无光。小谢在对面的沙发上枯坐着，他们各寂然不语。

“老夏，我到底不信，梅璇不是这样人！”小谢蓦地又问这句。

“信也如此，不信也是如此。事实是这样：自从我接着那封短信，以后一个多月就没有得到她的消息。”

“必定有些变故！ Miss梅不是一个无感情，无眼光，无作为的女子。”小谢复坚决地肯定着，只是夏震仍迟钝地移他无神的眸子呆凝书架上的绿花瓶。

“原是的，一个有法国血的女人怎能明了她中华祖国男子的心。况且看护妇本是为医生预备的。唉，我总是这样小说化，思想行为总和现实背谬着，所以——不提了，小谢。我被这种无聊的事情闹得一天比一天地昏倦，我的精神再不能这样无代价的牺牲了！现在我才确切地见着母亲，我的心灵渐渐地安静。昨夜我又梦见我的姆妈，仿佛已晓得儿子的遭遇，她抱着我哭，我投在她的怀内大嚎，醒来还是孤孤凄凄的自己。小谢，人总有一天要回家的哟！凄凉的B地确实不可久留了”。夏震低头凄闷地哀诉着。

小谢不愿引起他满怀忧思，又高谈他一串一串的历史上的轶事，只是夏震又注视帘外成团的黄叶纷飞在灰黄的地上。

夏震明晚就要南还了，小谢依然不见。在前三天的下午与他略谈一时，自后便到学校里也未见着他。凄迷的夏震并不感觉如何失望，爽爽快快地一人上船反觉无牵挂些。他把几架书籍送至拍卖行，几件破衣服也舍给附近的苦孩子们，船票也买了，一人在灰雾迷漫的薄暮中由轮船公司踽踽地走回。不似秋风了。垂死的枯枝为风摇得啦啦作响，偶有一二老鸦在枯枝上幽栖，吱呀一声向天边飞去。再远便是那久居的村庄，然而也为暮霭所掩埋。他的鼻尖被风吹得酸痛，耳轮已是麻木无觉。内心的闷苦如海涛般地涌起，只望流下无尽的愁泪，得着一番恸后的快感。然而满眶的眼泪摇摇不欲下，心中的凄凉更无限地增加，这一年来所蒙受的揶揄与欺骗，益发在脑中旋转了。

“小谢，这里！”夏震望见文伟在板桥上向村里走。

“啊，我正要见你呢！”小谢回身走来。

“事情如何？”他握着夏震冰冷的手。

“明晚走，房子已经退了，船舱也看妥了”。夏震无力地说。

“房间多少号？”

“九号。”

小谢索夏震一张名片，把船名码头，舱号俱写在上面，告罪一声，匆匆地又走了。

“啊，他也是如此么？”然而小谢当夜复到他的孤冷的室中，带来一篮热腾腾的鸡蛋，说给夏震在船上过早吃的。他们俩谈笑一阵，久又凄然。窗外尖风仍摇击这垂死的树枝，夏震低声唱出一曲名*Someday-I'll make you love me*的美国恋歌。小谢也讲一段极缠绵的Romance，这件故事，似在什么地方听见过的：是叙述一个强毅的孤女，她与一个青年互相爱慕。后为她的伯父侦知，命她与一个贵族订婚。她踌躇了：遵从老人的命令呢，还是逃走呢？这样日自寻思又不敢详告她的爱人。于是佯与那青年决绝，只求多给时日与这贵族交友。她无日不与这恶魔来往，也无日不在窥伺。至后终为侦知，这奸狡的骗子原已有妇了。她将他的恶行函告他的妇人，这贵族终狼狈归行。小谢说得如此生动，讲到这孤女中夜怎样徘徊着筹思，每次遇见她的爱人怎样犹豫地不顾，夏震的目光竟为之凝滞了。

离开船只有六小时了！夏震犹在村中酒店里独酌，小谢从这湿冷的土室把他喊出，他始醺醺地同向码头启行。

彤云迷漫着天空，仰望已无一点星光。冷气中红热的面颊偶尔觉出冰冷的雪水落在上面，大概正在雨霰吧。夏震在洋车上昏沉地觉着一阵颠扑，一条灰暗的街灯，忽然满目辉煌的灯光，汽车在灰地上的闪影喧嚣，车轮辗地的响声。他默想“引人思幽B地哟，大概我便这样别离你了！”

舱里空气果然温暖些。一进九号的房间内，由汽管蒸发出的热气使红冷的耳轮，渐渐热烧得有些辣辣的痛意。电灯强烈的闪耀着，如鹅绒的地毯，似乎也返射出它鲜艳的光色。夏震的行李俱收拾停当了，对面的床位也铺上雪白的床单。淡青绣花的厚枕，细巧的梳妆盒，粉红粉扑俱整理在一堆。

“怎么，这是女人的床铺！——不对，昨天我亲眼看见是一个姓马的住。”夏震要出门向船员交涉。

“不要着急，这是我办的。事前因忙没告诉你：这是我的学生的，她也要到H地，所以托你途中多多招呼她。”小谢不在意地阻拦着他。

夏震悸住了。怎么，又要同一个女学生住在一起！

“文伟，这不像话！房里就是这两个床，我同她一齐要住七天七夜，里面有许多不方便。”

“这有什么关系！一点不要紧！我即刻带她来，回来便给你介绍。”小谢径自微笑着走了。

房中突然寂静，夏震又不知怎样是好，兀自一人在狭小的空间来复地彳亍。微视紫花白边的棉被，那梅桂紫色的长细的手套，嗅着从那白洁的绒枕发出的清香，不可言传的一种奇惧与凄闷的情绪占有在他的心腔。酒气渐往上冲，往事又涌在心头。然而如今，终与B地离别了，还有怎样地留恋与牵挂！他想哭，又落不下泪；欲笑，又无乐意：只枯立窗前遥望黑暗的岸上一群一群运货苦工提着灯笼在泥水中喧嚣。无聊中他斗忆起薄命的词人柳永，他的《雨霖铃》[1]的都门别词当然也浮泛在夏震的脑海里。

“……都门帐饮无绪，留恋处，兰舟催发。……念去去，千里烟波，暮霭沉沉楚天阔。多情自古伤离别，更那堪，冷落清秋[2]节！今宵酒醒何处？杨柳岸，晓风残月。……”他有一声无一声地闷吟。念到，“今宵酒醒何处？”他想明晨酒醒的时候，怕不是这样凄迷的，“杨柳岸，晓风残月”，或者正在苍茫无涯的大海中漂行呢！

邻舱送行的人俱已陆续下船，小谢与他的学生仍然不见。他走到甲板上，望霰雨霏微的B地，灯火凄凄，复回至房中独坐。汽笛怪吼了，起锚声，铁索碰击，水手喧呼，船便在这杂乱的嚣声中渐行。他望岸上矗立黑怪物似的高楼逐渐模糊，他多半是独自如此凄凉离开B地吧。

不，夏震听见门外甬道细碎的足音，渐移到他的门前。门开了，走进一位女子，她与夏震娴雅地微笑着，极镇静地脱下她的大衣露出一身梅桂紫色的衣裙。她的面颊有一对桃红的酒靥，高秀的鼻梁，细瘦的身材，一双流动的黑眸，这不是梅的姿态？——不，梅不似这样瘦，眼光也比她活泼些。梅、震半倚床，只让这空气奇讶地颤荡着。

---

1 “《雨霖铃》”底本作“《寄雨霖铃》”，当作“《雨霖铃》”。

2 “清秋”底本作“清楚”，当作“清秋”。

“震哥，你怎么不来接我?”她凄切地说。

“梅璇，是你！你到我这里来?”夏震狂热地高呼着。

“我就要住在这里!”她微笑。

“啊，对不住Miss梅。这是谢先生的学生的。”他骤地想报复。

“震哥，我想不到，你不应当这样对待我——难道文伟还没有告诉你么?”梅呆凝一时才期期地道出。

“他说什么?”

“昨晚他把你的名片给我，他说夜里必把这件事的原委告你，使你安心。暑假中在街上遇见你，我从金店的窗中看见你低着惨白的瘦脸在街道上散步，当时我以为你走过去，谁知你走得这样慢，出门又恰巧碰在一处。当着那个恶魔，我只好不顾。我看见你的面色气得发青，我知道你痛苦极了。以后三次望见你，我总是避过去。谁知就是同文伟筹划了许久，你还是不能谅——谅——谅解我!”她凄惶地哽咽了。

夏震疑在梦中，他恍悟昨夕小谢讲的romance。

“原是这样？——那位野村先生呢?”

“三天前，他为他的夫人带回国去了。”

“那么，叔父[1]呢?”他想握梅的纤小的手。

“他今天晚上回D地，我将从车站送他回来。”

“璇妹，我望你……”夏震愧悔得无勇气吐出，梅知他又怫郁，含泪微笑说：

---

1 “叔父”底本作“叔文”，当作“叔父”。

“震哥，昨晚小谢告我他要送给你一件庄美的礼物，你放在哪里？”夏震指着那彩色玲珑的竹篮。

梅启开那只篮儿，满盛着一对一对彩色的鸡蛋在灯光下灿烂，她露出一对爱人的笑涡。这时夏震闷坐床上，望窗外烟水迷茫，神经刺激过烈，觉苍白的荡妇又调笑在他耳旁，似又听见狂放的酒友欢叫，母亲向他招手，他又念到适才室中凄吟的寂苦。然而现在，数月苦痛的重载复归空虚，如此懊恼，如此伤悲，到底怎样呢？他心漠然了，房中又震荡出他的凄音：

“多情自古伤离别，更那堪，冷落清秋节！今宵酒醒何处？”

梅看他的眼泪黯然堕下，急坐在他的身旁抚慰这凄凉的人儿：

“不要难受，我可怜的小哥哥，你就醒在爱你的怀内吧！”

夏震凄然痴视她瘦小的面盘。

曹禺脱稿于津门

房东太太

“彼时”，克佛尼乔治说：“我在圣柏利路一所整洁的客舍里寄居。我父母决定叫我到巴黎学法律的时候，就为许多零碎的事商量许久，起初许给我二千五百佛郎的费用，但我的母亲和父亲讲，主张为我找一处安适的宿所，钱便按月交给房主。伊的意思恐怕我乱用钱吃不着好的把身体弄坏了。

“我从来没离开桂蒲，在那年纪，我只想取所欲得，所以处处全计划着怎样过快活日子。

“恰巧我们的邻居说有一位马丹克郭兰，布旦地人，伊在巴黎包宿舍。于是我父亲便和这位高贵的太太办交涉，我就在一天晚上搬到伊那里。

“马丹克郭兰约有四十岁，生得特肥，喊出一口教练官的大嗓门，断事也极其刚果。伊的房屋极狭窄，每层楼只有一扇窗户是对街市开

【题注】载1927年6月12日《国闻周报》第4卷第22期，署“莫泊桑原著，曹禺重译”。

的。由下向上看，一些窗户直像个梯子，而那座窄楼，又像夹在面包里的一片肉，活塞在两所楼的中间。

“这位女房主同伊的仆人住在下层；厨房和饭厅在第二层，第三第四全住的是从布旦地来的那四位学生，我就在第五层楼自己单占了两间房子。

“一条暗郁的小螺旋梯子直引到顶楼，一天到晚马丹克郭兰像个海上船长似的在那梯子上跑上跑下。每个房间一天总得走十遍，伊什么全察看过，床铺好了没有，衣服刷干净不，待遇如常不，真闹得乌烟瘴气。——要之，伊待我们可以称得是个母亲，也许比母亲还好些。

“不久我同这四位同伴认识了。他们中间，两个学医，两个学法，但是全甘心在女房主专制的束缚下忍受着。他们因怕伊，像在果园偷过果子的孩子见着一个粗暴的警士在后面一样。

“然而我素来好反抗，我是要独行的。因为马丹克郭兰规定夜间至迟十二点必回，我立刻同伊讲，我在什么时候全可以回寓。听过这话，伊向我看一时再说：

‘这是决不可能的，我不能半夜里叫安尼开门。再说，这么晚的时候，外面也没有你的事。’

“我正颜厉色地答复伊，按照法律无论何时，伊是必须为我开门的。

“‘假若你不许我，’我说，‘我就叫个警察来评评理；那么，我自己在外面住旅馆，你却应为我付账，这段官司我总可以操胜算的。所以你或者给我开门，要不然，请我走，这都随尊便。’

“同伊讲理的时候，我笑嘻嘻地望着伊。伊一时悸住开不得口，过一时才同我慢慢通融；我固执不肯，伊也只好退步。我们就这样定下：我自己可以有把钥匙，不叫伊开门，不过这件事是绝对不许旁人晓得的。

“这一次给伊一个很清楚的印象，以后伊待我极其亲善，也极殷勤，甚至于对我常表示出那种粗暴里的和柔，看来，也不见得无味的，痛快的时候，我便蓦地给伊一吻。我早料到伊要立刻在我耳上回一掌的，便飞快地把头低下，伊的手如圆球一般在我头上滚过。我笑呵呵地向前跑，伊在后面紧追着。

‘哦你这恶贼，我得还你一掌！’

“然而，这样，我们反成真朋友了。

“不久我认识一个在店里做事的女孩子，以先我就时常遇见伊。啊，你总知道在巴黎恋爱是怎么一回事：天气好，你预备听讲去，在路上遇见一个女郎同伊的朋友抱臂步行。伊们是预备上工去的。你看见伊觉出有一种从妇人眼中射出来的那样，美适而轻微的感触。由偶遇突引起来体质上的诱动，遇见那种生来讨人喜欢为人爱的女人后所导引出来的蛊惑，这种种在生命里全是一件使人心魂颠倒事情哟。无论伊已为人爱，或者还没有爱过全没有关系，伊的天性总要回答一个人求爱的愿望的。头一次你只觌视伊的面孔，伊的头发，伊的笑容，那种迷荡便深深在你身上刺起一种甜美的愉快。你的心里迷漫着喜悦和温和的感触，道不出的那种迷魂的力量使你向个素不相识的女人面前走去；似乎伊那里有些请求须你答复，有种引力使你前行，似乎你久已知道伊，早已见过伊，并且晓得伊现时正在想什么呢。第二天，还是那时，又在这条街上遇见伊。接着又一个第二天，一直下去，终而你说话。于是恋爱便如一场恶病顺着路程进行。

“好，三星期到头我同爱玛的交情也差不多了。的确，若是我早能找好地方，那种交情总可以期早告成。无奈这女孩子住在家里，伊又绝对不肯同我住旅馆。这叫我不知怎样办好，然而到底我打定主意，到夜间十一点钟请伊到我房里来，说在我这里喝茶。马丹克郭兰十点钟上床，那么不惊动他们，轻轻用那把钥匙开门进去，到一两点钟再照样送伊下去，就成了。

“我费了许多口舌，爱玛答应了我的话。

“那一天我过的一点不舒服，的确，心里真不爽快。我怕临时慌乱，闹出笑话，又幻想出一种不妙的结局，种种的丑事我全顾虑到了。到夜晚，跑到酒店里灌进两杯咖啡同三四杯白兰地壮壮胆。听钟敲十下半，我蹒跚地走到我们约会的地方。啊，伊早等着我了！伊夹着我的胳臂，一直向我献媚。我们便向我的旅舍走去，咳，愈离门近，我愈觉胆怯。我自己想：‘假若马丹克郭兰已经睡在床上’就好了。

“我嘱咐爱玛两三遍：

“‘最要紧的在楼梯上不要出声音。’对这句话伊却笑着问我：

‘你怕人听见么？’

“‘不，不，’我说，‘我怕把睡在我隔壁的人惊醒，你知道人家有些不舒服呢。’

“走进这所房子我怯得像个牙痛的人到牙医那里去一样。窗户全是暗黑的，当然他们必定睡着了。我才放出一口气来，贼一般的小心开门让我那小伴儿进去。随手关上门，提起脚尖沉着气息上楼，又怕走错步，只好把蜡火柴点着引伊走。

“正过女房主的门前，我心跳得奇快，但是我们走到二层楼，接着到第三层，终于到了第五层，进到我的房子里面。啊，得胜了！

“然而我只敢低声说话，为减低声音起见，又把鞋也脱下去。放在酒精灯上的茶也喝过了，我逐渐迫切，一点一点如同做贼似的我把我小伴的衣服剥去。伊步步退让，但仍拒抗着，面灼得红红的，伊昏乱了。

“除了一件里裙外，伊身上什么也没穿，蓦地门开了，马丹克郭兰拿着一支蜡烛走进来，穿的一身亵衣，与爱玛穿的没有丝毫不同。

“我跳起离开伊，远远呆站着，凝视这两个互相观望的女人。咳，以后还要闹成什么地步呢？

“我的女房主用着素未听过的低严的喉咙同我讲：

‘麦歇克佛林，这里是不欢迎娼妇的。’

“‘但是，马丹克郭兰，’我的舌尖也弹了，‘这位小姐是我的朋友，伊不过是到我这里喝杯茶。’

“‘没见过人们在自己的寝室里请人喝茶的，你最好痛痛快快送这个人走。’

“爱玛当然是晕乱了，把脸藏在围裙里痛哭起来。于是我也慌得不堪，真不知做什么好，说什么好，女房主尊严地命令我：

‘帮着伊穿好衣服，立刻送伊出去！’

“没法子，只能这样办。伊的衣服丢在地上，像走了气的气球，我一一拾起，为伊放在头上，用心系好。伊一面哭着，一面穿，只顾忙，弄出一些错：扣眼同系带也找不着了。这时，马丹克郭兰站着巍巍然，手里举着蜡，像个判官似的看着我们。

“爱玛急忙忙的随便穿上衣服，伊只想逃走，结纽，穿带，系衣服，弄得飞快，鞋上扣子还没系，就飞也似的冲过女房主的面前跑下楼。我的衣服已脱去一半，拖着拖鞋跟伊后面走，一直反复地叫：‘小姐，小姐！’

“我觉得应当对伊说几句话，然而一句话也寻不出，我跑到了大门，才追上了伊。我想抱着伊安慰下，谁知伊把我强力地推开，战战地说：

‘放了我罢！放了我罢！’伊把身后的门关上，跑到街上走了。

“正要上楼，我才看见马丹克郭兰正等候着呢。我轻轻走上去，知道还有事情，我也预备好了。

“门开了，伊叫我进去，严重地问我说：

‘麦歇克佛林我有句话同你讲。’

“我低头进去，伊把蜡烛放在炉架上，手叉着手盖着从那白细的短衫露出来的肥满的胸膛。伊说：

‘那么麦歇克佛林[1]你大概以为我这所房子是不干净的？’

“我的气态一点不能够昂狂了，我低声说：

‘哦，那不，……但是马丹克郭兰，你不要着急，你总知道，青年人是怎么一回事。’

“‘我知道，’伊答复我，‘我知道，我的房子不许这种东西进来的。这点意思你也明白罢。这房子的名誉要紧，我希望它叫人看得起，不

1 “麦歇克佛林”底本作“麦歇克福林”，依前后文当作“麦歇克佛林”。

希望它的名声丢失了。这个你也明白我的意思么？我知道，……’

“这样那样伊絮絮叨叨地说了至少有二十分钟，说一大堆伊房舍的好名声伊暴怒的理由，并且申斥我一些子事。

“男人真是奇怪的动物。没有聆听伊的话，我反而不停眼的看伊。我没听见伊说的一个字，真的！伊说的我一个字都没听见，只看到伊那绝妙的胸膛，丰硕，又白，又大，或者许过于壮满些，但是的确能够引人从脊骨底下生出一种颤动。真想不到，女房主毛织衣服下面，有这样迷人的东西。脱却衣服，伊简直年少十年。我渐渐自己觉得怪特，……我说，……动心了？蓦地我看出我自己又把伊先在我房里搅乱了有十分钟的那种情丝又拨动了。

“在伊后面，那壁龛子里，我瞧见伊的床被单搭滚下来，曲扭成些细褶，那里面现出一片为伊身体压过后的凹处。我总想那个地方必定很有趣，也温软，必定比别处温适得多，当然，这俱因那里蓄藏着迷人的荡媚罢了！

“什么比一个没有铺好的床铺还迷人，还动人呢？甚至远远地，它也能使我醉了一般令我的肉全震动了！

“伊还在讲理，不过现在和缓些，像一个粗野但是懂事的朋友，还想同我和好做朋友呢。

“‘马丹克郭兰，’我战战地说，‘我……我……’伊止住听我话的时候，我便一手抱着伊同伊接吻，简直是饿了许久的人，恨不得一口吞了伊。

“伊挣扎地把头转过来，但是不像是真发气，只反复地机械一般，像平常伊骂我一般：‘这个野兽，……这个野兽……这个野……’

“这个字没有说完，我便把伊举起来。诚然，在某种情形下，一个人常有一副可惊的力气。

“我蹒跚地走到床边，落在上边，我还抱着伊呢！……啊，伊的床真有趣，真温适。

“一小时后，蜡灼熄了，女房主起来再点一支。当伊走回来，拖到我身旁的时候，伊那巨圆的大腿压在被单上。伊谄媚似的，满足似的，又像感激似的吐出一种声音：‘啊，这野兽！……这野兽！……’”

一个独身者的零零碎碎

我的太太是个玲珑有趣的女人。平生我最怕没有结婚的女子，伊呢，当然是个有丈夫的。我常想，待嫁的女人总有人尽可做伊的"亲人"的可能，而另一面讲，真放在伊心上的没有一个，讨了这种女子做老婆直是受罪。老实说，不管什么道德不道德，我不愿意结婚，我不愿一生讲恋爱，把它当作自己的职业似的。我厌恶这一类话，这是我的缺点，我自己承认的。

一个单身汉最写意的事情莫若弄一位有丈夫的女人做自己的太太，伊会替你收拾一处舒服、快适的家庭。虽然，在那个地方，从底下人起一直到伊的丈夫，全要监守着你，预备破坏你，却里面的空气依然是舒畅的。什么快活事会由那里紧紧地联拢一起，情爱，友谊，甚至为父亲的情致，以及那张床，那吃饭的桌子，都紧紧打成一团。这还不说，里面又有种种移居的方便，随时全可以搬家：夏天，就在乡下找一个工人的家庭租一间房子，住上几个月；到了冬天呢，就搬

【题注】载1928年2月26日《国闻周报》第5卷第7期，署"法国莫泊桑著，曹禺译"。

到城里中等的人家住，就是你对自己还觉得不过意，搬到贵族的人家住也未尝不可。

我还有一个缺点：我爱这些太太们的丈夫，不过我也承认，有些庸俗粗野的汉子的确使我厌恶，因是，他们的夫人再标致些，我也不愿意招呼。反之，若伊的丈夫是个玑玲而且漂亮的人物，不知怎样，我发狂似地同他们全生起爱情。然而，我是谨慎的，宁可同太太决裂不肯同老爷翻脸，所以我的朋友还不少。我常想，男人是比女人高超些，这话不是毫无根据：一个女人会使性子，发脾气，同你吵吵闹闹，骂你，责备你，做出种种使你难过；却是男子既做了丈夫，虽然有资格来和你噜噜苏苏地诉苦，但是他仍然待你，把你当作一位天使降在他的家庭里面似的。

我的太太是个玲珑而有趣的女人，皮肤微黑，脑筋敏锐，事事打不定主意，而又迷信，婆婆妈妈地像个和尚似的；但是，惟其这样，处处更显着娇媚。伊还有一桩出人头地的本事，伊自己另有一种接吻法，别的女人决学不到伊这步田地，这个地方不合适描写这些事，我不说了。啊！那样柔嫩的皮肤啊！我一抚摸伊的手便感觉出无限的美快。啊！那一对眼睛……伊的眼波含蓄无限缠绵的怜爱，向你缓缓地灌注。我常是把头横放在伊的软膝上，我们默默停在一地，这时伊俯首来看我，露出一种女人共有的，晕默，昏乱，猜不透的巧笑；我向上举目默视伊，伊眼波里淌出来的情流，恰如美酒，缓缓地甜蜜蜜地流进我的心窝里。啊！蓝而发亮的眼睛凝视你，真是清亮像蓄满一腔子爱情，蓝得如一场欣然的天空。

伊的丈夫是个衙门里的差官，每晚常出去。不用说，我们一齐的时间随意多了。我常在伊家里消磨夜晚，斜躺在长平的沙发上；伊坐在我头前，一只腿承放着我的头，那只腿放着伊心爱的猫儿，一个又黑又大，名叫“密司梯”的猫儿。我们的手全在那猫粗壮的颈上抚摩着，互相在它细软如丝的皮毛中轻轻摸弄，我觉出那猫的肚皮在我腰上搓擦，不断地发出咪咪的叫声。有时一只蹄掌抓着我的嘴唇，时而将五个利刃似的爪子放在我的眼皮上，爪尖刺痛我的眼睛，我立即闭上我的眼皮。

我们不断地在外面寻快活，我们叫作“逃奔”，却是，认真的讲，这种字眼不含一丝污秽的意味。不过是在外面旅馆吃一顿饭，或者用过饭以后，走到下等酒店去散心，就像学生喝酒，尝尝新鲜味罢了。

我们走进最下等的买酒处，在那烟气沉沉的屋子的尽头坐下，在一张旧木桌子旁，一些斜倾的旧椅上坐下。一种辣鼻子的烟气，夹着油煎鱼的气味，喷满一屋子；穿宽大长衣的工人喧哗地乱谈，喝白兰地。这时，侍者惊讶地看着我们，把白兰地酒浸透的樱桃端进来。

伊微微震战着，一面感觉兴趣，一面觉得有些恐慌。伊把折成两层的黑覆面纱，抬到鼻尖为止，心中藏满了故意犯罪的喜悦，一口一口地呷酒。每一粒樱桃使伊觉得一桩罪过已经做就，每一口糙酒进了喉咙使伊感触闷在心里的喜欢。

以后伊低声向我说：“我们走罢。”我们就离开这里，伊疾忙忙地走伊细碎步儿，从那些酒客里走过，个个人全狠狠地看着伊。一直慌慌张张走到街上，伊才深深叹出一口气，像从一个危险的地方逃出来似的。

有时伊打一个寒噤向我："假若在[1]那种地方，我被人家欺负了，你怎么办呢？"我做出一种满不在意的神气同伊讲："哼，保护你，打那家伙！"啊，伊喜欢极了，把我的臂膊压得紧紧地；或者渺茫地希望着有一天伊被人欺负，被人保护，瞧瞧就是这些下等人也为着伊同我争斗。

有一天晚上，我们在茫特酒店找一张桌子坐下，看见一位褴褛的老太太拿着一束油渍了的纸牌走进门。瞧见一位女太太在这里，伊立刻走到我们这里来，预备同我这伴儿占个吉凶。依玛没有一件不相信的事，伊自己又是欣喜又是不安，把那位丑婆子让在伊身边坐。

这位暴筋突露的老妇人生着一张无牙的凹嘴，一团粗糙的黑肉在伊眼边围绕着。伊在桌上排列黑污的纸牌，口里嘟嘟听不明白的语词。伊把牌整成一堆，又拿起来，这才把牌慢慢排成行。这时依玛为着好奇，困闷地喘息着，伊的脸发白，静听，只不住地急促呼吸。

神婆子说话了，预言一堆含糊的字眼：快乐和儿女，一位秀美的男子，一次旅行，金钱，一套犯人穿的衣服，一位穿黑衣服的先生，一位朋友回了家，一位成功，死亡。啊！死亡！谁死？什么时候死！怎么一回子事？这两个字把我的小伴儿吓得悸住了。

"要谈详细，"这个老婆讲，"这副牌还不硬足，讲不成。你明天到我那里再见我，我用咖啡粒点占给你看，再没有比那个千灵万应的。"

依玛回头对我做出愁郁的神气。

---

1 "在"底本作"这"，当作"在"。

“明天我们去，可以吧？哦，还是听伊的话，我们去吧。这件事要是解不开，我不知多么不好过。”

我不觉笑了。

“亲爱的，依你的意思。你要去，我一定陪你的。”

这老妇把伊的地址给我。

伊住在布萧街后一所第六层楼上，第二天，我们就访伊。

伊的房子是个小顶楼，有两张靠椅同一张床，除了这两种陈设外，这屋子尽是些稀奇东西——墙上钉着一挂一挂的水草，还有些晒干的动物，瓶子罐儿的装了些种种颜色的水液。在桌上坐着一个肥圆的黑猫，瞪着像玻璃似的眼睛望着我们。

依玛刺激得发晕，伊立刻坐下说：

“啊，你看那只猫不同我们的密司梯一样么？”

于是伊告诉这老婆伊也有这样一只猫；啊，像极了，一丝不差。

“要是你爱着一个男人，”这老婆严肃地说，“你[1]最好不要他。”

“为什么！”依玛又吓住了。

这老婆坐在伊身旁，很亲热地抚握伊的手。

“这是我一生的悲痛！”伊说。

我的伴儿心又热了，逼着这老婆讲给伊听，问伊，想出法子劝伊讲。伊们全是迷信耳朵软的人，所以立刻成了好朋友。至终，这个占卜的女人决定诉告这个缘由。

“我爱这个猫，”她讲，“像我自己的兄弟一样。那时我还小又孤

1 “你”底本作“係”，当作“你”。

孤单单的一个人自己做做针线，摩登——就是它——可以说是我唯一的所有物了。它是一个同住的送给我的，像小孩子一样通灵性又老实。太太，它简直崇拜我，拜神也不能像它对我那样子。一天到晚，它在我膝上打滚，咪咪地叫。夜晚就睡在我枕头旁边，我觉得它的心在我身旁跳，我的确听得见的。

“唉！谁知我认识了一个布铺的学徒，唉！这个冤家，我们认识了三个月，我一件事也没允许过他，但是您晓得，无论是谁，总有一面忍不住先开口。我已经渐渐地爱上了他，这是免不了的，他实在好，又和气，又洒脱。他说，日子要俭省地过，还是我们住在一起罢。我真熬不过他，我到底许他一天晚上到我这里来看我。唷，我还是一个女孩子家，我并没打定主意叫他同我住在一起。真的，那我不干的呢！不过哪怕聚会一点钟，我也喜欢这个意味。

“刚一来，他倒是很文雅的。可是他絮絮叨叨说一大堆动人的话，我心里觉得有点不舒服。这时他吻了我啊！马丹，情人的吻是别有一种风味。我闭了眼睛，快活得像瘫了似的。突尔，我觉得他忽然跳起来，跟着死命地喊了一声。唉！这种喊声我一生也忘不了！我开眼一看摩登已经抓着他的脸，正在用爪子撕他的皮肤。马丹，他的血直往下流，皮就像撕开了的布搭下来，马丹。

“我几次想把那猫拉下，但是全不成，它抓得更紧，不止地在他脸上抓。它简直忘了形，连我都要咬。后来我可把它抓下来，那时天正是夏天，窗户敞着，我一把将它从窗户掷出去。

“等着我替他洗脸，我瞧见他的眼珠抓了去，两只眼睛都瞎了！

“没有法子，他只可以到医院求治。过了一年，我的冤家，就难过死了。当时，我要同他在一起，喂饭他吃，伺候他，但是他不干。自从这件事发生后，他似乎恨上我了。

“至于摩登从楼上落下，摔断了脊骨，看门的拾起它的尸首。还是我把它的皮洗好，收拾好，因为我觉得我的心还有点向着它。您想它做了这件事，不是为了爱我吗，您说，是不是?”

老太婆说，沉默起来。伊用手轻轻地抚摸那死猫的皮，像活猫似的猫皮在那铁丝做的骨骼架上颤动着。

依玛[1]的心跳着，方才预言的死亡，早已忘却了。一句话也没有说，伊给了这老太婆五个佛郎，就走出门。

第二天，伊的丈夫回家。当然我等几天见伊。

后来我再去看伊，奇怪，我没有看见密司梯，我问她那猫儿上哪儿去了?

伊红晕了脸，告诉我：

“我不要它，我不喜欢它呢!”

我更觉得奇怪：

“不喜欢！咦，不喜欢？这是怎么一回事?”

伊长长地给我接了一吻，对着我的耳朵，低声说：

“亲爱的，我替你一双眼睛担心呢!”

1 “依玛”底本作“衣玛”，依前文当作“依玛”。

诗歌

小诗两首

一　林中

晚风吹雨，点点滴滴；
正晴时，闻归雁嘹唳。
眼前黄叶复自落；
遥望，
不堪攀折，
烟柳一痕低。

二　“菊”“酒”“西风”

黄黄白白与红红，
摘取花枝共一丛。
酌酒半杯残照里，
——打头帘外舞西风！

【题注】载1926年10月31日《庸报·玄背》第13期。

四月梢·我送别一个美丽的行人

古城啊，古城，
　　这般蕴藏着怅惘
　　这般郁积着伤心
今夜凄淋的雨打着
　　摇曳的灯，
水泻的泥路上彳亍着一个
　　落寞的行人。
　　我仍然冒着冷雨
送你归去，
　　你明晨便将无踪无影。

古城啊古城，
　　苍苔盖满了颓墙，
　　土径铺润着青茵。
今夜呜呜的湿风吹着淅沥的雨，
送你飞越溪畔，又，穿过荒林。
你便这般悄悄地离开这里，

【题注】载1928年3月19日《南开双周》第1卷第1期，署名万家宝。

明朝只有睡柳号着凄音。

古城啊古城

　　日后墙外不飞袅袅柳絮，

　　日后楼头不见纸鸢轻影。

一这夜半，

　　枝头的湿花滴沥着

　　凄伤的泪，

　　便飘飘地沾埋汗泥，

　　又投入流水伴你长征。

明晨熹光斜照一堆

　　残颓的花，

　　你已无踪无影。

不久长，不久长

不久长，不久长，
乌黑的深夜隐伏，
黑矮的精灵儿恍恍，
他忽而追逐在我身后，
忽而啾啾在我身旁。
啊，爹爹，不久我将冷硬硬地
睡在衰草里哟，
我的灵儿永在
深林间和你歌唱！

不久长，不久长，
莫再弹我幽咽的琴弦，
莫再空掷我将尽的晨光。
从此我将踏着黄湿的
草径蹬蹀，
我要寻一窒深壑暗涧
作我的墓房。

【题注】载1928年3月28日《南开双周》第1卷第2期。

啊，我的心房是这样抽痛哟，

我的来日不久长！

不久长，不久长，

无星的夜里，这个精灵轻悄悄地

吹口冷气到我的耳旁：

“嘘……嘘……嘘……

来，你来，

喝，喝，……这儿乐。

——喝，喝，你们常是不定，烦忙。”

啊，此刻我的脑是这样沉重哟，

我的来日不久长！

不久长，不久长，

袅袅地，他吹我到沉死的夜邦，

我望安静的灵魂们在

水晶路上走，

我见他们眼神映现出

和蔼的灵光；

我望静默的月儿吻着

不言的鬼，

清澄的光色射在

惨白的面庞。

啊，是这样境界才使我神往哟，

我的来日不久长。

不久长，不久长，

乌黑的深夜隐伏，

黑矮的精灵儿恍恍，

他忽而追逐在我身后，

忽而啾啾在我身旁。

啊，爹爹，不久我将冷硬硬地

睡在衰草里哟，

我的灵儿永在

深林间和你歌唱！

南风曲

序歌 Prologue

朝阳溶化了湿雾弥漫，
远山映出紫绿参半。
滟滟的流波灌溉原野田禾，
温旭的日光笼射屋顶林颠。

I

这时轻飔飘荡在深林里，
　透过密密的叶隙射进条条阳辉，
树荫下茵茵的丛草托了阳光的斑点，
　阳光的斑点在丛草梢头簸荡翻飞。
　粗胖的村童斜倚草屋独坐。
一窝恶犬争着，
　舐吸撇成八字的黑腿。
他粗糙的厚手无意地玩弄墙旁的小草，

【题注】载1928年5月4日《南开双周》第1卷第4期，署名万家宝。

远瞭着林外无际的田禾，
眼神儿随着绿浪伏起来回。

啊，这林中的草香是这般迷人，
揭面露出浅笑微微。
他觉着腹内是这样饱满，
然而还似少，少了一件什么要去寻追！
怎么，满心蓄，藏着轻快与甘适，
心窍里总有些说不出的昏昧？

今朝啊，今朝的林野
是这般静默，
恰似一湾溶溶的流波。
风习习，
草沙沙，
倦了的林儿是这般静默：
真奇怪，
偏偏心儿像小鹿似的奔跃！

村童低着头沉思，

曲膝支着扶腮的臂膊。

微动的林颠，静息的云峦，

绿野是这般酣适沉默，

呆笨的村童昏昏地沉坐。

Ⅱ

南风起了，

南风吹！

南风摇动静息的密叶，

草上的闪光波澜迂回。

顽嬉的柳絮打着草儿狂奔，

草梢的银浪却追着团絮贴飞。

南风起了，

南风吹，

风儿送来一片湿土的香味。

习习，吹！

风儿是这样新鲜！
习习，吹！
沉思的村童渐渐歪首熟睡。

南风吹，
　　静静悄悄；
只有一个卧犬偶尔戏吠。
　其余的滚地跳扑，
它们时而四爪仰天，
时而挨倚这睡人儿的脚背。

南风吹，
静静悄悄，
　林鸟在绿荫里倦睡；

南风吹，
静静悄悄，
　蜻蜓儿贴着水面低飞。

南风吹，
南风吹，
吹得睡灵儿出了躯窍
吹得睡灵儿飘飘摇摇，
飘呀飘，摇呀摇，
飞过林际，
飘近溪水。

凉飔拂着粼粼的波，
轻飘的灵儿随着旋涡转徊。
轻轻地飞，
静静地飞，
轻轻地，静静地，
睡魂儿是这般迷醉！

Ⅲ

飘入阴影，
飞过阳光，

荡进一片池水灏灏，

　　石阶上，

　跪着娴静的女儿在洗捣。

柳条轻拂她纷披的长发，

　圆白的手腕在拧绞。

青茵映衬雪白的裸足，

　唇边漫歌抑扬的村调。

“啊！这娃娃是我在那里见过。”

　村童的心灵不自主地飘渺。

“这般柔媚，

这般美貌！”

他一步一停移近洗衣的石，

　惧，喜，狂，羞，噤住他的口舌悄悄。

　微弯的躯干倒映入池塘，

圆壮的肩胸留画水上。

　　波头映着一副清晰的轮廓：

波面上却找不出眼鼻的模样。

啊，微漪中模糊地，闪动着一对笑涡，

一对笑涡，是这般圆活，——啊，圆活，

真像亮滑的水泡，

恍惚在秋雨滂沱。

简柔的歌声乘风飘荡，

她低哼着迷人的村歌。

圆白的手臂重重地搓捣，

洗水滴入池塘变成纤巧的水涡。

她一捣一团淋漓的衣裳，

一捣一团淋漓的衣裳，

这便奏着歌调的节拍：

当，当！——当当！

当当！——当当！

一击一闪圆白的手膀，

当当，无定的灵魂，圆白的手膀；

当当，迷失了——梦乡，手膀……梦乡，手膀……

Ⅳ

他揉揉蒙眬的睡眼，
　抹去嘴旁的口浆。
　他是这般迷离：
闪烁的黑眼疑虑向天边遥望！

　　当，当，当当，
怎么依然留在耳旁？
　啊，当，当，当当，
　原是半山禅寺的钟响！

　　当，当唧！当！
　幻梦还是虚茫。
　　当，当唧！当！
　暗影儿终是恍恍。
　　　愁闷锁着深黑的粗眉，
　他无端地痴立呆想。

当啷，当啷，
蓦地他拿起草鞭
乱抽吠犬呼吼；
当啷，当啷，
少刻他又凝视溪水，
默默地低头。

村童似这般颠狂，
追到田野，像是时候，像是希望，
果然，南风送来一片隐约的音声
断断续续，在田野间回还：飘荡
“来啊同花来
……恍恍！
不久啊，……
残花……
……土冈！
从此永不随花去，
且停留……且停留……
让花去……

……飘飘：恍恍……

不久啊……不久啊……

……残花……土冈……

……残花……土冈……”

暮色里钟声土庙的依稀，

——啊，当啷！当啷，当，当啷！当！

啊……残花呀……土冈……残花呀……土冈……

——当，当啷，当，当，当！

赠友人

雨霁山忽近，云低柳欲昏。
池塘泛新水，稚鸟出幽林。
凉飔天际起，禾浪四野奔。
何当与子共，回首泪沾襟。

1941年

【题注】载《诗刊》1995年第5期。

张伯苓先生七十大庆

知道有个中国的，
便也知道有个南开。
　这不是吹，
　也不是嗙，
真的，天下谁人不知：
南开有位张校长？

　不用胡吹，
　不要乱讲，
一提起我们的张校长，
就仿佛提到华盛顿，
或莎士比亚那个样；
虽然他并不稀罕做几任总统，
或写几部戏剧教人鼓掌，
可是他会把成千论万的小淘气儿，
用人格的熏陶，

【题注】载1946年8月《伉俪月刊》第1年第3期，署名“老舍，曹禺”。按，花山文艺出版社《曹禺全集》第6卷收录此诗，末署“一九四六年三月九日纽约城”。

与身心的教养，

造成华盛顿或不朽的写家，

把古老的中华，

变得比英美还更棒！

在天津，他把臭水坑子，

变成天下闻名的学堂。

他不慌，

也不忙，

骑驴看小说，走着瞧吧，

不久，他把八里台的荒凉一片，

也变成学府，带着绿柳与荷塘！

看这股子劲儿！

　哼！这真是股子劲儿！

他永不悲观，

　永不绝望；

天大的困难，

他不皱眉头，

而慢条斯理的横打鼻梁!

就是这点劲儿,

教小日本儿恨上了他。

哼!小鬼儿们说:有这个老头子,

我们吃了天津萝卜也不会消化!

烧啊!毁啊!

小鬼们到处连烧带杀,

特别加劲儿祸害张校长的家!

　他的家,他的家,

只是几条板凳,几件粗布大褂;

他们烧毁的是南开大学:

学生们是他的子女,

八里台才真是他的家!

可是,他有准备!

　他才不怕!

你们把天津烧毁,

抹一抹鼻梁,

哼！咱老子还有昆明和沙坪坝！

　什么话呢：

有一天中国便有一天南开，

中国不会亡，南开也不会垮台！

沙坪坝，不久，

又变成他的家：

　也有荷塘，也有楼馆，

还有啊，红梅绿梅，

和那四时不谢之花！

人老心可不老，

真的！可请别误会：

他并不求名，也不图利，

他只深信教育青年真对！

对，就干吧！

　干吧！

说句村话：

有本事不干，

简直是装蒜！

胜利了，

他的雄心随着想像狂驰：

他要留着沙坪坝，

还须重建八里台，

另外，在东北，

在上海，

到处都设立南开！

南开越大，

中国就越强！

这并不是他个人的主张，

而是大家的信念与希望！

他不吸烟，

也不喝酒，

一辈子也不摸：

麻将和牌九。

他爱的是学生，

想念的是校友；

他的一颗永远不老的心，

只有时候想听几句郝寿臣，

可永不高兴梅博士的贵妃醉酒。

张校长！

你今年才七十，

小得很呢！

杜甫不是圣人，

所以才说“人生七十古来稀”！

我们：

　您的学生，

　和您的朋友，

都相信：您还小得很呢！

起码，还并费不了多大的劲，

您还有三四十年的好运！

您的好运也就是中国的幸福，

因为只有您不撒手南开，

中国人才能不老那么糊涂！

张校长！

今天我们祝您健康，

祝您快乐！

在您的健康快乐中，

我们好追随着，

建设起和平的幸福的新中国！

短　歌

我们向你来了，
为着你是光明，你是爱。
为着理性，我将不再迟缓，
我要认识什么叫做劳动，
　谁是人民，
什么是你的所喜欢的行为，
怎样把自己挣开，
才能走到你的身边来。

我知道你早晚会来的，
我信阳光射进了山，就会盖满了海。
你会带着多少欢乐的呼声来，
你抹着大汗，顾不得脚下的伤痕，
为着你所心爱的来。
雷似的声音，你将排山倒海地来，
漫天遍地的，你冲破了云雾，
带着阳光向着我们来。

【题注】载1949年3月6日香港《华商报》。

我知道，我知道，

我知道你就要这样兴奋地来！

人们要来迎接你，

熬过了多少年 的黑夜，

真的望见了阳光，

有谁肯等待！

人们要涌上去迎接你。

像多少青年囚一样，

我也将诚实地操作，

在丰盛的年月中，

大家都是五谷下面

　　肥沃的土块。

所有的人都会向你来了，

为着辛苦的人们。

为着自由的中国，

为着你爱的

也正是我们所爱。

一九四九，二，二七

离港之夕

前进，英雄的中国人民

我们，
　　英雄的
　中国人民，
我们掀起了
　五千年来
　　从未有过的
人民革命。
从来我们
　不知道恐惧；
困难就不曾
　压倒过我们。
　我们胜利地
摧毁了
　多少次
　　干涉革命的
　敌人。

【题注】载1950年11月19日《人民日报》。

美帝国主义
你这疯狂的狗，
有谁看见，
　　大炮飞机
　　吓倒过
这样的人民！
　有谁能阻挡，
我们要建设
　人民的
　　中国——
这山岳一样的决心！
　一次
　　一次的失败，
　　你还没有认清；
我们今天，
　要给你
最后一次的
　教训。

你诬蔑、
　欺骗、
　　恐吓，
你白费了劲；
　你的面前
　　站着
钢铁的巨人。
　猴子的把戏，
　猪一般的心，
　　只靠一双
　血腥的手，
怎么能
　毁灭
人类的文明！

朝鲜弟兄
　是我们的
亲骨肉。
他们和我们一道

流过鲜血，

为着支援我们

中国人民。

那些艰难的

日子，

我们一同活过；

我们忘不了，

朝鲜人民

崇高的

友情。

如今，

被我们赶跑了的

野兽，

又在亲弟兄的土地上

蹂躏。

朝鲜弟兄，

正为着

自由、独立，

向美帝国主义

做英勇的
斗争。
我们知道，
这也正是为了
我们的
幸福和安宁。

祖国、
朋友，
我们爱同生命。
我们昼夜想着，
朝鲜的战友，
正在保卫
亚洲
和我们祖国的
和平。
半夜　我们会惊醒：
听见了，
冰天雪地

反动的监狱里

一排

一排的枪声。

天明了

我们还望见：

热爱我们的

弟兄，

在战火中前进。

我们听得见，

在祖国的边疆上，

野兽底飞机的

马达声音；

我们看见了，

狞恶的面孔

把着机枪，

扫射

我们和平的人民。

不允许！

我们不允许

我们自由的天空

让美国强盗们

横行！

不允许！

我们不允许

残暴的匪徒

蹂躏

朝鲜弟兄的

田野

工厂

和家庭！

看吧，

从沙漠

到海洋，

从高原

到边境，

中国战士们

愤怒的

眼睛，
像烈火中的
森林；
看吧，
从沙漠
到海洋，
从高原
到边境，
潮水一样，
涌现了
千千万万
中国人民的
志愿军。

前进，
愤怒的中国人民！
我们从不
忘记
一百年来

对美帝的
仇恨。
前进，越过祖国的
边疆，
前进！
在祖国的土地上，
美帝豢养的
八百万部队，
我们
都消灭个
干净；
今天再和
朝鲜弟兄，
一同捣毁
美帝的
兽军！

前进，
向猛烈的炮火中

前进！
　我们知道，
这是神圣的
　斗争，
　为了我们的儿女
　和朝鲜的儿女，
为了我们的
　母亲　和
朝鲜的
　母亲。

前进，英雄的
　中国人民！
　我们光荣地
　　摧毁了
　　　多少次
　干涉革命的
　　敌人。
祖国召唤着

我们，
钢铁的巨人，
发出
坚强的
声音：
把侵略者消灭！
祖国　才得到
持久的
和平。
英雄的
中国人民，
前进！

谁活在我们心当中

——“六一”儿童节，小学生方子、元元、乃华朗诵的一首诗

三个孩子：

　　锣鼓响，

　　响堂堂，

　　歌声笑声遍四方。

　　今天“六一”儿童节，

　　满屋照着好阳光。

　　睁开眼睛喜鹊叫，

　　妈妈叫我快起床。

方子：

　　你看，那是什么？

三个孩子：

　　红领巾，

　　亮光光，

　　端端正正放桌上。

乃华：

　　拿起红领巾，

方子：

【题注】载1961年6月1日《人民日报》。

我忍不住笑，

元元：

我忍不住讲，

三个孩子：

我向妈妈说：

“我要做新中国的好儿童，

永远跟着共产党。”

方子：

我九岁，

乃华：

我九岁半，

元元：

我十岁，

三个孩子：

今天我戴上红领巾，

方子：

第一，

上课时间不说话，

一心专听老师讲。

乃华：

　　第二，

　　我对同学有礼貌，

　　处处做个好榜样。

元元：

　　第三，

　　劳动好，

　　体格壮，

　　功课还要样样强。

三个孩子：

　　光得“优”不成，

　　还要做“三好”学生呢！

三个孩子：

　　石榴花儿开，

　　油菜花儿黄，

　　昨天还是小麦种，

　　今天翻起一片绿麦浪。

　　谁下的雨？

　　谁吹的风？

谁活在我们心当中？

谁告诉我们，

什么是好，

什么是坏；

谁告诉我们，

什么是“白”，

什么是“红”；

谁告诉我们，

劳动才是最光荣。

谁把我们抚育大？

是亲爱的共产党！

是亲爱的毛主席！

拉紧绞索

巴拿马人民站起来了！

巴拿马人民举起铁硬的拳头，

向美国侵略者重重锤下去！

不怕你的军舰、刺刀和核武器，

不怕你在巴拿马的土地上，

埋伏下多少杀人的秘密，

愤怒的人民比任何武器更有威力！

站起来的巴拿马人民

举起树林一般的拳头，

向美国强盗重重锤下去。

杀了人的，要偿命；

欠下血债的，要用血还；

霸占了我们的土地，

要归还我们的土地。

三百米宽八十公里长的巴拿马运河，

淌满了巴拿马人民的鲜血，

【题注】载1964年1月21日《人民日报》。

运河区每一寸土地都是我们自己的。

欺骗、勒索、抢劫、掠夺，
吸尽我们的血汗，还剥下我们的皮，
美金像海潮般流向华尔街老板的口袋里；
你付给我们是六十年的痛苦、贫穷、死亡和瘟疫。
今天要把六十年来的耻辱一起还给你，
还重重地给你加上一份利息；
巴拿马运河流不尽的仇恨
烧起全世界风雷滚滚的怒气！
被奴役的世界站起来了！
美国强盗！你滚回去！

滚回去！
美国的军舰、陆战队和M.P.[1]。
滚回去，你的那些吓不倒人的核武器！
滚回去，你的那些流氓、老板、胖肚皮，

1 美国宪兵。——底本注。

带走你的股票、赌场和娼妓。

还有令人呕吐的摇摆舞，

还有可口可乐广告下的垃圾——

这一切美国生活的臭空气。

别想在觉醒的人民面前花言巧语，

再玩些什么阴谋诡计。

软的、硬的、没有你施展的。

你只有一条路：滚回去！

你占了我们的运河区，

你说我们“侵略”了你；

你屠杀了我们的骨肉，

你说“暴乱分子”是我们的子弟；

你在我们国土上拦腰一刀，血淋淋的，

你说，那是对我们“施恩行义”。

真理永远不会死亡，

巴拿马永远不会倒下去！

你后面，有千千万万巴拿马人跟着你，

亚洲、非洲、拉丁美洲的兄弟都跟着你！
你不会死，你没有倒下去！
巴拿马人民已经站起！

巴拿马人民站起来了！
我们的力量大无比，
我们后面有望不到边的
愤怒的人民和奴隶，
世界上每一块美国军事基地，
亚洲、非洲、拉丁美洲、所有的殖民地，
已经怒吼起来：美国强盗！滚出去！

革命的人民都知道这道理：
帝国主义的逻辑，
是镇压、孤立！
更大的镇压，更大的孤立！
直到它全部死亡，全部消去。
被压迫的人民的逻辑：
是反抗、团结！

更大的反抗，更大的团结，
直到全部解放，全部胜利！
亲兄弟，让我们一道怒吼：
美帝国主义，滚出去！

我不能忘记被美国佬枪杀的英雄，
他望着我的那一双眼睛里的怒气；
我不能忘记宽宽的运河岸上
渗出来巴拿马人民深红的血迹；
我不能忘记那一排排美国佬的机枪，
向手无寸铁的爱国青年射击；
我不能忘记六十年来巴拿马人民
我的爷爷、父亲反抗美帝，前仆后继。
亲兄弟，让我们怒吼：
美国佬，滚出去！

美帝国主义霸占全世界多少土地，
每一块土地都是铁的绞索，
侵略者套上了他自己。

来吧，绞绳早已在我们手里，

来吧，拉紧绞索，巴拿马兄弟！

来吧，拉紧绞索，亚洲、非洲、拉丁美洲的兄弟！

还有你们，还有你们！正在听我说话的兄弟！

团结起来！

大家一齐拉紧绞索，

把美帝国主义高高吊起！

不断地斗争，不断地反抗，干到底！

绞死这全世界人民最凶恶的敌人！

直到它断了气，完全断了气！

我们要歌唱

——敬读毛主席词二首

昨天一夜未眠，反复吟诵毛主席的光辉词章《水调歌头·重上井冈山》和《念奴娇·鸟儿问答》。我兴奋异常，如听号角，如浴春风。这两首词教育我们，鼓舞我们，号召我们继续革命，战斗终生。

自己虽然年近古稀，现在倒像是早晨八九点钟的太阳。我要纵情歌唱。

天安门上，红旗飞展，

毛主席巨手指航向，

井冈星火已燎原，

旧貌变新颜。

新生事物数不尽，

万木蓓蕾初绽。

大庆、大寨惊人寰，

九天揽月、五洋捉鳖，

谁敢阻拦？

有志肯登攀。

【题注】载《北京文艺》1976年第2期。

云水翻腾，风雷震天，

毛主席巨手指航向，

东风卷狂澜，

反修、反霸、天下大乱，

大好形势一片。

敬读词二首，

革命斗志百倍添。

不怕险阻艰难，

任它百丈冰悬，

看！丛丛梅花红烂漫。

一九七六年一月二日

难忘的一九七六

我手中握着笔，
洒在纸上的是一片泪雨，
有悲，有喜，
一九七六年啊，
在每个人心头鼓起多少风风雨雨。[1]

年初，我们失去了[2]敬爱的周总理，
剧痛[3]压得人难以喘息，
我甚至觉得
一部分生命也随之流去。

【题注】载《北京文艺》1977年第2期，据以排印。又收录《颂歌献给华主席》，山西人民出版社1977年版，兹以通校（校注称“颂歌本”）。又载《人民文学》1977年第2期，题名《胜利的奠基》，兹以通校（校注称“人民文学本”）。又收录《心潮集（诗词选编）》，成都市大弯中学校五·七印刷厂1977年版，兹以通校（校注称“心潮集本”）。

1 “在每个人心头鼓起多少风风雨雨。”人民文学本、心潮集本作“在每个人的心头上，/鼓起多少风风雨雨！”。

2 人民文学本、心潮集本无“了”。

3 “剧痛”人民文学本、心潮集本作“巨痛”。

年中，朱老总又相继别离[1]，
止不住地抽泣[2]，
老泪溢在满脸皱纹[3]里，
谁能信啊[4]，
等着我们的，又一声[5]霹雳！
毛主席，最敬爱的毛主席，
我们怎能没有你。
心痛如煎，
血泪已尽[6]，
中宵起坐恸无语。
泣不成声，
万籁沉寂[7]，

1 “朱老总又相继别离”人民文学本、心潮集本作“朱德委员长也相继别离”。

2 “止不住地抽泣”人民文学本作“我止不住地抽泣”。

3 “满脸皱纹”人民文学本作“满脸的皱纹”。

4 “谁能信啊”人民文学本、心潮集本作“谁人相信啊”。

5 “一声”心潮集本作“一个”。

6 人民文学本、心潮集本无“血泪已尽”。

7 人民文学本、心潮集本无“泣不成声，万籁沉寂”。

苍茫大地，

翻滚着层层思绪。

探问万里群山[1]，

答曰：

座座是毛主席丰碑伟绩[2]，

探问湍湍江河，

答曰：

滴滴是先烈血汗汇集[3]。

而今，先人已去，江山犹存，

忠魂在望，可曾安息？

美丽的河流[4]，

温暖的土地，

怎能变色？

---

1 “群山”人民文学本、心潮集本作“群峰”。

2 “毛主席丰碑伟绩”人民文学本、心潮集本作“毛主席的丰碑伟绩”。

3 “先烈血汗汇集”人民文学本作“先辈的血汗汇集”。

4 “河流”人民文学本、心潮集本作“江河啊”。

怎能支离？[1]

亲爱的祖国，

亲爱的红旗，

谁来接？

谁来举？

啊，思绪万千啊，万千思绪，

……

胸中悲而痛，

心头愤且激，

一股乌云压顶，何时已？

一群妖怪横行，披人皮。

难道说黑手能遮天，光明会逝去？[2]

莫不是中国命运，危在旦夕？[3]

1 “怎能变色？怎能支离？”人民文学本、心潮集本作“可变色？可支离？”。

2 人民文学本、心潮集本无此句。

3 人民文学本、心潮集本无此句。

人民在忧虑，

人民在盼望，

盼望着[1]领航的舵手，

盼望着又一个遵义。

啊，落笔到这里，

也许是上了年纪，

我竟止不住发抖的手臂。[2]

想一想吧，[3]

这一天终于来到了，

光辉的十月，

给了我无比[4]的生命力。

“你办事，我放心”，

---

1 人民文学本、心潮集本无“着”。

2 “啊，落笔到这里”以下人民文学本、心潮集本无。

3 “想一想吧，”人民文学本、心潮集本作“啊！欢呼吧！”。

4 “无比”人民文学本、心潮集本作“无穷”。

一句话，光耀无际[1]。

以华主席为首的党中央[2]，

一举粉碎“四人帮”，

我们取得了伟大的胜利！

欣喜无比！人人欣喜无比！[3]

一夜间[4]，太空明朗，人心大振，

这真是**“多少事，从来急”！**

欢腾的北京，欢腾的大地，

欢腾的我，几夜眼难闭。

无比的激动，激动无比！

我畅快地呼吸，

梦中也是欢呼[5]笑语。

---

1 “无际”人民文学本、心潮集本作“天际”。

2 “以华主席为首的党中央”人民文学本、心潮集本作“我们有了英明的华主席”。

3 人民文学本、心潮集本无此行。

4 “一夜间”人民文学本、心潮集本作“一夜之间”。

5 “欢呼”人民文学本、心潮集本作“欢声”。

斗争赢来胜利，

胜利更须前进猛击！[1]

“四人帮”之罪，“四人帮”之丑，

“四人帮”之恶，“四人帮”之低[2]，

怵目惊心，累累无法数计。

谁忍得住恨？谁压得住气？

愤怒声讨“四人帮”，[3]

强劲的东风怒扫[4]败絮！

除掉四害，澄清玉宇，

江山如画，红旗艳丽。

亲爱的祖国，

“从今走向繁荣、富强”，

伟大的人民，

---

1 此句人民文学本、心潮集本作“斗争赢来了胜利，我们必须乘胜追击！”

2 “低”人民文学本、心潮集本作“低级”。

3 “谁忍得住恨”以下人民文学本、心潮集本作“大揭！大批！/声讨！怒议！/人民的烈火，/燃烧着大地。”。

4 “怒扫”人民文学本、心潮集本作“横扫”。

从胜利走向新的胜利！[1]

战斗正未有穷期，

在斗争中，在胜利中，

我们迎来了[2]盛大的奠基礼！

华主席，党中央，

和人民的代表们一起挖土了[3]，

为毛泽东主席纪念堂奠基！

为我们光辉灿烂的明天奠基！

啊！

我手中握着笔，

洒在纸上的是一派洋洋喜气。

我经历了光辉的十月，

1 “亲爱的祖国”以下人民文学本、心潮集本无。

2 人民文学本、心潮集本无“了”。

3 “和人民的代表们一起挖土了”人民文学本、心潮集本作“和工农兵群众，/和各族人民在一起，/一锹一锹地挖土了”。

我获得了新的生命力！

我要扔掉手杖，

我要练好身体，

跟上[1]浩浩荡荡的大军，

跟着党，跟着华主席[2]，

拿着锤，拿着镰，

拿着枪，拿着笔，

参加伟大的奠基！

一九七六年啊，我永远忘不了你！

你在中国革命长河中，

是多么壮严[3]辉煌的一篇年历！[4]

---

1 “跟上”人民文学本、心潮集本作“跟着”。

2 “跟着华主席”人民文学本、心潮集本作“跟着毛主席的接班人，华主席”。

3 “壮严”颂歌本作“庄严”。

4 “拿着锤”以下人民文学本、心潮集本作“拿起锤，拿起镰，/拿起枪，拿起笔，/迎着大好的春光，/去长征万里，/去参加这伟大的奠基！/啊，这胜利的奠基！/这壮丽的共产主义事业的奠基！”。

赠一六六中学一百二十年校庆

拼却老红一万点

换将新绿百千重

一九八四年五月一日

【题注】收录田本相、刘一军主编:《曹禺全集》第6卷，花山文艺出版社1996年第1版。

（母亲）

母亲，我的母亲！

我七十四岁了。

你才十九岁！我的小母亲。

生下我，像未开的花，难产，死了。

我没见过你，只看到一张相片。

你坐着，一个小姑娘，发亮的眼睛，一双小脚，

然而照片也丢失了，我只在朦胧记忆中看见你的幻影，

乌黑天真的眼神，方方的额头，厚厚的嘴唇，

我生，你死，连一声“妈妈”你都没听见。

“儿啊，我爱的是你，我的儿，

不是你的父亲。我不知道他是谁就结了婚。

我没有尝到爱情，没一点爱情！

生生地把我推到喜房里，

在喜房里我孤单，一直就孤单，

你在我腹中一动，我就爱你，我的儿，我的心。

我不说，他并不爱听，他总骂人。

他只知道好看的姑娘，他娶到了，

【题注】收录万方：《你和我》，北京十月文艺出版社2020年第1版，原诗无题。

他不懂一点女儿的心，却忽然把我
弄成一个母亲，一个小小的母亲。

“我才十九岁啊，不知道任何事情，
你外婆教我绣花，洗衣，煮饭，为外公捶腿，
我熬红了眼睛，从不抱怨一声。
一双巧手，准是个不言不语，会过家的好母亲。

“我离开了你，连你一眼都没见，
便去了。我不知我的儿是个什么模样，
只听见‘恭喜，是个男孩’。
我痛苦地离开了你，我的命根！

“真的，你七十四岁了？我真不信！
可你没喝过妈妈的一口奶水，
怎么你现在比外公还老，你是老孩子了。
你会想我么，你还会念记我么，一个十九岁的小母亲。”

妈妈，小小的妈妈，我没有忘记你，

在我不知道时我失去了你，

九岁时才知道你是我的母亲。

为了我抛去春花一般的生命！

我想起父亲严厉的脸，我就恨！

他和继母都瞒着我，

你为了我舍弃了生命，

毫不埋怨，你失去你的青春。

外婆说你是最乖的姑娘，

她最爱你，全家都爱你，我的妈妈。

外婆来了便搂着我哭！

说“我的甲儿啊，你呀，你呀，苦命的儿啊！”她嚎起来，

可她也不说你是我的母亲。

我九岁，我当然不懂，

大了，懂了，我告诉你，我的母亲，

人生是多么艰苦，妈，你大概还不明白，

妈妈，在森严的刑堂上，

我听远远城墙上的小兵的号声，

真是凄凉啊，我想到了你，我哭了，

我才觉得我是一个失去母亲的孤儿。

妈，我多想叫你几声！

你听见没有？七十四岁的老头叫他的母亲。

我猜想你一定在天堂，还是那样俊，

你笑着，又苦恼着，为着我，保护着我，在凡尘。

妈妈呀，我现在明白，天下的母亲都像你，

有的比你幸运，但有的比你还不幸，

我不能一一告诉你，我的一生的苦恼，

可我告诉你，我已经老了，你的儿子。

我在冬天的月下深深想念着你，

我羡慕现在有母亲的儿女，

不管他们是婴儿还是老人。

小母亲，我的妈妈，你十九岁便失去生命！

妈妈，我告诉你我现在有一个信心，

你也许不懂，我的小母亲，

我觉得人类要爱，要和平，

我看的得太多了，天下的母亲都怀着一样的心。

妈，你短短的生命，少受许多苦，

可我情愿你受一些苦，明白这个世界。

虽然你还是那样苦念着我，

对我微笑，我还是你心里那个呱呱坠地的小心心，

你就这样想念我吧，我的妈妈，

七十四岁的老头，叫“妈”，想叫醒他小小的母亲。

1984.7.4 下午

（注：我的小名叫添甲）

编　钟

两千六百年，编钟古音，不绝地下，今声闻于天，有感。

朝朝暮暮流长江，融融徐徐古音长。

忽闻春风吹杨柳，声破云天编钟扬。

1984年12月25日于武汉

【题注】载《诗刊》1995年第5期。

古楚多国宝

古楚多国宝，杲杲复煌煌。

荆州博物馆，珍藏复珍藏。

【题注】收录中共江陵县委宣传部编、肖代贤执笔（实应为执编）:《江陵吟》，中国文联出版公司1987年第1版。按，本诗系曹禺于1984年12月19日随全国人大视察组到访荆州、沙市时为荆州博物馆题。

乡　梦

明月故乡晓钟，远隔千里心同。

不知今夜何处，犹在思乡梦中。

1984年冬于江陵

【题注】收录中共江陵县委宣传部编、肖代贤执笔（实应为执编）:《江陵吟》，中国文联出版公司1987年第1版。按，本诗系曹禺于1984年12月19日随全国人大视察组到访荆州、沙市时为潜江人大题。

兵马俑词

兵马俑，兵马俑，
昔时兵马今时俑，
铁甲映雪战旗红。
马骁腾，兵士猛，
带长剑兮挟秦弓，[1]
岂甘千古埋土中！
出不入兮往不反，[2]
穷追骄寇缚长缨。
安得造化回天力，
起汝重现凌厉功。
东南西北正念汝。
永鼓燕赵健儿风。[3]

书为西安秦俑馆 1985年元月

【题注】收录张文立选注：《咏秦诗》，陕西人民教育出版社1994年第1版。

1 带长剑句，见于屈原《九歌·国殇》。——底本注。

2 出不入句，见于屈原《九歌·国殇》。——底本注。

3 燕赵，今河北、山西一带。《史记》曾说，燕赵多慷慨悲歌之士。——底本注。

悼董行佶同志

你一生充满钻研与
理解的力量，
你的生命变成你演的
每个形象，
你从不计较什么大、小，
大角色，你演得神情昂扬；
一句话的小人物，
你也演得完美，恰当。
你的台词是流水在歌唱，
你吐字，像阳光下的泉水
那样清晰，那样透亮。

你是一匹骏马，正飞奔
在艰苦、曲折的道路上，
你突然跌倒了。
像天空
划过一道耀目的星光，

【题注】载1985年11月17日《光明日报》。

就消失了。

一闪，你飞进永恒的穹苍。

然而，你那诗一般的

风采、光亮，

是不灭的神火，

永久燃烧在我们的心上。

一九八五年六月二十七日

戏[1]

仿佛老朋友，
几十年没见面，
今天见了面。
仿佛你们又都是
我的新朋友，
每张脸都是新的
好看的
水灵灵的。
仿佛你们心灵
都放出仙气，
仙气天天给你们
一副变化莫测的面孔；
老的小的，男的女的，
美的丑的，好的坏的。
说到底

【题注】收录李玉茹编、钱亦蕉整理:《没有说完的话》，山东友谊出版社1998年第1版。

1　这是曹禺先生在日本千田是也先生来华演出《四川好人》的欢迎会上所作的讲话中的一段，摘自曹禺先生的手稿，写于1986年11月23日晨。题目为编者另加，基本按原稿摘录，标点和分节稍作修改。——底本注。

你们给人以真理，
崇高的真理。
伟大的“戏”，使我们
互相认识，互相理解。
它使日本戏剧界的朋友们，
飞过海，来到中国，
和无数的中国人相通；
它使中国戏剧界的朋友们，
飞过海，来到日本，
和无数的日本人相通。

中国人和日本人
要做一生的好朋友。
“戏”是长河，
流不尽的友谊的长河。
让我们在和平与友爱的大海里，
那就是人的心，
崇高的相通、相惜、相爱、相知的友情。

世上没有比“戏”更可爱的艺术，
它使我感到自豪、充实，
我们永远和人在一起，
面对面地在一起。
一个演的，一个看的，
共同在呼吸。
台上与台下，
都为着一个互相追求的
真理，
去认识、去思索、去感受。
这就是“人”，人的一切，
可爱的人，又是可恶的人。

我们在舞台上，
是灵魂与灵魂
直接的交流。
没有虚伪，没有掩盖，
真诚的交流。
一同畅快地

向幸福的远景游去，

向幸福的远景游去！

魔[1]

雷从峡谷里滚响，

莽原的每一棵草在哆嗦，

我听见风吼，黑云从乌暗的天空

猛压在[2]头顶。

从云里垂下来一些粘糊糊的[3]，

那是龙吐出的长舌，那是龙的尾巴。[4]

像无数的钩钩住我的眼睛、心、耳和我的手。

地上喷出火，

我的全身在燃烧。

洪水泛滥，暴雨像尖锥[5]扎透我的背，

我向天高喊："来！再狠狠地[6]折磨我！"

【题注】收录李玉茹编、钱亦蕉整理:《没有说完的话》，山东友谊出版社1998年第1版，据以排印。又收录万方:《你和我》，北京十月文艺出版社2020年第1版，兹以通校（校注称"你和我本"）。

1 写于1986年11月某天中午。——底本注。

2 你和我本无"在"。

3 "一些粘糊糊的"你和我本作"黏糊糊的东西"。

4 "那是龙吐出的长舌，那是龙的尾巴。"你和我本作"那是龙的尾？是龙的长舌？"。

5 "尖锥"你和我本作"尖矛"。

6 你和我本无"地"。

大地颤抖[1]，高楼、石头、水泥塌[2]下来，掩埋了我全身。

土塞住了[3]我的喉咙，

我向天高喊："来吧，我不怕，你压不倒我！

你不是龙，连一条蛇[4]都不配，吓不倒我[5]！"

我看见了太阳，圆圆的火球从地平线上升起。

我是人，不死的人，

阳光下有世界，自由的风吹暖我和一切。

我站起来了，

因为我是阳光照着的自由人。[6]

---

1 "颤抖"你和我本作"震抖"。

2 "塌"你和我本作"坍"。

3 你和我本无"了"。

4 "蛇"你和我本作"毒蛇"。

5 "吓不倒我"你和我本作"把戏吓不倒我"。

6 你和我本此下署"1986年11月8日"。

赠于是之字

初望殿堂，但求平正。

既和平正，务追险绝。

既能险绝，复归平正。

往复追寻，渐悟妙境。

思虑通审，志气和平。

风规自远，才见天心。

求艺无垠，可胜言哉！

贺是之六旬之庆

曹禺

一九八七年七月九日

【题注】收录李玉茹编、钱亦蕉整理:《没有说完的话》，山东友谊出版社1998年第1版。

无家想[1]

情愿无家想，

免得空思念。

霜树落红叶，

天寒人不见。

回归望壁上，

伊自舞翩跹。

望望眼朦胧，

木木书桌边。

小记：杜工部的《无家想》充满了对人民哀伤痛。我的诗换了几个字，便成小儿女的哼哼歌，人不可相比，犹如凤凰与乌鸦不能并立。

【题注】收录李玉茹编、钱亦蕉整理：《没有说完的话》，山东友谊出版社1998年第1版。

1 作于1987年。——底本注。

祝贺北京人民艺术剧院三十六周年院庆
献给全院同志并贺《天下第一楼》成功

你是泪水流下的水晶，

弯曲曲的，长长的，尖尖的，圆圆的。

想不出你是怎样形象；

却又像夏晨的露珠，

那透亮、水灵灵的，

满含无限的光明。

水晶中神仙给你刻出，

一朵玫瑰，红的像火，

那是你的柔情、温厚、善良，

一双魅人的眼睛。

你又是一支青玉的笔：

你画出多少人物，

常贵、玉雏……

还有卑鄙、苦恼、愤怒，

画不尽的人性。

幸而你们都是我们当中的一个，

你们有一天会是青天的神仙。

【题注】载《人艺之友报》1988年试刊第12期。

看！这不筑成那痛苦，
那悲与喜、善与恶的斗争?!
《天下第一楼》那昏天黑地的世界，
却又是清凉、洒脱的尾音。
“时宜明月时宜风”
我们是风和月、一时是客一时是主人。
我羡慕你们，你们用玉笔
道尽人间的悲欢离合，
道尽世界的不平。
你那样美，却有鹰般的眼睛，
你爱、你怜、你恨，
渗透善良、可怜、贫穷与欺凌。
你们将是宇宙中永远闪光的星星。

一九八八年六月十一日

参观兵马俑

一九八八年六月

祖秦何神奇，

兵马自土泥。

胡突飞地起，

叱咤风云急。

【题注】载西安碑林博物馆编:《碑林集刊(三)》，陕西人民美术出版社1995年第1版。

贺唐代梨园遗址碑剪彩揭碑

梨园岂复旧梨园，
如龙如虎歌舞喧。
八十年代长胜日，
从此华夏不夜天。

一九八八年六月十三日于西
安未央区未央宫乡大白杨村[1]

【题注】载1988年6月18日《陕西日报》，据以排印。又载《蒲剧艺术》1988年第4期，题名《贺唐代梨园遗址碑剪彩》，兹以通校（校注称“蒲剧艺术本”）。

1 “大白杨村”底本作“大白村杨村”，据蒲剧艺术本改。

游汨罗江悼屈子祠

哀哀屈子心，汨罗葬忠魂，

大名垂宇宙，后继岂无人。

猛志固长在，华夏有子孙。

1988年7月于湖南

【题注】载《诗刊》1995年第5期。

悼屈子[1]

汨罗江畔呜呜[2]声，

犹闻屈子苦行吟。

志洁莫若忧国事，

日月争光第一人。[3]

【题注】收录李玉茹编、钱亦蕉整理:《没有说完的话》，山东友谊出版社1998年第1版，据以排印。又收录田本相、刘一军主编:《曹禺全集》第6卷，花山文艺出版社1996年第1版，兹以通校（校注称“曹禺全集本”）。

1 1988年7月于湖南汨罗江畔。——底本注。

2 “呜呜”底本作“鸣鸣”，据曹禺全集本改。

3 曹禺全集本此下署“一九八八年七月途经汨罗江”。

赠张家宅开发工程师——朱恒宪[1]

海上大树移湖栽，
巨擘培植国花开。
瞬息五陵换新貌，
五洲闻香连袂来。

【题注】收录李玉茹编、钱亦蕉整理:《没有说完的话》，山东友谊出版社1998年第1版。

1　朱恒宪是上海同济大学陈从周学生，调到湖南开发“张家宅”“索溪峪”。此诗写于1988年7月。——底本注。

病中噩梦

病中夜半，噩梦一个连一个，醒来，耳边留着薄暮遥远的钟声。我想起法国画家（Millet）的画有《晚钟》，想起在田地里虔诚的农妇的祈祷是多么朴实，多么安详。我借用钟声写下了下面的诗。

古寺的晓钟幽幽传到
我的心里。
我拿起我的秃笔，
我不能，我没有力气；
我只能祈祷。
是月夜闪着绿眼的狼
哀嚎，
是脚下湿漉漉踩着响尾蛇嗞叫，
是没有脸的人把我
乱舔，
是他说："你没有舌头，没有手。"
我恳求只要一口空气。
地狱的风吹来

【题注】载《诗刊》1996年第2期。

天空低沉的乌云。

我不能祈祷，

我怎能祈祷。

1988.12.17下午北京医院

二　人

一阵风，相会在梦中，

一阵雨，悄悄话儿起，

一阵凉，严霜未打先胆怯，

一阵冷，雪夜寒灯独自别。

一九八八年十二月十八日薄春于北京医院

【题注】收录田本相、刘一军主编:《曹禺全集》第6卷，花山文艺出版社1996年第1版。

花

花，你不要怕，

我想看你一看，

看你在微风里摇颤，

看你在春雨中无言的泪。

我决不像个顽童把你摘下，

我只想远远地把你思念。

希望有一天你结了果，

你原是我的再生，另一个我。

1988年12月18日午睡前北京医院

【题注】载《诗刊》1995年第5期。

冬 菊

满眼冬菊故旧情，由来静处体天心。

苦味平生长作伴，捧来嫩绿报阳春。

久病，仇春霖校长再次探望，赠所藏朔冬之菊，红、白、紫、黄，独有绿菊，掩映其中，恍如嫩叶，实则异种，非常花也。书谢友人作记。

即日，1988.12.18下午

【题注】载《诗刊》1995年第5期。

病中偶记之一

一无所是望疏帘，满室余晖镇日闲。

忽见秃枝乌鹊散，空留只影对窗前。

病中偶记之二

岂能枯坐待文章，落笔千言事已荒。

八旬老汉追白日，秃枝犹敢晚来香。

1988.12.25 于北京医院

【题注】载《诗刊》1995年第5期。

别

白花花，

紫花花，

泪水莫要流。

竹盘还有昨夜的酒，

让我再给你喝一口，

莫低头，莫弄柔软的手手。

雨水淅沥，淅沥，

心上流淌着哀愁。

白花花，

紫花花，

泪水莫要流，

莫要流。

一九八八年十二月二十五日睡前于北京医院

【题注】收录田本相、刘一军主编:《曹禺全集》第6卷，花山文艺出版社1996年第1版。

如　果

——病中偶作

如果大家戴着盔甲说话，
我怎能亮出我的心。
如果我的心也戴着盔甲，
火热的心[1]怎敢与我接近。

可以放下一切戒心，
再不要有什么怕，
让炽热的真情把
我燃烧，
情愿被火焰烧化。[2]

我愿死一万次，再不愿
终身这样担心害怕[3]，存有戒心。[4]

【题注】收录李玉茹编、钱亦蕉整理:《没有说完的话》，山东友谊出版社1998年第1版，据以排印。又载《诗刊》1996年第2期，题名《如果》，兹以通校（校注称“诗刊本”）。

1　“心”诗刊本作“人”。

2　诗刊本无此节。

3　诗刊本无“担心害怕”。

4　诗刊本此下署“1988年病中偶作”。

无题（之一）

半生寂寞半生艰　秋色已尽惟冬寒
回首多年匆忽过　爆竹声里又一年

无题（之二）

一冬苦旱无雪印　满地衰草有裂痕
遥望江南来风雨　绿入心里看早春

1988年春节之夜于[1]京医

【题注】载《诗刊》1995年第5期。按，本诗署“1988年春节之夜于京医”，经查，1988年春节前后曹禺无生病入院记录，疑所署时间有误。

1 “于”底本作“干”，当作“于”。

我爱你[1]

我爱你，[2]
你不再[3]年轻，
你不再像花朵[4]！
你脸上有深深的皱纹，
白丝染遍你耳鬓。

你露出幸福的微笑[5]，
夜半你辗转不眠，
你和我一样睡不着。
你低声叹息，
怕惊醒我[6]，

【题注】收录李玉茹编、钱亦蕉整理:《没有说完的话》，山东友谊出版社1998年第1版，据以排印。又载《诗刊》1996年第2期，题名《老了》，兹以通校（校注称“诗刊本”）。

1　写于1989年4月5日卧病北京医院。——底本注。

2　诗刊本无“我爱你”。

3　“不再”诗刊本作“再不”。

4　“不再像花朵”诗刊本作“再不像朵花”。

5　“你露出幸福的微笑”诗刊本作“你愁锁着眉痕”。

6　“怕惊醒我”诗刊本作“怕我惊醒”。

病床上的老人，

时时在你心中。

我颤抖，你惊坐[1]起来，

是不是心在绞痛？[2]

半夜你望着窗外的星空，

愿我们是星星长亮，

可谁说过人能长存？[3]

你是绚丽的晚霞，

我是无边湖上的寒冰，

寒冷的湖面反映着你的脸，

冰下活泼泼的鱼是恩情。

你温柔地看着我[4]，

---

1 诗刊本无“坐”。

2 “是不是心在绞痛？”诗刊本作“作了什么噩梦，这样心惊？”

3 “半夜”以下诗刊本无。

4 诗刊本无“你温柔地看着我”。

我们俩[1]老了，都老了。

残霞照着冰冷沉静的湖[2]。

永远忘不了啊[3]！

有一天我闭上眼[4]，

苦难使我们化在一处，

我们骨灰飞起，

黑暗的萤火，

世上有微亮的光。

爱永远照着人，

虽然（我们成了萤火）做了一场梦。[5, 6]

---

1 诗刊本无“俩”。

2 “冰冷沉静的湖”诗刊本作“静静的湖冰”。

3 “忘不了啊”诗刊本作“忘不了你啊”。

4 “眼”诗刊本作“眼睛”。

5 “苦难”以下诗刊本作“我们是黑夜的萤火，/星星发亮的正是我们”。

6 诗刊本此下署“1995年2月18日北京医院”。

无　题[1]

孤单，孤单，

岩石般的沉默。

思念，思念，

沙漠中的饥渴。

惶惚，惶惚，

薄雾里的纱罗。

日长，日长，

梦中的野火。

这边是阳光，

那边是阴雨。

两个都在思念，

两个都在沉默。

【题注】收录李玉茹编、钱亦蕉整理:《没有说完的话》，山东友谊出版社1998年第1版。

1　写于1989年11月22日。——底本注。

一片绿叶

一片绿叶，在大树里深藏，
你会听见我的
欢乐的笑声，
哗哗，哗哗。
婴儿的声音在嫩牙中笑，
我没有说谎，
多么愉快的声音，
难道这不是从心里头唱？

1989.12.3北京医院

【题注】载《诗刊》1996年第2期。

无 题

风雨一生难得过

雷电齐来一闪无

一九八九年十二月三日于北京医院

【题注】收录田本相、刘一军主编:《曹禺全集》第6卷，花山文艺出版社1996年第1版。

无　题[1]

雁从海上来，
徘徊三回顾。
怜我巢中雏，
仍缺饥寒乳。

海外有娇女。
辛勤终年苦。
即将面衰伴，
相见复何如?!
忧思难断绝，
缠绵如茧缚。

独不念
断翅难飞远，
相伴艰难途。

【题注】收录李玉茹编、钱亦蕉整理:《没有说完的话》，山东友谊出版社1998年第1版。

2　写于1989年12月4日晨。——底本注。

题《巴金国际学术讨论会》

文章千古事，巴金是我师。
探索追沧海[1]，真言若磐石；
落笔岂随感，剖心执火炬；
相识六十载，白头更坦直。
匆匆几回聚，悠悠梦寐思。[2]

【题注】载《诗刊》1995年第5期，据以排印。又收录李玉茹编、钱亦蕉整理:《没有说完的话》，山东友谊出版社1998年第1版，题名《赠巴金》，兹以通校（校注称“没有说完的话本”）。

1 “沧海”没有说完的话本作“苍海”。

2 写于1991年9月巴金国际学术研讨会。——没有说完的话本注。

玻璃翠

我不需要你说我美，
不稀罕你说我好看。
我只是一朵平常的花，
浓浓的花心，淡淡的瓣儿。

你夸我是个宝，
把我举上了天。
我为你真动了心，
我是个直心眼。

半道儿你把我踩在地下，
说我就是贱。
我才明白，
你是翻了脸。
我怕你花言巧语，
更怕你说我好看。

【题注】收录田本相、刘一军主编:《曹禺全集》第6卷，花山文艺出版社1996年第1版。

我是个傻姑娘，

不再受你的骗。

一九九一年十月二十三日于北京医院

附注：玻璃翠是由巴西带进来的一种极普通的小草花，生命力极强，一年四季开着小花。

书赠王永光同志

咸阳桥上月如悬，
万点空蒙隔钓船。
绝似洞庭春水色，
晚云将入岳阳天。

【题注】收录周仁济主编:《珠光集》，湖南岳麓诗社1991年版，署“中国文联执行主席、中国戏剧家协会主席曹禺”。

赠史群吉字

真诚待人，赤诚为公。

皎洁明月，挺直青松。

群吉与我相识四十载[1]，朝夕相处，言必行，行必果，愈久愈敬其为人。今虽白发，朝气不减当年。贤内助是有功劳的。

群吉兄

惠存

藏表嫂

曹禺

一九九一年

八十二岁

【题注】收录李玉茹编、钱亦蕉整理:《没有说完的话》，山东友谊出版社1998年第1版。

1 “载”底本作“截”，当作“载”。

为丁聪漫画题字[1]

我喜欢孩子，

我希望我八岁或者六岁；

不想，我竟然八十六岁了。

看来，还有二十年好活，

一个人能活到一百零六岁，

不算短命。

哈哈！

【题注】收录李玉茹编、钱亦蕉整理:《没有说完的话》，山东友谊出版社1998年第1版。

1　写于1996年5月。——底本注。

登岳阳楼（之一）

愿先天下忧，
今上岳阳楼。
纵眼期国士，
岂为稻粱谋?

登岳阳楼（之二）

今日复何日，
共欢在岳阳。
众士举爝火，
煌煌追关汤。
文章难唱绝，
来日当更强。

【题注】收录李玉茹编、钱亦蕉整理:《没有说完的话》，山东友谊出版社1998年第1版。

赞湖南

三湖多奇士，

执鞭可断流。

四海期大治，

岂无为国谋？

【题注】收录李玉茹编、钱亦蕉整理:《没有说完的话》，山东友谊出版社1998年第1版。

无　题

——立秋寄茹

哀哀苦茹心，长伴复知己。
绵绵枕上语，来世仍伴侣。

久病仰君侍，岂止八年已。
浩浩长波心[1]，二人相嬉戏。
言尽意难断，此情不能语。
帛帛高山坡，长埋深夜曲。

【题注】收录李玉茹编、钱亦蕉整理:《没有说完的话》，山东友谊出版社1998年第1版。

1　指同游北戴河。——底本注。

无 题

人是一团火，是流不尽的岩浆，

人将烧烬世界的愚昧、卑鄙、邪恶，一切不洁的东西。

世界将成什么呢?

仅是残垣、墟荒，一片无声、无颜色的混沌么?

善良、真诚、美好的事物是否也随着世界的毁灭而毁灭呢?

不，一万个不!

我们必有一个理想的世界，为充满德性与诚实活下去的土地。

不，一万个不!

人不仅是一团火，还是智慧的清泉，

她烧毁一切丑类，用清泉灌溉善良、真诚、一切美好的事物。

这是充满友爱、真挚、美丽的沃土。

【题注】收录李玉茹编、钱亦蕉整理:《没有说完的话》，山东友谊出版社1998年第1版。

我身边的太阳

你使我像春天黄莺那样欢畅，
河上的冰雪蒙死了我的双眼，
堆积像山，像岩石。
爱情的流水，在河下流淌，
融化了雪，融化了冰。

见你，我便少了一分忧伤；
见你，我觉得人应该正直豪爽；
见你，我相信自由、诚恳、善良；
见你，我知道人永远不失去希望。

我爱你一生爱到死，
我能够像你永远活得快乐，像个人模样，
我立起来，是个人，像你
我身边的太阳。

【题注】收录李玉茹编、钱亦蕉整理：《没有说完的话》，山东友谊出版社1998年第1版。

（写给外孙的诗）

你的身体里流着我的血，
也流着另外一个人的血，
如果你长大了很聪明，
那是我的血在作怪，
如果你长大了是个白痴，
对不起，那是另一个人的血在作怪。

【题注】收录万方：《你和我》，北京十月文艺出版社2020年第1版，原诗无题。

（无题）

孤单，寂寞，像一个罐头抽尽空气，
我在压缩的黑暗中大喊，没有声息。
孤单，寂寞，在五千丈深的海底，
我浑身阴冷，有许多怪鱼在身边滑去。
孤单，寂寞，在干枯无边的沙地，
罩在白热的天空下，我张嘴望着太阳喘气。
孤单，寂寞，跌落在深血弥漫的地狱，
我沉没在冤魂的嘶喊中，恐惧。

【题注】收录万方:《你和我》，北京十月文艺出版社2020年第1版，原诗无题。

文章

杂　感

将那闪电似的、奔流似的、憧憬的情趣，以及向各种现象而产生的心境，它只有天才能为之解释，同时一般庸流复可感触得到的，蓦地把它捉到字块里，无目的地把它写出，无意义地映在痴人的脑海里，这或是“杂感”的真义吧？

“这个人癫头癫脑，一肚子鬼话。”我们尝对人这样批评。由这句话，总可逆料此人不会说“人话”的，甚至所谓“人话”反根本不晓，因为人非鬼，为人而云鬼语，则怪异可知。实在癫气十足的癫子，鬼话不能讲，人话反而不少。果尽量感受其味格，他的话头里当发现孕含着不灭的创造性；他的思想常变化流动，永进不息，显现他在彻底地思索面前的事物，不为一切庸俗的利望所扰而变动他的观念。他的生活欲求极端兴旺，他的感想无在不可施展；他所见的是正确社会的面影，因是他的“鬼话”便长泻不息。由这出发点讲出的“鬼话”便是杂感的完成。

【题注】载1927年4月18日《南中周刊》第20期，署名万家宝。

转到自己，假若生命力犹存在躯壳里，动脉还不止地跳跃着的时候，种种社会的漏洞我们将不平平庸庸地让它过去。我们将避去凝固和停滞，放弃妥协和降伏，且在疲弊困惫中要为社会夺得自由和解放吧。怀着这样同一的思路：先觉的改造者委身于社会的战场，断然地与俗众积极地挑战；文学的天才绚烂地造出他们的武具，以诗、剧、说部向一切因袭的心营攻击。他们组成突进不止的冲突与反抗，形成日后一切的辉煌。然而种种，最初的动机不过是在那服从于权威、束缚于因袭畸形社会的压制下而生的苦闷懊恼中，显意识地或潜意识地，影响了自己的心地所发生杂乱无章的感想。那种纷复的情趣同境地是我们生活的阴荫，它复为一切动机的原动力，形成大的小的一些事业。

不过在我们这“礼义之邦”这种文字却常与狗吠一般地无价值。因为它藏着破坏，爆发，攻击同一切跳出所谓“圈子外”的危险性。我华夏民族酷嗜和平，淡泊潇洒，一日和尚一日钟，过足烟瘾，横在热炕[1]上晕谈一阵。哼，我们“孝悌忠信，礼义廉耻”，这是“古有明训”，有长远历史的国度的百姓，岂能随随便便干这些没头没尾的把戏！

记得某校刊为登什么劳什子的杂感，一句不重要的话冒犯校中的某当局，于是即时一道命令，斥以“侮辱师长”训令那位编辑先生“下野”“回里”（这是两件事：一面革职，一面挂牌）。同时一位职员建议停止校刊，当时即将编辑部解散。有人说教育家（？）对于激烈

1 “热炕”底本做“热坑”，当作“热炕”。

的分子只有这种办法。这个？也许吧！

不过在这刊物，请放心。同学们尽可发挥个人的意见，不顾忌地陈说自己对于环境的不满（当然，向猥亵的社会攻击更是我们青年的精神）。只要自己能踢开利害的计算。不伪不饰地吐露内心的不快，冷静的态度可，幽然（humor）的亦可，我料南开当局绝对予以赞助的。因为假使所感诚为我们这个圈内的错误，一手掩不住天下的人，这无须隐瞒，教育不是妓女，不应修饰外面为游客看的；假若原来的思索在未写以前已是错误，那么，诚恳的教育家应以怜悯的态度谅解这种学生并且希望他在刊物上发表，对症下药顺便给我们以公开的商榷、讨论和指点。

1. Gentlemen的态度：——

坐车到了英中街，从马家口子这一段路洋车夫索要大洋三角。

“放屁！”坐车的先生只给车夫两个银角子。

“好，先生，你骂我，这可是法国地呀，看你的，外国兵全不带打的，你却头一个骂我。咱们有地方说理！”雪亮的银子由车夫的手掌里滚出来，这两个跄跄踉踉地互相抖扯到印度“站人”面前讲理。

同时一位教授在讲台上站着，他也在“大讲其理”：

“……好了，外国人有金钱有强势，犹以Gentlemen的态度对待我们，我们反不自量力，不以Gentlemen的态度向他们，这不是自找苦吃么？”教授略将末句的声音提高，听众雷一般地拍掌。

听毕这两段话，似乎感触到洋车夫同教授的语气中有同一的基调。洋车夫的意思：这是“法国地”，外国兵全不敢打我，你能骂我么？知机的教授说，在这白种势力权盛之下，外人有金钱、有强力，还以Gentlemen的态度对待我们，难道我们不以Gentlemen的态度对待人家么？他们全屈服于洋权威下，因尔他们的“主人”如何，他们亦如何（当然教授所说外人Gentlemen的态度，是除去万县这一类的事情的）；不过毕竟教授是比洋车夫高一筹，读过洋书总比没见过的强，此某教授能知外人是以Gentlemen的态度对待中国人，的确比洋车夫明白（？）些，高见，高见！

至若说这种见解是荒谬的，拙愚不敢确切断定。不过改正观念似乎洋车夫还可教些，因为教授的博士帽是“仰之弥高，钻之弥坚”，很自认为教人者，非可随随便便为人教的。

2. “文凭同教育救国”

夹带一抄每门月考俱超过八成，回家以后父亲看见分数单，大乐，从皮包拿出廿元的钞票奖励他的儿子。

“好孩子，将来爹爹全指你顶门立户呢。”

每次开学，校长常说“教育救国”，每次行毕业典礼，校长的临别赠言也常是一段“教育救国”。我记得一次毕业典礼，黑压压的观众据满了礼堂，校长立在台上沉静地致辞，毕业生俱在廊旁不安地坐候着。台上的讲员不时的变换，候在椅上的毕业者俱不耐烦地啧啧谈话。最终才听见呼名授文凭，于是一阵一阵地拍掌东一面，西一面地响应。一时发什么Scholarship的奖品，掌声似较响亮一些。这时我看见他们俱有一个白卷卷在手里，欢欣地互相看望。他们展开自己的，又看看旁人的，轻轻露出一丝浅笑。须臾人散，仍是一个寂静的礼堂。我是最后走出的，似乎有种苍老的声音在空气中颤动。他说：

“孩子们，走吧，你们已有‘教育救国[1]’的执照了！”

前年如此，去年如此，今年或者也如此；长此以往，将来或永远要领这种只表出你受过教育听过救国的话的执照吧。今年或者不同，礼堂的空气或者要显出一种新花样。

“好孩子，你毕业了，将来爹爹全望你顶立门户呢！”

3. Supply and demand

一位经济先生同我们讲供给同需要。他说需要多供给少则市价涨，需要少而供给多则市价落。一位学生站起问上一次北京猪仔奇贵，是不是供给少于需要的缘故？先生称是。

提起这两个名词，我想起现在做太太确是一件难事。最低的限度：一则要不缠足，二则要受教育。至于大学生同留学生的口吻犹为可惊：动不动就是“英语精通，满身洋气”，听说要洋气非游外国不

1 “救国”底本作“教国”，依前文当作“救国”。

可，于是大学毕业的女生依然落选（或者“选”字是不妥当，然据今日的情形，似乎只能屈用一次）。大学毕业者当如此，吁嗟呼，做太太之不易也。

所以有志的女士们，鉴于旧女子的糊涂，力求平等、解放，入学校，读洋书，做女留学生，达到竞争不失败的目标而为所崇拜人物的太太。于是在富而美的丈夫面前获得自由、平等和解放。啊，万能的女学校，祝这里面的学生女权发达！

上面足能阐明Supply and demand的原理，当然这比买卖猪仔有趣多了。

偶像孔子

真实的彻底的宏伟的无宗教气味的性格和行为是断然地不可膜拜。谁何伟人，若完成为俗众的偶像，则彼之所以为伟者的真迹，将逐为是种妥协的莫名其妙的“绝对信仰”中的腐气所掩埋，而偶像势力的积威下，常产生一种积极相反的潜势力：待时机一至，便爆发成为火山的裂罅，经历万千年的偶像，立刻陷堕其中，焚成灰烬。同时如倒闭后商店的招牌，重挂起来，黯淡无光。毁灭后的旧物，闻之已令人生厌，若再从事于彼之伟丽真迹的探讨，岂不笑为迂腐，因是许多伟性者反而埋在偶像的土堆里。

诚然，偶像之前，只能膜拜，不许你抬头睹觐其面孔的。

春假中，在路上遇见昔日教我读“尧眉八采舜目重瞳”的老师，八九年没见面，先生居然留起松松白须，招呼之后，只好毕恭毕敬地陪他到茶楼闲坐。

寒暄，问候，话别，以后我们才谈家乡的变迁。

【题注】载1927年5月23日《南中周刊》第25期，署名万家宝。

“你总听见过一点，”老先生接续谈，“现在闹得乌烟瘴气，家居三月，气得不能出门一步。女娃子剪头发满街跑不必讲，老太太们也扯着旗子同他们一齐闹街。你想，老人家也那样禽兽，我还卖什么老骨头，我家的麟儿每天不在家你的师母也迫我入什么党。哎，仁弟，一家全要成禽兽，我怎不伤心！——我们诗书子弟，总得顾全[1]祖宗的体面，于是我一人偷偷地跑到文庙里，……”

他说到这里，低头长叹，当然老先生必效忠礼教以死自明，死后谋将北京内务部的褒奖的。

“仁弟，哎，一看庙内悲惨的景况，嗟此头颅，老命真不可久留了！——圣像打将稀烂，香案也捣成粉碎，颜回子路几位圣者更不必说，只在地上看见一个塑金的残鼻，看着还像我们圣人当年误认为阳货的鼻。于是我扑地三拜，恭恭敬敬地捧着那点圣迹而归。哎！仁弟，伤心惨目，有如此者！”

茶盅里的残渣，他蓦地举起吞下，激昂慷慨地重重将茶盅放在桌上。

“哎！禽兽之邦，我岂能久留呢！于是一气跑到这里来！”

老先生一句话不说，突而沉沉地哼起《桃花扇》中的《哀江南》，宛似亡国的旧鬼。他还噙着一泡眼水，淡淡地使我体味不到是若何的情绪。

不过他痛也有——我一人在路上这样想。因为孔家的《孟子》，《论语》，是科举时代的寒士们的饭碗。都通了，便不愁帝王的脚下

1 “顾全”底本作“愿全”，当作“顾全”。

没有一块骨头啃，同时帝王也因为他们能够Appreciate那种曲解的偏颇的忠孝。一发巩固这父传子受的特有权，而不惜以种种的荣利蛊惑之。因至数千年的孔子，也被动的为人所利用。自科举废除，老师荣为半通的秀才，当然是痛心疾首！然而社会因袭为偶像，权威，依然存在，每年春贵至总统犹派代表率百官跪祭，可见虽势衰道微，尚有为中流砥柱者来维持正道。老夫子这场冤气，见了孔孟的圣像，意识地潜意识减去少，然而还觉得有一线曙光，谁知皇天不佑，遇见这一群革命的王八兔子贼，造反不已，复起革命，革人的命也罢了，还要革圣人的命，以至于乾坤倒持天地郁塞，革命之声未止，夫子之希望已绝，此先生所以仰天叹息三击者也。至于说孔子是个自动的帝国主义走狗，这不得不加以否认。翻开东西文化及其哲学，在梁漱溟氏的眼里，孔子不只是哲学家、教育家，抑复为对生这个字而有充分了解的唯心者。日本一个文学批评家说：文艺的批评，是以鉴赏者自己的“个性”和“体验”和生活的内容，在各人之间，有些差别。人物的事解和见地，我以为至少以各人生活内容做一种鲜明的差异罢。一个孔子，两种看法：一为绝对的功利之徒，一为纯粹阐明生的意义的伟人。这种趋势，态度，如两粒子弹将发时的方向，却能差之毫厘，失之千里。此说[1]的距离，诚不可以道里计。然而起因不过是出发点方向不同而已。要之孔子不是生来做走狗来的，也非学而做走狗者，他所训告弟子们的忠孝，在当时并不稀罕，而彼所知者，又绝非以后那些笨货口示身行的那种曲解的忠孝。他的君制以名为本，所以处处说

1 “此说”底本作“些说”，当作“此说”。

话俱是君民并立的，不过碰见这些历代没良心的野心家，因为保存自己的地位，硬把孔老先生从棺材里拖出来[1]，迫加上一副狗面具，于是孔老先生不得不狗头狗脑来享受每年太牢的血食，坐是而在汉口游行时被打被詈为帝国主义的走狗，尤伤心者：真面孔的孔子，反而因这副狗面具而不得显露为万世野心家的忠臣末了。到这步田地，悲哉！

所以种种使我回想到前段的话。

在偶像之下，常潜隐着深邃的恶势，他是不许看见事物的真相的。

所以现在我们应当打破偶像的崇拜，和一切类似偶像的因袭无理由不合人道的旧思想的权威！

---

1 “拖出来”底本作“拖去来”，当作“拖出来”。

“中国人，你听着！”

中国人，我真不佩服你！

倘若你是人，你须知睡在床上不仅是由三角形鼻子呼出鼾声便了事。须知睡眠能使你无意识地露示呓语与噩梦，放释醒时的积闷，与今日之恶浊世界暂离。纵而你是个至愚，不得体会到这种地步，亦应知睡眠是为安息你的全神，使你留有精力备明日的奋力，不只是闻见钟声便上眼皮与下眼皮合成一线。——倘使你是个人哪，你应知“睡眠”还不是一个简单的动作，不只钻进臭黑污油的棉被，裹着一块肉体就了事！

倘若你还是个人，你当明晓“吃饭”“穿衣”不只是上孔装进白米，下孔爬出黄蛇尽矣，不只是一束白棉滚成败絮罢矣！内中白饭入胃要变成养料和热，使你脑轮油滑，转得快锐而明利；即不然，你这天生的活废物啊，棉线盖汝身，是要增加你身上热力和抵抗，使你虽不能用思，亦可如彼雨汗之车夫卖出些笨力气！啊，假若你还有一丝

【题注】载1927年10月10日《南中周刊》第30期，署名小石。

人意，你将知“衣食”不仅是叫你逍遥如棺中尸，如地下灵，衣食之于人（要记住，你这一群废物啊！）除了“饱暖”以外，还有更悠久的意思在！

——啊，中国人，我真不佩服你！

倘若你的心仍未成槁灰，你应知人的生活非为“衣，食，住”，更非如一般稀有的“白痴”朝朝阴谋、挑拨，成群结党地满足少数人的欲壑，以至破坏了真的“有”。你将知“衣，食，住”是供你实现真“生”之肥料。人的生活不是猜忌、冷嘲、谋算所成，乃为光明的同情和正严的真理之调协。汝天生之劣人，蛇为心，狼为爪，将颠倒自己的“真”，连累他人的“生”。哎中国人，倘若你还是个人，你应当晓得这个！

假若你是个人，你是个中国人的话（我要再抓一把斧子来劈你这贱种！），你将知“双十”不仅听几声爆竹，吃一顿肥肉就了事，你将知“双十”写在任何纸上都隐有血丝。你们自命为国民，何尝[1]有一丝创国的勇气，你们只会退缩、固执，见小利即像蝇逐矢[2]狗逐臭，抢去卖功，危急在前，鼠一般地脱逃。事过，笑当事者的错误，指摘寻隙，又如鬼祟之唧唧。你们何曾对得起“双十”，你们哪有这两个字的精神！你们笑光明磊落者为傻子，你们自己却真是稀有的白痴。——啊，却是你也来庆祝“双十”，你也自命为中国人，你也在今日欢呼?!

啊，中国人，我为汝羞，我真不佩服你！

---

1 “何尝”底本作“何常”，当作“何尝”。

2 “蝇逐矢”底本作“绳逐矢”，当作“蝇逐矢”。

《雷雨》的写作

××先生

（前略）我写的是一首诗，一首叙事诗，（原谅我，我决不是套易卜生的话，我决没有这样大胆的希冀，处处来仿效他。）这诗不一定是美丽的，但是必须给读诗的一个不断的新的感觉。这固然有些实际的东西在内（如罢工等），但决非一个社会问题剧。——因为几时

【题注】载1935年7月15日《质文》第2号。文前编者说明："这是《雷雨》的作者曹禺先生致《雷雨》的导演者们的一封信，我们觉得非常有趣味。

"他原来是在写一首诗，本意是要使读者和观众犹如在听一个神话似的，回到更古老，更幽静的境界里去。所以他对于序幕和尾声删去了觉得真是可惜的事。

"这是多么意味深长的呢！

"只是不知因为是将序幕和尾声删去了的缘故呢还是怎么着，就这回在东京演出的情形上看，观众的印象似乎完全与作者的本意相距太远了。我们从演出上所感觉到的，是对于现实的一个极好的暴露，对于殁落者的一个极好的讥嘲。

"是的，易卜生或者也是在写诗，但他却终于也要遭到妇女们联合前来道谢的烦恼。这封信对于研究戏剧的人们也许很有意思的，至少是那作者的作品与他自己的世界观是否恰恰合致是可以看出一点的，固然这在历史上早有先例：如托尔斯泰他们也就每每逃不出这圈儿。至于在从事剧本创作的人们，则借以当作一面镜子大约也是很好的吧。"

曾有人说“我要写一首问题诗”？因为这是诗，我可以随便应用我的幻想，因为同时又是剧的形式，所以在许多幻想不能叫实际的观众接受的时候，（现在的观众是非常聪明的，有多少剧中的巧合……又如希腊剧中的运命，这都是不能使观众接受的。）我的方法乃不能不把这件事推溯，推，推到非常辽远时候，叫观众如听神话似的，听故事似的，来看我这个剧，所以我不得已用了“序幕”及“尾声”，而这种方法犹如我们孩子们在落雪的冬日，偎在炉火旁边听着白头发的老祖母讲从前闹长毛的故事，讲所谓“Once Upon A Time”的故事，在这氛围里是什么神怪离奇的故事都可以发生的。尔难道不喜（恕我夸张一点这是作者的虚荣心，而且放过了这个。）雷声轰轰过去，一个男子（哥哥）在黑得像漆似的夜里，走到一个少女（妹妹）窗前说着呓语，要推窗进来，那少女明明喜欢他，又不得不拒绝他，死命地抵着窗户，不让他亲近的场面，尔难道不觉得那少女在母亲面前跪誓，一阵一阵的雷声，（至于雷雨象征什么，那我也不能很清楚地指出来，但是我已经用力使观众觉出来。）那种莫明其妙的神秘终于使一个无辜的少女做了牺牲，这种原始的心理有时不也有些激动一个文明人心魂么？使他觉到自然内更深更不可测的神秘么？这个剧有些人说受易卜生的影响，但与其说是受近代人的影响，毋宁[1]说受古代希腊剧的影响。至于尔说这是宿命论的腐旧思想，这自然是在一个近代人看，是很贴情入理的。但是假若我们认定这是老早老早的一个故事，在我们那Once upon a time的序幕前题下（序幕和第一幕只差十年，这是

1 “毋宁”底本作“母宁”，据论创作本改。

没有法子的事，不过这也给了相当辽远的感觉），于是这些狂肆的幻想也可以稍稍松了一口气，叫观众不那样当真地问个究竟，而直接接受了它，当一个故事看。所以为着太长的缘故，把序幕及幕尾声不得已删去了真是不得已的事情。我看见第三幕月份牌是一九三五年，四月廿七日，我只好是认为无法子的事情。而我为什么要用些三十年前旧事便会有些道理了。再，我的朋友！那序幕中的音乐是Bach[1]作的High Mass in B Minor's Benedictus qui venit in nomine Domini[2]，那点音乐是有点用意的，请设法借一唱盘（Columbia[3]公司有的），尔便会明白这点音乐会把观众带到远一点的过去境界内，而又可以在尾声内回到一个更古老、更幽静的境界内的。这剧收束应该使观家的感情又恢复到古井似的平静，但这平静是丰富的，如秋日的静野，不吹一丝风的草原，外面虽然寂静，我们知道草的下面，嗡嗡叫着多少的爬虫，落下多少丰富的谷种呢。（下略）

---

1 "Bach"底本作"Bacb"，当作"Bach"。

2 "High Mass in B Minor's Benedictus qui venit in nomine Domini"底本作"High Mcss In Bmiuor'Beuedi Ctus yui Ceneit Donini Noniui"，当作"High Mass in B Minor's Benedictus qui venit in nomine Domini"。

3 "Columbia"底本作"CoLumLiu"，当作"Columbia"。

在韩伯康家里

一座庭院，中间放几张藤椅，稀稀的围满了一张半旧的圆桌。院子后面望得见绿荫荫的爬山虎蔓绕着葡萄架，左面——一切左右俱以演员为准，与观众相反——[1]立着十年前盖成后就再也未尝过一滴油漆润饰的小楼。讲式样，楼称得起玲珑的，有曲曲的扶梯，刻着花纹的栏杆；楼上有走廊，廊里有窗，窗里是客厅，由飞廊平望，瞭见韩家一片好房产。叫我们悬想主人盖成这房屋的时候，主人会常常凭着花漆的栏杆，洋洋的得意自己的经营，主人是穷苦出身的，现在，东望望，西瞭瞭，哦，哪一角基石，哪一块方砖，一块瓦，不是自己低首下心忍受着多少人家的冤孽气，陪着几次笑脸，横了心，硬不睬旁

【题注】载1935年12月7日天津《益世报》，署名万家宝，据以排印。又载1935年12月15日《南开校友》第1卷第3期，兹以通校（校本称“南开校友本”）。底本文前编者说明：“这篇文章，好像是《财狂》的序曲，看了这篇序曲似乎对于剧中人的个性与环境有一点印象，或说是算得看戏之前的一点准备。

“这次公演专号的文章，惜未提及《财狂》这个剧，这真是美中不足的一件事。幸而有这一篇《序曲》，算是聊供观众的参考罢。编者”。

1　南开校友本无“——一切左右俱以演员为准，与观众相反——”。

人轻藐的眼，一分一厘地弄来的“钱”换成的呢?

哦,“钱!”这神秘而伟大的神奇的神奇呀！什么神奇，什么宇宙的现象不是以他[1]做主宰呢?主人常常骄傲着，说是在冬天早晨，当着风口，缩着脖子捧着一碗滚烫的热稀饭，一头喝着一头睨视着街头苦眉眼的丐儿，自己碗里哪一颗米粒不是因为自己会聚积钱、俭用钱，才有的吃呢，何况现在到了夏天，有这么一座宽庭院，待主人收完了租，爬到楼上，你看，这兴旺的家，这一片屋顶，这好一片莽莽苍苍的果园，这一片……不过，停一停，这一句话可是说的过了火，聪明的读者，你会一眼看穿，这话忽然脱了板，在都市再有钱的主儿也不肯拿金子似的地皮种花果，何况主人有一寸地也要用来盖起房屋，收租金呢?

这一座周围不见四丈的楼园，在主人诗兴来的时候，主人会吟哦园中的诗趣，什么松呀菊呀，荒径呀，居然这座庭园在主人脑内也蓦地扩大了多少倍，仿佛有了村野的辽阔，并且时尔在主人脑内，流荡着田园里瓜果的气息了；但是当着主人皱着眉头，愁着不景气的市面，地价低落，市场的不定、银行都靠不住的时候（而在主人几乎一生大半是在这样计算中讨日子过的），主人便不自主地恨起那该杀的包工头，这么大小一块地，若不这样浪费着，变了活动的现款，存在了外国的大银行里，或者如现在自己一大部分财产的布置，买了美国的股票那山似的巩固的美国股票，这日子又多好过呀！偏偏在主人用钱捐得一个税局子的官的时候，盖起房子，那包工头便一死儿地劝

1 “他”南开校友本作“钱”。

主人雅致雅致。做着官，哪怕是个收税卡子的吧，不也应该排点小排场么？而该死的那时偏偏自己喝了他的迷魂汤，也觉着平时是常[1]为人低视着的，如今识过字，做了官，也应该“风雅风雅”，一下便留下这块地，点缀起这座似是而非的[2]小楼院，所以，你看，这山石、水塘，这小月亮门，这一片葡萄架：到现在主人也只好很风雅地告诉客人，看绕过亭子，这一转弯，可以题为“曲径通幽”，这池塘边上，连着紫荆，在晚上看可真是称得起“月移花影”，这一角略为走十几步，就是古人咏景，所谓的“柳暗花明”，这处[3]叫什么草亭，那间名什么书斋，不过是方圆不到四丈地地方，主人已经想了几百个古句、名诗、前人的斋名堂名来点缀着。虽然时常主人的语尾总要句顿出来一种不得已的喟然的叹息，然而毕竟当着聪明的客人很懂[4]事地赞美着风雅的主人，心窝里不是也懒洋洋地如有一次由百货公司前门进，侧门溜出，硬把那个可恶的洋车夫的车资赖过去一样地得意么？

有时被客人尤其是为那新来的年轻的账房先生叫林梵籁的誉媚着（这新来的账房是主人得意杰作之一）,你看，他多么会替主人俭省，多么伶俐，账房，书记，起稿，订合同，甚至于见外国人说洋话都会，事事都好像看透了主人的心眼做的，而最使主人喜欢的，见着林先生的脸便抿不上嘴，是他做了这些事几乎等于没用主人的

1 南开校友本无“常”。

2 南开校友本无“的”。

3 “这处”南开校友本作“这座”。

4 “懂”底本缺字，据南开校友本加。

钱，他的工资这样低微，连主人都认为占了便宜，主人向来是喜欢这样有道德，懂得克己的青年，无怪乎是愿看他的脸了。对了，当着这个机灵鬼夸赞主人的清贫的时候，主人自己也确是慨然地嗟叹着自己太清高了，做过官，现在只于是买卖点房产，做点美国的公债股票，依旧是“两袖清风”，不是因为自己太清高，不肯做那些俗气事么？

然而清高不是容易维持的，清高总需要填饱了肚子再说，所以在主人的宇宙里，还是“钱为本，清高次之，一切为轻。”——钱叫主人能“喝稀饭”（这三个字是主人用来指着“生活下去”的意思）能叫主人的儿子女儿“喝稀饭”，叫一切在韩家院里住的人们“喝稀饭”，不但此也，少爷（韩可扬）居然也只差一年大学便要毕业，小姐闹着吵着也进了大学，家里有听差，（那费升自然是个浑蛋，贼头贼脑，早晚要请他卷铺盖的东西，不过这个坏鬼，这次叫他好说歹说先支了本月的工钱，也只好暂用着吧。）有厨子，有马夫，有着使主人可以称得起“老爷”这个牌子的仆人，所以钱使主人能享受几十年的“稀饭”，钱使主人到现在满街飞着流线型的汽车的时候，还能享受着那幽灵一般的旧马车，主人往日是穷过的，现在主人才嘘出一口气说可以对付着喝一口稀饭了，这不是钱的伟大，钱的力量？

钱固然使主人能活着，钱确也难为了主人活着，即如说那厨子和马夫的底细吧，贾奎最明白，他说：不，还是请聪明的看戏的先生们听贾奎自己说吧，这里还是不说的好。但是关于马车，贾奎说是劝过老爷把它和那匹马一同放在跑江湖人弄的“双头人”“美人蜘蛛”的地方，一处收资阅览着较自己用着看利大的[1]。那么一对稀奇玩意，一对好古董，当然不愁没人看。究竟这话是否由于幽默的胖师傅的夸张，还是真如他所说的那样奇特，自然要亲眼看见才为凭。不过果若在上海最热闹的通衢，出其不意地由一团乱慌慌的汽车电车，黄包车堆里，缓缓的钻出来一种车类有轮的运输工具，前面拖着走的是一匹，唔，简直说一把瘦得似马非马，说是驴又不驴那么一个小动物，拉着一件只剩下几根骨架车形带轮的，亮着天的箱形物，上面靠前边坐着一个胖子，团团的脸，腮帮子红得成了熟透的苹果，一对眯成一道缝也关不住那诙谐小眼睛，不住地闪烁，他时尔在平坦，没有多少车辆的街道上，便昏昏然地生了睡意，在暖暖的日光下打着盹，而在那半敞开上面能见天日的箱形物里面，永远坐着一个正襟危坐的苍白干靥鼻端架着一副铜丝眼镜的小老头儿，紧紧的扶着扶手，时尔白[2]眼镜上面探出一对白眼，东张张，西望望，整个的印象，除了少招牌和前面的音乐领导，他们是为[3]百货公司大减价的新广告，由街上驶过，如广告一样地，他们总引起多少小孩以及闲步人的注意和喝彩，那便是我们的主人韩伯康，和主人的下人贾奎出门收房租呢。

难为主人这样出了门，也难为主人怎样住他的好房子，花园有了，小楼原来是很标致地立着，右边又有小亭，亭里是大理石的桌子同石凳，正面横着一条长廊，长廊后面望见葡萄架遮掩着的月亮门

1 “较自己用着看利大的”南开校友本作“较自己用看着利大的”。

2 南开校友本无“白”字。

3 “他们是为”南开校友本作“他们是常被误认为”。

（注：亭较地高四阶，长廊较地高二阶）[1]。

这布置不也很停当么？但这些年没有修饰，油漆都剥落下来，小楼的屋檐已经见了梁木。小楼原是多么诗意的名字，里面蕴蓄着多少消逝了的春天。主人的孩子们都长大了，年轻人的叹息，同偶尔的清脆的笑声也常常地在楼里面山石后听见了，小姐不有时对着月亮登上颤巍巍的梯板，倚着飞廊数着自己的心事，眷念近在咫尺的那个人么？少爷呢，自然是更要放肆了，在山石背后，费升常常看见少爷写着那写不完的信，为着那么一个好姑娘，少爷不是常对费升道出心事，急焦焦地想着多少不可能的事么？园子里的布置是有点风趣的，年轻的人们也知道怎么多情，这么好的地方，这么多春天的景物，而偏偏主人是不可救药地那样煞风景，于是整个的好庭院处处沾染些寒伧气，整个的像盖了一层霜，因为，你看，年轻的人管他是怎样快乐，总掩不住这庭院的衰老，月亮门露出砖痕，小亭好好地落下了瓦，中间的葡萄架有一两处都倒塌下来，而我们的楼呢，原来亭亭地立在人前，但在和主人一同为着过度的吝啬，没有好调护，都异样地衰老了，多少年不油饰，里面的房筋都支出来，和倾斜的房梁都歪歪斜斜地摆在那里，墙面又蚀落多少粉饰，整个如一个干巴巴，粘不住脂粉老处女的脸，一片一片地落下来，都是那么可怜相的。

然而尽管庭院呈现着衰老，近几天的气象忽然十分活跃起来，那新来的林先生就是个鬼灵精，整日的不歇嘴，不是钻到厨房和贾奎

1　南开校友本无“（注：亭较地高四阶，长廊较地高二阶）”。

吵，说他多用了酱油，就是溜进书房，捧着几乎是只见入款不见出账的账本，哄着老爷团团转，两片嘴翻来覆去，总是他有理，一挤眼，就是一句美丽的谎，上上下下没有一个不被[1]骗得胡说八道，当然（除了贾奎），小姐见着他更阴阳怪气地不知说什么好，哼，谁知他们闹的什么把戏！除了他，少爷也犯着看天[2]的病，溜过来，溜过去，总说从此以后不到回力球场了，不去跳舞了，只不住地发誓想学好，一个男人赌着咒，要想学好，自然不会是父亲的功劳。费升真鬼头鬼脑地对着[3]少爷耳边说着那说不完的话，你想，这还怕没有戏瞧，不过年轻人哪个不经历这么一个时期，奇怪的，老爷六十岁的干老头子，忽然这两天也动了凡心。老爷的心里最近总是骚骚然的，多少年舍不得穿的官纱大褂居然也拣出来晒着，预备再试试新，脾气更是摸不着门，动不动就和费升吵架，而自从太太死后来过一次就没有见影儿的傅三奶奶，那一张嘴可以说得伶人[4]应该倒着走的好手，忽而在老爷的嘴里念叨着了。

好了，还说什么呢？拉得这么长不已很够厌烦的么？让我们看戏吧。

1 “不被”南开校友本作“不被他”。

2 “看天”南开校友本作“春天”。

3 南开校友本无“着”。

4 “伶人”南开校友本作“信人”。

《雷雨》日译本序[1]

承蒙秋田雨雀先生的推荐和三上于菟吉先生的厚意，译成日文的《雷雨》将由汽笛社出版，这是我从影山三郎、邢振铎二人最近给我的信中得知的。这个消息使作者感到惊异。不仅如此，这惊异恐怕使我深深地感到不能充分地表达自己的感情，除了说“荣幸……惭愧”之外，说不出别的话。一想到千里之外的两个朋友耗费了很多的时间，一句句地翻译这个冗长而累赘的故事，我只有由衷地表示感激。[2]

我并不认为自己是个剧作家，丝毫也没想到自己的剧本会有人

【题注】据张有煌编《曹禺论创作》所载排印，上海文艺出版社1986年第1版。文末注“张靖译”。按，此文系1936年1月15日曹禺回复日译本《雷雨》译者的信，相关信息参见底本注。

1 《雷雨》由影山三郎译成日文，一九三六年二月汽笛社出版。此文原系曹禺致日译者影山三郎和邢振铎的信函，由日译者冠以《原作者序》，作为日译本序文发表。因曹禺原文不存，此文由日译文转译。——底本注。

2 这段文字在影山三郎一九五三年重译《雷雨》时，被删去。一九五三年的译本由未来社出版。——底本注。

阅读、搬上舞台乃至译成日文。要不，我也会像许多天才作家一样不高兴，对时代不了解自己而愤慨。我是一个普通的人，只不过写了一个普通家庭可能发生的故事而已。因此，即使它会引起日本朋友的注目，那无疑也只是暂时的，说不定他们将来会醒悟到这种做法的轻率，会发现选中这个作品本身就是一个大错误。我想，这部作品会像水草下的鸟影一样飘然而过，也不知消失在何方。然而，对那种生命我并不感到可惜。何以如此呢？这是因为尊敬的日本朋友为它溅起的一时涟漪，对我来说已是预料之外的事了。对于远方的朋友，出于同情给《雷雨》带来了一个崭新的天地，我衷心表示感谢。

那么，我是如何表现自己的呢？我这个人胆小谨慎、忧郁、爱挑剔，不能理解自己。我缺乏希腊人的智慧——“自知之明”，心中只是乱云般的焦躁与一种不可摆脱的迫切的思绪。因此，当我谈论自己的作品时总是模糊不清的。

国内经多次公演后，许多批评家猜测我是三四个戏剧大家的信徒，乃至是灵感的继承者。正直的人们对我表示惊奇。我是我自己——一个渺小的自己。我到底不能窥知大师们苦炼后所达到的深奥，正像暗夜的甲虫不能想象白昼的明亮一样。过去十几年里，我读过几个剧本，也曾几次上过舞台，我拚命地怎么也想不出，究竟在哪一点上得到他人的东西，哪怕很少的一点。这或许是所谓“潜在意识”的下面被隐瞒着，也未可知。我或许是不知恩的仆人，从主人家抽取一根根金丝，织成自己的丑陋的衣裳，却说这是我自己的，否认金丝是主人家的。自己如若能得到大师们的秀丽，哪怕一抹一点一句，对我就是莫大的荣幸了。[1]

我生来不会冷静地谈吐，自然，谈论自己的作品也不例外。我喜爱《雷雨》，就好像在冰雪消融的春天，满怀喜悦地望着阳光下活泼乱跳的孩子一般。这种喜悦之情如同在粼粼闪光的池塘旁，冷不防传来一声蛙叫时一样，从这种小生命，我获得了各种灵感和兴奋。我不会像心理学家那样，冷静地观察儿童的举止，也不会像实验室里的生物学家那样，用理智的手术刀解剖和分析青蛙的生命。我对于《雷雨》，只不过如同母亲喜爱自己的孩子那样的喜悦。我不懂得冷静地谈吐的诀窍。那类事情也许应该委托给《雷雨》的批评家去办。事实上，这两年对《雷雨》的批评，使得我发现，正是这些批评家们，对我作品的理解远远超过了我本人。甚至对为什么写《雷雨》这一问题，许多人也替我加了注释。当然，对此我予以承认，但是，我不能清楚明了地说，我是有意识地想要匡正什么，或讽刺、攻击什么。有时，我也想道，也许是某种模模糊糊的感情的驱使，流露出一种受压抑的愤怒，并对中国的家庭和社会进行了谴责。可是，最初出现模糊的构思时，使我感到兴奋的，不仅仅是一二个主题和几个人物，也不是因果报应，而是存在于这个世界上的“残忍”和“冷酷”。倘若读者试图知道这些的话，就会被其中若干比较紧张的场面或一二个人物的性格所吸引，而且通过全篇会理解忽隐忽现的斗争的“残忍”与“冷酷”。这个斗争的背后也许存在着某种东西，希伯莱先知们把它称为“神”，希腊剧作家称之为“命运”，近代人则抛弃这类模糊观念，把

1　这段文字在一九五三年的译本中也被删去。——底本注。

它叫做“自然法则”。

然而，那究竟是什么呢？……

总之，一种急迫的情感的积郁，使我执笔写了《雷雨》。

一九三六年一月十五日于天津

高斯倭绥写作的态度

除了现在一部分的政治宣传剧之外，一般的社会问题戏有三条大路可以引到成功。第一，用普通人的眼光来应付戏里的局面。一切纠纷的安排都依照观众所爱好的做去，这样最稳当，观客仿佛吃了顺气丸，看完了戏，如在易卜生的《少年党》,《社会栋梁》的戏里，剧里的人物该罚的罚，该赏的赏，于是皆大欢喜，满意而归。其次，便是作者独出心裁，发挥自己的意思；如所执见解恰与出钱买票的先生小姐们的相反，那更显奇效。你这样我偏偏要那样。作者天生一对透视的眼，道出人所不道的；对话写得巧，铺排来得怪，正如同萧老头子写《人与超人》一般，把一篇戏弄成个糖皮炸弹，吃下去舒服，多了便有点消化不开，再多些热些说不定就会爆炸，全军覆没。这样写法乃出奇制胜，也有成功的可能。

然而这两条路都有些取巧，因为力图迎合和故作警语都有些骗取

【题注】载1937年1月15日《中央日报》，署名万家宝，据以排印。又载1941年4月25日《正言报》，题名《高氏写作的态度》，兹以通校（校注称“正言报本”）。

观众喝彩之嫌的。

其实最难的，并且最见功夫的还是老老实实地描摹出一幅人生的图画，这种方法以我们的作者高斯倭绥[1]最为擅长。他的戏里充满了有血肉的人物，真切的事实；材料的选择既谨严，而态度又不偏颇。一切都不肯以作者的私见为取舍的标准，清清楚楚摆开一段一段的真实，任看戏的人们自己寻出结论，却不屑故意歪曲。冷静的头脑，温暖的同情，和刻骨的描摹是高氏的特长。这位悲智兼修的作家以一副明慧的眼洞察一双强项的人物——安敦一和罗大为——的争执、痛苦，失望，种种徒然的牺牲围绕着两个斗争的意志，而终于两个都失败。在这短短的三小时演出时间里，我们觉出每一句话都燃烧着高氏对于人类的同情，每一个转折都显示出他成熟的技巧。

1 “高斯倭绥”正言报本作“高尔斯华绥”。

《前夜》与当前的汉奸活动

“拍案疾声呼贼桧，分明非与岳家仇，东窗计定金牌去，断送南朝二百秋。”——熊廷弼

“满地腥膻岁月过，百年胡运竟如何？我今欲展回天策，只奈汉儿不肖多。”——宋教仁

读完了上面两首诗，我们且去翻一翻我们的历史就知道几千年来历代的兴衰，不尽是凭借武力的强弱，内奸的作祟，实在是民族安全的一重暗礁。汉奸误国，千古同慨，过去的不说，我们只看眼前国内汉奸的活动，层出不穷地给了我们多少痛心的证明？

欣幸地看到了三八剧社公演《前夜》，这剧本告诉我们：丧心病狂的汉奸们在如何地以种种无耻的手段出卖国家民族，爱国的青年们在如何地为争取祖国生存做着反汉奸的艰苦工作。

我们已经熟悉了最近一般抗战戏剧的收尾，普通地是：汉奸被捆起来了，强盗被杀死了，公理战胜了，中国胜利了……诸如此类的带

【题注】载1938年3月19日重庆《新民报》。

点阿Q性的结束，的确可以使观众们取快于一时，给观众一点精神上的安慰，可是《前夜》没有那么做。

《前夜》给与观众的不是满足，只是兴奋；不是慰安，而是愤怒，事实也是，现在我们有什么可满足的？我们为什么不愤怒？这伟大的时代已经不容我们自宽自解了，我们是青年，我们是有热血的，就应该像白青虹，像林建中一样地牺牲一切去尽我们保卫国家的天职。

我们想一想那些被敌人铁蹄践踏着的千里无垠的祖国原野，那些生活在水深火热中的失地的同胞，更想一想那些一身转战艰苦卓绝的英勇战士；我们不应当漠视了我们的责任。民族抗战也转入了新的阶段，也就是民族生命真的到了生死存亡的最后关头，这时候国内的一切都需要调整，过去的教训告诉我们“稳固后防，使前方将士无内顾之忧”，实在是一件最急切的工作；所谓“稳固后防”就是消灭汉奸。

这真是利用我们天赋智能的时机了，每一个中国人都是民族的斗士，我们要宁神致志地随时随地注意于任何事、任何人，汉奸是最奸猾最阴险的东西，民族抗战里决不容许他们存在，为了肃清这些“害群之马”，为了重振我们中华民族的国魂，希望我们亲爱的观众中有无数的白青虹出现，这就是《前夜》作者所给与我们的，我想也就是三八剧社公演这本剧的原意。

关于《血海怒潮》原作者及原剧本

《血海怒潮》是一部感人极深的抗战剧。原作者萨都原为“佳构剧”派的巨子，机警、冷隽，长于编排繁复的故事。他的作品多半写得曲折有致，一转一跌，俱以“引人入胜”为目的，所以演出来，兴味盎然，获得当时巴黎一般观众的赞赏。他的作品的结构非常谨严，有时几乎陷于纤巧，他的第一部成功作*Les Pattes de Mouche*[1]（直译可为:《苍蝇的爪痕》，英改译本名《一张纸》），用一纸情书穿插出一段悲欢离合的故事，只是一张纸，失而得，得而失，造成舞台上罕见的几段极度紧张的场面。如果单凭结构的机巧来衡量作者的短长，萨都可以誉为戏剧史第一个人物。他由剧本固然有多少转折，令人拍案叫绝，却因为如此，他所描摹的性格也常常令人失望，一部戏的长短究竟有限，过分地夸张了故事的转折，无形地便沾染一些melodrama的气息。一个melodrama的人物总免不了为着迁就离奇的编排而损害他

【题注】载1938年5月22日成都《国民公报》。

1 “*Les Pattes de Mouche*”底本作“*Les dattes de Monches*”，当作“*Les Pattes de Mouche*”。

的真实性的。

不过,《血海怒潮》确是萨都成熟的作品，故事是委婉的，仍得有他一贯的作风，却里面的人物蓬蓬勃勃，处处有生气。而热情的奔放，正如林婧女士改编的题目所指，如怒海，如狂流，令观众的血管不自已地热起来。

原来Patrie表彰了比利时的爱国的志士，改编成了《血海怒潮》，它成为抗战剧里稀有的宝藏。我们感谢导演陈治策先生，他的完美的技巧与经验，促成这部剧本的演出，而怒吼剧社的友人们在上演时的努力和诚挚，更会使我们感动的。

编剧术

关于编剧这一项技术，当作学科在学校来讲授，还是近三四十年的事；而抗战戏剧的编剧方法，更是崭新的东西了。

一切剧本全都有着宣传性的，不单是抗战剧。但是现在有许多问题，是在抗战期中演剧才发生的，所以提出来讲一讲。抗战剧既是戏，自然也不能脱离控制一般戏剧的法则，所以讲的有很多是一般的编剧方法，在应用时应该尽量斟酌变通。

讲编剧之前，先谈一谈戏剧本身。戏剧被“舞台”“演员”“观众”这三个条件所肯定。戏剧原则、戏剧形式与演出方法均因为这三个条件的不同而各有歧异。譬如：古希腊演剧，由于舞台的简单，没有布景来表明时间地点，所以剧本的编制自始至终多半限于一个地点。以后，生吞活剥的学者，读了希腊的剧本，就勉强臆定那些剧本的作家是遵守“时间”“地点”“动作”统一的三一律，实际他们所遵守的还是实际舞台上的限制。又如罗斯当（Rostand）的《西哈诺》是为了

【题注】收录国立戏剧学校编:《战时戏剧讲座》，重庆正中书局1940年版。

名演员科克南（Coquelin）而写，因科克南的演技千变万化，只有西哈诺那样诡异神奇的角色，才能显出他的本领，戏剧的感应能力才能尽量发挥，这是演员影响编剧的一个例子。至于“观众”能影响编剧，更是显然的，因为戏是演给观众看的，观众的性质若不了解，很容易弄得牛唇不对马嘴，台上的戏尽管自己演得得意，台下的人瞠目结舌，一句也不懂，这样的戏剧是无从谈起的。

抗战剧的编制，当然也不能脱离“观众”“舞台”“演员”这三种限制。抗战剧要深入各阶层、各地域，要在各种不同的地方——有时在城里，有时在农村，有时就在街头，有时又在设备得相当完善的剧场——做各种演出。因为舞台不同，观众不同，所以同一个抗战剧不能到处演得，也不能随地演得有实效。有的同志下乡演戏，演的是有名的、有内容的、有实效的抗战剧，但结果是失败了，觉得那剧本非重写不可，因为城市内所谓的“抗战名剧”，移到乡下，突然失却了它所凭借的特殊的“观众”与“舞台”的缘故。

除了上述三个条件之外，我们还要注意造成舞台的幻觉。有一个木匠看《逼宫》，因为曹操演得太狠毒了，一气劈死扮曹操的伶人，这就是不明白“舞台的幻觉”的影响。舞台上的现象，当然只是像，像真实而非真的事物，像人生而非实际的人生。因为戏剧如果演出毫无变动的真实，全不选择的人生，那么随便拉一个乞丐到台上坐一会，也可以说是戏剧了。所以在舞台上用一些布条当作树，观众虽明知不是真树，但却承认它是树的样子，看去也就是树了。用编剧技巧来感动观众，我们所根据的艺术心理的基础是“舞台的幻觉”。在写剧本时，运用“时间”、“地点”及“人物上下场”，氛围的造成，以及结构布局，我们要“经济”“显明”“有意义”以及其他种种，就是因为我们不能在舞台上和盘托出毫无变动的人生。我们固然不能否认“舞台上的真实”是“真实”，但它决非生吞活剥全不选择的真实。

一个写戏的人除了注意“舞台”“演员”“观众”三个现象之外，还要顾到“时间”和“地点”的限制。观众普遍只能忍耐两个半钟点到三个钟点，要在这短短的时间里，创造人生，而有真切的人物，具有起承转合的故事，时间不能不经济；我们现在舞台上的物质条件（街头演出及不需布景的演出除外）太坏，不能任意更换地点，为着集中观众注意力，也以少变动地点为是，因此，我们写戏分配地点也需要经济。

编剧的过程，分作五个步骤来讲：

一、材料的囤积　材料的来源，是靠平时不断的收集、登记、整理、囤积起来的。平日不收集，要写作的时候，在报章杂志上摘取一点材料而加上凭空的臆造写成的作品，是很难完美的。除了侈谈想象的作品不讲（其实，伟大的想象，也是深刻观察体味人生的结果），大部分成功的作品，决不是凭空想象出来的。非仅戏剧如此，一般的文艺作品，也非靠平日多多囤积材料不可。我们听说有些作品是凭一时灵感的激动写成的（假定灵感是如世俗所传说的赋有那样神奇的能力），但如若灵感不来，创作岂不就要停顿，所以戏剧工作者不能等待灵感，而应该设法使灵感油然而生，随时随地心内都蕴藉着一种“鸡鸣欲曙”快要明朗的感觉。这种心理的准备，就需要材料的囤积了。创作的初期过程，正如母鸡孵卵一样，母鸡虽是每天伏着不动，不见工作的形色，而在蛋壳里小鸡却逐渐成形，终于到一天，破卵而出。不慌不忙的母鸡，其实是在工作着！文艺作品的产生，正有同样的“孵化作用”(incubation)。“材料的囤积”便是作品孵化中母鸡的工作。积多了各种记忆，它们便会交相影响，激起变动。潜移默化中，稍一触念，有时恍惚若灵感顿至，充满了生趣的人物与图画，蓦然一幕一幕现在眼前，又亲切，又熨帖的真实，毫不吃力地在笔下涌出，这就是我们的行将成形的小鸡了。

囤积材料，应不断的用笔用纸耐心地随时随地记录。譬如在宴会中见到一位有风趣的人，就可以将他的行动、说话等详细记下，在将来描写这一类的人物的时候，就可以取作借镜；在小说、书报上见到一段好对话，真确的人物描写，或者精当的结构，预备写戏的人，更应不惮烦地记下来。甚至于平日和朋友谈话中，我们也有无数的材料可以收集。譬如：前几天，我遇见了一位近十年不见面的女朋友，本来她的小孩还抱着很小，现在已长得很高了，我们谈了许多“老话”，她十分伤感。她从前是公认最美的女人。谈完了话，临别时她忽然指着她的儿子，笑着问我：“这孩子像不像从前的我呀?”我察觉她话内的心情，我也笑了笑说：“你也并不老啊！”她临别一句话很简单，但很有内容，于是回到家里，我就记载下来。又如：有一位老先生，外号叫“蛋炒饭”，这名字的来源就值得我们记载的。他已是将近六十岁的人了，依然在某部里当个小官。眼见多年前与他同寅的亲戚朋友，早已飞黄腾达，升为达官贵人，因此他常发牢骚。感慨之余，不免吹吹牛，替自己装装门面。于是偶尔遇到人请他吃饭，他总是老在家里叫他的老妻，预备一碗蛋炒饭，自己吃个半饱，满嘴油光光地去赴宴，表示自己已赴了一次宴。酒席上了第一碗菜，他用筷子点了几点，就匆匆地告辞说：“我还有一处要去应酬呢！”但他偷偷地回了家，吃他的第二碗又冷又硬的蛋炒饭。“蛋炒饭”就这样叫起来。诸如此类随时记下来，预备将来运用。

二、材料的选择　戏剧有时间的限制，更要有统一的印象，不能把什么都随便的写上去，所以在搜集材料之后，就要讲求选择了。有人说：“戏剧的艺术就是选择的艺术。”这话是值得我们玩味的。

我们的古人曾经说过：“文以载道。”简单地说，我们的文艺作品要有意义，不是公子哥儿嘴里哼哼的玩意儿。现在整个民族为了抗战而流血牺牲，文艺作品更要有时代意义，反映时代，增加抗战的力量。在这样伟大前提之下，写戏之前，我们应决定剧本在抗战期中的意义，具体地讲，它的主题跟抗战有什么关联。我们可以讲，主题是剧本的中心思想，正如一幢房子必有一根支持全屋重量的大梁。初学写戏的人，必须明白主题的重要（可惜的是在人们实际写作时却时常不为注意，或者注意到而仍不明显），所以现在不妨再申述一下。

写戏的人决不能凭着一时的高兴，拾到材料就写，他应该先找出这材料在所写的戏里面的意义，主题就是选择材料的标准。因为囤积的材料不能一股脑儿塞进一个剧本中，我们是写戏，不是摆杂货摊，有了主题，根据它来选择，整个剧本才能一致地有了意义。

主题第一应该“显明”，不要含糊，令导演戏的人觉得眼花缭乱，东是主题，西也是主题。在未动手写剧本时，最好先决定结尾如何地宣传；并且最重要的自己要相信自己的信念，然后学习怎样使人相信。若是误解了宣传的意义，以为凡是宣传都是因为本身不可靠，才竭力宣传使人相信可靠，这样聪明的人是不配谈宣传、谈抗战剧的。

第二应该简单，应当清楚地指导观众怎样同情的方向，更紧紧地抓住他们的同情，死也不要放松。然而我们却万不可采用死胡同式的主题（dead alley theme）。换句话，我们所用的人物，以及所编排的故事，不可以写得使观众无法同情起。例如有一个剧本写有姊弟二人，相依为命。弟弟得了可怕的麻风病，她听到一个谬误的传说，说是这种病只有再和一个女人发生关系才可以解救；姊姊虽已订婚了，但是她非常怜爱自己的弟弟，听信了这种治麻风病的谬说，便痛苦地牺牲了自己。不巧又为她的未婚夫撞见了，她无以自解，愧恨而死，弟弟亦随她自杀。作者竭力描画姊姊性格的伟大，以为这样伟大的牺牲，可以引起观众的同情，事实上因为采用主题的不得当，观众感到惶惑无主，对女主人公同情不好，不同情也不好。又如前几天报上载有一家母女二人，三个日本兵破门进来，逼女儿到楼上，剥她的衣服，母亲跑去救她，被日本兵打得不成样子，推下楼去，一时晕绝过去。醒来时，她听见女儿在楼上抵拒喊叫之声，惨不忍闻，心里忿恨极了，举起火烧了楼，女儿和日兵都惨酷地死在火里。母亲听不下女儿的呼号声音，也跳入火里烧死。这种材料过分刺激，常使观众顾不得同情，只觉得“恐怖”，观众心里只有恐怖和惨酷，是不能引起抗战的信念的。

主题是个无情的筛孔，我们必须依照主题狠心地大胆地把材料筛它一下，不必要的不合式的材料淘汰去。这样写来，作品才能经济扼要。

三、预备剧本的大纲　话剧是建筑，不是堆砌。所以也像建筑物一样地需要精确的设计。哪怕写一个独幕剧，我们最好依角色上下场分成许多场面，哪一场谁“上场”，谁“下场”；哪一场最重要，最能表现主题；都应预先自己弄明白。假如必须有一段话要发挥，要加在哪一场，什么时候，由什么人说出来才表现得最恰当最有力，也都要想清楚。所以大纲里面应列“场表”，记载哪些人上下场，发生哪些事实，有哪些重要的话。譬如第三幕有一个杀人的动作，那么事先就应在第一、第二幕里计划周密，杀人动作之前做充足的准备，逐渐引入紧张的地方。有了计划才有分寸。多幕剧固然如此，独幕剧也应如此。

对于大纲，自然也有人不重视的，不过为着初学写戏的人是有大纲再写戏，比较妥帖些。

一般地讲，剧本要使观众逐渐发生兴趣，紧张的场面总放在较后，这种例子，俯拾即是，无须多说。

人物的个性、对话、动作等等，亦应于大纲中想透了再动笔。力求其明了周详。易卜生创作时所写的人物，栩栩如生，一若真有其人，一闭眼就可见到似的。因为他也是先在大纲中详细描写，做过一番苦功夫的。我们要成好作家，这种预备功夫决不可少，只凭聪明取巧写剧本，反而是个拙笨的方法。

大纲完成后，在写作时有了意见，自然还可以改动，有时，剧本完成后，经过多少改窜，结果和原来的大纲，相去很远，然而这并不是废去大纲的理由，因为大纲是个起点，没有起点，一切以后的变动是无从谈起的。

四、人物的选择　我们常说某某先生就是那一类人的典型。所谓典型，就是把一个阶层或一类人的共同之点，异于别阶层别类人的行动、习惯、语言、思想集在一个代表者身上所造成的人物。换言之，典型人物是拥有其他属于同阶层或同类的人的共同特点的。

典型和个性略有不同。譬如张某爱财如命，一毛不拔，典型的写法是把所有吝啬人的同点完全装在他身上。这样写法的好处是：第一，观众容易懂；第二，容易引起观众兴趣。坏处是难得彻底真实，不易使人心服。因为写典型总是免不了特意使他明显，于是时常夸张人物的特点，加以重复。比较起来，个性是不易写的，但写到恰好时，是使人心服的。因为个性不止于着重他与其他同类人的同点，却更着重他的异点的。粗枝大叶地讲，譬如张某虽然吝啬，但如果他的女儿病重，他固然依然故我，不肯拿出钱来请高明医生，但是听见病人不断的呻吟的声音，或是偶尔倚在窗前，看见街头缓缓抬过一口黑色的棺材的殡丧行列，那时，他忽然悟到世上有着比金钱更重要的东西，忘记了他的吝啬根性，于是花费他看得比自己生命还重的钱去请医生来挽回病人的生命，这就是比较近于个性的描写了。舞台上的好个性很多，诸位可以看看易卜生的*Hedda Gabler*[1]，便是最切当的例子。

有人曾经问我：抗战剧里的人物，还是写他的“个性”好呢，还是按“典型”写好呢？我想这种问题不能概括论定，须视观众性质如何而说。如果是在农村里演剧，观众接触话剧的机会少，理解力也比较弱，自然人物典型化，对他们是较易接受的。在城里剧院上演，观众平日对话剧接触的机会较多，理解力也强一些，有时对于过度夸张和重复的典型，不易受感动。他们（其实何止于他们）要更新鲜，更

---

1 “*Hedda Gabler*”底本作“*Held Gabler*”，当作“*Hedda Gabler*”。

真实，更清晰的人物。最近抗战剧有人认为将流入滥调，有时观众看见广告写什么“伟大国防名剧”，便皱起眉毛怕看，一部分便是因为剧中所谓典型人物，用得太滥，太公式化的缘故。

人物典型化，很易流为“过分夸张”。如抗战剧中所写汉奸和英雄，大都是这类典型更加强调化的产物。这样写法，固然黑白分明，不易错误，但是结果往往宣传自是宣传，观众自是观众，二者之间毫不发生任何深刻的关系。比如说：汉奸奉承敌人，这是可能的。为着奉承，他献出全部家产，敌人忽然看中了他的妻子，他也乖乖地献出妻子！敌人杀了他的母亲，他也心甘情愿，不作一声。写到后来，自然是英雄出来，杀死汉奸，于是观众拍掌欢呼，满意而散。然而这班看戏的先生们心里想些什么呢？他们想汉奸原来是这样一个不知廉耻，不知好歹的怪物！我呢，（观众半意识的这样想）总算对得起父母妻子了。日本军阀当然是坏东西，我怎么能做这样大逆不道的汉奸呢？看了这样的戏，有的观众自己虽然确确实实地有了汉奸行为，而永远也不会自知，自己的身边明明有着汉奸的戚友，也看不出来。所以典型不能写得太夸张，因而离开真实。要使观众觉得汉奸时常正是和他差不多有着人类的脆弱性的人物。只为了“一念之差”，把握得不稳，不能认清国家与小我的关系，因而犯了汉奸的行为，半黑半白的小汉奸，只要我们睁开眼就在我们眼前。看了抗战剧，我们希望观众能恳切地想想自己的行为，留心身旁的人的行为，这才收到宣传的功效。

再如写爱国志士，写士兵，都极容易写得肤浅，无血肉，不真实。写出来，有时非但士兵们看着滑稽，就是一般观众也觉得兴味索然。如何去创造一个有血有肉的爱国人物呢？如何使我们的观众得到一种不可磨灭的深刻印象呢？我开不出仙方，使诸位立刻获得这样的神奇，不过我可以讲一段故事，说明这条路大概在哪里。几年前，古北口的抗战开始。那时我正在北平，知道了，很兴奋地随着朋友们一同去慰劳前线的士兵。一路上已经看见了许多令人感动的事实。我们到了前线的后方，有一天，在道旁看见对面抬来一个年轻的伤兵，胸前湿腻腻的是绛红的血。他的牙咬着，眉头皱着，显出很痛苦的样子。他忍耐着，他不敢喘气，因为偶尔深深喘一下，便压出更多的血由衣服的夹缝中渗出来。他的脸几乎被黑泥涂满，看不见他的颜色，我们只看见他凸出的眼睛望着我们，他不哼一个字。我们扶他起来，为他裹好创口，倒水给他喝。虽然我们都没有学过看护，但是同伴们的殷勤和诚恳仿佛感动了他。他的眼里逐渐流露出和善的光彩，但是他没有说话。这时有一个医官来了，我们请他给那伤兵诊视。他诊视过后，低低告诉我们说："流血过多，恐怕没有希望了！"他紧紧握着拳头，已经觉到生命就要离开他了，他的手在空中摇了摇，他忽然挣出几句最亲切的山东话："洋学生，我不成了，……你们待我太……太好了，我……"这时他手抚着腰，困难地从破口袋里掏出一张破烂的票子，带着很惭愧的神色，仿佛觉得拿不出手的样子，说："我这里就……就剩下两角钱了，洋学生你们拿去洗个澡罢！"说完，就死了。这印象深深地留在我们的脑里，至今难忘。这就是一个活生生的中国士兵，他在疆场虽然为国家死了，但是他和他的问题，却还活在我们大家的心里。如果我们能好好地写出这样的人物，他不只感动我们，他更会使我们了解抗战中的许多实际重要的问题，逼我们非迅速解决不可的。

归纳一句话，抗战剧中的人物，要真实亲切。要做到这一步，我们要充分体验抗战生活，不怕收集材料的种种困难。

五、写　一切准备好了，我们应该谈怎样起首了。如何起首，各人有各人的不同的方法。如果将作家的大纲拿来和剧本对照一下，就可以看出他的创作过程：有的从头按序写起；有的从末尾倒行写起；有的从紧张场面写起；有的为点醒主题，从思想部分最重要处写起；各人有各人的写作习惯，每种写法各有长短。

起首第一件事，我们应求“头绪清晰”；故事的头绪不能太多，多了易乱。如果头绪实在多，斩截不下，那么自己应设法逐渐介绍，有兴味地介绍，掺和着“动作”来介绍，不要在开幕五分钟内，填鸭式地把观众应知的过去背景及故事头绪，匆促地硬塞在观众的脑内。铺叙故事如此，介绍每个上场人物也如此。处处交代得清楚明白，然后慢慢地展开重要的剧情。

第二件事是“动作”。写剧不是写对话，是表明人与人之间相互反应的精神活动。这种活动的显明表示，莫过如“动作”。所谓“动作”不一定是拿起枪打死一个汉奸，有时心理上的冲突，常常比表面上的动作，还要动人的。譬如：拿起枪要打死一个敌人，发现这个敌人正是从前自己最好的朋友，当责任与私谊在争执的时候，表面仿佛看着没有动，其实已有动作了。

第三件事是要抓住观众的注意力。有了动作，还要看编排，换句话说，就是要引起观众要看那“动作”的渴望，预先知道在哪一幕如火如荼的动作就要展现在眼前了。所以写第一幕时，就预备着第二幕，抓住观众的兴趣，叫他们等待着第二幕的展开。我们的旧小说内，有所谓“欲知后事如何，且听下回分解”的手法，虽不十分与我们现在讲的相当，然而却是很相近的。这种手法，我们有一个专门名词，叫作运用（suspense）（余上沅先生译作“跌宕”，洪深[1]先生的电影戏剧的编剧方法上译作“紧张”）。我们利用观众对主角的同情与好奇心，告诉观众一点儿，而又不是完全告诉他们，叫他们期待着更大的转变。这样，在幕与幕之间，依据这种手法，在看戏人的心里，做强有力的联系。

然而方法只是方法，并不是一切戏剧都要如此。譬如高尔基的《夜店》，柴霍夫的《三姊妹》《樱桃园》，并不用这样的手法，而一样抓住观众的注意。我所以特别提出来，是因为刚写抗战剧时，这种方法是最容易学习的。

文章有所谓“起承转合”，戏剧——若是以故事为中心——到了“中段”也有所谓故事“陡转”（peripety）的方法。我们说过suspense常常是预示观众若干端倪，对更有力的发展，引起他的期待的心情。“陡转”常常是出乎观众意料之外的故事的转折，这种转折，多半与主角有关。譬如写一义勇军的领袖，被敌人发觉，抓去审讯，判决处死，正在执行死刑的千钧一发的当口，义勇军的队伍忽然攻入敌营，救出领袖。主角由生而死，由死而生，完全陡然发展，但操纵着观众的情绪，决不亚于我所说的suspense。这是一个简单的方法，但是许多伟大的作品，常是因把它运用得精妙而获得成功。

---

1 “洪深”底本作“洪琛”，当作“洪深”。

“陡转”有二种：第一，故事的。见于形象，如上面所举义勇军领袖的例。第二，人格的。是内心的变动。例如一个莽将军，本来是无恶不作，但是经历渐渐告诉了他国家与个人的关联，隐约地启示他什么是对的，终于有一天，因为受了绝大的刺激，使他忽然舍身报国，做了爱国的烈士。这种精神上的“陡转”如果写得真切，是最能动人的。说到这里，我要再三声明这些所谓的方法，决非颠扑不破的道理，创作的天才，自然懂得运用它们，以至于舍弃它们。千万不要为这些话限制了自己的自由发展。

谈到结尾，有一两点还要注意：

第一、不可公式化　现在普通抗战剧的结尾，很少不是在一种公式下写成的。结果，总是“汉奸打倒，志士抬头”。我并不是主张“汉奸不打倒，志士不抬头”。我是说这些仿佛纸糊的人物，在台上跳跳蹦蹦的喊着胜利的口号，时常会给人以空虚落寞之感的。实在讲，伟大的戏剧，好的结尾的动人之处，固然在结构的精绝，然而更靠性格描写的深刻。例如：吴祖光先生编的《凤凰城》，结尾苗可秀死了，大愿虽然未酬，但是他的伟大的人格却更深入观众的心里。假如依着一贯的公式，不顾真实，硬为凑成一个欢喜的结局，观众纵然一时鼓掌欢呼，但不及原来的结局那样深远动人，足以启发观众崇高钦敬的心情，激动强烈的抗战意识。

我不反对“大成功”的结尾，正如我相信事实上我们的抗战早晚要成功一样。但若只是靠结局“大成功”做写戏的无二法门，以致结构幼稚，人物浅薄，这是我们所深恶痛绝的。

第二、不可临时凑　中国旧剧界有一句老话：“戏不够，神来凑。”编唱本之前没有计划，写到后来，自己也不知道如何结尾，只能用鬼神出现，搭救好人（如《南天门》），凑成一个善恶终有报的结尾。这种错误，即是在伟大的剧作家，有时也不免要触犯的。例如：莫利哀所作的《伪君子》的结尾，奸人得势，忠厚的奥贡养虎贻患，受了泰笃夫的种种欺凌，妻子被侮辱，财产被侵占，眼看泰笃夫要把做房主的奥贡赶出门外，戏是急转直下，简直无法转圜。然而正在戏要收束的当口，忽然不知为什么，被贤明的国王知道了，突然派来一群官吏，将泰笃夫抓去处罪，于是善良胜利，大快人心。这种毫无预备的奇突的发展，显然看出临时凑合，使人无法信服。写戏收尾，有时固然可以出人意外，细细回想一下，却也要在人意中，这才有趣味。

第三、要点醒主题　如果一直找不着机会来点明主题，那么在最后的结局当口，是不该再忘却的。

关于对话方面，我们要注意：

（一）适合性格。

（二）适合舞台上的逻辑，注意舞台上的空间与时间的确切。在一个戏里面，假定邻居至少在一里路外，那么，如若与邻居隔窗谈话，是空间上的不合逻辑；出去到十数里外做一件事，过半分钟就回来，却报告事情已经办妥，这是时间上的不合逻辑：两者都同样的破坏了舞台的幻觉。

（三）要清晰简要，不要咬文嚼字。不要噜噜苏苏地，成段成章地写。刚写作的人借某个人物的嘴，说出很多的理论，结果，不但离开了真实，兴味也失却不少。

归总讲来，有几点要请诸位特别注意：

（一）编剧的三种限制——舞台、演员、观众——在目前以认识观众，最为重要，所以写抗战剧前，必须了解观众的性质，跑到乡下对穷苦的农人谈节约是笑话，要观众觉得亲切，我们要熟知观众的生活，彻底观察，体验他们的需要。

（二）话剧感动人的，不是“话”，而是“剧”。剧的重要成分是动作。所以爱好话剧的人跑进剧场，决不是听一幕一幕的话，而是欣赏一幕一幕的动作。剧本应该多动作，有些好的剧本，删去了对话，依然成为完美的默剧。写剧本应尽量多找动作，用动作来代替对话。记住！在台上用一个真实的动作，比用一车子的话表述心情更有力量。

（三）写好剧本，决不能凭一时冲动提笔就写，要有长期的准备，列出详尽的计划才能写成的。写成后，还要再三修改，不辞劳苦，耐性地修改，这样才能产生好的剧本。

末了，希望诸位在有空时多看戏，多读剧本，多参加戏剧的活动，多体会里面的奥妙。最深奥的戏剧的艺术，需要自己来探讨。闭门造车，看了一两本编剧法，是不能帮助我们写成一个伟大的抗战剧本的。

省察自己

让我们老老实实地省察自己，自从九一八以来，除了一同热烈喊口号之外，我们对于抗战建国的工作，究竟做了多少。

【题注】载1938年9月16日《文艺月刊》第2卷第3期。按，本期为“九一八特辑”，集中刊载了老舍、曹禺、沈起予、余上沅、维特、卢冀野、陈瘦竹等作家对“九一八事件”的感想。

关于话剧的写作问题

现在一般话剧的创作者，都有一种共通的缺憾，便是创作态度不严肃，认识力不够，故其作品不深刻，不使人感觉亲切有味，与现实生活的真相距离太远。我们看外国作者，他们对创作态度的认真，实可为我们模范。近来茅盾[1]从事某项著作，想先写八万字的内容提纲后再行下笔，此种精神实为作家应有秉具。

过去话剧创作又多趋于公式化典型化，今后描写人物务要代表一独特的完全的人格。

由于态度的欠严肃，中国话剧作者，对于材料的收集也不够。大都在报纸上偶见一则新闻，触起灵感，便欣然下笔，此种作品必定浮

【题注】载1938年10月1日《怒潮季刊》第1卷创刊号，署“曹禺先生讲、杜干民记”。该期《编辑后记》中记：“万家宝先生的《关于话剧的写作问题》原为讲演稿，本社向先生约稿时适值先生赴蓉主持剧校招生，无暇执笔。特由本社将此稿整理出，送呈先生校阅一遍，载入本刊，按先生所谈诸问题确为精警之论。至于文字叙述上有不妥的地方，当全由本社负责。”

1 “茅盾”底本作“矛盾”，据论创作本改。

泛不实。创作材料不但收集上要多下功夫，所得材料更应经过孵化作用，使材料充备时下手才可谓精心结构。从事文艺工作者，尤其是话剧，材料收集的习惯必须养成。我日常生活中，随身常有一小册，对各阶层人物的说话，及其行动特点，每每记下，以备写作时应用。

话剧写作者最感困难的是言语的问题。因为写作上的话和普通的话大为不同，话剧的话甚为贫乏，中国方块字是象形不是拼音，许多土语方言，不能写出，补救办法只有创造适宜的拼音字，以方言写话剧，当地观众看起来才能感亲切而称心满意。

还有近来的抗战戏剧，故事往往太离奇，反使人不置信，所以选材上应该力求平凡，再在平凡里找出新意义。譬如说现在抗战剧本写的多是汉奸与英勇的兵士，但是就现存作品中就很难找出写来有恰如其分的真实。写士兵写不出真能代表中华民族的士兵，而大都趋入传奇式的神话化了。写汉奸也把汉奸写成无恶不作的人物，这其实与观众的效果是很低微的，写汉奸要写那一念之差而失足的汉奸，使人代之惋惜不置，这才算上乘的写法。

话剧写作者还有一个戒条，就是不要走别人已走过的路，避免因袭造作，要有耐心的严肃各人去找出一条路。

眼前的工作

“见利不能思义！见危不能受命！一直是因为这种聪明人太多，所以抗战中有许多大事办不起来，办起来也不彻底！”我听见有人这样大发感慨。

其实一直也是因为这类善于指摘，别无其他特长的牢骚朋友们太多，事情才无从办起。第二期抗战中的工作固然繁难，在后方的人们还不需要做到“慷慨赴义”“见危效命”的勇敢。眼前有的平易的救国工作，譬如尽量增加个人工作的效率，减低自己的生活标准，果若大家做到便等于在战场上突增了数百万军士的兵力。抗战的英雄勇士确实值得我们讴歌赞扬，但广大的平凡的后方工作人员也决不应该忘却。

我常想，编剧的朋友们无妨再辟一条新路，把迫切的后方各种实际问题做题材写出同样热烈的好文章，来推动后方的工作。这才是切实地尽了我们的责任。

【题注】载1939年1月15日《国民公报》。

莫斯科天空下

Under Moscow Skies, By Maurice Hindus, Victor Gallancz Press, London, 1936.

一位善于观察的访员到了苏联总不愁没有材料写。如果他的职业上的顾忌不太多，当地新闻收发的手续不过繁，他所记述的材料想来一定不会离事实过远。自然，写一部长篇小说讲苏联又当别论，因为很可能的他调遣材料的本领也许不够高明，所刻画的人物或者失于浮泛，甚至他的教养说不定使他有了不可避免的偏颇。这些缺点在平时偶尔记人物述印象的文章中还不显然，到了非大手笔不足指挥如意的长篇著作里便觉出捉襟见肘，招架不灵。然而话虽如此，我们仍然赞扬新闻记者以小说体裁来记载时代动静的尝试。毕竟他是一位职业的时代观察者，他不但应该冷静迅速地记录他的见闻，并且最好明确周详地指出哪些是不可忽略的时代现象。所以他的小说里纵或有了上述的障碍，这仅仅是个人的过失，原则上我们认为从事采访报告的人

【题注】载1939年1月16日《新经济半月刊》第1卷第5期。

员，除了他日常工作之外无妨对普遍的社会动态做一番缜密的观察，如美国记者莫利思·亨杜司所写的《莫斯科天空下》，描述苏联人民由一九二九年到一九三〇年缔造国家的艰苦与夫新旧社会交替间的种种问题，便是一部极有意义的长篇小说。

顾名思义，这部小说仿佛讲的只是莫斯科一城的故事，其实莫斯科圈外的事情也说了不少。故事的梗概是这样：

美国青年柏那·布莱曼自幼颇憧憬于俄国生活，找着了一个机会到苏联观光，顺便为一个杂志写一些报告印象的文章。在莫斯科他遇见一位退伍的老军人耶哥罗费奇，曾经为革命流过血的忠实同志。由于他的介绍，柏那认识了那些所谓“命运之宫”（House of Destiny）的大楼里面的许多人物。“命运之宫”原是革命前的富商牙布娄洛夫为纪念他的出身卑微的祖母所建立的一所穷奢极欲的“宫殿”。革命后，他所有的财产充了公，他自己流亡国外，留下两个儿子佛罗狄亚与米夏漂泊在莫斯科。昔日的“命运之宫”现在做了工人的寄宿舍。宽敞的屋宇用木板隔了又隔，容纳各色各样新时代的人物。昔日的房主牙布娄洛夫弟兄却不得房子住，因为他们的“社会出身”不好，他们是大地主的儿子，为人所贱视的资本家的后代。多感易怒的长子佛罗狄亚虽然再三分辩，他的曾祖母是农奴，是妓女，他的祖母和生父都是为当时社会所不容的私生子。结果也是无效。他只好和他从前的马车夫同住，他的弟弟米夏，一个谦卑平和的教徒只求得地窖中一间无人肯住的小屋，在里面与世无争地和他的弱妻做木工为生。

地窖的上层呢，住的有工人、农夫、机师、教授、退伍军人、中央官吏、共产党员和新经济政策时期（一九二三——一九二七年）遗留下的小本经营的商人，在这个小社会里，最为大家所尊重羡慕的人物是美丽而干练的安娜。她在莫斯科一个大工厂内做文化活动的指导，她的丈夫安得烈·彼洛夫是卓越的中央党员，夫妻感情融洽，同是热心缔造新世界的真挚的工作者。为一般所鄙视的是小商人杜先可的一家。父亲米凯尔被詈为剥削人民的“苦辣克”（Koolak 此字原指“富农”，后含义渐宽泛）。他私蓄金银，预备携带妻子逃往国外。那时的GPU（苏联的特务机关）深惧国内“资金逃避”因是对他也加以注意。他和他的老妻具有老鼠似的狡黠，累次搜查都为他们逃脱。终于有一次米凯尔私携金宝，又做偷越国境的勾当时，在俄境的这一边，他忽然发现偷偷与他接洽领他盗出国境的人正是要得他甘心的GPU，这一下，人赃俱获，聪明的老鼠，到底落在陷阱里。

杜先可的女儿爱利娜遭遇颇为曲折。她所受的旧俄教育使她与新的社会时相抵触，虽然有一个共产党员爱慕她，她却倾心于那动人怜悯的没落分子佛罗狄亚。她以为二人身世相同，可以互诉甘苦，然而佛以不能自拔，屡次拒绝她的请求。于是她放浪形骸，过着堕落的生活，直到佛罗狄亚自杀后，她才稍敛形迹，终于改变自己的生活观念，和离婚后的安得烈[1]结合，一同致力于建造新的社会。

这本小说的故事人物错综复杂。作为本书骨干的还有安娜与柏那的相爱。柏那来自美国。和当时一般的俄国人一样，安娜对于那机器技术登峰造极的美国是不无向往之感的。她想到国外观光，她离开她的丈夫，准备携带着她的情人做一次“资本社会”的考察。但是到了

1 “安得烈”底本作“安得列”，依前后文当作“安得烈”。

巴黎，她目击那些流落在外的同种人的生活，她才发现新的俄国才真是值得人怀念的，值得人为它刻苦奋斗的。于是她又毅然回转祖国，更行热烈参加建国工作。

作者的祖先原系俄人，自幼便浸淫于浓郁的俄国文学的空气里。这部作品纵然有些报告式的新闻气味，然而从结构与人物的描摹上看都可以称得起优美的文学。它叫人忆起作者第一部关于苏联人民社会的作品，那轰动一时的*Humanity Uprooted*同样对于苏联各色人物（尤其是在《莫斯科天空下》那些没落分子）有深湛精微的认识和极动听的阐述。本书共分八部，每部各有题名。全书长八百余页，洋洋巨著，气魄之宏伟颇有俄国十九世纪大小说家的风度。而且内容也实在不恶，除了第一部与第二部的前半略嫌杂乱，读起来颇觉吃力之外，以后便兴味勃勃，如长江大河，令人不可向止。作者有俄国的血统，他了解俄国的斯拉夫民族性确实在一班自命为“俄国通”的外国人之上，尤其是他所刻画那些在厉行五年计划时期中被人所藐视践踏的人物，异常动人。作者是《莫斯科天空下》[1]之外的智识分子，他不免为那些同类悲惨的命运所惋惜哀悼。然而他也并不加以偏袒。例如佛罗狄亚的死亡，那真是一段“天鹅的哀歌”！悲惨的描写足使人唏嘘动容，然而却告诉我们这种人早晚是应当死掉的。

这本小说明显地指出当人民的忍着巨痛来抽换与新社会不适的血液时，大家应该鼓起勇气来正视许多不可避免的惨痛的事实。因为诚如书中所说，五年计划是一段“战争”，在战争中不歼灭敌人，即

1 “《莫斯科天空下》”底本作《莫斯科天空》，依前文当作“《莫斯科天空下》”。

有机会为敌人所歼灭。主人翁柏那[1]问为什么GPU的人对那些小本经营的商人如此地严酷呢？那位曾经保护过国家的老军人佛拉狄密尔简捷了当地答复："在战场中捉着十个嫌疑犯，如若确实知道内中有一个是间谍，我们决全体扑杀，不惜以其他九个人的生命来陪伴他的。"（大意）

尽可能地不容敌人有一丝乘机进袭的机会！这是社会革命运动中一个颇值得注意的现象。

这些艰苦凄惨的事实据作者在序中申述，是一九二九到一九三〇年的一时现象，如今这些不快意[2]的记忆早在"逐渐自由的空气"与"生活改进的状况"之下为人忘却。在作者的同情的笔锋下还停留着那多少个行将死亡的人们的哀鸣。在字里行间，我们却也窥探得出作者不自已地对他们的厌恶：怀疑、自私、忧郁、放纵、计算、逃避，这些弱点，加上一般人对他们的歧视使他们自成一个世界，与活的社会逐渐隔离，最后为时代扼住喉咙，悒郁而终。这是时代变动的必然牺牲，他们诚然是可悯的悲剧主角。

然而这只是偏锋。作者的正面文章却是更同情，更推崇苏联的新的社会秩序。精干无私的安得烈，明快爽直的安娜，以及朴质可喜的织布的老女工都是新社会秩序[3]中极好的代表。他们都是饱经社会锤炼的人物，在物质生活异常艰难的条件下实干苦干，支持多少伙伴

---

1 "柏那"底本作"班那"，依前文当作"柏那"。

2 "快意"底本作"快一"，当作"快意"。

3 "秩序"底本作"序序"，当作"秩序"。

的建国精神。他们对于腐败的分子毫不顾忌地予以鞭挞；对自己的同志也不稍假情面，不因循苟且，不做自欺欺人的事。当着柏锐佐窝Berezovo城的纱厂有一部分党员工作不力，生出差池，安得烈立刻予以全体撤职。有人讲，这些人曾经为革命入狱负伤，千辛万苦，干到今日，正是该受重用的时候，他们的过去的汗马功劳怎能轻易抹煞呢？然而安得烈回答道："……他们应该当作敌人看，……现在又是一番新的战争。……我们不能顾到他们过去的伤痕和光荣的！"

不讲情面，不顾历史，有了过错，立刻依法严办，不容本体有一丝腐化的机会。这也是一个颇值得思索的现象。

一九二八年，苏联政府公布第一次五年计划，雷厉风行铲除一切私有的贸易，将一切企业在政府指导之下加以集团的管理。这一段时期内，苏联人民过着最艰苦的日子，每个人减低自己的日常必需，加增他的工作时间，一切都为着一个单纯的眼前急务——增强国家的实力。诚如作者所说，这是苏联革命史中最有英雄气概的一段艰苦的斗争，人民都为着一个理想来打倒那似乎不可征服的"客观的条件"（Objective Conditions）。他们相信"他们就是自己的上帝"！被那所谓困难的"客观的条件"所克服而沮丧的人们才是真正的懦夫。大家缺少肉，缺乏糖，没有鞋穿，短少大量金属的用具和食物，因为钢铁皮革要移来巩固国防，一切买食物的资本要用来自国外购买比血还贵重的机器。这是一个伟大的集团意志，他们要实现"二加二等于五"的奇迹，在四年工夫完成五年的计划。

进行中的阻碍甚多，最可怕的莫若一般"失败主义"者所提出的"客观条件"绝对左右一切的论调。他们认为当前的"客观条件"

太困难，人力既然不能陆地行舟，所以不要希望做到根本不能实现的事情。结果，懒惰、愚蠢、迟缓、无能、不负责任逐渐使工作无法进行。然而这些失败主义者却把一切的恶因都推诿于“客观的条件”。

书中有一段工厂故事，据云是作者在场目睹的，阐述这种现象最为透辟。

在工业城柏锐佐窝的郊外矗立绰号“轻工业的巨人”的织布厂，有一万男女工人，十二万匹马力的电机，每天五十四吨棉纱填进机器的肚里，每日出产十二万码布匹，可以做四万人的衣服。工人的待遇很高。但是出品有百分之七十八是不能用的坏布，莫斯科的人们听见报告，大为震怒，派了一位干练的中委彻查原因。工厂的指导皱着眉头讲：

“你们莫斯科的人们希望我们也是太过了一点。你想，纱厂办不到一年，机器是生的，许多工人们是新的。刚从田里出来的农夫总得慢慢训练才能操纵这样的机器。办新工厂都是这样。所以，我们的报告每次都这样说：时间久了，慢慢就会好起来。”

其他办事人员也一样振振有词，取出成堆的表册来证明他们每个人无昼无夜的勤勉。总而言之，出品的恶劣都由于不利的“客观条件”，“譬如说，美国的棉花不够用，现在用的俄种棉花品质太坏；又譬如说……”这样滔滔不绝，极尽推诿责任之能事。

事实上，经过严密的查验之后，任何一架小织机内都藏有两公斤半以上的油泥、碎绒、垃圾，并且全厂二千一百八十六架织机，没有一架不是有些损坏的地方。这便是所谓的“客观条件”！委员安得烈于是彻惩所有的负责人员，招集工人大会，策动群众的力量来打倒这些可耻的“客观条件”，六千五百个工人洗刷机厂，第一天便拉出三十辆货车的积秽。鞭挞每个人的昏聩懒惰，鼓励工作的自动精神，这样，出品的损坏率始逐渐减低，工厂才走上轨道。

关于执行职务的态度本书也述及一段故事，颇发人深省。

在检查工厂的时期中，安得烈发现露天的车站上堆积着如山的行将霉烂的棉花，任雨雪淋漓，毫无遮盖。他质问那工厂的指导：

“这样怎能织出好的布匹呢？”

“同志，我也为这愁虑呢！”工厂指导悲戚戚地回答。

“愁虑是不够的。愁虑并不能保护棉花不受损害。”

“是啊，我想尽了方法预备从莫斯科弄一车帆布，但是弄不来有什么办法呢！”跟着他把累次催帆布好遮盖棉花的信件和电报铺在安得烈面前。

安得烈翻了一翻，放在一旁。

“自然，目前国内什么东西都是缺少的……”

“对呀，你也承认啊！”那指导胜利地插一句嘴。

“我并没有说完，同志。你知道一个‘普通’官僚（Bureaucrat）同一个‘真的’行政官吏（Executive）有什么分别么？”

“但是你想我还能做什么？”

“我告诉你他们的区别，”安得烈回戈一击，不理他的反问。“一个官僚，只会守信，打电报，望天花板，等待着奇迹发生，一个‘真的’行政官吏却用他的一双手造成这个奇迹的。”

“但是……”

“不要插嘴！”安得烈声色俱厉地说下去，“你怎么样也不该让棉花损伤腐烂。你该向‘组合’（Trust）申诉，所谓申诉并不是叫你写几封信打打电报，而是要你去据实力争。并且如果他们不理，你该诉之于党，诉之于中央委员会，诉之于《真理报》，到处力争，直打到他们把你所需要的帆布交给你，哪怕逼得他们从雪里抽出帆布来给你呢，那才算完。”

“你这不是叫我做不可能的事情么？”

“没有不可能的事！”安得烈热烈地反驳过去，“只要是为着保护棉花不受损坏！”

当晚安得烈派了他的同伴坐车到莫斯科去。三天后，他带来一车帆布回到柏锐佐窝。

在《莫斯科天空下》我们所看见的社会是“年轻”，“彻底”，有时“彻底”得叫人觉得有些蛮野。然而整个的印象确实活泼可喜，充满了新生命的希望。这是一九二九[1]到一九三〇年的苏联社会史，许多事实固然已是明日黄花，但内中所述以苦斗换来的成功是极值得我们现在咀嚼的。

---

1 “一九二九”底本作“一九三九”，依前后文当作“一九二九”。

我们底表演基本训练的方针和方法

一　表演基本训练的方针

（一）启发“灵感”　启发演员的真实的内心感觉，使其实有所感，始能形于外；感到什么，才表演什么。感到以后而仍表演不出时，我们得以暗示的方法指出表演的途径，俾其逐渐领悟，自己摸出路来。但是唤不出来演员对他所表演角色的亲切之感时，我们不以空泛的动作机械地使演员模拟无内容的形态，使他徒然在台上跳来跳去。

（二）“纵”“操”情绪　演员有了真实的情感，其次就要学得操纵那真实的情感。第一，要情绪放得开，纵横如意，奔放自由；却又要收得住，随时因剧本中意识，因演员环境，因节奏、因适应其他舞台上的种种现象予以确切的控制，使情感与动作在千变万化的限制里一致地协调适度，不过亦无不及。我们以为演员的情感应该能放能收。

【题注】收录国立戏剧学校编:《表演艺术论文集》，重庆正中书局1941年渝初版，署名“万家宝、金韵之”。

但为着初入门的演员，尽量先求其“放得开”，脱却过去一切习惯感情的种种压抑，力求其表现的情绪能“翻江倒海”，发挥尽致。有了无量的情，可以“舍得出”，再去谈“收敛”和“节制”，然后演员才能“有物”。

（三）模拟“原型” 抓牢一个角色的心理的真实，只限作者及导演的启发，甚至讲解，是不足的。演员应有自己探索的能力。他要首先判别清楚哪些是真实的、亲切的动作，哪些是空洞的、舞台的（Theatrical）表演。养成这种明锐的判别能力，他必须接近实际的原型。换句话说，他在周围的人生社会里，他应挑选形形色色的人物来观察、来表演、来体会各种不同心理的真实，而更亲切地他要体会到那些眼见的真切的动作，与舞台上空洞的表演，在内容在形态上有若何质量上的不同。无限量地搜集变化万千的原型来模拟，冷眼地批评自己的模拟，明确地修正自己的模拟。演员除了心里有了真实的感觉而外，更要在肢体上想自然地涌出明确亲切适度的动作。

（四）想象创造 “观察”“模拟”可以养成动作的准确。但凭“模拟”，表演便容易枯寂无味，失了润泽。模拟之外，复拥有丰富的想象力，才能左右逢源，不为事实的苛刻需要所短。我们使学生表演自己的梦境，模拟鸟兽的动态及心理，叫他一面忘却自己的束缚，一面更丰富地养成创造的想象能力。以后遇见了困难的或幻想的角色，才可以领悟，可以创造，不至于缘木求鱼，照猫画虎。

（五）节奏适应 前面只是讲“演员”的个人训练，不过一出戏只有一个意识的中心，一串情绪的节奏，演员不应单单表现自我的演技，正如行军中的炮，不能任意表现自己的射击的准确；演员应随时随地适应导演所指示出来的节奏，合成舞台上的各部艺术人员综合的调协。他须有舞台上的敏感，明了观众，了解节奏，洞彻剧中的意识，明了同台演员的个性；更必要地他能运用自己的技能，使剧中应有的节奏能自由如意地展开。这里我们的目的不只是训练每个演员的舞台感与适应性（Adaptability），而大部分是演员对舞台艺术的真切认识。因为我们认定有深厚修养的演员会体会一个演员最大的快乐与责任，且整个戏剧的综合成功，不是个人演技的出色。

二　表演基本训练的标准

这是我们训练演员，必须使其做到的几个标准，否则一个演员不算是对演技有了基本的成就。

⑴想象力的发展。

⑵情感的“纵”“操”。

⑶动作的“明”“确”（“明”是清楚，“确”是准确）。

⑷身心的联系（Co-ordination）。

⑸舞台敏感（The sense of stage）的领悟。

⑹“偶现力”[1]（Spontaneity）的保持。

1　偶现力是：“有时演戏，灵感油然而生，不期然而然地演得合了节拍，在短时间内，可以演得出神入化。然而再次表演时，灵感顿失，表演恶劣，恍若另为一人。所以演员灵感，偶然显现时的表演现象，必须培养保持。务使一得不失，永远保存其涌发的生气。”——底本注。

(7)判别力的养成。

(8)角色的自动创造。

三　国立戏剧学校表演基本训练的项目及教程

(1)晨操——普泛地锻炼演员的肢体。

(2)舞蹈——训练肌肉的放松与控制，以适应各种不同的节奏。

(3)声音训练——使演员知道怎样呼吸换气，怎样活动发音机关，怎样在舞台上吐词明确，怎样自如地运用声音。

(4)模拟表演（Mime）——目的在使动作真实、明确、亲切。

甲 感觉（触觉、嗅觉、味觉、视觉、听觉）训练（包括五觉实感训练及感觉的记忆，情绪的回忆与转换等训练）。

乙 人事模拟表演。

丙 鸟兽模拟表演。

丁 梦境想象表演。

(5)即兴表演（Improvisation）——目的在使表演中的选材要精练，想象要丰富，观察要深刻，性格要抓牢，更要生气涌发，激动演员的偶现力。

甲 人物观察 A人物个性观察；B社会集体生活观察。

乙 即兴表演 A观察即兴表演：(1)报告观察情况，(2)根据报告做“即兴表演”，(3)全体学生做集体的批评与修正。B三字即兴表演：(1)随便说出三个实体字，临时编成一段戏就表演出来，(2)表演后集体批评。

丙 集体编演 A就各人多次人物个性观察结果，各自选定一种人物或个性，加以想象的创造。B集合各人选定之人物类型由五人至十五人分组工作。C每组就已定之人物集体创编剧本。D由各组内之演员做创造性的集体排练，逐渐增加故事，逐渐充实心理与感情的内容，逐渐想添加有意义的动作，直至由“脚本”形成“剧本”为止。E剧本定型后再照正式排演程序进行工作。

⑹名剧抽场排演——甲、使演员熟习创造角色个性的方法（分析角色、想象角色、表现角色）。乙、研究剧词读法。丙、台词与动作的接榫（Cue）要确切适度。丁、角色情感转变的过程训练及角色间的呼应。戊、舞台敏感的领悟，使演员知道在舞台上时，演员与布景、道具、观众之关系及演员与其他演员之关系，与剧中节奏适应得恰好。

⑺独幕剧排演——甲、排演过程的训练。乙、角色个性的连贯训练。丙、排演工作严肃性的示范。

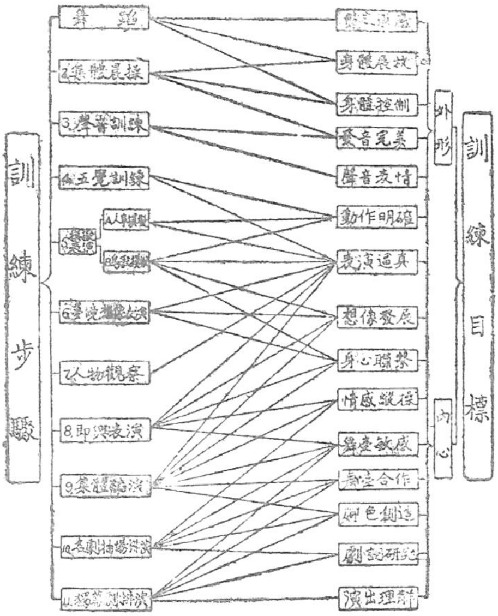

⑻多幕剧排演——甲、减少基本训练课程，增加排戏时间，做整个演出计划，积极排练。乙、选择剧本以笑剧、喜剧、闹剧为原则。丙、做正式的首次公演。

上列各项工作，按次推行，在过去三年制的教程是要在一年内完成。今后改办五年制的教程，将充实其内容，拟于二年内完成之。

兹为明了起见，再把这些教程与目标，对照起来，附表于第一〇〇页。[1]

为使读者明了实践情况，兹再略述训练概况如下：

十二小时工作之分配约如下：

第一阶段（一个半月或六周）

⑴人物观察表演	六小时
⑵声音训练	二小时（每早练声除外）
⑶五觉训练	二小时
⑷舞台常识讲话	二小时

第二阶段（一个半月或六周）

⑴集体编演	六小时
⑵社会集体生活调查报告	二小时
⑶声音训练	二小时
⑷舞台常识讲话	二小时

第三阶段（两个月或九周）

⑴抽场排演	六小时

1　按，此处“第一〇〇页”系底本页码，此表见前页。

⑵声音训练	二小时
⑶禽兽模拟表演	二小时
⑷表演艺术讲话	二小时
第四阶段（两个月或九周）	
⑴独幕剧排演	六小时
⑵三字即兴编演	二小时
⑶声音训练	二小时
⑷感觉训练（记忆、速写）	二小时
第五阶段（两个半月或九周）	
⑴哑剧表演	二小时
⑵节奏适应表演	二小时
⑶多幕剧排演	八小时

（注）上列课程以每年放暑假两个月，寒假两周计算，每年计上课九个半月，约计四十周。

附录戏剧学校第五届学生所受之“一年教程”

甲　讲习课程

一 本校表演基本训练的方针及方法

二 论演员的艺术

三 论纵操

四 论情绪的弹动及转换

五 演员的戒条

六 舞台常识数十则

七 动作姿态表情研究

八 声音表情三十九种

九 演技人讲

十 特种社会生活调查报告

乙　实习课题

一 早操及口术

二 舞蹈

三 人物观察（实地观察五次，情绪回忆三次）

四 五觉训练及人事模拟表演——雪夜归来、扑蝴蝶、听远近音、辨味、香臭之别、火（五觉训练联合表演）穿针、喝茶、喝酒、搬石、汲水、本校师生特点模拟

五 禽兽模拟表演——鼠、猫、狗、鸡、猴、虎、鸭、豹等

六 即兴编演——游击队、破除迷信、疯人院、妓院

七 抽场排演——《雷雨》《日出》《以身作则》《凤凰城》《从军乐》《原野》《飞将军》《方枘圆凿》《上海屋檐下》《天外》等

八 想象发展——三字即兴编演——（1）草、手枪、女人。（2）屏风、墨镜、照片。（3）电话机、报纸、信。寻死工具（此系独脚戏即兴编演）

九 节奏适应实习——拉犁歌、巫婆舞、新娘子、失业者

十 演出过程研究——（1）独幕剧排演，计有《红色马》《一出戏》《地下层》《正在想》《吉房出卖》《日东馆》《宣抚班》《原来是老子》《军民合作》《秋之夜》《志愿兵》《祖国的儿女们》等。（2）多幕剧排演，计有《万古千秋》《女子公寓》等

附声音训练实习教程

一 腹呼吸训练

二 口齿训练

三 音长、音域、音量训练

四 颤动音训练

五 哭笑训练

六 呵欠、喷嚏训练

七 有声无字语词研究

八 剧词情绪分析

九 方音校正

十 诗歌朗诵

悲剧的精神

——本局同人进修服务社第八次特约演讲词

诸位先生，不仅是主席觉得抱歉，就是我自己也觉得非常抱歉。因为我所要讲的，谅来都是些不关重要的话，却要劳动诸位挤在这里听讲，真是一面觉得荣幸，一面也觉惶恐。

今天要讲的题目是："悲剧的精神"，我所以选择它作为我的讲题，就是因为我见到我们这个民族，一向都是在平和中庸之道中活着的，平时就不专爱极端，自然也不喜爱悲剧，我们晓得那个人不想避开眼前困难，以谋他的升发之道，最低限度他也可在小我范围中求得他的安乐，反正依着一种平坦不偏不倚的路向前进就是了。

我这里所要讲的悲剧有两个构成的要素：一是抛去个人利害关系的，一个真正的悲剧，绝不是寻常无衣无食之悲，比如一个小公务

【题注】载1943年4月15日《储汇服务》第25期，署"曹禺先生讲、李家安笔记"。按，此次演讲同年还有海鸥记录的《国民公报》版，亦经曹禺校阅。文字差异较大，兹为"附录一"附后。《储汇服务》版后收入《论戏剧》、《曹禺论创作》，曹禺做了较大的修改，兹为"附录二"附后。

员，因为当前物价日高，家庭负担日重，以至发展到无法维持生活的阶段而沮丧失望，又如一个青年追求爱人，一再进行都被拒绝，于是最后宣称我要跳江了，这些都能称为悲剧吗？在我们看过悲剧的人看来，这绝不成其为悲剧，因这只局限于个人的不幸，真正的悲剧，却要深刻深沉得多，它多多少少是要离开小我利害关系的。所以这种悲剧不是每个人都能做到的，即令每个人都想这样做，而结果也只有少数有禀赋有天才的人才可做到。构成悲剧的第二个要素，是要绝对主动的，我们要有所欲、有所取、有所不忍、有所不舍，即如圣贤所说，要“所爱有甚于生者，所恶有甚于死者”，有这种精神的人，才配演悲剧，不然即表现无能，无能的行为，反映到文章上容易变成一片号悲诉苦的滥调，不能使人发生丝毫崇高的情感。即如有个公务员因不能维持生活坠楼而死了，固然这也是在反映着社会的不安，但你能说这是悲剧吗？照我们从事戏剧工作者的眼光看来，我们是不叫它作悲剧的。因为这样的人，从未在改造现实这方面努力过的，他是一再接受着人家的锤击，从未想反过鞭子来对抗一下，从未有过任何的反抗意志，他像一只永远不见阳光的耗子，我们固然觉得他可怜悯，但我们仍然要忍心说：“这不是悲剧。”因为这种人像一堆棉花，打下去根本不起一点反应，我们还怎能从这里面看出悲剧来呢！

现在我想再举几个实际的例子来谈谈，大家就可以知道什么是悲剧了。

罗马在纪元前一世纪，是一个共和国，当时人民的一般教养风气，都知道他们是为罗马共和国而活着，是为罗马市民的自由而活着，共和思想被认为一种神圣的法律。恺撒大将在当时是位有□[1]的政治家军略家，小小的罗马经他南征北讨的一番经营后，就俨然变成一大帝国，威风凛凛，无人不晓。国内人民更是把他奉为半神，属下都以为他是有不可测的野心的。当时恺撒有个好友叫作布鲁特斯，这人是抱着一个崇高理想做事的，以为不管什么事，就是我亲生的老子做错了，我也要把他指正的，这自然和孔夫子的所谓“父为子隐，子为父隐，即在其中矣”大异其趣。他还有着坚决的信仰，以为什么好友都可得罪，而罗马却必须永远的共和，罗马的人民却须永远的不成为奴隶。基于罗马当时的情况，于是布鲁特斯跑去忠告恺撒，劝他要适可而止，不要一发而不可收，可是恺撒丝毫也不感到这点。当时又有个叫开达的，这人自己看着满腹野心，所以嫉妒以致想把恺撒打倒。于是他去结识布鲁特斯，他是知道布鲁特斯有正义感的，所以当他见到布鲁特斯时，他就说：“你必须听我的话，因为我并没以利诱惑你”，他又知道布鲁特斯是最讨厌人家以小人充君子的，于是他又说：“只有你才不受人愚昧”，结果布鲁特斯就和开达变成好友。

此外又有位叫安多尼的，是当时恺撒手下副将，他早觉到罗马当时情势对他们不利。某次恺撒要到元老院演讲，安多尼已预知有人要行刺他，便阻止他去，可是恺撒以为他的权势是神给他的，他的威信可以慑服一切，对安多尼的话便绝不听信。但是到了元老院时，果不其然，由于某人提出一个要求而恺撒坚决不肯，以致突然有人喊出“打倒暴君”的口号，所有的人都为之骚动了。恺撒也不仅是个军

1　底本不清。

略家，他还是位健壮有力的武夫，便和群众厮杀起来。可是正当打得热闹时，恺撒却看见了一张熟悉的面孔，再定睛看时，原来就是布鲁特斯，以至不禁喊出：“啊！连你也……”话还没说完，冷不防就被刺斜里一刀刺死。于是全城大□[1]，都以为罗马的基础要推翻了。这时布鲁特斯却拉着恺撒的尸身，登高向群众宣讲起来，他说：“诸位罗马市民，请听我讲，世界再没有人对恺撒的情谊比我更崇高隆重的了。我爱恺撒，恺撒成功了，我庆祝，恺撒每打一次胜仗，我就为他的辛苦而流泪。可是他要成为暴君时，我也要第一个刺死他！试问你们愿意让一个人做了暴君，而大家变成奴隶呢？还是愿意让这一个人死了，大家可以得到自由解放？这里我不多说了，是非都请大家评判吧。不满意我的可以即时提出抗议来！”其实他是知道安多尼要不满意他的，而他竟也让安多尼在这种场合发表他的意见，这真是不无危险的，可是在这里也就十足的表现出他的悲剧的精神。以为我只要做得是就是了，让反对我的人来讲讲话也无妨。果然安多尼出来讲话了，他说：

“我到这里来讲话，绝不是为的要和布鲁特斯辩论一下，只不过看到一个人死掉了心里有点难过，想站在过去朋友立场上说点话。还要声明的是，恺撒生前确有野心，这次他也该被杀死。请诸位放心，我绝不为恺撒作任何辩护。”

由于安多尼知道群众心理早已倾向于布鲁特斯了，所以开首时他只好这样讲着，接着他又说道：

1　底本不清。

“但人心总该有点是非的，我曾亲见恺撒耀武扬威的在罗马凯旋门下走过，因之许多金银财宝也带进了国库，无限的光荣也充满了每个国民的心头，就是不久前我们大家还在喊着：‘恺撒是我们的救主。’当然我提出这些来对大家讲讲，也不是有什么特别的用意的，布鲁特斯是一位正人君子，我想他不致错会了我的意思，虽然这次变动中，布鲁特斯也曾参与其间，可是恺撒生前爱他的程度真如春风拂面，吹得再大一点或小一点都会不恰当了的。不过像这样的一个人如果把他的好友如恺撒者也杀掉了，那么这个人还靠得住吗？当然布鲁特斯是位正人君子，这里我不想，也不能攻击他。”

群众有些小骚动了，安多尼也知群众心理已在慢慢移向自己这边，于是他便用着沉重的步子走近恺撒尸边，垂下头去说道：

“我看到了这个人就要哭，”却真个哭起来了，“五分钟前还是叱咤风云的恺撒，想不到转眼竟会变成这样灰土不如的东西。看他这红袍，几个月前跨在马上曾被我们崇拜得偶像似的，那又是一个什么样子，我真不忍再想当时的情况了。以恺撒这样的健壮体魄，刚才他绝不是无力抵抗他的对手的，可是当他见到布鲁特斯这样的好友竟也参与其间时，他的心该比被十万把利刃刺入还难过吧！人心究竟不比木石，你们看他身上的每个伤口似乎都要长出舌头来说话：‘你们要给我复仇啊！’”

安多尼是越讲越激昂，使得大家都要动作起来时，却又故意做一顿笔：

“不！大家却先慢一点，我还有一件事没有告诉大家哩。如果大家事前知道这件事，那就可以知道恺撒生前时候这样的好，或许也就不忍反叛恺撒了。唉！恺撒是这样的英明勇武，想不到一旦竟毁于阴谋家之手。我所要对大家讲的这件事就是，恺撒生前曾留有一篇遗嘱，这个遗嘱始终装在他的宝匣里，上面说：他要给每个罗马市民一百五十块钱，他要把他私人所有的花园财产都变为公产。”

“啊！仁慈的君主！”听到这里，大家不禁轰动起来，竟一口气把布鲁特斯的家烧掉。

布鲁特斯情知不妙，匆忙逃出罗马，和他的侄子另组新军。自此罗马就分为安多尼和布鲁特斯两派，时起战争。起初布鲁特斯屡战屡胜，而开达就屡劝他凡事都要稳健，可是布鲁特斯不听，以致某次交锋大败，开达竟也战死，从此一蹶不振。布鲁特斯一生为了争取罗马的自由，这时才想到不该杀死恺撒，可是错已铸成，大势已去，羞愤下没奈何，拿了把刀请其部下把他杀死，部下不肯，于是他只好把刀插在墙上，头横冲过去自刎了。

听完这个故事，我们可以知道布鲁特斯才真正有悲剧的精神。以下我想再举几个例子：

屈原是有悲剧性的，他事楚怀王，始终是抱定忠君报国的思想，可是楚怀王听信谗言，不能重用，而他也一直不舍，一有机会就要找楚怀王作忠贞之谏，而王也始终不听。后来楚怀王质押于秦，其子继位，小人因更得势，而屈原和恶势力奋斗的精神也越高涨。终至各路都被走绝，不得已写完《离骚》后，就投汨罗江而死。这一段事实也完全是悲剧精神的表现。

更如诸葛武侯，也是带有悲剧精神的。也唯有他在政治上的发展才算是一种崇高的表现，试想当时昏君阿斗已是无法扶持的了，可是他始终觉得要把别人托他的事尽力做到，不怕吃尽辛苦，也要负起使命。当时蜀国家事是这般难于料理，而对外还须应付吴、魏，这都是他煊赫一时之功。诸葛武侯可谓兢兢业业，劳苦终身，我们从他前后《出师表》“鞠躬尽瘁，死而后已”的两句话里，就已可十足看出他的悲剧精神。在他行动上表现出的可谓全是一条直线，不管前面有多少困难，而他也要不变宗旨的往前干，干不通了就用命拼。历史上像这样的人物自然还有，譬如岳飞、文天祥等都是。

这里再讲一个悲剧的人物是怎样形成的？是一种什么样的精神在支持他？一种什么样的精神可以使他成为悲剧的人物。

（一）一个悲剧的人物，首先要富有像火一样的极端的热情，一个一味冷淡的人是休想做什么悲剧的。所以我们想到“聪明”该是件可怕的事，因为这种人可以“不滞于物”，这在他个人的修养上固觉可贵，可是这种人一多了，整个民族也就觉得可危了，因为大家既然什么也可以看得开，自然便什么也不愿有所为了。不过真正有智慧的人，须得又当别论，即如诸葛武侯、屈原、布鲁特斯等，他们不但有热情，并且有“至性”，所谓真正男子汉的性格。他们有着自己崇高的理想，渴爱着这理想，愿为这理想的实现而奋斗拼命。就如屈原那样勤勤恳恳的讲：“余固知謇謇之为患兮，忍而不能舍也。指九天以为正兮，夫唯灵修之故也。”唯有有热情的人才配演悲剧，“热情”可以称为构成悲剧精神的一大要素。

（二）要绝对不为中国固有生活态度所影响，遇事绝不采取平和、中庸、妥协的办法。凡事须有所知，而后以全力赴之，宁可走极端，也不中途而废。不能说“我革命不成，做官也罢，就乐得变成一个小喜剧也算了”，这种态度最要不得。我们硬是应该有一种极端的表现，我们应该学屈原《渔父》里所讲“众人皆浊我独清，众人皆醉我独醒”的风格，这是多高的自负！我们应该有自己绝对的喜怒，不能对任何事情，说喜欢吧，也不见得，说不欢喜，倒也还过得去，这完全是一种灰色的不生不死的态度。

（三）要悬下一个最崇高的理想，不断的为它努力。这个理想的构成，是舍开一己的利害是非的，是超出了小我的范围的。前面讲的诸葛武侯、屈原等几个例子，便都能做到了这点。

（四）最难办到的就是还要有一种气魄，譬如《离骚》的味道就不是那种靡靡之音。从前一为叫贝多汶的音乐家，某次在宫廷里演奏音乐，于是一些贵族侯爵伯爵以及他们的夫人们，都来听奏了。当时的风气是这样：他们觉得这次音乐很动人，大家就流下泪来，乃至贝多汶演奏完毕，他们便都举起了擦过眼泪的小手巾向他摆动着，贝多汶见到这种情景，立时跑出宫廷，碰到了他的朋友他才说：“我的音乐不是演奏给这般哭哭啼啼的人们看的！”悲剧也是这样，他也不是只会哭哭啼啼的人们所能完全领会的，悲剧是男性的。宋玉某次陪伴楚襄王在大殿中观看风景，这时正是秋天，忽然一阵大风吹来，吹得襄王满身舒服，不禁讲道：“大哉风乎，而吾与庶民共之。”宋玉却立时答话：“此大王之雄风也，庶民安能与共哉！”当时楚襄王对这却没能十分了解，其实宋玉也就是说，世界上有一种不可以解释的气魄，无以名之时我们就叫它作雄风。前面举的几个例子，譬如诸葛武侯、屈原、布鲁特斯等人的精神都是雄风的表现。现在我们每个人确是需要学习这个雄风，诸位如能多看悲剧，就可体会这一点了。不过现在

“悲剧”这一名词也太滥用了，就如滥用“摩登”两字把胭脂也叫作“摩登红”一样，以致悲剧真正的意义倒失掉了。我们看看现在重庆的话剧，可知一切的气魄、修养、演出技术演员技术虽都日有进步，但真正能代表中国民族性格的悲剧还没产生。如果把一般哭哭啼啼的这套玩意儿认作中国的“悲剧”，那么中国的话剧界倒是一个真正的大悲剧了。

我觉得中国的文化太好讲究超脱了：尽管在台上信奉的是儒教，下台后也可以讲讲道教；尽管在朝时还相当积极，而下野后便定要做得潇洒摆脱，一切怡然自得了。使自己的生活环境能有调剂，固然未始非好，不过这其间总觉缺少了点中心意识。最懂得生活，最能把生活安排得如意的，莫如晋朝陶渊明了，他是真能摆脱一切，怡然自得其乐的人，那种超逸而淳厚的诗境是后人无法学习的。不过中国的历史如能真个永远停留在晋朝那一时代，那么能够安排出那种享乐时，当然也可真算是人类表现出的绝顶智慧了。可是现在这个时代怎能妄想那些享乐呢！每当我们想到物价指数日高，所得生活津贴不足维持时，我们还能顾及那些轻松的事吗！我们不该也不能避开现实，我们要找出自己的雄风之路。

今天我所以找这么个悲剧的题目来讲，就是因为我见到戏剧上有个不好的现象，也就是一般人不大爱好真正的悲剧，或者也可以说根本不了解悲剧。我们确该时常想到，一些失败的人物中不少也是伟大的，“成者王侯败者寇”的观念根本应该推翻，因为这种观念形成的基础，只着眼于成败，而没有是非，这怎能成为一种发扬真理的观念哩！真正依据真理干的人，须得他不是为了自己做好做成功后带来的荣耀，而是他自己觉得这一件事根本应该这样做。所以依从成功的人去学习，那是件轻而易举的事，至于说叫谁去依从失败的人去学习，那就很难办到了，不过这也是最伟大的，这种人物也唯有在悲剧当中才能找到。他们抱定理想往前干，失败尽管失败，绝不气馁妥协，这就是正因为他们有了一个美丽的、不为成败利害所左右的人格的缘故。他们的失败，当然不是由于他们走错了路，而是由于当时种种环境的限制。只要从事者能继续不断的努力，困难的路早晚总有走通的一天，而事实上即令终于不能走通，但他也不惜按既定目标硬干到底。这就是古今一些大哲学家、文学家、科学家，能以成功的道理，他们对于一件事业，常能继承数代传流不息的干到底。自然悲剧的精神，也不是说就可全部变成了成功的精神，不过我们要常能从失败处着想时，是非才可辨别清楚，不然中国的社会将永远脱离不了这样的一个混沌局面。所以我想大家每人都该抱定一种悲剧的精神，这样才可以得到一个活着努力的方向。

我不知道我所讲的这些话是不是对，或者我所列举的比喻太多太乱了。笨拙的嘴舌，是不易发挥明白这真理的。不过巧妙的言辞不见得就是一样好事，常有人说，“巧妙的言辞是一面窗帘，可以算是一个美好的装饰，但却把阳光遮住了”，所以说真正的精神是在言辞之外的，言辞本身时常是件靠不住的东西，今天我所讲的一大篇也还不外是言辞，至于精神的部分，却是要大家去体会的了。

附录一：悲剧的精神（1943国民公报版）

我为什么要选“悲剧的精神”这个题目来讲呢？我觉得我们民族，人民一向以和平中庸之道过日子。不喜欢走极端。因而也就难感到悲剧的吸引。事事避重就轻，求在小我之中得到安乐，踏着平坦的路，不偏不倚的向前走着，所以悲剧永远不会降临到他的身上。只有那些不甘于事事妥协，不避开严重的试验的人，才会成为悲剧的扮演者。

一个真正的悲剧，并非寻常无衣无分的痛苦，也不是个个人都能有的，只有少数有秉赋独得上帝的恩宠的人才可以做到。一个年轻人得不到爱人，宣称：“我要跳江了！”这不是悲剧，即使后来他真的跳到江里去淹死了，结局虽然不幸，但仍然不是悲剧。所以说不是个人有了不幸的结局，就可以称为悲剧的，悲剧多多少少要离开小我的利害冲突和个人的不幸的。

一个小公务员，因为生活高，家累重，因而沮丧，失望，不努

【题注】载1943年5月21日重庆《国民公报·剧坛》。文末有编者说明“（海鸥笔记）本文经曹禺先生亲为校阅，并允在本刊发表”。

力，最不上进，最后坠楼死了。这只是一种社会上可悲的现象，但是，这还不能算是悲剧。人自己不努力，一再的受人捶击，没有半点反抗的意志，这是不见天日的耗子，他也许可怜，但他演的（我们仍然忍心要说）并不是悲剧。

我们知道铜这个东西，需要同样硬的东西夹击它的时候，才知道它是硬的，假如一个人无意志的能力，像棉花一样，打下去没有反应，一味受打击，这里根本就看不出悲剧精神之所在了。

所在说悲剧是主动的，不屈的，是有所不忍的，有所不舍的，是人的意志能力最高的表现。孟子说，“所欲有甚于生者，所恶有甚于死者”，这才配称为悲剧的精神，不然，即表现个人的无能，就没有悲剧的崇高的情感。无论如何，悲剧是要离开个人的不幸的。

在莎士比亚的悲剧《恺撒大将》内，布鲁特斯是一个真正富有“悲剧精神”的人物。在中国的历史上，屈原是一个有悲剧性的人。他有一片忠君报国的心，不因为楚怀王不听他的话，而改变初衷。他始终不舍楚国，一直奋斗到所有的路都断绝了，才写《离骚》怀石自沉。真是中国文人当中一个富有悲剧性格的代表。更如诸葛武侯，他就有悲剧的精神，“鞠躬尽瘁，死而后已”这八个字说明他的悲剧性格。

现在要说悲剧人物究竟是什么精神支持他的呢？第一：我以为必须有火样的热情，冷淡的人是绝对做不到悲剧的。真正伟大的悲剧人物都是有热情，有至性的，所谓不滞于物，在自己修养上是可贵的，但这样的人多了，民族前途是危险的。因为把什么都看得开，便什么都不肯做。譬如：诸葛武侯就是看不开的。屈原明知“謇謇为患”，也是“忍而不能舍”的。

第二：悲剧和中国的一般生活态度不一样，不是平和，中庸，妥协的；而是全力以赴，走极端的。极端的表现，就不免愤世嫉俗，故屈原《渔父篇》说过："众人皆浊我独清，众人皆醉我独醒"，都有绝对爱恶。爱可东可西的人，那就永远不会成为悲剧的。

第三：悲剧是离开个人是非，超出了小我的范围的。刚才举的几个例子如屈原、诸葛武侯，都是这样的人物。

第四：悲剧是雄性的，悲剧不是靡靡之音。有一次宋玉陪楚襄王在大殿中瞻望，忽有大风吹过。王欣然色喜的说："大哉风乎，而吾与庶民共之。"宋玉说："此大王之雄风也，庶民安能与共！"悲剧就是一种雄风。屈原，武侯，文天祥都是有雄风。诸位多看好的悲剧，就可以领略到这种气质。

所以我们要提倡悲剧，让大家知道悲剧精神的真义。原因也是因为中国过去的生活太重超脱，做官的人，在台上信儒教，下了台信道教，在朝热中，下台就做一副洒脱象，怡然自得。这都是有福的人，因为他们永远成不了悲剧。

不能领略悲剧的伟大，不能了解失败人物的伟大，这是可悲的现象，从成功的人去学是容易的，从失败的人去学才真学着了真理。因为失败的悲剧主人翁没有带与成功俱来的炫耀的光彩，他只有不幸，只有痛苦，但他确确实实证明了义之所在，"生死赴之"的精神。能受这精神的感召，才真能成一番事业。

欧美的科学家，常常是家传数代，世袭的去研究一种学术，的确是具有一种悲剧精神。不计成功，先不怕失败，则是非才能看得清楚。所以，我说悲剧的精神是绝对积极的，热烈的，雄性的。

附录二：悲剧的精神[1]（1985论戏剧版）

今天要讲的题目是："悲剧的精神"。

在我们中间，有这样一类人，一向是在平和中庸之道讨生活，不想国家的灾难，不愿看人间的悲剧，更不愿做悲剧中人物，终日唯唯诺诺，谋求升发之道，取得片刻安乐，对一切事物都用一副不偏不倚的眼睛来揣摩，吃饭穿衣，娶妻生子，最后寿终正寝。

这自然是"悲剧"，一个庸人的"悲剧"。

我说的悲剧是另外一种。它是抛去萎琐个人利害关系的。真正的悲剧，绝不是寻常无衣无食之悲。一个小公务员，因为眼前困难，家庭负担重，无法过下去，终日忧伤，以至病死。青年追求爱人，一再表演，都被拒绝，终于跳江自杀。这些能称为悲剧吗？他们除了表现

【题注】收录曹天成、王行之编:《论戏剧》，四川文艺出版社1985年第1版，据以排印。又收录张有煌编:《曹禺论创作》，上海文艺出版社1986年第1版，兹以通校（校注称"论创作本"）。

1　这是作者在一九四二年二月十九日在重庆上清寺储汇大楼对银行界"储汇局同人进修服务社"有关人员作的讲演。——论创作本注。

个人的不幸外，与国家、社会，没有其他任何内在关系。这不能称为悲剧。悲剧要比这些深沉得多，它多少是要离开小我的利害关系的。这样的悲剧不是一般人能做它的主角的。有崇高的理想，宁死不屈的精神的人，才能成为悲剧的主人。

悲剧的精神，应该是敢于主动的。我们要有所欲，有所取，有所不忍，有所不舍。古人说:“所爱有甚于生者，所恶有甚于死者。”这种人，才有悲剧的精神。不然，他便是弱者，无能。无能的行为，反映到文章上，号悲诉苦，乞怜于恶人、敌人(无论是自然的、社会的、政治的)的脚下，便是可笑的庸人，不是悲剧中人物。不想轰击现实，一再忍受无理的摧残，不想举起刀剑反击，那是一只躲进洞里，永不见阳光的耗子，是令人厌恶的动物。活着，像一条倒卧的老狗，捶下去不起一点反应，从这里怎能生出悲剧?我们试举一两例子来谈谈，说明我所指的悲剧精神。

罗马古时号称是共和国。当时，罗马当政者与一些市民（其实都是奴隶主），认为他们是为罗马共和国，为罗马公民的自由而生的。共和思想被认为神圣的。恺撒大将在当时是一位大政治家和军略家，经他南征北讨，罗马成了威武赫赫的大帝国。恺撒建立了独裁统治，罗马市民把他奉为半神。他的贪婪无厌的属下也看出他有不可测的野心。恺撒有一位他最信服的朋友，叫勃鲁托斯。这人真诚单纯，他忧心忡忡，担心恺撒毁灭罗马的共和、自由，决心制止恺撒独裁专制。他性格执拗，他的祖先就赶走过错误的统治者。他认为再好的朋友可抛弃，却不能使罗马失去自由和共和，罗马人永远不能沦为奴隶。

有个野心的贵族叫[1]凯歇斯，褊狭、暴躁，阴谋暗杀恺撒。他了解正直的勃鲁托斯，向他劝说："大家呻吟于当前的桎梏之下……和恺撒一样，你我都生来是自由的。难道他有什么超过凡人的地方么？"勃鲁托斯(他也是贵族)回答说："勃鲁托斯宁愿做一个乡野的贱民，也不愿在这种要加在我们身上难堪的重压之下，自命为罗马的儿子。"

勃鲁托斯成为凯歇斯阴谋[2]的亲密好友。

恺撒[3]年轻的好朋友安东尼，察觉罗马当时情势对恺撒不利。恺撒要到元老院演讲，安东尼预知有人要行刺恺撒，阻止他去。但是恺撒以为他的权势是神给他的，他的威信可以慑服一切，不听信安东尼的话。到了元老院，果然，阴谋者们围上来。某些人提出要求，恺撒坚决不肯，参加暗杀的人们呼喊起来，向恺撒刺去。恺撒是健壮有力的武人，便和暗杀者[4]奋起抗击，然而在暗杀者中，恺撒却瞥见了一张熟悉的面孔，定睛看时，就是勃鲁托斯，不禁喊出："啊！你也在内么？……"说完，他蒙住自己的脸，任他们又砍又刺，浸在血泊里。元老们纷纷逃去。安东尼请求把恺撒的尸体抬到广场，他作为一个恺撒的朋友[5]参加丧礼，并讲几句话。广场上，勃鲁托斯登上高台，向

1 论创作本无"叫"。

2 论创作本无"阴谋"。

3 "恺撒"论创作本作"当恺撒"。

4 论创作本无"和暗杀者"。

5 "一个恺撒的朋友"论创作本作"恺撒的一个朋友"。

群众说:“诸位罗马市民，请听我讲。不是我不爱恺撒，我更爱罗马。世界上再没有人对恺撒的情谊比我更崇高、隆重的了。我爱恺撒，恺撒成功了，我庆祝。恺撒每打一次胜仗，我就为他的辛苦而流泪。可是他要成为暴君时，我就第一个刺死他!试问你们愿意让恺撒活在世上，而大家做奴隶而死呢?还是让恺撒死去，大家做自由人呢?这里有谁愿意自甘卑贱，做一个奴隶，……请站出来……我等待着答复。”其实，他知道安东尼不满意他们，他肯让安东尼在这种场合发表意见，这是危险的。这里，看出勃鲁托斯的悲剧的崇高精神。

安东尼和一群悲痛的送葬人，抬着恺撒的尸体来到了。果然安东尼讲话了，他说:“我是来埋葬恺撒，不是来赞美他的。勃鲁托斯说恺撒是有野心的，要真有这样的过失，那诚然是一个重大的过失，恺撒也为了它付出惨酷的代价了。勃鲁托斯是个正人君子，他们都是正人君子。我来到这儿，只是来对我的朋友说几句追悼的话。”安东尼一次一次举出恺撒把他取来俘虏的赎金，全部充实了公家的财库；穷人哀哭时，恺撒为他流泪；安东尼三次把王冠献给恺撒，三次都被恺撒拒绝了。“难道恺撒有野心么?就在昨天，恺撒的一句话可以抵御整个世界，现在他躺在那儿……，没有一个人向他致敬。……可是我这儿有一张恺撒的遗嘱。”市民们喧嚷着宣读遗嘱。安东尼指着恺撒尸体[1]那一处处洞口，哪里是凯歇斯刺的……哪里是勃鲁托斯刺的，“啊!这是最无情的一击!刺穿心脏的一击，伟大的恺撒就蒙着脸倒下去了!人心总该有点是非的。……我曾亲见恺撒耀武扬威地在罗马凯旋门下

1 “尸体”论创作本作“尸体上”。

走过，许多金银财宝也带进了国库，无限光明充满了每个国民的心头。就是不久前，我们大家还在喊着‘恺撒是我们的救主’。当然，我提这些来对大家讲讲，也不是有什么特别的用意的，勃鲁托斯是一位正人君子，我想他不致错会了我的意思。虽然这次变动中，勃鲁托斯也曾参预其间，可是恺撒生前爱他的程度真如春风拂面，吹得再大一点，或小一点，都会觉得不恰当的。不过像这样的一个人，如果把他的好友，恺撒，也杀掉了，那么这个人还靠得住吗？当然勃鲁托斯是位正人君子。这里我不想，也不能攻击他。”

群众有些骚动了，安东尼知道群众心里已在慢慢移向自己这边，于是他用着沉重的步子走近恺撒尸边，垂下头说道：“我看到了这个人就要哭。”却真个哭起来了。“五分钟前还是叱咤风云的恺撒，想不到转眼竟会变成这样灰土不如的东西。看他这红袍[1]，几个月前，跨在[2]马上曾被我们崇拜得偶像似的，那又是一个什么样子，我真不忍再想当时的情况了。以恺撒这样的健壮体魄，刚才他绝不是无力抵抗他的对手的，可是当他见到勃鲁托斯这样的好朋友竟也参预其间，他的心该比被十万把利刀刺他还难过吧！心究竟不比木石，你们看他身上的每个伤口，似乎都要长出舌头来说话：你们要给我复仇啊！”

安东尼是[3]越讲越激昂，使得大家要动作起来时，却又顿了一下：

“不！大家都先慢一点，我还有一件事没有告诉大家哩。如果大

1 “这红袍”论创作本作“这身红袍”。

2 “跨在”论创作本作“他跨在”。

3 论创作本无“是”。

家事前知道这件事，那就可以知道恺撒生前是这样好，或许也就不忍反叛恺撒了。唉！恺撒是这样的英明勇武，想不到一旦竟毁于阴谋家之手。我所要对大家讲的这件事就是，恺撒生前曾留有一篇遗嘱，这个遗嘱始终装在他的宝匣里，上面说：他要给每个罗马市民七十五块德拉克马。他要把他私人所有的花园财产都变为公产。”

“啊！仁慈的君主！”听到这里，大家不禁轰动起来，竟一口气把勃鲁托斯的家烧掉。

勃鲁托斯匆忙逃出罗马，和他的侄子另组新军。自此，罗马就分为安东尼等和勃鲁托斯与凯歇斯两派，发起内战。起初勃鲁托斯屡次战胜，凯歇斯劝他凡事都要稳健。勃鲁托斯不听，最后交锋，大败，凯歇斯战死。正直、真诚的勃鲁托斯为了争取罗马的共和自由和市民的幸福，不惜一切对抗恺撒。可是大势已去，没奈何，拿了把剑，请他的部下把他杀死，个个摇头不干，最后有个仆人握着那柄剑，转过了脸，勃鲁托斯一下向剑锋上扑了上去。

安东尼殡葬勃鲁托斯尸体说[1]：“所有的叛徒们都是因为妒嫉恺撒而下毒手，只有他才是激于正义的思想，为了大众的利益，而去参加他们的战线。他一生善良，交织在他身上的各种美德，可以使造物主肃然起立向全世界宣告：‘这是一个汉子！’”

勃鲁托斯一生充满了悲剧的精神。只有莎士比亚才能写出这样的人物。

---

1 “安东尼殡葬勃鲁托斯尸体说”论创作本作“安东尼殡葬勃鲁托斯的尸体时说”。

屈原是有悲剧精神的，他一生忠贞，在[1]同反动贵族斗争中，遭谗去职。他揭露反动贵族昏庸腐朽，忧念国事，为理想献身。屡次进谏，楚怀王始终不听，楚怀王终于质押于秦。顷襄王继位，屈原又被放逐，长期流浪在沅水湘水的地域，无力挽救危亡，忧愤激昂，作了《离骚》，投身汨罗江水。

伟大的屈原是有悲剧的精神的。

诸葛武侯是有悲剧精神的。他在政治上的才智与节操，彪炳千古。他不负重托，扶持那无法扶持的阿斗。诸葛亮一生兢兢业业，劳瘁终身。从他前后《出师表》中就看出他"鞠躬尽瘁，死而后已"的悲剧精神。祖国的历史上这样可歌可泣的如岳飞、文天祥等等人物，照耀汗青，是不可胜数的。

究竟怎样才是悲剧的人物呢？

悲剧的人物，首先要赋有火一样的热情。"晚来唯好静，万事不关心"，一味恬淡，超脱的人不会[2]有什么悲剧。聪明自负，看破一切，是可鄙的人，这种人可以"不滞于物"。自命修养上"可贵"，但这种人多了，一个民族也就可悲了。

可以称得有"悲剧性"的人物如诸葛武侯、屈原、勃鲁托斯等，他们有热情，有"至性"，有真正男子汉的性格。他们有崇高的理想，追求着，奋斗着，愿为这一理想的实现而抛弃一切。屈原说："余固知謇謇之为患兮，忍而不能舍也，指九天以为正兮，夫唯灵修之故

1 论创作本无"在"。

2 "不会"论创作本作"休想"。

也。”他又说：“长太息以掩涕兮，哀民生之多艰。”惟有热情、至性的人才能演悲剧；为公众的高尚的热情和“至性”才是构成悲剧精神的要素。

不为那些孜孜为利的人生观所影响。遇事绝不采取和平、中庸、妥协的办法。凡事有真知，全力以赴。信得准确，宁可以死赴之，决不中途而废。那种“革命不成，做做官也不错，一生演一出小喜剧吧”，这是一副卑劣的嘴脸。我们应该有自己绝对的喜怒。不能对任何事情，说喜欢吧，不见得；说不喜欢，倒也过得去。这是不生不死的态度。

要立下一个崇高的理想，不断地为它努力，为这个理想的实现，舍开一己的利害，是超出了小我的范围的。

要有一种雄伟的气魄。贝多芬某次在宫廷里演奏音乐，一些贵族和他们的贵妇们，都来了。当时的风气，贵族们觉得如果音乐动人[1]，大家就该流泪，表示欣赏。贝多芬演奏成功，他们都举起了擦过眼泪的小手帕向他摇摆祝贺。贝多芬跑出宫廷，见了他的朋友说：“我的音乐不是演奏给这般哭哭啼啼的人们听的！”悲剧也是这样，他也不是为只会哭哭啼啼的人们领会的。悲剧是男性的。宋玉某次陪伴楚襄王在大殿中观赏风景，正是秋天，一阵大风吹来，吹得襄王满身舒服，不禁讲道：“大哉风乎，而吾与庶民共之。”宋玉立时答话：“此大王之雄风也，庶民安能与共哉！”楚襄王并非那样爱庶民，宋玉也不一定那样吹捧。世界上有一种难以解释的气魄，无以名之，我们

---

1 “贵族们觉得如果音乐动人”论创作本作“贵族们如果觉得音乐动人”。

就叫它“雄风”吧。前面举的几个例子，都是雄风的表现。现在我们每个人脑中确是要有这个“雄风”，诸位如能多看真正的悲剧，也许就能体会这一点了。当然，现在“悲剧”这个名词太滥用了，如滥用“摩登”，把“胭脂”叫作“摩登红”一样，以致悲剧的真正的意义倒迷失了。

外国的哲学家研究悲剧的理论，是数不胜数的。我只谈今天我个人的看法。

我们当中有一种人，太超脱了。台上信奉儒教，下台便讲道教；在朝时贪污苟且，下野后定要作得潇洒超脱。最能把生活安排怡然自得的，莫如晋朝陶渊明了，在乱纷纷，杀人如麻的晋朝，归耕田园，自得其乐。那种超逸而淳厚的诗境，后人总是挖空心思，因循蹈袭，故作雅人的。如果中国人全停留在“采菊东篱下，悠然见南山”的心境中，中国的历史真个停留在晋朝那个竞尚清谈的时代，就怪不得今天的侵略者、独裁者同声赞颂泱泱哉中国的数千年的文化了。大家苦恼的，平价米不好买，物价指数日高，生活津贴不足维持，这是现实。但是民族要存在，中国要立足于世界，我们要救亡，要反抗，自来中国人民是吹着雄风的。

一般人不大爱看悲剧，因为悲剧的主人大都是失败者。但“失败”的人物中不少是伟大的胜利的灵魂。“成者王侯，败者寇”的观念应该推翻。这种观念的基础，只着眼于“成与败”，不想到“是与非”。立足真理，有所作为的人，是正义与信念激扬砥砺他这样做。学习成功者，容易。从失败中看见真理而为之奋斗，那是难得的。伟大人物，常常在悲剧中才能看见。理想是推动的力量，失败尽管失败，但绝不妥协。正因为悲剧人物有一种美丽的，不为成败利害所左右的品德。他们的失败，不是由于他们走错了路，而是由于当时种种环境的限制。艰难苦恨的道路，早晚总有走通的一天。一时走不通，他却勇于承担真理的重任，追求到底。这就是中外古今的革命家、文学家、科学家，使人永远敬仰的力量。悲剧的精神，不是指成功的精神。如果能从坚持不懈，勇往直前的气魄去体会悲剧的精神，中国的将来便会脱离混沌的局面，成为一个自强不息，独立富强的中国。

悲剧的精神，使我们振奋，使我们昂扬，使我们勇敢，使我们终于看见光明，获得胜利。

我的话像是讲完了。笨拙的嘴舌，是说不明白真理的。不过巧妙的言词不见得就是一件[1]好事。有人说："巧妙的言词是一面窗帘，可以算是一个美好的装饰，但却把阳光遮住了。"所以说真正的精神是在言词之外的。言词本身时常是件靠不住的东西。今天我所讲的，不过是言词，至于精神，却要大家去体会了。

（原载《储汇服务》第25期[2]）

作者附记：这是我于一九四二年二月，在重庆"储汇局同人进修

1 "一件"论创作本作"一样"。

2 此句论创作本作"原载《半月文萃》1943年第2卷第2期"。

服务社”的讲词，经李家安同志记录[1]。这记录今天看，似不甚准。大约，当时我讲得不清楚。此外，也因为我想讲，又不能讲透。现在追忆当时的情势和那种愤慨的心情，尽量按照彼时环境可能讲的写了[2]，写得还不透彻[3]。当然，也不该用今日眼光[4]写透彻了，但我在原讲话里说[5]“悲剧的精神是要极端的。”这个论点，只代表我的心情，我删去了[6]。[7]

1　此句论创作本作“这是我到重庆后在‘储汇局同人进修服务社’的讲词，经李家安同志记录”。

2　“写了”论创作本作“改了”。

3　“写得还不透彻”论创作本作“改得还是不透彻”。

4　“今日眼光”论创作本作“今日的眼光”。

5　“在原讲话里说”论创作本作“在原讲话上说”。

6　“我删去了”论创作本作“现在我删去了”。

7　论创作本此下署“一九八四年二月”。

The Modern Chinese Theatre

UNDERSTANDING a nation culturally is difficult at best; to those who have adopted hard and fast notions about it, it is even more difficult, if not indeed impossible. China has many lovable and devoted friends of long standing who cling to the conception of "Old Cathay" at any cost. This attitude, unfortunately, is only a stumbling block on the road to any real understanding, for in addition to the difficulty of knowing the basic trends of thought in a maze of confusing ideas and events, such preconceived criteria, based on a nostalgic longing for the old China, make it impossible to evaluate the new and changing China. The writer has known some really lovable "incurables" both in Peiping and in Chungking. They usually have been in China for a very long time, and often they seem more Chinese than

【题注】载1946年7月美国《学术建国丛刊》(*CHINA INSTITUTE IN AMERICA*)第7卷第1号，署名WAN CHIA-PAO（万家宝）。并附中文译文，由田露翻译。按，本文为1946年5月初，曹禺应“东西协会”之邀，与老舍在纽约市政厅演讲的英文演讲稿。

the Chinese themselves. Some of them wear Chinese gowns, carve seals, paint Chinese scrolls, collect curios, and even play the old stringed Chinese harp. But they are living in a dream world, entirely oblivious of what is going on outside their own doorsteps. To some of them China is a country of philosophers and country gentlemen, sipping "Dragon-well" tea out of green jade cups, writing genteel verses in praise of chrysanthemums and clouds, and on sunny spring days, strolling in leisurely fashion among bamboo groves, followed, of course, by a bevy of chattering beauties. Seriously, of course, their ideas of China are not quite as removed from reality as that, but in the matter of true perspective and understanding such misconceptions are only matters of degree.

There is another type of person, however, with hard and fast notions about China. He belongs to the group whose members call themselves realists. They may have stayed in China for a year or two, and more often than not, have written books about the country and the people. They see overcongested-slums, starving peasants, helpless illiterates, inefficient officials, unwieldy and poorly clad armies and rapacious landlords. "Well," they conclude, "China as she is, is an utterly hopeless country. It is an old nation, devitalized, spent, and with no possibility of rejuvenation or modernization. Science and democracy have no place in *this* type of social order." To them, China, stripped of the trappings of legendary dragons and lotus flowers, is merely a forlorn country of grafting politicians and arrogant warlords. They know nothing about, nor do they deign to make inquiries concerning the aspirations and hopes of the common people of China. They are not interested in making contacts with our leading thinkers and social workers; and they scoff at the idea of the existence of a modern Chinese literature. The aspirations of the newly awakened youth of China are a closed book to them. In a word, they insist on ringing our death knell at the very moment we are pinning our hopes on the building of a new China. They are the "hard boiled" irreconcilables, as contrasted with the nostalgic incurables. The modern Chinese theatre cannot be understood by either one of these two groups.

Modern Theatre a Revolutionary Development

It must be understood at the outset that the modern Chinese drama has not been developed according to the traditions of the classic Chinese theatre, but that it represents a revolution in dramatic technique, having broken away completely from the old, not only in form but in spirit. It is not something grafted onto the ancient tree of the traditional stage, but an entirely new sprout planted firmly in Chinese soil, by which I mean the soul of our people. The modern Chinese theatre would never have come into existence if those responsible for its birth had not believed firmly in the potential vitality of the common man and the possibility of bringing to flower a better social order out of the tangled and weedy garden of the old China. The New

Theatre was cradled in revolution, and it has never, since the first days of its struggling existence, forgotten its responsibility to its audiences. It has tried to mirror our hopes and fears and to reflect honestly the many phases of the political, cultural and social changes that have come as a result of the impact of Western civilization upon our ancient land. In its initial stages, it was unashamedly propagandistic.

As has been suggested, modern Chinese drama is a rebellion against the classic form. For some time it was labelled "Hsing Hsi", meaning "New Theatre", while the traditional one, with singing, dancing and music was called Chiu Hsi, meaning Old Theatre. Only very recently has a new term been applied to it, namely "Hua Chu", which means drama in the vernacular or spoken language. It is about this type of drama that I am going to speak. For the old traditional theatre, apart from its histrionic value, has nothing to contribute to the development of the new one.

Histrionically, one may justly be proud of the traditional theatre. It is unique and beautiful. For one thing, it completely gratifies the aesthetic sense. Stepping into a good theatre of the old type in which actors of orthodox, rigid training appear, one is instantly impressed by the artistic finish of their acting and dancing. Those who have had the experience of seeing Mei Lan Fang on the stage, will bear witness to my statement. But a single swallow does not make a Spring. And I am afraid that with all his talents and rare accomplishments, he is singing the Swan Song of the Old Theatre. Even in the Old Theatre, one has felt the repercussions of the ideas of the "Vernacular

Drama" movement. Discussions of how to instil new ideas into the stereotyped pattern of our old drama — the problem of "new wine in an old bottle" — have been going on for a long time. One way or another we would like to find the way to rejuvenate the ancient tree of our Old Theatre. But is it possible? And if possible, how? These are the questions we are still asking.

Function of New Theatre

The modern Chinese conception of the function of the drama differs fundamentally from the traditional one. Until relatively recently, actors were held in the same low esteem as they were in Shakespeare's time. They were hired merely to amuse and entertain, and had no very great opinion of themselves. Even forty years ago, one could still see in the theatres of Peking, groups of fashionable ne'er-do-wells sitting around wooden tables in the pit of the theatre, sipping their tea and chatting away until their favorite actor or singer appeared on the stage, when they would greet him with noisy bravos. Neither this type nor the general run of the audience had a very high opinion of the theatre. Those who did regard it seriously had very narrow, didactic opinions about it, based on outworn ethical and other standards. Under the Imperial Regime, the Chinese were not an articulate people. The plays that could be produced with Imperial approval were bound to be historical ones, supernatural fairy tales, or murder stories. These were the plays that were supposed to cater to the taste of the general public. An examination of the plays from the Yuan Dynasty down to the present time would reveal that with very few exceptions, there was no seriousness of purpose behind the production of plays nor any attempt to call attention to social or other evils. The thought-pattern, as may be gleaned from a study of our Old Theatre, is that of a distorted and vulgarized Confucian philosophy, which upheld the idea of an absolute monarchy and the necessity of personal allegiance to the Emperor. It accepted as entirely proper the idea of one-sided moral chastity for women, while encouraging men to take unto themselves as many concubines as they wished, or could afford, on the pretext of being sure of having a male descendant. Worst of all, however, it inoculated the common people with the deadly virus of a fatalistic philosophy. Under the influence of the Old Theatre, people were taught to resign themselves to the inevitability of their lot, however miserable, and without being aware of it, they became defeatists.

Exploited, ignorant and unhappy, they were content to leave things as they were, for it seemed to be thus ordained by fate, against which it was useless to fight. Indeed, the Old Theatre was sick, full of contradictions and absurdities, a product of medievalism and a feudalistic outlook on life, definitely an anachronism in the modern world. There were some good plays, of course, but very few. Several of these, such as "Tiger-General" and "Fisherman's Revenge", thanks to the excellent direction of Dr. P. C. Chang, were presented to the American public with brilliant success, by Mei Lan

Fang and his troupe. The American who has been charmed by the traditional Chinese theatre as exemplified by Mei Lan Fang undoubtedly finds it exotic and fascinating, but the average modern young Chinese, with his background of unprecedented and tumultuous change and the necessity of facing the problems of the present time, can only look upon it with a cold eye and critical reasoning and wonder what all of this has to do with life today.

Lady Precious Stream

Let us consider for a moment a very old and very popular Chinese play, "Lady Precious Stream", which has been produced on the American stage. As I understand the original version of the play, on which the translation may have been based, the story goes, roughly, like this. Lady Precious Stream, the daughter of a Prime Minister, would have remained an old maid had not the Emperor ordered her to choose a husband. The plan was a simple one, for a group of eligible young nobles was ordered to gather under the balcony of the lady's house, and she was to toss an embroidered ball amongst them, the man catching the ball to be the fortunate groom. For some inconceivable reason, however, destiny intervened, and a poor beggar, driven thither by the God of Matrimony, found himself in the midst of the throng of would-be husbands, and it was he who caught the embroidered ball. In the old play, it was actually the white-bearded God of Matrimony, supposedly invisible to the crowd, who received the emboidered ball from the lady and handed it over to the beggar. So the die was cast. Obeying the will of destiny, the lady would not make another choice, and despite her father's furious remonstrances, she stuck to her decision and married the beggar, since this was better than going contrary to what had been ordained by fate. She therefore left her father's house and lived in an earth cave with the penniless beggar. He, however, soon left his home to seek his fortunes "somewhere in the West", leaving his wife three bushels of rice and seven bundles of wood to support her for an indefinite period. The roving husband was gone for eighteen years, in the meantime having had many adventures and having acquired a new wife, a princess no less. Through the influence of his new wife, our former beggar inherited his father-in-law's kingdom. During all this time the deserted wife managed, by hard work and the utmost frugality, to eke out a miserable existence, and when, after eighteen years, her husband returned, he found her alive and well. His purpose in returning was to find out whether or not the good lady had been faithful to him, and the scene in the old play where he returns is as amusing and pathetic as one would expect. He comes disguised as a friend of the absent husband with a letter to the forlorn lady of the cave. He had at first thought he would reveal his identity, but suddenly suspicious, he looks dramatically at his rapier, and turning to the audience, reasons in this wise: "Halt, halt, let me consider, I left home eighteen years ago, and I do not know whether or not my wife is still faithful to me! No, no, I must be slow and discreet, and I would try her, lure her and tempt her. If she is pure and refuses my advances, I will give her a place in my royal harem, since that would be fitting to her station in life; if not, and she succumbs, here is my rapier at my waist, and I will kill her on the spot so that I may go back to the bosom of my exotic princess with no guilty conscience." After this he sings an aria in which he recalls the names of husbands who have resorted to this sort of device in the past. Fortunately, however, Lady Precious Stream was still the virtuous and faithful wife and refused all advances of the supposed stranger, and so the story turned out happily, or nearly so, for according to the story as told me by my own grandmother, Lady Precious Stream lived only eighteen days after she became a royal concubine of her former king-husband. Commenting on the story, my grandmother remarked: "Everything is predestined, my child. Such was her lot; she had no blessing from Heaven." Grandmother made no uncomplimentary remarks on the character of the husband, for according to accepted standards, Hsieu Ping Kuei, the husband, was regarded as perfectly correct and his conduct entirely exemplary. He had behaved the way any supposedly normal husband would, and according to accepted ethical standards of the time.

At this point, the reader may say to himself, "well, after all, this is just an imaginary situation—pure fantasy—and since the theatre is supposed to furnish an escape from reality, why find fault?" While it is true that our sophisticates go to the play to see the pomp and show of the production, and to enjoy the finished beauty of the stylized dancing and acting, caring not a fig for the moral lesson of the play, if any, this is definitely not true as far as the great mass of the common people is concerned. The Chinese theatre has always exerted a tremendous influence on them and will continue to do so in the future. Our people are simple and naive and seem to be instinctively fond of the theatre, and they accept the ideas lying behind the plays as readily as they believe in them. Plays like "Lady Precious Stream", therefore, and others of the kind, are hardly the type that should be presented to them if we are trying to educate them to be intelligent citizens of a modern state.

Limitations of Old Theatre

Let us consider, now, the limitations of form in our Old Theatre. In China we have actually two distinct languages: One is the Wen-li, the written language, the language of the few; and the other is the Pai-hua, the spoken language, the language of the many. With very few exceptions, nearly all of our literature in the past was written in Wen-li, in the traditional, classical style. It is a language that great masses of our Chinese people could not hope to understand. For they are uneducated and have had neither time nor the opportunity to learn the difficult, literary language. And our old dramatic literature of any worth follows the style of Wen-li. Starting from the alien Yuan Dynasty of the thirteenth and the fourteenth century A. D., when our drama began to be embodied in written form, our dramatic literature was tied up by the bonds of "Wen-li". Take "The Romance of the West Chamber" as an example. It is full of beautiful imagery and literary flourish, and a true-to-life picture of the longings, fears, and passions of adolescent lovers of all time. It is one of our dramatic gems, a fountain of inspiration for students of literature. But written in that literary language, it is beyond the comprehension of the common people. Occasionally we still present some parts of it on the stage, with singing and dancing accompanied by flute. But because of the handicap of its language, its appreciation becomes the exclusive privilege of the few. We have inherited a great many dramatic jewels of this kind, as beautiful as they are remote. On the other hand, we have a widely accepted *form* in our Old Chinese Theatre, the P'i huang, or dramatic action with singing. This rigid form of the old plays was the product of centuries. The thought-pattern and its theatrical form are so closely intertwined and so firmly welded that they intrinsically defend the old morals and at the same time defy any usurpation by modern standards. In some ways, the Old Chinese Theatre is rather like our traditional style of poetry or the unique style of our scroll painting, in that they are all the strong fortresses of the old consciousness. They are beautifully Chinese, conducive to the peaceful tranquility of an aged man, but a stubborn servant for young China. We have made some foolhardy attempts to reform the Old Theatre, but these attempts were doomed to failure. For any innovation in the way of modernizing our Old Theatre appears to be as absurd as painting a B-29 super-fortress over the pastoral serenity of a Chinese landscape painting. It breaks instantly the intrinsic harmony of our Old Theatre and makes the "innovation" look like a pompous, self-conceited upstart among a crowd of respectable old gentlemen.

Then why, one might ask, not leave the Old Theatre as it is and let the people have a good time out of it? The answer seems to me quite simple: What for instance would the American theatre-going public think if the American stage followed the model of Shakespeare's time, and no one was allowed to wear anything except Elizabethan costumes, talk only in blank verse, and Katherine Cornell and Lynn Fontanne were ousted from the stage, since in Shakespeare's time men played the feminine roles? No, no, it would not do at all.

Beginnings of Modern Theatre

It was with open eyes, therefore, that modern China threw this old unwieldy form overboard. The modern Chinese theatre has been in the thick of the revolution since 1911, and since then it has never deserted its post nor wavered from its task of proclaiming the sentiments and hopes of the common people in China. Since in its modern form, it has taken something from the West, it is really the child — and a somewhat precocious one — of the marriage of oriental and western cultures. When it came to using the *Pai-hua* or spoken language of the people, it even anticipated the Literary Renaissance, which began in 1917, since five years before the 1911 Revolution, a new theatre group by the name of *Spring Sun* had experimented with the vernacular on the stage in Shanghai. This group took the city by storm with the presentation of some western plays adapted for the Chinese stage, and some plays written by members of the group. And in Tokyo, a group of Chinese students organized "The Society of Spring Willows", an even earlier amateur theatre group, introducing the vernacular drama as the vehicle of popular expression. This troupe returned to China after 1911, and had a large following. Young intellectuals of this period were politically conscious. Political corruption, poverty, and the threatened danger of being partitioned by the "Ocean Devils" or western nations, haunted them like a perpetual nightmare. Their pent-up rage found a natural outlet in the vernacular theatre. Young actors and anonymous writers voiced their social protests on the long despised stage. The New Theatre at that time was a hot-bed of revolutionary ideas. Out of curiosity the public went to see their productions. And they were at once attracted by the down-to-earth nature of the plays, the presentation of corrupt public figures, bigoted Confucian scholars, fawning compradors, officials groveling in the presence of haughty "Ocean Devils", and fiery patriots with long, terrific speeches which furnished an excitement such as people never experienced in the Old Theatre. For the first time, the general public of old Cathay welcomed the new-fangled theatre with unreserved enthusiasm. They came to the theatre not only to be entertained, but also to get new ideas and facts, and they stayed to listen with rapt attention to the discussions of topical questions by leading actors. A new way of looking at life in China was needed as never before. This need was all the more urgent because our audience is more receptive and less sophisticated than the average western audience. Hence, it was not a coincidence that the first occidental plays adapted for the Chinese stage were La Dame Aux Camélias and Uncle Tom's Cabin. They were the prelude to the era of the modern Chinese theatre, and they were received by the audience's passionate, ear-deafening applause. This was not without reason. For in La Dame Aux Camélias we found our plight reflected in the same bonds of narrow matrimonial conventions, while in Uncle Tom's Cabin we were sincerely sympathetic because we knew by bitter experiences the sufferings and humiliations of an oppressed race.

However, despite the fact that they were definitely politically-minded, our actors were conscientious professionals, and they had a hard job pioneering in the new field. Through their efforts, the idea of the "illusion stage", whose purpose was to present life realistically, was accepted and appreciated by Chinese audiences, so long accustomed to the stylized acting and conventional form of our Old Theatre. Of course, these early attempts at presenting western-style drama were somewhat crude, and in their depicting of serious western plays very superficial and unrealistic. They *were* realistic, however, in the sense that the actors wore modern costumes, talked in the language of the people, had no singing or stylized dancing, and were concerned primarily with the life of the people of China today. The plays themselves were romantic and sentimental under a pretty thin pseudo-realistic disguise, but they captivated their audiences completely, for in the opinion of the latter, the characters talked sensibly and intelligently and the forcefulness and sincerity of their acting, in contrast to the stereotyped characters of the Old Theatre, gave the impression that they were real human beings.

This early period of our New Theatre Movement was short-lived. It enjoyed a summer of unprecedented popularity. Gradually it deteriorated and was succeeded by a swarm of theatre adventurers. The reason is not far to seek. After the revolution of 1911, China endured a long winter of discontent. Immediately on the heels of the downfall of the Imperial Regime came the incessant feuds of war-lords which shattered the dream of a unified, prosperous China. People were disillusioned. Most of those early pioneers of the new Chinese Theatre withdrew from the stage. Those succeeding them were the scum of society, ignorant and uninspired, knowing nothing about the western theatre, nor about the Chinese Vernacular Theatre Movement at all. At first they adhered very lightly to the playscripts of those early groups, but later on gave them up altogether. Instead, they extemporized on the stage, following the sketchy plots of cheap love stories or impossible romances, and catering to the public with horseplay and indecent, sensational humor. These actors, therefore, distorted the new movement because of their lack of any rigid, professional training which would have given their work some aesthetic value, and also because of their equal lack of social consciousness, which might in some measure have offset their professional inadequacy. The public, in contempt, came to call this dramatic abortion by the name of *Wen Ming*

Hsi, which is a rather sarcastically complimentary term meaning "civilized play". This was a way of indicating that in this degenerate theatre, anything at all could be said or done. Fortunately, this type was also short lived. Its remains are now to be found in Chinese equivalents of "Coney Island". Today, the most biting criticism that can be applied to an actor or director is to call him "Wen Ming Hsi", which is to imply that he or the play is vulgar, pompous, un-disciplined, and lacking in any decent amount of sense.

After the passing of this period the people of China began to feel that the government installed by the revolution was no better than the government under the Imperial Regime, for under the rule of the war-lords in the first years of our Republic, graft and corruption were rampant. Thousands of bitter and unpleasant facts convinced the people that a strong democratic China could not be built by the simple process of a political upheaval. Gradually, we had to come to consider the more fundamental problem: the need for psychological reconstruction. We had to know more about western civilization as reflected in occidental history, literature, art and philosophy, while at the same time we had to clear the way for a new social outlook. Of course one cannot say that the young and enthusiastic Chinese of that time had any definite ideas about how to bring about the necessary psychological change. As a matter of fact, they were pretty vague about the new ideals they were seeking. But they *did* have an unquenchable and burning hatred of the corruption of the old society and a rebellious attitude against the out-worn ideals for which it stood. However, the still strong bonds of old established conventions, with their narrow ethical standards, tied their hands and their tongues, giving them a feeling of being in a prison through no fault of their own. The authoritative voice of the old fashioned father still ruled the household and its members with tyrannical sway. No opinion of any younger member of the family was regarded as acceptable. Very few daughters were allowed to attend modern schools, and all of them, when the time seemed suitable, were sent off to be married to husbands most of them had never seen, but whom, nevertheless, they would have to live with for the rest of their natural lives. The strictest obedience of the young wife to her husband was enforced by the husband's parents. Any display of public-mindedness on the part of young people was frowned upon and interest in politics would bring the charge of being a rebel, a very serious matter.

It was in the year 1917, against a background of the kind described above, that the first translation of "A Doll's House" was published in the magazine "New Youth", the organ of the Chinese Renaissance Movement. Consecutively, in this and other magazines of the period, "The Enemy of the People", "Pillars of Society", "Ghosts", "League of Youth", and other western social plays appeared. One can well imagine the agitated feelings of a young Chinese girl when she called up the picture of Nora, fragile but determined, boldly breaking away from that smug, selfish but lawful husband of hers and launching forth in the free, wide world with that soul-stirring slamming of the door. And what ideas the Norwegian master inspired in the minds of Chinese youths at that time when they saw that a stubborn doctor with bare hands and a clear conscience dared to defy a whole town of sordid and timid souls! "The strongest man on earth is the one who is most alone." What a revelation! What hope and assurance for the future!

Influence of Ibsen and Western Literature of Revolt

Thus, with Ibsen, we actually inaugurated the era of the modern Chinese theatre. In the adolescence of our modern theatre he was the first playwright of whom we had any real knowledge. He came to us just at the most crucial moment of our cultural transformation. We received with open arms his message of individualism, that is, according to our interpretation, the doctrine of developing a strong personality, a free and independent spirit, bold and rebellious, courageously critical of our existing environment. It was an auspicious beginning for our New Theatre. From him we learned our first lesson: the writing of problem plays. We studied with him the well-knit technique of western playwriting and got acquainted with modern dramatic form. His plays were widely read by professors, students, writers, young women and men playwrights. The latter category placed special emphasis on the craftsmanship of the great master in their study of his work. For before the year 1917 most western plays presented on the modern Chinese stage were either free translations of the originals or, more often, adaptations based on the story of the original play. Immense interest was aroused for more knowledge of western dramatic literature and the theatre. In the stormy period of the Chinese Literary Renaissance, that is from 1917 to 1923, leading thinkers and literary pamphleteers, apart from vehement discussions as to the feasibility of adopting the spoken language as the universal medium, made it a point to take up the western conception of drama as well as a serious study of it. The theatre was once more regarded by progressive educationalists and intellectuals of that period as a weapon for combatting the ghosts of a feudalistic consciousness. Yes, a weapon with which to fight for a cultural adjustment rather than for a political cause. Now we began to send students to study dramatic literature and theatre in the United States[1] and Europe. In the national University of Peking a course on Western Drama was included in the curriculum of the Department of Foreign Languages. In the year 1922, the first private academy of modern dramatic arts was established and only five years later it was succeeded by another such institution under the sponsorship of the government. In addition to this, we had our first magazine of dramatic arts by the name of "Drama" published in 1921. Articles on the history of the western theatre and studies of the modern dramatists and of theatrical arts, including make-up, rudiments of scenery, lighting and direction were among the topics of discussion for students of the theatre. Especially desired were more translations of western plays. From 1918 to 1920, 33 plays were translated, including those of Ibsen, Wilde, Galsworthy,

1 "United States"底本作"Untied States"，当作"United States"。

Pinero, Brieux, Shaw, Chekhov, Ostrovsky, Gogol and Tolstoy. Of course the number was pitifully meager. But prior to this time there were practically no complete translations of western plays published in book form. Problem plays became the rage of the day. In the vein of Ibsen or Galsworthy, many five-act plays were written to call attention to the questions of narrow marital bonds, the misery of daughters-in-law, the tyranny of a bigoted, old-fashioned family head, and the need of modern education for our youth. To expose the dark side of the old society, especially the corruption of old bureaucrats and officials, was also one of the aims.

In addition to this experimental study of western drama, students of the theatre gradually came to see that the great works of Shakespeare, Molière, the tragedies of the great Greek dramatists, and other immortal works could be studied as pure literature. Translations of standard, classical dramatic works were demanded by intellectuals interested in western culture. Enthusiasm for probing into the literary values of the modern western drama was enhanced by experimental productions of Wilde, Gogol, Molière, and other playwrights. In response to this enthusiasm our playwrights began to pay attention to dramatic form *per se* and to make a study of the craftsmanship of the plays as well as of the plays themselves. They started to observe the daily life of the common man of China and with rather hesitating hands began to write plays in the language which he actually spoke. Deliberate and painstaking were their first efforts. Few of their productions can be regarded as of any value, judged by present day standards. They had had no chance to see the plays of Shakespeare, Shaw, Brieux, or Molière actually presented on a Western stage in the tradition of the modern theatre, nor the opportunity of reading dramatic literature, since translations of western plays were still very scarce. Sometimes they were too theme-conscious to be able to distinguish between the essentials and non-essentials of a dramatic piece of work. For an objective viewpoint and analytical discernment were still qualifications which most of our playwrights of that time had not developed. Furthermore, the spoken language as the tool of expression in the theatre was still cumbersome and unwieldy. We had innumerable difficulties in mastering the emotional nuances of our daily speech.

The Little Theatre Groups

From 1922 to 1932 as a result of the deeper interest in the experimental theatre, there were various little theatres and amateur dramatic societies in almost all of the big Chinese cities. Even in the remote corners of our interior provinces New Theatre groups among the students and local intellectuals were organized. On a nation-wide scale we had launched forth the introduction of New Theatre to our people. Although the movement had not yet assumed the form of a commercial theatre, it had a large following among the enlightened, progressive, middle-class intelligentsia. And some of the leading theatre men under the guidance of the mass educationalist, Jimmy

Yen, went to the villages with rural community experiments among country folk. On the other hand in the big cities many experiments with different styles of production were carried on. Romantic, symbolic, naturalistic, expressionistic and even constructivistic presentations were tried on our stage. It was a period of incubation and training. Directors and actors, owing to the extensive experiences gained in these experiments, began finally to be more at home with the new tools of the modern theatre. Contemporary European and American plays were introduced. Maugham, Coward, Barrie, Hauptmann, Pirandello, Toller, Benavente, Capek, Sacha Guitry, Anderson, Sherwood, Elmer Rice and Eugene O'Neill were now no longer strange names. Theatrical producers of that day began to discuss the theories of Gordon Craig, Reinhardt, and later on were completely absorbed by the acting technique of the great master, Stanislavsky. Especially in the last ten years has he been hailed as the great teacher and source of inspiration for actors on the modern Chinese stage. Chinese stage designers, profiting by the studies of returned students from the U. S. got their first glimpses of the works of Bel Geddes, Robert Edmond Jones, Oenslager and other outstanding American artists, and were influenced by them. With all the new elements of the modern stage racing through our minds, we started to grope our way to a New Chinese Theatre, which, while modern in form, would be distinctly Chinese in content. It should be the purpose of the Chinese theatre, therefore, to reflect the life and the thought patterns of the Chinese people in the tumultuous age of cultural re-evaluation. Our New Theatre must not be an echo nor an imitation of the western stage. Ibsen was no longer our idol, nor were the other great masters. We were looking for true playwrights with vision and sincerity — outgrowths of Chinese soil — whose words would mirror the soul of our people.

With the appearance of a professional theatre in Shanghai in the year 1932, an audience of far greater variety took to the New Theatre as a popular form of entertainment. Crowding before the box-office one could see shop-keepers, high officials, business managers, compradores, workers, students, learned professors, old-fashioned Chinese ladies and respectable old gentlemen, to whom the spoken drama had heretofore been a closed book. It seemed that after years of painful struggle we had at last brought forth a modern Chinese theatre that was aesthetically satisfying to the intellectuals and acceptable to the general public. The prospect of having a self-supporting theatre was really encouraging. Nourished by the returns of the box office, the commercial theatre got its recruits from the experienced actors of different cities and then gradually the first group of professional playwrights came into being and began to write for the professional theatre. From then on, the professional stage in China has held on firmly to its city audiences and has never lost their favor. It has prospered under the guidance of playwrights and directors. It is not an institution of catch-penny showmanship, aiming merely to entertain, although it may be backed by business-minded angels. We have had some pot-boilers, but most of our productions have been put on with a view of faithfully presenting life as it is. Our theatre people have been brought up with the idea of looking at the theatre more as a means of educating the public than as a place for the idling away of time. So too with our audiences. They want to have something meaningful to take back home to reflect upon and to discuss with their friends. They have become critical of the form of a production as well as of the message it contains. The traditional, conservative theatre makes but little appeal today. People want a clearer insight into and better knowledge of life as it is at present, and they expect to get it from the modern theatre. So the mere stirring up of emotion has been discarded as a fundamental purpose of a play. People who come to the theatre are not agitated and excited for nothing. We have tried nearly all the modern types of stage production, including the constructivistic and the expressionistic, and found them unsuitable and unconvincing to our public.

Formerly, for the benefit of our audiences, we created many flawless and ideal figures such as one never meets in every day life. For a time our audiences received them with open arms, due to a yearning for better men and a better social order. Now, however, they have turned away from this type as being too unrealistic. On the other hand, we do not consider it good theatre to expose merely the dark and cheerless side of life and then, by way of relief, force the plot to a sweetness-and-light ending — vague and undefined. It is also considered cheap to indulge in violent and hysterical abuse of the injustices and grievances of society without clarifying, as much as possible, their functional causes. We believe that we cannot justify our work by tricking our audiences into believing in phantom hopes with no basis in fact. We feel a great responsibility to them, the more so because we live on them. When we examine a new play, therefore, we are apt to ask: What is the purpose of this play? Has it anything to teach our audience? Is this work the fruit of the author's careful observation of life? Has he seen clearly the function of the dramatic elements he has brought in? What will our audiences get from it? Are the sentiments expressed in the play really Chinese and will they contribute to the building up of a new social order?

The Theatre and the War

The war gave us a new impetus. That day in 1937 when we fired the first bullet at the Japanese army in Shanghai, was a turning point for our stage as well as our national history. It was a period of exultation. For we were called upon to participate in a life and death struggle with our enemies, against whom for generations we had had so much pent up rage and enmity. We began propaganda with the army. Thousands of professional actors and student players left the big cities, joining hands with the soldiers and the common people. It was their job to encourage the soldier and to comfort and entertain him. New plays were written, living newspapers, war plays, comic strips and plays with music, singing and dancing. To find acceptance in an audience never before so extensive, the actors began to learn folk songs and the forms of the folk theatre of various regions of China, for our soldiers came from all over our vast country. For the first time modern Chinese drama as a form of propaganda and entertainment was widely introduced to the people at large. Peasants came to appreciate the New Theatre as contrasted with their folk theatre of singing, music and dancing. One-act plays, as well as full-length ones were presented on the decrepit, old platform stage of the village temple, on a vacant mill space, beside a paddy field or in the deserted farmhouses behind the front. New emergencies compelled the playwright to write different kinds of plays on many themes during the war and for tremendous audiences. We had short plays teaching our people to fight guerrilla warfare, to guard against spies and traitors, and to learn of the world situation by dramatizations of leading world events. In the final four years of the war we were again immersed in writing regular social problem plays about inflation, the conscription system, war profiteers and so forth, in addition to historical plays. History, according to the interpretation of the modern Chinese playwrights, is a long struggle between the good and the evil, between the oppressor and the oppressed. Under the restrictions of war censorship when a free voice could not be heard as often as before, the Chinese playwrights resorted to the writing of Chinese historical plays so they might be understood by the audience as reflections of contemporary problems. The New Chinese Theatre underwent some inner changes during the war. Because of the migrations of vast numbers of people to remote corners of the interior of our country, our actors and playwrights had an opportunity to see and feel the misery, the hardship and the magnificent fortitude of the kindly and patient Chinese common people. Their courage and their humane qualities have made an indelible impression on our minds. This understanding has made our theatre, in its development since the war, more conscious of the people in small villages. Prior to the war, we confined our activities largely to the big cities. Now we have many playwrights who wish to devote their lives to writing folk plays for the mass of the people who are, after all, in the rural districts. In some places the local forms of village theatre used by the agrarian community have been reformed to embody the realistic sentiments of the peasants. Native dances in villages, such as the plantation songs of northwest China, were also made use of in village dramatic presentations. We have had numerous experiments in dialect plays for the promotion of education among farmers which truly reflect their thoughts and emotions. Through pain and agony during the war our yearning for a true democracy was intensified, and we have come to realize how urgently needed for China is nation-wide industrialization. These two themes have been repeatedly emphasized in our plays.

It now seems that through trial and error in the short history of our modern theatre, we have arrived at the point where we would like to kill two birds with one stone. Our first objective is to reflect the changes in the soul of our people in a distinctly Chinese way. Our second objective, due to the urgent call of the present, is to facilitate the realization of a new democratic China. We must do away with the lingering feudalistic consciousness in our people by bringing in elementary ideas about democracy, and driving them home to the minds of the common people. This is a very ambitious program. We have but a few academic institutions for teaching drama and experimenting with the theatre as a pure dramatic art. While our professionals are not forgetful of the theatre as a universal art form, they are very much more conscious of the cultural changes taking place before their very eyes. It is painful to find some of their countrymen still wearing the invisible pigtail, symbol of slavery and feudalism, so they will continue to devote their talents to the ushering in of a new China. Through all their trials and struggles they have never wavered, for from the very beginning, our modern theatre has been one with the purpose of pointing out the truth about the present, and calling attention to the possibilities for the future.

现代中国戏剧

从文化的角度来理解一个民族本来就很困难，至于那些本来就有成见的人，则是难上加难。中国有很多挚爱忠诚的老朋友至今仍然保有“老大帝国”的观念。遗憾的是，这种态度只能阻碍我们达成真正的理解，因为了解那些让人费解的观念和事件本来就已经不容易了，更何况这种对旧中国的怀恋与向往所带来的先入为主的标准，使得他们无法评估正在变化中的新中国。笔者在北平和重庆都见到过这种无可救药的浪漫主义者。他们通常都在中国住了很长时间，常常显得比中国人还要“中国”。有些人会穿中式长袍，刻印章，画中国画，收集古董，甚至会弹古筝。但他们其实生活在一个梦幻的世界里，对于门外的现实一无所知。对他们来说，中国仍然是一个住满哲学家和乡绅的国度，一边从绿玉杯中啜饮龙井茶，一边写着赞美菊花和浮云的田园诗，在阳光明媚的春日悠闲地徜徉在竹林中，当然，后面还要跟着一群温言软语的美人。老实说，即使他们对于中国的看法与现实不能说是有天壤之别，但是和真实的观察和理解比起来，他们对中国都有不同程度上的误解。

另一种对中国抱有先见的人，则认为自己是现实主义者。他们可能在中国待了一两年，而且还写了一些关于中国和中国人的书。他们看到的是拥挤不堪的贫民窟，饥饿的农民，无助的文盲，效率低下的官员，缺少装备的无能军队和贪婪的地主。“好吧，”他们总结道，“中国是一个彻底没有希望的国家。这是一个古老的民族，没有生气，疲惫不堪，没有任何复兴和现代化的可能。科学和民主在这种社会制度中没有用武之地。”在他们看来，除了那些标志性的神龙和莲花之外，中国不过是一个充斥着腐败政客和野心军阀的可怜国度。对于中国普通民众的抱负和梦想，他们毫不知情，也不肯屈尊去了解。他们没兴趣去接触我们最好的思想家和社会工作者，对于中国现代文学这件事嗤之以鼻，对于已经觉醒的年轻一代的抱负更是一无所知。简而言之，在我们梦想着建立一个新中国的时候，他们却坚持要敲响丧钟。他们是顽固的反对派，和那些浪漫派正好相反。这两种人都是无法理解中国现代戏剧的。

现代戏剧：革命性的发展

首先我们要知道，现代中国戏剧不是从中国传统戏剧中发展出来的，而是一种戏剧创作的革命，从形式到内涵都摆脱了传统的藩篱。它不是从传统的戏台中生发出来的，而是根植于中国的土地，根植于人民精神的新事物。正是因为首创者相信普通民众潜在的创造力，相信即使是在杂草丛生的旧中国这个花园中，也能给这朵小花更好的生长环境，才有了中国现代戏剧的诞生。新的戏剧在革命中草创，从它诞生的第一天起，就没有忘记过对观众的责任。它一直试图反映我们的希望和恐惧，真实地再现西方文明给这片古老土地带来的种种影响，包括政治、文化和社会的转变。它从一开始就天然的带有宣传鼓动性。

如前所述，中国现代戏剧是对传统形式的一种反驳。有一段时间，它被冠以“新戏”的头衔，以对应于唱念做打的“旧戏”。直到最近才出现了一个新名字“话剧”，意思是用白话或口语表演的戏剧，我要说的就是这种戏剧。传统戏剧除了它的历史价值之外，对新剧的发展毫无贡献。

从历史上来说，我们当然也很自豪于我们的传统戏剧。它很独特美丽，是一种绝对的美学享受。看到传统旧戏中演员原汁原味、训练有素的表演，你一定会立刻被他们的动作和舞蹈所折服。看过梅兰芳在舞台上表演的人，一定会赞同我的看法。但是独木不成林。我认为就算他再有天分，再有成就，也不过是在为旧戏唱挽歌。即使是在旧戏中，你也可以感觉到“白话剧”运动的影响。关于如何在旧剧的程式化中注入新理念的讨论——所谓“旧瓶装新酒”的问题——已经进行很长时间了。不管如何，我们都想要找到一条复兴旧剧之路。但是这真的可能吗？就算可能的话，又该如何做呢？这是我们仍然在讨论的问题。

新剧的功能

在现代中国，戏剧功能的概念与传统有根本区别。一直到现在，大众对演员的轻视仍然和莎士比亚时代没什么不同。演员只是供大众消遣娱乐的，他们对自己的评价也并不高。甚至在四十年前，你还能在北京的戏院里看到一群群衣着时髦、游手好闲的观众围坐在木桌旁，喝着茶聊着天，直到他们喜爱的演员登场，他们才开始吵嚷着叫好欢迎。不管是戏迷还是普通观众都不觉得戏剧有多重要。封建帝王时代，中国人并不是善于表达的民族。那些被官方认可排演的戏都是有关历史、神仙或奇案的，以迎合大众的口味。考察从元代一直到当下的戏剧可以看到，除了极少数的例外，大部分的戏剧背后并没有严肃的目的，也并不试图关注社会或其他事情的阴暗面。根据我们对旧剧的研究，其思维模式不过是一种歪曲、庸俗化的儒家哲学，以维护绝对的君主制，强调个人对皇帝的绝对忠诚。它一方面宣扬女性单方面的道德忠贞，另一方面却以传宗接代为借口鼓励男性只要愿意或者经济许可，就可以尽可能多的纳妾。更有甚者，它向大众灌输了一种宿命论哲学。受旧剧的影响，不管大众的命运有多悲惨，他们都放弃了主动性，不自觉地变成了失败主义者。

大众一边无知、痛苦的被剥削，一边又满足于现状，好像命运就是如此安排的，试图反抗都是无用功。事实上，旧剧是病态的，其内容充满了矛盾和荒谬，是对生活的一种宗教性、封建性的解读，与现代世界格格不入。当然我们也有一些比较好的剧目，但是数量太少。其中像《刺虎》《打渔杀家》等剧目，因为有张彭春博士这样的优秀导演，被梅兰芳和他的剧团成功地带到了美国观众面前。梅兰芳演绎的经典旧剧对于美国观众来说，当然极富异域情调，十分精彩，但是对于现代中国的青年一代来说，由于史无前例的思想巨变以及面对当下现实问题的需要，则抱以冷漠和批判的态度，并质疑它对现代生活的意义。

王宝钏

有一部古老而又受欢迎的旧剧《王宝钏》已经登上了美国的舞台。据我所知，其原始版本的故事是这样的：王宝钏本是丞相之女，因为皇帝下令招亲，而改变了她贵族小姐的命运。招亲的方法本来很简单，把一群符合条件的年轻贵族召集到小姐的绣楼下，然后让她把一个绣球抛下来，接到绣球的小伙子就会成为幸运的新郎。但没想到命运做了另一种安排，一个贫穷的乞丐在月老的指引之下，跻身于这群准新郎中，并且接到了绣球。在旧剧中，其实是隐身的白胡子月老接到了绣球，并将它递给了这个乞丐。于是木已成舟，因为不能违背天命，这个小姐没有其他的选择，只得不顾父亲的愤怒阻拦，坚持嫁给了这个乞丐。她因此离开了娘家与这个一文不名的乞丐住在一个窑洞中。然而很快，他就离家西征去建功立业，只留给王宝钏三斗米和七捆柴来过活。丈夫一去十八年，经历了很多的奇遇，并且又娶了一个公主做妻子。在新妇的帮助下，这个乞丐继承了他岳父的王位。与此同此，被遗弃的妻子则勤俭度日，勉强谋生。当十八年后她的丈夫回来发现她还活着时，打算试探一下她是否仍然为他守贞。在旧戏中，这一场极尽滑稽可悲之能事。他假扮自己的朋友去寒窑给孤苦女人送信，一开始他本想说出自己的真实身份，但是突然有所怀疑，于是他夸张地看着自己的剑，转向观众说出自己的理由："请稍待！哎呀且住！想我离家一十八载，也不知她的贞洁如何？我不免调戏她一番，她若守节，上前相认。她若失节，将她杀死，去见代战公主！"接着他唱了一段西皮流水，历数了古代要过同样把戏的丈夫名字。然而幸运的是，王宝钏还是那个品行端正的贞洁妻子，拒绝了这个"陌生人"的调戏，于是故事有了一个大团圆的结局，或者说是接近大团圆罢，因为根据我祖母的说法，王宝钏在当上了她丈夫的皇妃之后只活了十八天。我的祖母是这么评价这个戏的："一切都是命中注定的，我的孩子。这就是她的命，她的命不好。"祖母对丈夫这个角色并无批评，因为按照大众的观点，这个丈夫薛平贵的行为是无可指摘的。按照那时候的道德标准，他只是做了所有丈夫都会做的事。

至此，有的读者可能会说："这毕竟是一个想象出来的虚拟情境，既然戏剧就是要给现实设置一个出口，何必挑毛病呢？"诚然，老于世故的观众看戏看的就是盛大的场面和歌舞表演的华彩，即使戏剧里有一些道德宣讲，他们也并不关注。但是，对于绝大多数的普通民众来说则不然。中国戏剧不管是过去还是未来，对普通民众的影响力都是巨大的。我们民众的心智是简单天真的，而且天生就喜欢看戏，他们愿意接受并相信戏剧隐含的观点。因此，如果想要教育观众成为现代国家的开明国民的话，像《王宝钏》这类戏就并不适合。

旧剧的局限

现在我们来谈谈旧剧形式上的局限。在中国，我们实际上有两种完全不同的语言：一个是文言，即少数人使用的书面语言，另一个是白话，即很多人使用的口头语言。除了极少数的个例外，几乎所有的旧文学作品都是由文言用传统经典的形式写成的。大多数中国人都无法理解这种语言，因为他们没有受过教育，也没有时间或机会去学习这种复杂的、文学化的语言，而我们传统的戏剧文学都是由文言写成的。我们的戏剧写成剧本是始于公元13、14世纪的元朝，从那时起，我们的戏剧文学也同时开始受到文言的束缚。以《西厢记》为例，这个剧充满了美丽的意象和文学化的表达，是所有青年恋人渴望、恐惧和激情的真实写照。它是我们的戏剧明珠，是文学青年的灵感源泉。但由于是用文言写作的，它并不能被大众所了解。有的时候我们会把这部剧的一些场景搬上舞台，用笛子来配合演唱和舞蹈，但是由于语言的障碍，只有极少数人才有欣赏它的特权。我们的遗产宝库中有许多这样的戏剧明珠，虽然美丽，但也难以触及。另一方面，在我们的旧戏院中也有一些为大众所接受的形式，例如皮黄或是唱念做打。这种固定的形式是旧剧在几个世纪间发展出来的，但其内涵和形式是紧密结合的，因此从根本上都在维护旧道德，也坚决拒绝现代标准的介入。换句话说，中国的旧剧跟我们古诗、水墨画一样，都是维护旧观念的坚强堡垒。它们都是美丽的、中国化的，虽有助于老年人的宁静祥和，但对年轻的中国来说却是一个顽固不化的仆人。我们已经做了一些试图改革旧剧的无用功，这种尝试注定是要失败的。因为任何现代化旧剧的创新方式好像都是荒唐可笑的，就像在一幅中国山水画的田园风光中画上一架波音B–29轰炸机一样。这种改革会立刻破坏旧剧根本上的和谐，就像一群受尊敬的老绅士中突然出现了一个狂妄尊大、自以为是的暴发户。

也许有人会问，何不就让旧剧保持原样，大家单纯的享受就好了呢？我的答案非常简单：我也同样可以问，假如美国的戏剧舞台仍然保持莎士比亚时代的模式，大家都只能穿伊丽莎白时代的戏装，念着素体诗，凯瑟琳·康奈尔和琳·方丹也被逐出舞台，因为莎士比亚时代都是由男性来扮演女性角色的，那美国的戏剧观众又会怎么想？不，不，这绝对不行。

现代戏剧的开端

由此，伴随着开眼看世界，现代中国把这种沉重的形式抛诸脑后。自1911年始，现代中国戏剧就开始了一系列的改革，也是从此时开始，它就坚守表达普罗大众的看法和愿望这一使命。由于在现代形式中借鉴了西方，因此它其实是东西方文化结合的产物，从某种角度上来说，还是一个颇为早熟的产物。一旦开始使用白话或口头语言，它甚至催生了始于1917年的新文化运动，因为早在辛亥革命爆发的五年前，一个名叫春阳社的新剧团已经开始在上海的舞台上实验白话演出。这个剧团把一些西方戏剧改编上中国舞台，也自创了一些新剧，因此风靡整个城市。另外在东京，一群中国学生建立了“春柳社”，这是一个比春阳社创建时间更早的业余剧团，他们引入了白话戏剧作为一种大众表达的方式。1911年后，这个剧团回到了中国，并拥有大量的拥趸。这个时期的年轻知识分子都是有政治自觉的，政治的腐败、民生的凋敝、被西方列强瓜分的威胁一直是他们永恒的噩梦。他们被压抑的愤怒在白话戏剧中找到了一个自然的出口。在长久以来被蔑视的舞台上，年轻演员和无名作家发出了他们对于社会的抗议，新剧因此成了革命理论的温床。大众本是出于好奇才去看他们的演出的，但却立刻被新剧吸引住了，现实主义的风格，对腐败官员、迂腐的儒学家、阿谀奉承的买办、奴颜婢膝于傲慢帝国列强的官员的展现，说着大段精彩演说的激情爱国者，都给观众带来旧剧中从没体验过的兴奋。老大帝国的普罗大众第一次以毫无保留的热情欢迎新剧的到来。他们去戏院不再仅仅是为了娱乐，也是去接受新的观点和事实，全神贯注的听着主角们在台上讨论时事热点问题。这种需求是非常强烈的，因为我们的观众比西方的普通观众更加包容，也更少世故。因此，也就难怪首先被改编上中国舞台的西方戏剧是《茶花女》和《黑奴吁天录》。这些剧是现代中国戏剧的先声，观众用热情的、震耳欲聋的掌声接受它们是不无道理的。我们在《茶花女》中看到了同样的家长干涉婚姻的恶果，我们也对《黑奴吁天录》寄予真诚的同情，因为我们作为被压迫的民族有过更悲惨屈辱的经历。

不仅如此，除了强烈的政治倾向外，我们的演员在职业化的道路上也尽职尽责，在开创这个新领域中投入了大量的心力。在他们的努力下，中国观众逐渐开始接受并喜欢上“梦幻舞台”的概念，也就是在舞台上真实地再现现实生活，而告别他们所熟悉的旧剧中程式化的表演和形式。当然，这种早期的尝试相比于现在的西方戏剧来说是有些粗糙的，他们对西方严肃戏剧的理解也很肤浅，不符合实际。但是，对于演员应该穿着现代服装，说民众的语言，抛弃歌唱或程式化的舞蹈，首先关注今日中国民众的生活等方面，他们也确实是务实的。这些戏剧在简陋的伪现实主义的伪装下，是浪漫感伤的，但它们彻底地吸引住了观众，因为在观众看来，这些角色的台词又实际又有见地，而他们的表演相对于旧剧的刻板角色来说也显得更真诚、有说服力，让观众觉得他们确实就是现实中活生生的人。

这个新剧运动的早期阶段是短暂的，整个夏天都受到了史无前例的欢迎。渐渐地，它就衰落了，并被各种蜂拥而起的戏剧实验所代替。原因很简单，在1911年辛亥革命之后，中国经历了一个漫长的寒冬期。紧随君主制陷落而来的是无休止的军阀混战，人们建立一个统一、繁荣中国的美梦开始幻灭。大部分新剧运动的早期先锋们退出了舞台，代替他们的则是无知无识的社会渣滓，对西方戏剧和中国白话剧运动都毫无见地。一开始，他们还能勉强忠实于早期剧团的剧本，但后来就全部放弃了，反而开始在舞台上即兴表演，采用幕表制表现一些庸俗的或根本不现实的浪漫故事，用闹剧和插科打诨的笑料来迎合大众。这些演员就这样扭转了原来的运动，他们由于缺乏严格专业的训练而不能提供美学价值，也缺乏社会觉悟因此无法弥补专业上的缺陷。大众轻蔑地把这种失败的戏剧实验叫作“文明戏”，这是一种充满反讽的叫法，暗示在这种退步的戏剧中毫无禁忌。好在这个阶段也很短命，它的遗迹现在还能在中国版的《康尼岛》中看见。如今，对演员或导演最尖刻的批评就是说他在做“文明戏”，相当于是说他或他的戏很庸俗，自以为是，既缺乏训练，也缺乏理性。

这个阶段过去之后，中国人开始意识到这个由革命建立起来的政府并不比君主制的政府更先进，因为在民国初年的军阀统治下，贪污腐败仍然泛滥。成千上万的苦难事实告诉民众，光靠政治剧变是无法建立一个强有力的民主中国的。我们开始思考更本质性的问题：心理重建的需要。我们需要通过西洋的历史、文学、艺术和哲学来进一步了解西方文明，同时我们也要为新的社会秩序清除道路。当然我们无法肯定，那时年轻、热情的中国人对于如何完成必要的心理转变是否有非常清晰的思路，事实上，他们对于正在寻找的新理想也很迷茫。但是，他们对于旧社会的腐败确实怀有无法遏制的强烈仇恨，反对它所代表的过时理想。然而固有的古老传统和狭隘的道德标准仍然禁锢着他们的言行，让他们感觉自己在因莫须有的罪名而受惩罚。守旧的父权仍然粗暴地控制着家庭及其成员，不接受年轻一代的观点。只有极少数的女孩才能就读新式学校，到了一定时间，她们就会被嫁给素未谋面的丈夫，并且与之共度一生。婆家会强迫年轻的妻子严格顺从于她们的丈夫。年轻一代但凡表现出对政治或公共事务的兴趣则会被视为叛逆，后果严重。

在这个背景下，1917年，新文化运动的机关刊物《新青年》上发表了《玩偶之家》的第一个译本。紧接着，《新青年》和其他的杂志上开始不断刊登《国民公敌》、《社会支柱》、《群鬼》和《青年同盟》等西方社会问题剧。我们完全可以想象当一个年轻的中国女性读到易小的娜拉坚定地和自私、自以为是的丈夫决裂，在震撼灵魂的摔门声中奔向自由广阔的世界时，受到了怎样的鼓舞。或是挪威戏剧大师笔下的倔强医生，仅凭良知赤手空拳地对抗整个小镇的卑鄙与胆怯的情节，怎样启蒙了中国的年轻一代。“世界上最有力量的人就是最孤立的人。”这真是让人耳目一新，是对未来的希望和保证。

易卜生与西方反叛性文学的影响

随着易卜生的绍介，我们正式进入了中国现代戏剧的阶段。最初易卜生是我们首先认识的剧作家，他恰好在我们文化转型的关键时刻被介绍进来。我们从他的戏剧中解读出了个人主义，并被我们全盘接受——强烈的个性，自由、独立的灵魂，对我们身处的世界保有无畏的、反抗的、激烈批评的态度。这给我们的新剧开了一个好头。我们从他身上学到了西方戏剧创作的精妙技巧，也开始熟悉现代戏剧的形式。他的读者众多，包括教授、学生、作家和青年编剧。编剧们尤其注重研究这位戏剧大师的技巧，因为在1917年之前，被搬上现代中国舞台的西方戏剧或者是对原作的意译，更多的则是对原作故事的改编。这因此引起了我们对西方戏剧和剧本的更大兴趣。在新文化运动的高潮期，即1917到1923年，运动的倡导者和文学先锋除了开展白话能否成为通行的书面语言的激烈讨论之外，也特别注意吸收、研究西方戏剧的概念。进步的教育家和知识分子再一次将戏剧视为批判封建思想残余的武器，其目的更多的是文化上的更新，而不是政治的考虑。接下来我们开始送学生去欧美学习戏剧和戏剧文学。在国立北京大学，外语系也增设了西方戏剧的课程。到了1922年，第一所私立现代戏剧艺术专门学校成立，并在短短的五年后就在政府的资助下被另一所学院所代替。除此之外，名为《戏剧》的第一份戏剧杂志也于1921年出版。学习戏剧的学生就西方戏剧的历史、现代戏剧艺术和戏剧家等议题展开广泛的讨论，包括化装、布景、灯光以及导演等等。大家尤其渴望看到更多西方戏剧的翻译作品，从1918到1920，一共有33部戏剧被翻译过来，包括易卜生、王尔德、高尔斯华绥、皮内罗、卜留、萧伯纳、契诃夫、奥斯特洛夫斯基、果戈里和托尔斯泰等。虽然这个数字还是少得可怜，但是在此之前，我们从没有出版过西方戏剧的全译本。问题剧由此开始盛行，很多模仿易卜生或高尔斯华绥风格的五幕剧都在呼吁关注包办婚姻、儿媳的悲惨境遇、顽固守旧的家长专制、年轻人对现代教育的渴望等等问题。揭示旧社会的阴暗面，尤其是旧官僚的腐败，也是其中的重要议题。

除了对西方戏剧的实验性模仿外，戏剧学生逐渐开始接触莎士比亚、莫里哀的重要作品，希腊伟大戏剧家的悲剧以及其他可以当作纯文学文本来研究的不朽著作。对西方文化感兴趣的知识分子也希望看到更多正宗经典的戏剧作品翻译。王尔德、果戈里、莫里哀以及其他剧作家作品的实验性演出引发了对现代西方戏剧的文学价值的探索热情。为此，我们的剧作家开始关注、研究戏剧形式的问题。他们开始观察中国普通民众的日常生活，并摸索用白话创作戏剧的方法。虽然最开始的尝试小心翼翼、斟酌再三，但以今天的标准来衡量，有价值的作品很少。他们没机会亲眼目睹莎士比亚、萧伯纳、卜留或莫里哀的戏剧在西方现代戏剧的舞台上表演，也没机会阅读戏剧文学文本，因为西方戏剧的翻译仍然非常少。有的时候，他们实在是太关注主题了，以至于无法分辨戏剧作品中更重要的部分，因为那时大多数的剧作家仍然没有能力养成客观的角度和分析的眼光。更何况，把白话作为戏剧表达的工具也还在尝试中，如何把握日常口语中情感表达的细微之处仍面临数不清的困难。

小剧团

从1922年到1932年，随着对实验戏剧的兴趣加深，在中国几乎所有的大城市中都出现了各种各样的小剧场和业余剧团。即使是在那些内陆省份的偏远地区，学生和当地的知识分子也组织了一些新剧团体。我们已经把新剧介绍给了全国的观众。虽然新剧还没有走上商业化的道路，但却获得了大批启蒙、进步的中产知识分子的支持。在平民教育家晏阳初的倡导下，一些新剧领袖来到农村参与乡村建设实验。另一方面在大城市中，各种形式的实验也在进行中，舞台上轮番上演浪漫主义、象征主义、自然主义、表现主义。这是一个逐渐酝酿发展的时期。导演和演员得益于从这些实验中获得的丰富经验，终于开始熟悉现代戏剧的新手法。欧美的当代戏剧也被引入进来，毛姆、科沃德、巴里、豪普特曼、皮兰德娄、托勒尔、贝纳文特、恰佩克、萨沙·吉特里、安德森、舍伍德、埃尔默·赖斯和尤金·奥尼尔现在都不再是陌生的名字。戏剧人开始讨论戈尔登·克莱格、莱因哈特等人的理论，随后还全盘吸收了戏剧大师斯坦尼斯拉夫斯基的表演理论。尤其是在最近十年里，他已经被誉为现代中国话剧演员的导师和灵感源泉。从美国学成回国的学生带回来的研究也让中国的舞台设计师受益匪浅，他们第一次看到了贝勒·格迪斯、罗伯特·爱德蒙德·琼斯、昂斯雷格以及其他美国一流戏剧人的作品并受到影响。有了以上所有现代戏剧新元素的帮助，我们开始探索自己的中国新剧之路，包括形式上的现代以及内容上的中国化。中国戏剧的目的应该是反映这个文化重估时期的中国人的生活和思维模式，而不能只是西方舞台的回响或模仿。易卜生和其他伟大的大师不再是我们的偶像，我们在寻找真正有远见的、真诚的剧作家，他们应该是从中国土壤中生长出来的，能够写出我们民众的灵魂。

到了1932年的上海，我们有了更专业的剧院，观众的群体也进一步多元化了，他们把看新剧当作是一种时髦的娱乐方式。簇拥在售票厅前的观众里有店主、高官、商人、买办、职员、学生、教授、旧式中国妇女和有地位的乡绅，在此之前他们对话剧还一无所知。看起来经过数年的痛苦挣扎，我们终于建立起了既能满足知识阶级的审美需要，又能被普通大众所接受的现代中国戏剧，剧团即将实现自给自足的前景也让我们备受鼓舞。由于有了经济效益，商业剧团开始吸引其他城市有经验的演员加盟，专业的剧作家群体逐渐出现并开始为专业剧院创作。从此时起，专业剧团的演出紧紧的抓住了城市观众的心，并得到了他们的长久热爱，这都要归功于剧作家和导演们。这些剧团虽然也会得到一些经济的资助，但他们的目的从来不是为了娱乐大众，也不是培养靠表演发家的演员学校。虽然我们也有一些粗制滥造的作品，但大部分戏剧的目的仍然是忠实的展现现实生活。我们的戏剧人一直以来都认为戏剧应该有教育大众的功能，而不是打发时间的工具。我们的观众也同样希望戏剧能带来一些有意义的思考和讨论，而且他们也已经有能力对戏剧的形式和内容进行评判。守旧的传统戏剧在今天已经失去了吸引力。仅仅引起一点情感的波动已经不是戏剧的主要目的，人们走进剧院是希望能够从中获取对当下生活更好的了解、更清晰的认知，光有煽动和激情是远远不够的。我们尝试了几乎所有现代舞台演出的类型，包括结构主义和表现主义，发现它们对我们的大众来说并不适合，也没有说服力。

之前，为了迎合观众，我们创造了一些现实中根本不存在的完美角色，有一段时间，我们的观众出于对更好的人性和社会秩序的渴望，也接受了这些角色。然而现在，他们已经觉得这个类型太不现实了。另一方面，我们也认识到好的戏剧不能只表现生活的黑暗和负面，然后为了解脱再硬加上一个大团圆的结尾，这样的旨意很模糊、不够明确。只沉溺在对社会不公的痛心不已和激烈控诉却没有尽力阐明背后的根本原因，也是廉价的。如果仅仅是给观众提供了一个没有任何事实根据的虚幻希望，我们的作品也是不成功的。我们对于观众是有责任的，更别说他们还是我们的衣食父母。因此当我们审视一部新戏的时候，常常要问：这部戏的目的是什么？它是否能够教育我们的观众？它是否对现实进行了仔细的观察？作者是否清楚戏中每一个要素的作用？观众能从中收获什么？戏中表达的观点是否真与中国相关并且有助于建立一个新的社会秩序？

戏剧与战争

战争给我们带来了新的刺激。1937年，当我们在上海对日本军队打响第一枪时，这既是我们民族历史的转折点，也是戏剧的转折点。这是一个群情激昂的时期，因为我们被号召起来参与对敌的殊死搏斗，一泄几代人被压抑的愤怒与仇恨。我们开始配合军队的战争动员，成千上万的专业演员和学员离开了大城市，与战士和民众并肩战斗，他们的工作是鼓动、慰问这些战士们。新的剧目被创作出来，包括活报剧、战争剧、谐剧以及秧歌剧等等。为了赢得最广大的观众，也因为我们的战士来自祖国各地，演员开始学习中国各个地方的民歌和曲艺形式。现代中国戏剧第一次以宣传和娱乐的形式被介绍给最广泛的群众，即使是农民也开始欣赏和民间曲艺完全不同的新剧。独幕剧、多幕剧纷纷在大后方乡下的祠堂旧戏台上、磨坊中、水田旁、废农舍中上演。战时的紧急状态促使编剧们为广大的群众创作了很多不同主题和类型的戏剧作品。我们创作短剧来号召人民参加游击战，提防特务和汉奸，用戏剧化的表演来介绍世界时局。在战争的最后四年，除了历史剧以外，剧作家再一次埋头写起了社会问题剧，探讨通货膨胀、征兵制度、战争投机商等等诸如此类的问题。现代中国剧作家把历史阐释成了正义与邪恶、压迫者与被压迫者的漫长斗争历程，由于受到战时审查制度的严密控制，中国的剧作家只能用写历史剧的方式向观众表达对当下问题的态度。中国的新剧在战时也有一些内在的变化。由于民众大规模的战争内迁，我们的演员和剧作家因此有机会接触到中国普通民众的艰难与痛苦、善良与刚毅。他们的勇气和人性给我们留下了不可磨灭的印象，这让我们的戏剧更加了解农民。战前，我们的戏剧活动大部分是在大城市展开，而现在许多剧作家则希望投入到为偏远地区农民的写作中去，毕竟那才是中国人民的主体。有一些地方的曲艺形式为了表现农民的真实想法已经有所改革，农村的戏剧演出也开始使用民间歌舞形式，比如西北民歌等等。为了表现农民的真实想法和情感以提升教育功能，我们在白话剧中做了大量的实验。战争的苦痛增强了我们对真正的民主的渴望，也使我们认识到中国最急需的是全国性的工业化，这两个主题在我们的戏剧中也被反复强调。

现在看来，在现代戏剧不断试错的短暂历史中，我们已经到了一个需要双管齐下的节点。我们的首要目标是用纯粹中国的方式来反映人民精神层面的变动，第二个目标是响应当下的紧迫召唤促进一个新的民主中国的出现。我们必须要引入民主的基本观点来涤荡人民意识中残留的封建思想，并使它们深入人心。这是一个非常宏伟的计划，而我们只有很少的专业机构在从事戏剧教育，从事戏剧艺术的实践工作。虽然我们的专业工作者并没有忘记戏剧是一门世界性的艺术形式，但他们更清楚眼前正在发生的文化巨变。当他们看到农民的意识中仍然留着隐形的、象征着奴隶制和封建制的长辫子的时候，他们当然也很痛心，但他们还是会继续用他们的聪明才智引领新中国的诞生。不管经历怎样的尝试与挣扎，他们从未动摇，因为我们的现代戏剧从一开始就致力于展现真实的现实，关注可能的未来。

戏剧与青年教育

青年人都有他的热情，因是他有热情，所以对于环境常常感到苦闷，这种苦闷，一定要给他以合理的解决，解决的办法，就是教育。现在青年投考大学，往往彷徨于选择科系，不知所从；毕业以后，渐渐的洞悉了世故和处世的圆滑的手段，消失了原来的勇气和热情。某校举行毕业典礼时，有几位教师曾以学习“蛇”来训勉学生，此殊不可解，这个现象，亦至为可虑。

教育的目的，是怎样把人们训练与社会连成一气，但我以为教育的功能，更应将吾人的优良的品性，引导它的发展。所以戏剧对于此种教育之目的，有它的积极作用。

戏剧可分为两类：一类是悲剧，一类是喜剧。悲剧可以使人流泪，然而对于青年的鼓励，并不只是哭泣，更应该使他的精神有所变化，才有教育的意义，亚理士多德说：“悲剧除了使人们流泪外，更可使积闷和痛苦，因而消失。”所以悲剧的内容，是绝对积极而不是

【题注】收录《文化建设论丛》第一辑，青年出版社1946年版。

消极的；不独积极，而且是“择善固执”的极端的。在悲剧的构成中，最典型的人物莫如屈原、岳飞、诸葛孔明等辈，他们一生奋斗，虽未能达其目的，可是精神的伟大，真是千秋不朽。这是悲剧对于青年在教育上真正的意义，屈原在《离骚》上有一段这样说：

“余固知謇謇之为患兮，忍而不能舍也；

指九天以为正兮，夫唯灵修之故也。”

这是何等的勇气，何等的精神！

今日一般的青年正是缺乏这种真正的热诚，做事但求适可而止。这是青年最大的流毒，如果能把它廓清，则对于国家民族的前途，一定影响很大，我们想除掉这种流毒，必须先培养青年积极而极端的精神。

一般人多愿意做一个成功的英雄，而不愿意做一个失败的英雄，但是悲剧中失败的英雄往往较成功的英雄更值得学习，因为他多是极端的、不屈不挠的典型人物，如果青年能够学习失败的英雄，看清楚他的真精神真价值之所在，就可以放弃一切世俗的虚荣；只追求伟大的目的与事业，这种学习路线，有很大的价值，所以悲剧在教育的意义上，实有它的特殊贡献。

悲剧对于青年教育的影响，已如上述。那么，喜剧的影响又怎么样呢？所谓喜剧，是一种使人发笑和快乐的戏剧，人们的发笑，就是一种容人精神的表现，没有笑的人，内心是很难测的，所以容人的精神在今日我国社会，至为需要，英人有一句格言“人当容忍人之所短”，就是这个意义，故悲剧和喜剧，相反而实相成，今日中国青年都是抗战建国的中坚，尤其需要这种容人的精神。

我们称现在的戏剧为话剧，所谓话剧，重要的当然是剧中有说话，如果没有说话，那就不成其为话剧，所以求话剧对于青年教育有好的影响。一定要好的对话。可是有人说：语言文字的作用，好像一张不透光的窗帘，往往障蔽了真理。我今天和大家所讲的，是不是亦如这不透光的窗帘。那就要请大家来指正了。

我国第一部五彩片将在美国拍制

孙瑜到美国去已经好久，去的目的是采办一切关于摄制影片的机械，他的后台支援者是郑应时，郑应时在抗战八年中经商得法，发了财，电影是他老本行，他还有兴趣干，而且预备拍五彩片，恰巧孙瑜准备出国，赴美考察电影事业，郑应时于是授权于孙瑜，托他采办一切机械。

和孙瑜同行有女演员黎莉莉，摄影师[1]王士珍，当然他还带了一笔数目不小的款子去。

孙瑜到了美国，到了好莱坞以后，打了一个电报给郑应时，提出一个意见：索性在好莱坞拍一部五彩片他日和机械一同带回中国，这样，也可以借此机会在好莱坞实习一下。

这计划在郑应时当然是绝对赞成。

【题注】载1946年8月15日成都《时代电影》新第1卷第19期，文末附注“本刊顾问曹禺自美寄”。

1 “摄影师”底本作“概影师”，当作“摄影师”。

于是，孙瑜在好莱坞导演五彩片的工作便开始了！剧本自己编写，女主角有现成的黎莉莉，其他演员在好莱坞找，自然，中国留美影星陆锡麒是会出力帮忙的。

摄影由王士珍担任，而黄宗霑在好莱坞，可以请益。

这一部片子，资本额是六万美金，郑应时负责三分之一，其余三分之二有资本家投资。

今日美国的影剧

远在十九世纪，或者十九世纪以前，美国就已经出现不少优秀的作家，他们写作很优美的散文，但是，没有真正的戏剧。直到十九世纪末叶，戏剧方才发达，约在一九〇五年，美国曾经有过三千多个剧团，一九三〇年左右，这一类剧团的数量，只剩下三百多个，我这一次去美国的时候，纽约只有四五个剧团经常演出，而全国也不过一百多个剧团。

美国舞台剧的所以衰落，一则由于一九〇五年以后话剧渐为电影所代替，失去了原有的观众，再则由于演出的成本太高，限制了许多缺少基金的剧团的活动。

但美国的戏剧曾经有过灿烂的一页。从一九一〇到一九三〇年，这二十年间，对于美国是极为重要的年头，其时美国人参加了第一次

【题注】载1947年5月27日《中央周刊》第9卷第23期。文前编者说明“这是曹禺先生最近自美国访问归来，应中央大学之邀所作演讲，对美国的影剧艺术及其趋向，观察颇为深刻。特将演讲词略为整理，以飨读者”。

世界大战，认识了美国在世界所处的地位；战争结束后的几年间，美国人民面临失业与饥馑，使他们感觉到社会问题的严重性；这一切带来美国生活的改变。戏剧在这一阶段，得到长足的进展，舞台上不再上演无意义的喜剧与闹剧，欧洲剧作家霍夫曼，易卜生，柴霍甫等人的作品，被介绍给美国观众，同时国内的戏剧家也把视线转移向反映现实生活，他们开始觉得戏剧若不是为没有面包没有房子住的人们找寻出路，便失去了意义。

这二十年间，尤其是后十年间，美国戏剧的发展是可惊的，先后产生许多优秀的剧作家，如C. 奥达茨（《千金之子》的作者），赫尔曼（《守望莱茵河》的作者），史坦因培克（《人鼠之间》的作者）等。在他们的作品里，戏剧不仅用来反映生活，解释生活，更用以指导生活，改善生活，举凡如何造成一个真正民主国家的种种问题，都被剧作家意识的揭发出来，并且暗示那问题的答案。

目前美国戏剧所遭受的阻碍，是剧团缺乏演出的基金，一些有意义的剧本演不出来，而能拿出钱来的演出者，多半是保守的富人们，他们只愿意演出喜剧，以及歌舞剧。演出的方式，也不像中国剧团的经常演出，而是打秋风似的，在找到一个剧本以后，先看它哪些地方能吸引观众，最低能卖几成座，然后去找一个有钱的演出者，同他讲价钱，等到那富翁像买马票一样的看中了这个戏，认为一定有利可图，才找些演员来排演，向观众骗钱。

当然，也不尽然全是这一类商业化的演出，其中也有一些较有意义的剧本，且谈谈我在纽约所看到的两个戏。

其一是《根深蒂固》，描写至今在美国依然是一个问题的种族平等问题。剧本写一个黑人，自幼生长在美国南部的一个国会议员的家里，这黑人参加第二次大战，得过勋章，胜利后作为一个民族英雄回到南方去，但是他仍然到处碰壁，咖啡店，饭馆以及其他公共场所拒绝接待他，他不能享受与白人同等的待遇。议员有两位小姐，小的一位与黑人相爱，不顾种族的界限，愿意嫁给他，她的姐姐劝告她："我了解你的思想，我同情你，但在这样的社会，这是不可能的。"她们的父亲是一个自以为一向以平等看待黑人的人，当他知道女儿和黑人相爱以后，便以一只金表的失窃，诬赖黑人，后来发觉金表依然在那议员衣袋里，失窃不过是一种诬栽。这个戏指出种族间的歧视，在美国是如此的根深蒂固，种族平等是谈何容易，这正是美国当前的一个重要问题。

另一个戏是关于选举的，写一个人参加某届总统的竞选，到各地发表竞选演说，由一个有钱的富豪负担竞选费用，交换条件是富豪得以对演说内容参加意见，后来这位总统竞选者发现自己的演说完全代表那富人的意见，便放弃竞选，不再做那富人的工具。这个戏揭示出民主制度受到某些人的妨害，同样是一个有价值的剧本。

从这两个戏，我们大致可以看出美国戏剧的内容。

说到美国的电影，大家都知道美国影片是十足商业化的，好莱坞的制片商，完全以营利为目的，他们甚至于为某一女演员的一双大腿，专门摄制一部影片。有一位好莱坞制片商，曾经向伯纳·萧提议，请萧翁将他所有剧本的制片权，全部交给他的影片公司，萧翁不同意，便故意索高价的报酬，以示拒绝，这位制片商拿不出这一笔大钱，后来便在电话中劝诱他："你把你的剧本制片权交给我，我替你拍成影片，让成千成万的人都能欣赏你的艺术，该能收多大的效果，你要知道，我这完全是为了艺术，艺术，艺术呀!”萧翁幽默的回答他:“我不能同意，问题是我太想到钱，而你太想到艺术了。”这是对于好莱坞制片商的艺术观念的有名的讽刺。

好莱坞制片商们抱着一个陈旧的观念，以为电影有两种，一种是娱乐的，一种是教育的，当然这是极端的错误，任何电影都富有教育的作用，不过是教育的正反面作用不同而已。最近美国摄制了两部新片，其一是《剃刀的边缘》，另一是《幸福的年月》，两部都是反映战后美国人民生活的影片，在美国放映，受到广之的欢迎。制片商见卖座甚佳，当然高兴，曾经为此发表谈话，说他的公司此后将专摄这一类的片子，并且对那些仍然拍歌舞片的同业表示沉痛的惋惜。其实据另一个制片商说，十年前他原是反对拍现实生活影片的。足见好莱坞的制片商已经渐渐改变了他们的观念，这说明美国电影正在走向一个好的趋向。

参观了美国的戏剧与电影，再回过来看看我们自己，论技术，我们当然远不如人家，但是我们对于戏剧的观念是不错的，我们一向守着“文以载道”的原则，知道说话要对观众负责。当戏剧运动开始，我们介绍《黑奴吁天录》和《茶花女》到中国来，自始便当作问题剧来看，至今我们还觉得这条路子没有走错。商业化的恶劣倾向已经侵入了我们的舞台，戏剧正面临严重的危机，但戏剧工作者的生活虽苦，仍然咬牙坚持，并没有人因而改行，这实在是可以告慰的。

曹禺先生讲旅美印象

在每次我被邀请出席演讲的时候，我总想起这么一个故事。

纽约有一个科学家，他最近发明了一种医学上最新的换脑奇术。如有人思想不合逻辑，头脑不清楚，他可以给人家头壳剖开，将脑子取出，加以医治，或者更换，然后再将脑子放入，那个人就头脑清楚，思路有条理了。这发明震惊了全世界的科学家，都要求他实地试验。刚巧有人患了那样的病，自愿来做试验品。于是在某一天，这试验在许多观众面前举行了。被治的人的脑子顺利地取出，由他加以修整过，正预备回到尸身那里把脑子重新装进去，忽然发现那尸身失踪了！到处寻觅不见。这事情本来也就了结；谁知在四个月后，一个冬日的傍晚，那科学家在马路上行走的时候，突然看见那被取出了脑子的人从对面走来。科学家一把抓住了那人，问他道：

【题注】载1947年9月9日《金声》第11期，署“杨宏文记录”。文末“附注：本文未经曹禺先生过目，如有错误，由记录者负责”。本期黄钟龄《与曹禺先生一席谈》文中记“同德总会学术组主办第一次演讲，于八月廿九日下午五时请曹禺先生演讲……今天的讲题是《旅美印象》”。

“这三个月来，你没有了脑子在做些什么?”

那人从容地回答道:“我天天在各处演讲呀!”(听众哄笑)

今天讲的题目是“旅美印象”，本人与作家老舍应邀赴美，走过的地方很多，因为本人是习戏剧的，所以今天讲的也都限于与戏剧有关的事。可以分三部分来讲，一是好莱坞所见，二是百老汇所见，三是美国人戏剧学习的情形。

好莱坞的两面：一是前进思潮，一是唯利是图

我到好莱坞之后，曾和很多的影片制片人，编剧家，导演，演员接触。也参加过剧作家协会。觉得好莱坞实在有两个方面：一面是影片主持人，如制片者，公司老板，他们向华尔街借了资本，必须还清本息，支付许多巨大的开支，因此，他们必须赚钱，大量地赚，一部分的导演，编剧，他们受雇于人，就必须为老板赚钱，只要能卖座，什么内容都不管；一面是另一部分的人，他们代表着极前进的思想，有的右倾，有的左倾，有的思想激烈，有的博闻远见，对于政治，人性，哲学，都极有见地。先说唯利是图的这方面，有一件事是这方面最好的说明：

有一次米高梅的主持人想将萧伯纳的剧本全部买下，改摄电影，派人去英国接洽，不想萧翁索了一个极大的数字做酬报，这巨额金钱溢出常情之外，于是他自己与萧翁通电话，请他少注意金钱，多看重艺术，而电影，实在是一种艺术呀！于是萧伯纳回答道：

“原来是艺术！这样看来，你总是太看重艺术，而我呢，我却太看重金钱了！”

萧翁的这句话便是这唯利是图的好莱坞的一个明确的写照：以艺术为幌子，实在却只求卖钱。因此上，一切歌舞大腿的片子，滑稽打诨的片子，剑侠神怪的片子，一齐充斥市场，大量骗取观众金钱。反而呢，另一个好莱坞，是美国人公认为危险分子共处的地方，原因是导演，演员，编剧，有很多人是自由思想分子，他们不但表现于平日的言行，还在影片中表示这种思想，因为这一种力量，也把好莱坞崇拜金钱的色彩冲淡了不少，并且往往提出社会问题，来引起人的注意。

米高梅公司最近拍了一张片子，是说一个由军队归来的青年，在复员以后，战后的社会处处不安与矛盾，遭到很多的难题。这片子公映以后，评论界众口一辞，称为极有深义的作品，于是米高梅主人欧文身价陡增，招待记者，发表谈话说，现在是人民世纪，电影的题材应该以人民的生活为主，本片提出复员问题，就是其他影片的模范，惜乎其他公司未能注意改进，深足惋惜云云。这句话引起了另一公司制片人特尔司奈克极大的不满，特氏曾发行《乱世佳人》(《飘》）及《愤怒的葡萄》《怒火之花》，美名作家（史蒂培克名著）诸片，都很有意义。他也发表谈话，说欧文所说的其他制片家，当然本人也在其内，但是他却忘记二十年前本人发行《愤怒的葡萄》一片的时候，欧文他老先生还在那里大耍他的大腿呢！(笑）

特氏的这句话表示好莱坞的制片人都有意讲求进步，这一种作风的转变倾向虽不普及，也不明显，但表现实在是有的。这种转变很足资吾国电影界做借镜。他们改善题材，考究摄制技巧，严格甄选演员，这种精心力求进步的热忱实足令人钦佩。例如我在美见到的一张《南方之光》，写美国南部工人惨苦的生活，其编剧与演出，都超上乘，即使这种转变极慢，但总不失为好莱坞的一线光明。

百老汇舞台剧的贫困：好演员跃登银幕，卖座戏成本高昂

其次，我想谈谈百老汇所见，百老汇是美国话剧的大本营，精华所在。但给我的印象，并不如理想之佳。那里的戏院是旧的，演员的化妆室是狭小的。戏院的设备，比了上海的“兰心”，并不见佳。和中国一样，好的话剧演员都上电影公司拍片了，留下的演员虽十分努力，但格于其他条件，话剧总不见人器重。很多剧本，为了想卖座，穿插了歌舞音乐的场面，题材也狭，或将民间故事抒情化，或将社会新闻诗意化，这类剧本要占百分之六七十。次为喜剧闹剧，少数也有演古典剧的，如莎翁、易卜生、柴霍甫诸人的作品，在中国重视的问题剧本反而甚少。

谈到剧本，就联想到美国的剧作家能否在作品中“说话”的问题，以我看来，美国虽为民主国，也多“无声的作家”，不敢在作品中自由发挥，多所顾忌。近来也有少数作家敢作敢为，写人所不敢写，提人所不敢提的，例如我看到的一出戏，名叫《根深蒂固》，就提出了美国人不敢提的黑人问题。

《根深蒂固》写一个在此次战争中成了民族英雄的黑人，在军队

中过惯了与白人平等的生活，就以为种族本来平等。谁知返家以后，以小故即受拘禁，且在恋爱上大受挫折，数度受诬，为的是他想与白人求平等，结束时一个国会议员与一个北方作家（代表新思想）辩论，还说白种人实在比黑人优越，这是天理云云。

这剧本未下结论，但仅仅如此，已为不易。不过这种作品的数量是非常少的，并且有人告诉我，要是这剧本不在纽约而在南方演出的话，这个戏院子一定会被人捣得稀烂的。

戏剧教育受重视：专门院校造就人才，各种技术都在传授

最后，我想谈谈美国人学习戏剧的情形，戏剧教育在美国甚受重视，各学校多有戏剧专系，造就各种戏剧上的专门人才。我在美曾参观了五十余家与戏剧教育有关的学校，他们以新的教法，灌输戏剧智识。并且为适应美国特殊的环境，除了教学生们写、导、演之外，还有许多别的技巧的传授。例如学演员的，要知道如何去找一个合式的经理人（代理人）的方法，学写作的，要知道怎样的剧本迎合观众需要，出卖剧本的技巧在哪里，学导演的，要知道什么地方的观众，有什么样的口胃等等。今天限于时间，不便一一详叙。

以上草草的讲了一点点美游的印象，我因此觉得，美国的剧作家不一定比我们强，至少话剧的演出，我国的表现不弱过他们。原因是我国的戏剧界处境虽然艰苦，但都固守岗位，努力不懈。我个人也无意放弃这碗苦饭，去享高官厚禄。这种精神，是值得说说的。

战时我一个舅舅曾经有一次劝我改行，他自己在一个纱厂里做事，见我实在太苦，便劝我也进纱厂做事，生活极有保障。我当时讲了一个跳蚤的故事给他听，那故事是这样的：

意味深长的结语：蚤子改行，气质全非

在巴黎有一种蚤子跳舞的玩艺，由人把蚤子训练好，可以听人指挥，表现各种舞艺。有一群绅士太太们请了一个人来表演，那人拿了几个蚤子指挥它们跳舞。其中有一个蚤子，表演非常惊人，简直是第一流的艺术家，大家赞不绝口。正在表演中途，忽那第一流艺术家的蚤子跳上了一位小姐的身上去了，那指挥者非常惋惜，急得不得了。幸亏那小姐出了主意，到隔房去脱了衣服找。等了一会，那小姐寻到了那蚤子，捉在手里还给那玩艺的说：

“你看，这不是你那蚤子么?”

小姐身上，当然不会有其他蚤子的，但是那玩艺的将那蚤子端详了半天，哭丧着脸说道：

“是的，小姐，但这不是我原来的那蚤子了，他不再是艺术家的样子了，他变了质了!”（听众大笑，下，大鼓掌）

美国观感

每次有人叫我演讲，我总要想到这么一个笑话：纽约有位科学家，突然宣布说他发明了一个治脑的方法，如果什么人的脑子不清楚，不合于逻辑，他可以治疗，可以换一个脑子，那个人换了脑子，就可以豁然贯通，百知百晓。于是，果然来了一个人，请他换脑。大家都看见他把那人的脑子取出来，捧到实验室里去，但是等他从实验室回来，那个换脑的人已经不见了，到处都找不到。这实在太奇怪了，因为科学家还没有把另一个脑子放进去，而一个没有脑子的人是决不能走路做事的。可是，事实总是事实，这个人已经不见了，而且过了三个月都没有找到。某一个冬天的晚上，雾很大，科学家在路上看见一个人匆匆的走过来，看上去很面熟，等到走近，才发现这就是三个月前来换脑的人，科学家立刻拉住他，问他这三个月时间在干些什么，他说："我这三个月都在忙着演讲呢！"

我这次到美国，在好莱坞和百老汇住了一阵，也在西雅图的大学

【题注】载1947年上海《明社消息》第24期，署"曹禺先生讲，欧阳文彬记"。

里待过一阵，接触的都是电影戏剧方面的人和大学里的戏剧学者，所以我想就这三方面来谈谈。

先说好莱坞的情形，在好莱坞，一切都是钱。所谓艺术，全是老板们在打算盘中间做出来的。就是他们称为A级片，文艺片的，也是打算盘打出来的。过去，在一九一〇年左右，开始有电影的时候，拍的多半是侦探片伦理片，后来拍肉感片，最后才走向文艺的道路。这情形虽然也有人在前面引导，但还是老板先看到什么地方有钱可赚才去做的。我在那里听到一个笑话，是说：有一次，演出者柴纳克。突然想到了萧伯纳，他打电报给萧伯纳，要萧伯纳把一切作品都交给他拍电影，萧伯纳回了个电报，把每部作品的价目开列出来，柴纳克打了一阵算盘之后，觉得可赚的钱太少，就又打个电报去，说了许多动听的话，劝萧伯纳从文学艺术的立场上看，于是萧伯纳说："我们两人的毛病其实并不远，只是你太想到艺术，而我太想到钱了。"

好莱坞出过像《大卫·高柏菲尔》和《愤怒的葡萄》一类的片子，这还是由于老板们看到观众的标准已经提高，这种片子有钱可赚，才走上这一条路。不过，观众的标准是怎么提高的呢？这倒的确是有一批人在努力的。譬如好莱坞的剧作者协会，里面很有一些人，认为电影是一种宣传工具，是一种教育。他们认为每张片子都是一种教育，他们想影响演出者，使演出者了解电影的使命，使演出者拍能和人民生活连得上的片子。像《黄金岁月》(*Best Years of My Life*)，像《长春树》(*A Tree Grows in Brooklyn*)。前者叙述美国的兵士回国以后如何应付美国社会，提出复员的问题。后者描写美国的小资产者怎样在生活的压迫中过日子。他们劝演出者拍这些片子时，也并不成天宣传，跟他提什么艺术的使命，而是告诉演出者，现在时代变了，这种片子可以赚钱。

我在纽约的时候，看见两位演出者吵架，就是《黄金岁月》的演出者柴纳克和《剃刀锋上》的演出者柴尔斯尼克。《黄金岁月》因为能符合一般观众的口味，所以极受欢迎，上演的时候生意兴隆。演这片子的戏院对面，也有一家戏院，正在演《剃刀锋上》，这是毛罕的作品，叙述美国的一个理想主义者，要寻找生活的意义，他到巴黎去找，到印度去找，后来在印度皈依佛教，自以为找到了生活的意义，可是结果还是得不到什么，于是又回到美国，最后是不知所终。这片子内容虽好，却不是一般人所能了解的，生意自然不如《黄金时代》好。柴纳克在得意之余，就发表高论，大谈其电影是教育，要负起改造社会的责任，要与人民的生活连系起来，接着还说“目前仍有人执迷不悟，演一些引人进入歧路的片子，难怪要被观众唾弃”，隐隐中讽刺柴尔斯尼克。柴尔斯尼克其实倒是一个相当严正的演出者，他当然不甘沉默，于是立刻回敬过去，说：“十几年前，在我拍摄《愤怒的葡萄》的时候，柴纳克还不知道在哪里耍他的大腿呢！”这场吵架虽然并没有多大的意义，却有一件事可以看得出来，那就是：美国电影已经发现了一个新方向，一个时髦的趋势。

在美国，电影是八大工业中的第四位，是一种工业，是一件买卖，可是，如果能去影响他们，还是可能有好的发展的。

百老汇的情形和好莱坞大致相同，有些地方也和上海的戏剧运动相似，他们感到营业的重要，他们受电影的压迫。现在百老汇只有三十多家戏院经常上演话剧，比起过去来是差得远了。一九一〇年左右，美国全国从纽约出来的剧团共有一千五百多个，剧场也有一百多所。而现在，除了纽约，别的地方也很少看见好的剧团，这也是经济问题，因为话剧弄得再好些，也不如电影那样赚钱。美国的话剧场子大都很简陋，一般的情形还不如我们上海的兰心戏院。我去参观过百老汇话剧皇后的化妆室，只不过四张办公桌子那么大。

美国剧场的院租很高，而手续又十分麻烦，演出一个戏，要定上三百多张合同，营业税占票价的百分之五十以上，所以演剧是极困难的。剧团必须走一条迎合大家的路，百老汇流行的音乐喜剧就是如此，我们顾名思义，可以知道这种戏里面有音乐，是喜剧，此外，还有跳舞，有唱歌，内容方面多半是讲美国的风土，各地方的生活，和人民的生活连得很紧，有点像我们的沪剧，看戏的人就跟照镜子一样，可以从这里看到自己的生活，美国人民就喜欢看这一类的戏。至于这些喜剧的题材，往往是不关痛痒的，写写第五街的有钱人，写写boy meets girl[1]的老题材，把这些材料反复变化，就成了各种的喜剧。

我们认为比较好的剧本有两种：有文学价值的和有现实意义的。这两者加起来，在百老汇演出的剧本中只占百分之十左右。

美国的戏剧团体，多半是打秋风式的，有了一个戏，就去找一位“天使”(即肯出钱的人)，找到天使就上演，演失败了就算天使倒霉。他们普通演一部戏的费用大概是十万到十五万元。至于正式的经常不断在演出的职业剧团，百老汇只有一个。他们筹了三十万资本，专演好戏，如莎士比亚，易卜生等人的作品。他们的戏看是有人看

1 “boy meets girl”底本作“boymeets giil”，当作“boy meets girl”。

的，但是只能有这么一个剧团，如果再来几个，百老汇的胃口就容纳不下了。

他们也有些反映目前生活的戏。我在那边看过两出问题戏:《根深蒂固》和*State of Union*。《根深蒂固》写黑人的痛苦，写美国南方人民对黑人歧视观念的根深蒂固。*State of Union*讽刺美国总统的选举，名义上是民主，其实是被财阀所操纵的。我们从这里看起来，好像美国的言论很自由，可以讽刺总统，也可以代黑人鸣不平，其实，这些问题都是美国一般人认为可以谈的，在这限度以内，自由是可以的。可是，如果你写戏的时候要谈谈他们的劳工问题，政治问题，那就麻烦了。美国并没有审查制度，只有一个维持风化的检查机关，专门计较女演员身上有多少寸的布。可是他们有一种比审查制度更可怕的东西，那就是报纸的操纵。美国的报纸成了一个系统，他们可以造成强大的舆论，你触犯了他们的看法，他们就群起而攻之。

再谈谈美国大学的情形吧。我在西雅图，参观过几个大学的文学系，其中有个华盛顿大学，很特别，他们有一个“创造文学系”，专门讲怎样创造，要学四年，这是他们最近才有的系。他们教学生写，教你怎样迎合读者的味口，教你引起读者的兴趣。在中国，我们投稿是直接的，作者直接交给编者，美国在作家和编者之间却有掮客，名叫代理人（agent），每一个代理人手下有十七八个作家。拿到稿费以后，代理人所取的佣金有高到百分之五十的，最客气的也要拿百分之十五。代理人对于各个编辑人的味口，他们手里存稿的多少，各种杂志的性质，都非常熟悉，他替你投稿是很有效率，很科学化的。有时候，你写好稿子，代理人叫你改，改了以后才能合编辑的味口，才能成功。代理人在美国力量之大，使一切作家都得迁就他们，刚才说起的“创造文学系”里就有一门课程，叫做“如何找代理人”。就连那些严肃而有思想的作家，也跳不过这张佛手。

跟他们比起来，我们的作家全是些冬烘，全是些书呆子，简直不懂得如何赚钱。可是，我们虽然苦，却知道愿意我们搞下去的人还是很多，因此，我们觉得自己还是可以骄傲的。

为着人民的号召

我不很[1]相信只是熟读几本理论书籍以及仅仅和批评家们交换些意见便可以展开今后的戏剧工作。新的社会虽然已在目前，我们不能不承认还有一大段艰苦的路途要跋涉。接近人民并不容易，为人民效力也可能在我们只是一句口号。眼前仿佛不是自以为有了严肃的态度和学习的精神便可以了事。对于一个新社会的认识需要先有克服自己的勇气作为基础。过去，我们戏剧界中潜在着多少卑劣的商品思想，英雄主义的作风和宗派性质的惯性。但这未必真是我们致命的伤痛，致我们命的将在我们日后万一脱不去这些旧习惯、旧思想以及披起了新语汇的皮毛之下的种种封建行为。

我们幸运地踏进了一个伟大的新时代，更幸运的是在这个[2]时代

【题注】载1949年2月15日香港《文汇报》，据以排印。又载1949年2月15日香港《华商报》“茶亭”副刊，题名《人民在号召着我们》，兹以通校（校注称“华商报本”）；另，此文又载1949年12月31日重庆《大公报》，题名《人民在召唤着我们》。

1　华商报本无“很”。

2　华商报本无“个”。

中[1]我们握有了文化建设中一件重要的武器。这武器是人民交与我们向旧世界做无情的斗争的。在这斗争中，如果我们不能先克服了自己的种种缺点，我们早晚被人民所摈弃。

无疑问的，我们的优秀的影剧工作者在以往的劳绩中已经表现出前所未有的热情与成功。但这成就[2]正无需[3]我们在今年的戏剧节来歌颂。我们将以更辉煌[4]的行动发扬[5]这进步的倾向，作为我们的庆祝。为着人民在号召着我们，迫不及待地号召着我们！

---

1 “时代中”华商报本作“时代里”。

2 “成就”华商报本作“成绩”。

3 “无需”华商报本作“毋需”。

4 “辉煌”华商报本作“光辉”。

5 “发扬”华商报本作“来发扬”。

我对于大会的一点意见

这次大会中，来自各地的朋友们都是在自己的工作岗位上有经验与成绩的工作者。有的在农村与部队里进行多年的斗争，有的为争取民主在蒋匪区从事文艺活动。在深入工农群众的生活中，多少文艺的先进，经过艰苦的改造过程，已经掌握住了群众的观点；有些人，限于客观事实，还不能获得这正确的立场。工作区域各自不同，各人的业务也不一样。大家都各有所长，也可能各有所短。但是我们都有不少宝贵的经验与能力。

我们是在毛泽东思想领导与新民主主义旗帜之下团结起来的。这是我们的原则。

今后的文艺批评与文艺活动必须根据这个原则发展。我们要努力学习毛泽东思想，研究、认识新民主主义与今后文艺路线的关系。从思想上改造自己，根据原则发挥文艺的力量，为工农兵服务，为新中

【题注】载1949年7月2日《人民日报》。按，此文系同日曹禺作为主席团成员在中华全国文学艺术工作者代表大会上的发言。

国文化建设服务，这是我们每个人应该解答的课题。

然而首先却是团结。自然我们必须在群众生活中得到教育，但作为开始，更需要在这次全国文艺干部的大会里获得初步的团结。团结需要大家互相了解，互相认识彼此在思想上与业务上的短长。由于各人的历史、环境与经验的不同，大家对于如何致力于新民主主义阶段的群众文艺的做法可能有些歧异。我们只要避开本位主义与经验主义的作风，了解客观情况而不隔断历史，便会明白思想的进步，在今日的我们可能是程度上的差别。参差的观点只要不违背原则，不停留于眼前的阶段，将会充实丰富文学艺术的检讨与发展，是有益于普及与提高为工农兵服务的文学艺术的。

严肃而深入地互相学习，互相教育，一面是诲人不倦，一面是学而不厌。时时刻刻检查自己，勉励别人，来保证全体的进步，解决客观现实的文艺要求。我们的团结里必须有斗争，斗争中必须有团结。在不断地正确批评与自我批评中，我们应该保持诚恳与谦虚的态度。有了这种态度，才会认清我们大家可能都有些缺点，却绝对地都有些长处。因为在今日，每个人都是拿出了最优良的一部分，来促成这史无前例的中华全国文学艺术工作者的大团结。

关于工厂戏剧辅导工作

——给友人的信

……[1]又有些日子没得到你的消息，正在纳闷。接着你的信，才知道你在工厂非常忙，也十分愉快，只是恨工作也有了一段时期，还看不出成绩，想起来，就有些困惑之感。也许你很谦虚，你放过一些已经推进一步的事实。也许你有些急躁，或者还有一点点英雄主义[2]，于是希望在比较短促的时间内，掀起你所说的“一片文艺的热潮”。你有一句话说得很对，而且十分鼓励了我，“只有完全把自己忘却了，才能搞好工厂的文艺活动”。这个道理放在任何一件为人民的事业上都是千真万确的。假若真做到了这一点，你会减少一点困惑，多增一点为争取那成绩而努力的韧性。我自然赞同你的意见，无论做什么，

【题注】载《人民戏剧》1950年第1卷第5期，据以排印。又收入《迎春集》，北京出版社1958年第1版，题名《漫谈下厂》，兹以通校（校注称“迎春集本”）。

1　迎春集本作“××兄:”上款。

2　“英雄主义”迎春集本作“个人英雄主义”。

我们是应该[1]做出优越的成绩的。

记得你在进工厂以前，曾担心自己是一个小资产阶级知识分子，怕工作搞不好，尤其怕工人同志不易接近。过了一个月的光景，有一天在炙人的日光下，我们偶然在街上相遇，你高声把我唤住，匆匆告诉我："我正在为他们搞话剧，他们还喜欢我！"登时跨上车，骑向工厂去了。那时，你的额头渗着汗珠，你的眼睛闪出喜悦的光彩，仿佛脸上的筋肉都微微地在颤动。

我[2]很高兴，知道你已解决个人的顾虑。工人的明朗和真挚启发了你，使你明了和工人成为朋友是比与[3]和你同阶级的知识分子交朋友要爽利些的。你平时像是一个不大好开口的人，你只在眉宇间传出你的欣喜和苦恼。那天，听见你放开喉咙叫住了我，真是平地一声雷！[4]使我吃惊的倒不在你那一声洪亮的嗓子，而是你突然在性格上起[5]的变化。短短一个月，你未必能为工人的文艺做出著显[6]的成绩，却是工人先慷慨地教育了你：你开朗了，你自信了。你讲过要做工人的小学生；料想得到，你们师徒之间必定十分[7]融洽的。

写文章，我们都有过一些锻炼，然而过去写了文章并不等于搞过

1 "我们是应该"迎春集本作"总应该"。

2 迎春集本无"我"。

3 迎春集本无"与"。

4 迎春集本无"真是平地一声雷！"。

5 "起"迎春集本作"起了"。

6 "著显"迎春集本作"显著"。

7 "十分"迎春集本作"是"。

工厂的文艺活动。我们还须要[1]向精通这种业务的人或者有过较长期经验的人学习，学习有方法、有步骤地使得多数的工人能掌握这文艺的武器。“提高工人的文化水平，增强工人的阶级觉悟。”这两句话，想是时常听说的。但只有真做到这两点时，你才成为一个好的工厂文艺工作者，你的工作没有白费，它与工人阶级的基本利益相结合，直接间接地帮助了生产。徒劳无功是可耻的现象，它浪费了工人原来可以为生产用的精力和时间。我们要珍视工人的精力和时间，像宝贵我们自己的血液一样。不要单凭热情，轻易布置下一件工作，不要因为看不见全面，随声说说嚷嚷，变成文艺活动的尾巴。我们该随时随地检查我们的工作。下工厂是为诚诚恳恳、老老实实地做文艺辅导工作的，我们不要做一个空头辅导家。一腔热情，不研究方法，或者只见到文艺，顾不到生产，这样忙忙碌碌地闹文艺，他常是很辛苦、很吃力的。但和那些连本行的文艺业务还不很熟习，便贸然领导起文艺辅导工作的人一样，也可能是一个空头辅导家。

所以即使一个工厂下了班后就锣鼓喧天，文艺小组四处开会，这自然说明文艺活动搞得很起劲，相当广泛，不脱离群众了，恐怕我们还要检查一下这些活动的实质，是否真的帮助了工人的切身教育。再各方面打听一下，从领导以至不常和我们碰头的工人，它是否有益于那工厂的实际的生产？[2]如你所说，你所在的工厂里，文艺活动没

1 “须要”迎春集本作“需要”。

2 “不要单凭热情”以下迎春集本作“如果我们能经常和工人一起劳动，真正了解他们的需要和生产中的问题，再布置工作，那会对开展工厂的文艺活动有好处的。”。

有很深的基础，急待展开。有些[1]人抱着雄心，想立刻号召扩充剧团，准备在一年之内演出工人编导的两三个[2]大戏，“脚踏实地，切切实实”地干一下。[3]我怕，这样做法不一定是脚踏实地，也未见得很切实。[4]你最好找工会的领导干部详谈这个计划，看看是否应将现有的工厂的文艺活动方向和成绩仔细研究，肯定之后，再稳步地推广[5]。广泛的文艺活动当然有必要，但不一定在多编大戏、多演大戏。自[6]无须先轰轰烈烈，那样声势夺人。譬如联系工厂的实际需要，多启发工人的创作欲望，出些有内容的、尖锐地反映工厂生产问题的壁报，演出些短小精悍，鼓舞劳动情绪[7]的歌唱与戏剧[8]等等，这或者比喧赫的大演出更得益些。如果你厂的工人中确定[9]拥有许多写作与演出的人才，业余时间也还充裕，工厂领导上在全面考察后也认为可以大搞，你是否可以再估计一下，这种做法只是文艺活动中的一种，想想哪些种形式是被忽略的，哪些种配合起来才集中地解决了你[10]工厂内的特定的问

---

1 迎春集本无“些”。

2 “工人编导的两三个”迎春集本作“四个”。

3 迎春集本无“‘脚踏实地，切切实实’地干一下”。

4 此句迎春集本作“我怕，这样作法不一定很切实。”。

5 “看看是否应将现有的工厂的文艺活动方向和成绩仔细研究，肯定之后，再稳步地推广”迎春集本作“看看这样做是否适合现在工厂的文艺活动的要求”。

6 “自”迎春集本作“更”。

7 “情绪”迎春集本作“热情”。

8 “戏剧”迎春集本作“戏曲”。

9 “确定”迎春集本作“确实”。

10 “你”迎春集本作“你们”。

题。我们要照顾到工人群众[1]，工人群众[2]自然不仅仅是与你朝夕相处的工人朋友们。

我不是一般地反对工厂的大型演出。既然你[3]工厂的文艺基础还不深厚，那么，先普遍地鼓舞工人们热爱文化的情绪，尽量联系工人的各种组织（譬如文化学习班等），以各色各样，浅易的，有兴趣的文艺形式，供与多数[4]的工人，使他们能主动地发挥文艺与生产结合的力量，是不是在你[5]厂里比较更合宜呢？

我下厂的次数不多，即如上面那一点浅浮，可能不很妥当的见解，也是在间或偷出工夫[6]，随着我们学校的辅导工作同志们下厂时，耳濡目染中得来。认真讲，我并没有实际的辅导工作经验。所以如果你认为必要，我愿意介绍你和他们当中几位做得较有成绩的朋友们谈谈，我相信，他们一定诚恳地尽所知道的告诉你，更愿意明了你的工作中的困难，从中学习，一同想想解决的方法。[7]

---

1 “工人群众”迎春集本作“整个的工人群众”。

2 “工人群众”迎春集本作“整个的工人群众”。

3 “你”迎春集本作“你们”。

4 “多数”迎春集本作“大多数”。

5 “你”迎春集本作“你们”。

6 迎春集本无“间或偷出工夫”。

7 此句迎春集本作“所以，如你认为必要，我想介绍他们当中几位和你谈谈，好不好？”。迎春集本此下署“1950年”。

我对今后创作的初步认识

我写过几本戏，常有人在演，自己觉得内容大致是“进步”的，便放了心，以为尽了责任，就很少用心去检查这些作品对于群众发生的影响，哪些是好的，哪些是坏的。这些作品的读者和观众是些什么人呢？他们大约是店员、职员、学生、城市中的小资产阶级知识分子和市民吧？我不曾严肃地想过。我只是辛辛苦苦地写，只是凭我个人的是非之感，在我熟习的狭小圈子里，挑选人物，构成故事，运用一些戏剧技巧来表达我的模糊而大有问题的思想。我曾经用心检查过自己的思想么？发现个人的思想对群众有害的时候，我是否立刻决心改正，毫不徇私，在群众前面承认错误，诚诚恳恳做一个真为人民的利益写作的作家呢？不，我没有这样做。现在，我看出我很含糊，在沉默之间把严重的过失轻轻放过。虽然我不肯用动听的言辞为自己护短，可是过去每当读到了正确的、充满了善意的批评之后，我无话可说，我沉默，说明批评是对的，我很信服；但是我还是我，我没有拿

【题注】载1950年10月25日《文艺报》第3卷第1期。

出勇气改正创作的道路。沉默有时是躲避真理的方法。我仿佛有一个自命“进步”的盾牌，时常自以为很能接受批评，而实际上觉得错误不大，慢慢地改吧。

我的作品对群众有好影响么？真能引起若干进步的作用么？这是不尽然的。《雷雨》据说有些反封建的作用。老实讲，当时我对反封建的意义实在不甚了解；我以个人的好恶，主观的臆断对现实下注解，做解释的工作。这充分显出作者的无知和粗心，不懂得向群众负责是如何重要。没有历史唯物论的基础，不明了祖国的革命动力，不分析社会的阶级性质，而贸然以所谓的“正义感”当作自己的思想的支柱，这自然是非常幼稚、非常荒谬。但一个作家的错误看法，为害之甚并不限于自己，而是会扩大蔓衍到看过这个戏的千百次演出的观众。最可痛心的就在此。

我对于旧社会的罪恶是深恶痛疾的。爱憎之心虽然强烈，却从不能客观地分析社会的现象，把罪恶的根源追究个明白。我不惯于在思想上做功夫，我写戏很用心，而追求思想的意义就不恳切。我时常自足于“大致不差”的道理，譬如在反动统治下，社会是黑暗的，我要狠狠地暴露它；人是不该剥削人的，我就恶恶地咒骂一顿。其实，这些“大致不差”的道理在实际写作中时常被我歪曲，有时还引出很差的道理。我用一切“大致不差”的道理蒙蔽了自己，今日看来，客观效果上也蒙蔽了读者和观众。《雷雨》中的周朴园自然是当作一个万恶的封建势力代表人物而出现的，我也着力描写那些被他压迫的人们。当时我认为这种看法是“大致不差”的。但在写作中，我把一些离奇的亲子关系纠缠一道，串上我从书本上得来的命运观念，于是悲天悯人的思想歪曲了真实，使一个可能有些社会意义的戏变了质，成为一个有落后倾向的剧本。这里没有阶级观点，看不见当时新兴的革命力量；一个很差的道理支持全剧的思想,《雷雨》的宿命观点，它模糊了周朴园所代表的阶级的必然的毁灭。

其他如《日出》里面，写的是半殖民地社会，我粗枝大叶地画出大鱼吃小鱼的现象，罗列若干残酷的事实，来说明这“损不足以奉有余”的社会是该被推翻的。这也是一个“大致不差”的道理。但造成这些现象的基本原因，我没有挖掘。我忽略我们民族的敌人帝国主义和它的帮凶官僚资本主义，更没有写出长期和它们对抗的人民斗争。看了《日出》，人们得不到明确的答案，模糊地觉得半殖民地社会就只能任其黑暗下去，人生原来就是如此。我既没有指出造成黑暗的主要敌人，向他们射击，那么，只有任他们依旧猖狂横肆。然而这和中国革命的历史真实是不相符合的。实际上，在一九三五年，我写《日出》的时候，人民的力量在延安已经壮大起来，在反动区的城市里，工人群众已经有相当有力的革命组织。反帝的怒潮遍及全国，人民一致要求民族的解放。在文艺运动上正提出国防文学的口号。而我在当时，却和实际斗争保持着距离，我在《日出》里泛泛地写着城市的罪恶，甚至指不出这些罪恶是半殖民地社会的产物。是什么理由使我如此呢？是我那些“大致不差”的道理，是产生那些模糊的思想的阶级环境和我个人的落后意识。

一个作家若是与实际斗争脱了节，那么，不管他怎样自命进步、努力写作，他一定写不出生活的真实，也自然不能对人民有大的贡献；同样，一个作家如若不先认识中国革命的历史，不能用正确的眼光分析生活，不能从自己的思想掘出病根，加以改造，他的思想只能停留在狭小的天地中，永远见不到中国社会的真实，也就无从表现生活的真理，便终身写不出一部对人民真正有益的作品。

我是一个小资产阶级出身的知识分子，“阶级”这两个字的含义直到最近才稍稍明了。原来“是非之心”“正义感”种种观念，常因出身不同而大有差异。你若想做一个人民的作家，你就要遵从人民心目中的是非。你若以小资产阶级的是非观点写作，你就未必能表现人民心目中的是非，人民便会鄙弃你、冷淡你。思想有阶级性，感情也有阶级性。若以小资产阶级的情感来写工农兵，其结果，必定不伦不类，你便成了挂羊头卖狗肉的作家。我在《雷雨》里就卖过一次狗皮膏药，很得意地抬出一个叫鲁大海的工人。那是可怕的失败，僵硬，不真实，自不必说。我把他放在一串怪诞的穿插中，我以小资产阶级的情感，为着故事，使他跳进跳出，丧失了他应有的工人阶级的品质，变成那样奇特的人物。他只是穿上工人衣服的小资产阶级。我完全跳不出我的阶级圈子，我写工人像写我自己，那如何使人看得下去？

我为何一再提出《雷雨》《日出》这两部作品呢？一则，因为这两部戏比较被人知道，再则，作为一个作家，只有通过创作思想上的检查才能开始进步，而多将自己的作品在文艺为工农兵的方向的X光线中照一照，才可以使我逐渐明了我的创作思想上的疮脓是从什么地方溃发的。

挖疮割肉是痛苦的。一个作家对于自己的产物时常免不了珍惜爱护，就怕开刀。这是什么作家呢？这是小资产阶级的作家，他爱面子比真理更多，看自己比人民还重。一个决心为人民服务的无产阶级作家绝不如此。他的思想情绪和工农兵的思想情绪打成一片，他考虑写作怎样从人民生活出发，怎样使自己的作品成为教育人民的工具，怎样提高自己的思想与艺术，为着使人民的思想情感提高一步，鼓励人民更好的劳动生产，要使人民的生活一天比一天美好。小资产阶级作家便不如此，他在口头上，很容易说工农兵的利益比小资产阶级的思想意识更重要，但一到实际行动，便不期然有所偏爱、有所顾虑。我这样讲，并非说我已克服了缺点，俨然是一个完全改造过来的人。不，差得很远。只就检查自己的作品一点看，我感到我在许多地方依旧姑息养奸，还有，由于思想水平低，有了毛病，也看不出来。于是有一阵曾经这样泛泛地讲，我的作品无一是处，简直要不得。囫囵吞枣，给它一个不负责任的批评，“都坏，都不正确!”表面看来，这很坦白、很谦虚，实际上，是小资产阶级情绪的流露，这里有一半是不服软（又是面子问题，这是连自己一时都未曾察觉的），有一半是马马虎虎，不肯认真检查，学习掌握思想的利器，在自己的作品上开刀。

这一年来，我有许多机会和一些年青的、年长的、对人民文艺有成绩的作家和批评家们在一道。他们使我认清创作的道路，也教给我一些创作的方法，那就是学习马列主义，实践马列主义，向工农兵学习，深入到他们的生活中间去。他们是毛主席的好学生，给我印象最深的是他们对人民的利益认真负责的态度。

毛主席说：“中国的革命的文学家艺术家，有出息的文学家艺术家，必须到群众中去，必须长期地无条件地全身心地到工农兵群众中去，到火热的斗争中去，到唯一的最广大最丰富的源泉中去，观察、体验、研究、分析一切人、一切阶级、一切群众、一切生动的生活形式和斗争形式，一切自然形态的文学和艺术，然后才有可能进入加工过程即创作过程，这样地把原料与生产，把研究过程与创作过程统一起来。”

每当读到这一段话，就念起以往走的那段长长的弯路，就不觉热泪盈眶，又是兴奋，又是感激。我真能做这样一个好学生么？无论如何，现在该学习走第一步了。

我很快乐，在四十之后，看见了正路，为着这条正路，我还能改正自己。因为，我知道，一个作家只有踏上了这条正路，才开始有一点用处。

向苏联艺术学习为保卫和平奋斗

当人类的文明正受着美帝国主义者侵略战争的严重威胁，全世界人民和中国人民钢铁一般地团结在强大的苏联和平堡垒的周围的时候，中国人民和文艺工作者们以无限兴奋与感激来迎接伟大的社会主义苏联的十月革命节。

二十几年来，在中国共产党与毛主席领导之下，中国文艺工作者一面对抗着国民党的特务、刺刀和监狱，对帝国主义、封建主义做出生入死的斗争；一面诚恳虚心地向人民学习，忠实反映人民的生活、思想和要求，正是因为他们追随了十月革命以后苏联文艺工作者的光辉榜样。优秀的中国作家与艺术家们一直贯注着一种诚恳的学习愿望，学习苏联的先进文化经验，努力探索着一种适应于中国革命任务和中国群众需要的正确的创作方法。依赖了英勇的中国人民力量和苏联的巨大帮助，中国胜利地解放了。在新中国民族文艺的肥沃的土壤里，我们已开始看见鲁迅在十八年前所殷切企望的“鲜艳而铁一般的

【题注】载《时代》画报1950年第10年第21期。

新花”。这成就和十月革命以后苏联文化工作者的热忱帮助有极深厚而密切的关系。

所以，新现实主义的艺术创作方法和理论早已广泛地被中国的革命文艺工作者吸取为创作的基本方向。列宁、斯大林关于文化艺术的辉煌的论著，日丹诺夫关于音乐、戏剧、电影的指示，已成为我们不断学习的文件；伯林斯基、高尔基、法捷耶夫、西蒙诺夫和其他苏联文学家们的深刻正确的文艺理论与批评，经常是我们教室、座谈会、创作研究班以及工厂、部队文艺工作者讨论及钻研的文章。我们时时刻刻注意着刊登在真理报、文学报、艺术报的批判与报告。最近斯大林的关于语言学的重大文献更是我们热烈学习的课题。

所以，远自一九一九年五四运动起，中国最杰出的文化战士鲁迅、瞿秋白、郭沫若、茅盾和无数文艺先驱便首先介绍苏联的诗歌、小说、木刻的作品与文学艺术的理论。这种介绍工作的范围与规模日趋扩大，到了今年，这一年的工夫，在中国出版的俄国古典文学及苏联作品的翻译，便在三百一十五种以上。这些作品不但锋利了我们的思想武器，成为我们文艺工作者重要的养料之一，并且教育了中国人民解放军及劳动人民，帮助加强了他们的阶级觉悟和战斗热情。

所以，当一年前苏联文化工作者代表团巡回访问沈阳、天津、北京、上海及中国其他大城市的时候，中国人民和中国文艺工作者，以无法形容的热烈，欢迎、爱戴这些代表人类最高的忠诚、友爱与智慧的人们。与他们接触过的六十四万中国人民发出一致的赞扬与感谢：“这是胜于骨肉的好朋友！”听到他们广播的亿万中国听众，获得一致的、不可磨灭的亲切印象：“这是代表世界最崇高的理想和目标的共产主义的伟大声音。”他们是我们最熟悉、最敬爱的文学家与艺术家，在短短的一个月的工夫，他们的热情、真挚与不分昼夜的辛苦工作，深入工厂、农村、部队及学校，更发扬了苏联与中国人民的传统友谊，更坚强了中国人民保卫世界和平的战斗意志。

我们应该特别提出，团长法捷耶夫和副团长西蒙诺夫，和其他的优秀的艺术家们对中国文学艺术上的重大问题的最有意义的启示。他们以苏联的先进经验深入浅出地替我们解答了社会主义现实主义的问题，苏联的文学、戏剧、音乐、电影、美术的若干重要问题，以及苏联文化建设问题。他们对于中国文化遗产的重视也给了我们深刻的印象。与代表团同来，卡马诺夫指导的艺术队和红军歌舞团在新中国的艺术工作上留下了广大的影响。近一年来，中国部队中的舞蹈有进一步的发展，广泛地学习苏联红军的舞蹈，显然是因为受了红军歌舞团活泼愉快、充溢了英雄气概的表演的教育。

半年以后，以米哈依洛夫为首的苏联青年代表团访问中国，他们对于中国青年同样有力地传达了国际主义的，与为祖国建设、为世界和平斗争的英勇精神。那些有深刻修养的青年舞蹈家、音乐家、歌唱家给中国新生的一代以无限的鼓舞，使他们更认识了社会主义的苏联如何重视培养青年的战斗气质和艺术教育。

来自人民中国的这一面，以郭沫若为首的世界和平大会中国代表团，去年在莫斯科与列宁格勒和苏联人民与苏联的文化人士有极亲密的广泛接触，其中包括中国各方面优秀的文学艺术工作者：丁玲、萧三、田汉、郑振铎、洪深、曹靖华、徐悲鸿、许广平、程砚秋、古元、戴爱莲等。紧接着他们到苏联的，有以萧华将军为首的参加世界青年节与世界民主青年大会的中国青年代表团，其中包括具有成绩的青年文艺工作者贺敬之、阮章竞、孙维世等，同去的还有戏剧家李伯钊，率领包括艺术工作者周巍峙、吴雪等的中国青年出国文艺工作团。该团在苏联做了多次演出，获得苏联人民的热诚欢迎。五个月以后，又有丁玲率领的参加苏联十月革命节典礼中国代表团，其中有历史家吴晗、科学家和戏剧家丁燮林、艺术教育家沙可夫、小说家赵树理、作曲家马思聪等。他们都受着苏联人民与文化人士热烈的款待，参观了苏联的社会主义建设，与优美的音乐、歌剧、舞蹈、电影、戏剧、美术等的文化成绩，学习了苏联在文学艺术上的经验和方法。回国以后，四个团体的文学艺术代表，载满了对于苏联文化的巨大成就的重要认识，陆续不断地写出许多有重大影响的报导文学，使中国人民对于苏联伟大的劳动人民文化，有更进一步的深切了解。

随着各种中苏文化交流的工作团体，中国作家满足了他们一向的愿望：访问苏联，会见他们所钦佩、向往的良师益友——杰出的苏联作家和艺术家。除了上述的写《桑干河上》的丁玲，写《李家庄的变迁》的赵树理等之外，获得这样机会的，还有写《暴风骤雨》的周立波，和以写英勇的中国人民解放军而著名的刘白羽。读了他们极多的关于苏联的报告，中国人民和艺术工作者更认识到每个苏维埃人是社会主义文化的自觉的、积极的建设者，苏联的文学艺术是具有崇高的政治内容的最灿烂的成就。丁玲写的《苏维埃人》、《西蒙诺夫给我的印象》及《〈旗帜〉杂志编辑部给我的鼓励》，刘白羽写的《〈真正的人〉的作者波列伏依》、《〈日日夜夜〉作者西蒙诺夫》及爱伦堡等许多作家的访问记，赵树理和周立波写的关于苏联文学和生活的报导——这些文章都有助于我们对苏联文学艺术的更深的认识，对新中国文学艺术的创造有重要的推动作用。

这一年来，中苏两大民族文化的交流，更发展了我们衷心珍贵的牢不可破的友谊。

解放了的中国人民，一天比一天热爱着具有正确的思想内容和高度的艺术水准的苏联电影。由今年的一月到六月，在中国大小城市放映了四百二十七种苏联影片，观众已达一千八百四十四万之多。这还没有计入十八部最受拥护的华语的对白苏联影片，这类影片的观众在一年的工夫就有三百多万人。这些伟大的影片如《斯大林格勒战场》、《易北河会师》、《俄罗斯问题》、《钢铁意志》、《大转变》、《普通一兵》和《青年近卫军》等都给予中国人民解放军、劳动人民与青年学生深刻无比的教育，鼓舞了他们建设新中国的热情与战斗意志。作为中苏两国的艺术工作者亲密合作的重大标志，著名的导演瓦尔拉莫夫的杰作《中国人民的胜利》正以空前的盛况（十天的观众有二百五十万人）在北京、天津、上海、广州、重庆、迪化、哈尔滨、沈阳等十五个大城市中上演。这部影片引起了热烈的赞扬和重视；学校、机关、部队以及工厂俱乐部，像每次看了苏联影片一样，都极兴奋而严肃地开了讨论会。在这伟大的影片中，中国人民深深体会到苏联友邦和苏联艺术家们对人民中国的巨大胜利的热爱与关注；因此，杰出的电影导演格拉西莫夫的《解放了的中国》正被我们以同样热诚与感激的心情期待着它的映演与成功。

苏联的戏剧也经常在中国演出了。单就北京、上海、南京三地而言，《莫斯科性格》、《美国之音》、《俄罗斯问题》和《保尔·柯察金》

的演出，已拥有大量的观众。工人、农民、战士、干部、妇女、青年和知识分子都汇拥在戏院里，学习这些剧本所表现的深刻的思想内容。我们在和平签名运动中演出了《俄罗斯问题》与《美国之音》，帮助观众认识美帝国主义的真面目。《保尔·柯察金》的演出，产生了巨大的思想教育的效果，更帮助了中国人民认识苏联青年为人民事业奋斗的乐观精神和忘我的英雄主义。

优美的苏联音乐和苏联歌曲，已普遍地被介绍到中国来。我们随时可以听到雄壮的声音高唱着《民主青年进行曲》《祖国青年进行曲》《青年团之歌》等，在中国广大国土上的工厂、农村、部队和学校。苏联劳动人民所喜爱的明朗、快乐、充溢着爱国精神与国际主义的音乐，也成为中国人民所喜爱的。

中国人民都深切认识到坚固的中苏友谊是世界和平的有力保证。这一年来，中国的作家、艺术家，更以无比的兴奋，努力传达日见发展着的中苏友好与团结。他们的音乐、诗歌、图画、戏剧、小说与散文，都充满昂扬愉快的情绪，描述伟大的苏联给予中国人民的种种帮助。

诗人们首先唱出嘹亮的歌声，在庆祝斯大林大元帅七十寿辰的时候，传播出中国人民对世界人类领袖的崇敬与热爱。中国文艺的领导者郭沫若写出壮丽的诗篇来歌颂这世界巨人。我们人民的优秀歌手：萧三、艾青、田间、马凡陀等和无数工厂、农村的劳动人民一致发出热烈的赞颂。这些著名诗人的创作，我所读到的就有一百一十五首。全国各地报纸杂志都有歌颂斯大林的专刊；在各地的人民游艺场所，民间艺人们都欢欣地唱着赞颂斯大林的歌曲和鼓词。在这空前盛大的庆祝中，中国人民一致表现对斯大林大元帅爱护世界劳动人民、支持人类解放事业的衷心感激。

这一年使我们兴奋的事情太多了。毛主席会晤斯大林大元帅，中苏缔结友好条约，苏联专家协助我们建设和苏联代表团的访问，等等，都成了我们中国文学艺术工作者的创作内容。

王式廓等的巨幅油画《中苏友好合作万岁》，描绘出中国人民永世不能忘记的最快乐的刹那：我们英明的领袖毛主席与世界人类领袖斯大林在莫斯科的会见。以《中苏盟约的威力》《为了持久和平、为了民主建设》《让敌人在中苏两国人民的面前发抖吧》等题目作成的漫画、木刻、绘图、窗花，大量地刊登在报纸与杂志上，悬挂在全国各地工人、农民的家庭里。为了感谢苏联专家对于我们生产建设的巨大帮助，中国的工人们和文艺工作者写了成千篇的短诗、报告、戏剧、歌曲、快板，热情地誉扬他们重大的劳绩。在苏联专家热心教育之下，第一批女司机与女拖拉机手出现了。她们胜利的代表者田桂英和梁军成为最近许多作家的诗歌、小说的表扬对象。

中国的和平签名运动最近已超过了两亿人的数目。中央戏剧学院为配合这伟大的运动，演出了欧阳予倩编写的舞剧《和平鸽》，它立刻便为首都人民热烈地欢迎。同样，中国的漫画、木刻、油画、宣传画的工作者以保卫和平为内容，做了很大的努力。著名的画家古元画了《不允许任何战争挑衅者再来破坏我们的和平生活》，其他的美术家用这些题目《签一个名等于一颗子弹》《我要和平，我要签名》，和以反对美帝侵略台湾、朝鲜及其他罪行为内容的创作共有四百七十九幅。这些动人心魄的创作煽动了中国人民对美帝国主义世世代代的仇恨，提高人民的政治觉悟，加强了我们保卫世界和平的努力。

中国的音乐工作者一直站在人民解放各种斗争的前列，鼓舞了中国人民的革命情绪。深厚的中苏友谊和保卫祖国与世界和平的决心使他们在一年内写出以这样的政治内容为主题的歌曲有二百余首。著名的作曲家马思聪、贺绿汀、马可、张鲁等，有的采取民间形式，有的运用明朗愉快的旋律，都写出热情饱满的创作。

百年来，帝国主义和封建主义勾结起来的残酷压迫和战争，使中国人民决心保卫他们经过千辛万苦才获得的新中国的幸福生活。美帝国主义凶暴无理地侵略台湾、朝鲜，阻挠了我们的和平建设，这是断难容忍的。周恩来总理说出了我们一致的坚决意志："中国人民热爱和平，但是为了保卫和平，从不也永不害怕反抗侵略战争。"所以一旦美帝国主义挑起世界的侵略战争，中国人民将以一切力量，包括文学艺术所发挥的力量，来彻底消灭美帝国主义者和他的帮凶们。因此，为着使保卫和平的艺术武器更加锋利，中国的文学艺术工作者，热诚地期待苏联文化工作者更深一步地教导我们如何以崇高的政治情感，有效地结合一切的文学艺术形式，来教育我们广大的人民，从而更提高了他们勇敢的战斗的品质。

当着伟大苏联的十月革命的节日，中国的文学艺术工作者以无比的欢欣与感谢，庆祝苏联和平建设的辉煌成就。强大无敌的苏联是世界持久和平与民主的堡垒，它保卫了劳动人民的文化建设，创造了人类空前的幸福和光明。中国的文学艺术工作者将和苏联文学艺术工作者更紧密地团结起来，和世界各种进步的文化工作者一道，来保卫我们伟大的祖国与人类永久的幸福。

一九五〇、十、十九。北京

（《曹禺选集》）自序

我写了几本戏，其中有两三种是为观众所喜好的，像《雷雨》、《日出》与《北京人》，所以我就选了这三本，凑成这本集子。它们多少记录了旧社会的人们所遭受的苦难。当时大家为什么认为这些作品有些地方还可取呢？大约因为我衷心憎恶的人物，也是当时的观众所痛恨的。我们忍受着同样的折磨，在暗无天日的旧社会里，一同恨着那些凶恶丑陋的上层人物。长期举着鞭子的主子们，恨不得教奴隶们都变成无言的畜生，终身默默挨着鞭打。如果其中有人呐喊一声："我们是人，你们才是禽兽！"积恨已久的奴隶便立刻听出："这声音是我们的。"所以当时，在反动的统治下，有人企图用艺术形象，尽管止于片面地表现出被压迫者对旧社会的憎恨，尽管不深刻地道出他们对统治者的愤怒，被压迫的人们就会双手欢迎，甚至放过其中的浅薄和过失。这几个剧本当时之所以博得观众的首肯，其原因或在此。

但是以后再读它们，就时时觉得其中有些地方未尽合理。现在想

【题注】据《曹禺选集》所载排印，开明书店1951年初版，原题《自序》。

想，倒也记得动手的时候确实要提出一些问题，说明一些道理。但我终于是凭一些激动的情绪去写，我没有在写作的时候追根问底，把造成这些罪恶的基本根源说清楚。譬如《日出》这本戏，应该是对半殖民地半封建的中国旧社会的控诉，可是当时却将帝国主义这个罪大恶极的元凶放过；看起来倒好像是当时忧时之士所赞许的洋洋洒洒一篇都市罪恶论。又如，我很着力地写了一些反动统治者所豢养的爪牙，他们如何荒淫残暴，却未曾写出当时严肃的革命工作者，他们向敌人做生死斗争的正面力量。以我今日所能达到的理解，来衡量过去的劳作，对这些地方就觉得不够妥当。

所以这次重印，我就借机会在剧本上做了一些更动，但更改很费事，所用的精神仅次于另写一个剧本。要依据原来的模样加以增删，使之合情合理，这却有些棘手。小时学写字，写的不好，就喜欢在原来歪歪倒倒的笔画上，诚心诚意地再描几笔；老师说:“描不得，越描越糟。”他的用意大约在劝人存真，应该一笔写好，才见功夫。我想写字的道理或者和写戏的道理不同；写字难看总还可以使人认识，剧本没有写对而又给人扮演在台上，便为害不浅。所以我总觉得，既然当初不能一笔写好，为何不趁重印之便再描一遍呢。我就根据原有的人物、结构，再描了一遍（有些地方简直不是描，是另写）。“描”的结果，可能又露出一些补缀的痕迹，但比原来接近于真实。倘使经过修订之后，对今天的读者和观众还能产生一些有益的效用，那我也就非常欣慰了。

参加果戈理纪念会归来

从北京飞向莫斯科，中途歇下来第一站便是乌兰巴托尔——蒙古人民共和国的首都。一位蒙古面庞的乘客走进机场，他向我们微笑点头，要和我们谈话。我不会说蒙古话，他也不懂得中国话，我和这位热情的朋友也只好点首示意，感觉到一腔弟兄的感情没有法子表达出来。在他向朋友们告别以后走进机舱的时候，他笑嘻嘻地望了我们半天，忽然问："果戈理?"我也忽然明白了："果戈理!"我们二人之间顿时豁然贯通了。丁玲在一旁笑了起来，他也看出来是丁玲。[1]我们虽然没有讲一句话，却互相把各自带来的中文、蒙文的果戈理译本拿出来交换翻阅。他愉快地浏览着《死魂灵》译本的插图，也热情地给我讲果戈理的作品在蒙古是怎样被翻译的，我虽然不懂，但也听得出那些熟悉的人物的名字。他告诉我他是蒙古的作家，他叫丹金色隆，一

【题注】载1952年4月25日《文艺报》第8号，据以排印。又收入《迎春集》，北京出版社1958年第1版，兹以通校（校注称"迎春集本"）。

1　迎春集本无此句。

路上我们就这样成了很好的朋友。

这个简短的遭遇使我认识伟大的作品是不分国界，不分语言，深深地[1]刻在人民的心坎的。人类最宝贵的文化遗产，是我们思想情感交流的桥梁。果戈理，这伟大的俄罗斯现实主义和爱国主义的文豪，不只是苏联所热爱尊贵的宝藏，也是全世界爱好和平的人民走向光明，走向幸福的精神食粮。[2]果戈理！是这样[3]光辉的名字使我们和世界各国的作家都聚集在莫斯科。

莫斯科对我们是极亲切的地方。一下飞机我们就看见一张熟悉的面孔，我们所敬爱的、中国人民最爱读他的作品的老作家卡达耶夫抱着一束鲜花来欢迎丁玲同志[4]。白雪还掩盖着莫斯科城外的田野，在汽车上卡达耶夫笑着说："春天到了，你们来的正是美丽的时候。"他指着远处一片桦树林，在暮霭中泛成一片淡紫，他说："这是俄罗斯小说中常描写的风景，多么好的天气，美好的节日又来了……"

在莫斯科的春天里，我们和全苏联的人民参加了果戈理逝世百年纪念。四月四日，在莫斯科大戏院举行了隆重的纪念大会；各国作家都有讲话，丁玲同志代表了中国文艺界致辞[5]。在这段时期里，满街都贴着关于果戈理的演讲会、纪念会的招贴，各地车站的书铺都摆满

---

1 "深深地"迎春集本作"并且深深地"。

2 此句迎春集本作"果戈理的伟大的现实主义和爱国主义的著作，不只是苏联人民所热爱的尊贵的宝藏，也是全世界爱好和平的人民走向光明、走向幸福的精神食粮。"。

3 "是这样"迎春集本作"这个"。

4 "丁玲同志"迎春集本作"我们"。

5 "丁玲同志代表了中国文艺界致辞"迎春集本作"中国作家也致词了"。

了果戈理的作品，各公共场所都悬挂着这伟大文豪的作品的彩画。每一个大城市的主要戏院都上演着《巡按》《婚事》；在首都，莫斯科艺术剧院还演出《死魂灵》。大戏院的最优秀的艺术家演唱着他的《索罗金镇的场集》。果戈理博物馆也在那几天里开放[1]，连邮票以及火柴盒上都印着精美的果戈理的肖像和他所描写的哥萨克爱国英雄“塔拉斯·布里巴”。

到后的第三天，我们参加了果戈理铜像揭幕的典礼。早晨还在下大雪，到了揭幕时已雪霁天晴。仿佛全莫斯科的人民都聚集在广场里，连四面高楼的窗口也站满了人。乐队奏起庄严美丽的苏联国歌，在诗人吉洪诺夫的主持下，微笑着的果戈理的铜像在一片海洋似的[2]掌声中显露出来。人民是那样深深地爱戴反抗黑暗的帝俄社会、对人类文化有伟大贡献的作家。多少劳动人民团体的代表和男女老少捧着夺目的鲜花前来，他们把鲜花小山一样地堆满在铜像的脚下。虽然隔一天莫斯科又飘起雪花，各国作家到果戈理的墓园致敬，那里早已等待着许多酷爱果戈理[3]的苏联人民。

苏联人民是这样重视他们民族文化的遗产，每个戏院都排演最[4]卓越的古典作家和苏联作家的剧本。我们看了普希金的《铲形皇后》、契诃夫的《三姊妹》、高尔基的《布雷乔夫》。这些，无论是歌剧或

1 “开放”迎春集本作“开幕”。

2 “一片海洋似的”迎春集本作“潮水一般”。

3 “果戈理”迎春集本作“果戈理的作品”。

4 迎春集本无“最”。

话剧，都充满了爱国主义和现实主义的精神。旧社会的黑暗、悲惨与丑恶被深刻地真实地揭露出来。观众欣赏舞台上的完美的艺术成就，同时认识到只有到了今天，在社会主义苏联的今天，人民才获得了这样幸福的生活。所以当着我们在小戏院看维希涅夫斯基的《难忘的一九一九》，观众几乎是以燃烧起来的热情来欢迎列宁和斯大林的出场。剧中表现了伟大的革命导师领导[1]无产阶级的战士们[2]坚决地摧毁了英美帝国主义的围攻，建立起社会主义的和平秩序，给予观众以极深刻的教育。苏联人民是真诚的国际主义者，他们不只是珍爱自己的文化遗产，对世界上一切文化的智慧和天才的创造都看成为人类共同的宝藏。所以有人说莎士比亚的第二故乡是苏联，莎士比亚的作品是经常在莫斯科的剧场里演出的。这次我们就看见他的《无事烦恼》为观众们热烈地欢迎[3]，以至于英国的锡尔顿[4]的《造谣学校》、法国莫利哀的《伪君子》、伯马歇的《飞加罗的结婚》和意大利的剧作家哥尔登尼、西班牙剧作家洛布维加的剧本都在上演。使我们更为兴奋的是我国的《白毛女》将在五月演出；而《西厢记》(改名为《翻杯记》)的演出在反封建的意义和艺术的成就上都赢得莫斯科观众普遍的赞美。

我们留在莫斯科的时候，美帝国主义在朝鲜和我国东北进行细菌

---

1 迎春集本无“伟大的革命导师领导”。

2 此处迎春集本有“在伟大的苏联共产党、列宁和斯大林的领导下”。

3 “为观众们热烈地欢迎”迎春集本作“受到观众们的热烈欢迎”。

4 “锡尔顿”迎春集本作“雪尔顿”。

战争的消息已引起苏联人民极大的愤怒，全莫斯科的工厂和各地劳动人民都立刻召集大会向全世界宣言，必须制止美帝国主义这[1]野兽般的反人道的罪行。著名的科学家、作家、艺术家都发表了谈话，号召全世界人民为着保卫人类生存[2]的正义和尊严，必须制止战争贩子们的疯狂行动。在苏联的各国作家的宣言上也提出同样严重的抗议。以后[3]我们走到什么地方，都看见热情正直的苏联人民都为着这样正义的行动掀起为和平斗争的热潮。

到了苏联，我们更体会到人是多么辉煌灿烂的东西[4]。他[5]是多么高贵，多么勇敢，多么坚强，赋有多么深的智慧，多么浓的感情，蕴藏着多么巨大的创造力量！

所以任何人到了苏联，无论在什么地方都会听到一种和谐的响亮的声音，那是生活的歌唱，和平的歌唱；是永远新鲜的、美好的、欢快的歌唱，是千千万万苏联人从巨大的和平劳动的快乐中洋溢出来的幸福的歌唱。那洪亮的歌声是雄壮的、乐观的，灌注了多么深的对人类未来前途的情感和信心。阳光照着你，在莫斯科大街上，昨天的积雪还闪耀着晶莹的光芒，雪后莫斯科的天空是出奇的明朗，你昂首瞻望着克里姆林宫上那颗庄严灿烂的红星，这美丽的和谐的声音会从四

---

1 迎春集本无“这”。

2 迎春集本无“生存”。

3 此句迎春集本作“无论我们走到哪里，都看见热情正直的苏联人民为着这个正义的行动掀起为和平斗争的热潮”。

4 迎春集本无“的东西”。

5 “他”迎春集本作“人”。

面八方传来，使你的心浸浴在巨大的欢乐里。你感到一切人类应该获得的自由和平与幸福，你会清清楚楚地听见从远远近近，从无数的大城小城、工厂农庄里传来的欢腾的人的歌声，它弥漫在你的周围像海潮、像巨浪，是无比强大的声音，它使一切好战者的刀兵的声响都必须沉默下去。那正是刚强的苏联人民和平建设的声音，是人类生活在斯大林[1]时代的幸福的歌唱。

每当这伟大的声音打进我心坎的时候，我便想起我们在苏联所走过的地方。在梯比里斯城外的萨姆哥尔川地，原来是多年荒凉的战场，现在已经布满了绿色的水渠，美丽的水电站和一片片冒着炊烟的农庄。英雄的斯大林格勒已经扫尽法西斯匪徒们烧杀的痕迹，多少壮丽的广场、剧院、文化宫和林荫大道正像花朵似地建立起来。伏尔加河畔红十月钢铁厂正以千吨万吨的产量倾吐着为和平建设需要的钢锭。在春光明媚的苏湖米附近，集体农庄的茶树和葡萄已覆盖了那辽阔的田野。然而这些，从整个苏联的和平建设来看，还只是大海中的一点一滴，是我们所看到的微小的一部分。伟大苏联社会主义的建设使我们看到人类共同幸福的远景，使我更想起我们可爱的祖国，为世界和平而斗争的伟大的祖国。在毛泽东胜利的旗帜下，英雄的中国人民志愿军和朝鲜人民军已经胜利地阻止了美帝国主义残暴的侵略，多灾的淮河两岸已开始变成富饶的鱼米之乡，两岸人民获得了丰衣足食的生活。祖国肥沃广大的土地上已生长出一望无垠的农产物，经过了土地改革，这些都是农民自己的了。全国各地的工厂正在蓬蓬勃勃地

1 “斯大林”迎春集本作“共产主义”。

进行着爱国生产竞赛。经过伟大的“三反”“五反”运动，全中国的物价普遍降低，人民的生活是更提高了，更美好了。我们是和平的力量，是全世界强大无比的和平阵营的力量，是不可征服的力量，是永远走向胜利的幸福的前途的。

我记起在《鳄鱼》画报上苏联画家们库克林斯集体画的[1]一张讽刺画，画的是坐着马车的乞乞可夫在路上遇见美帝战争贩子哈里曼，他抱着一大袋美金，驾着吉普车迎面驰来，风尘仆仆的乞乞可夫忽然探出身来唤住那个流氓：“喂，密司脱哈里曼，我买死魂灵，为的是把他们冒充活的；但是你买了活的，却要把他们变成死的。”这句话真是和平战士们的有力的投枪，是全世界人民的正义的指摘，尖锐地掷中了战争贩子们的要害。

人类的尊严和智慧必将消灭这一小撮贪婪而且失去理性的人所妄想的战争，因为以苏联为首的全世界的和平力量，已经空前紧密地团结起来，生的力量必然克服死的力量！[2]

1 “苏联画家们库克林斯集体画的”迎春集本作“苏联画家库克雷尼克赛画的”。

2 迎春集本此下署“1952年3月”。

永远向前

——一个在改造中的文艺工作者的话

十年前的五月二十三日，毛主席发表了《在延安文艺座谈会上的讲话》。从此以后，中国的革命文艺工作者获得了正确的指针。在灾难深重的旧中国时期，毛主席这篇《讲话》坚决有力地指挥着我们。在今天，中国已经站起来了，经济建设的高潮眼望着就要到来，全国的劳动人民更迫切地需要丰富的文化食粮。因此，革命的文艺工作者应加倍努力来贯彻执行毛主席的文艺方针。

十年以来，凡是老老实实、诚诚恳恳地学习和遵循了毛主席的文艺方针而工作的文艺工作者，都得到了一定的收获，做出了劳动人民所赞许的作品，有的并获得了国际上的赞扬。凡是以不老实的态度学习这篇《讲话》、不去认真改造自己的人，也就在文艺创作上遭遇到挫折和失败。

我是一个从黑暗的旧社会里走出来的文艺工作者，虽然一直向往

【题注】载1952年5月24日《人民日报》。

着光明，但自己的思想意识却受了相当深的资产阶级思想的影响。新社会到来了，我居然成为千千万万革命文艺工作者的一员，成为毛主席文艺队伍中的一员，我是多么感激和骄傲！然而我又多么胆怯，仿佛刚刚睁开眼的盲人，初次接触了耀目的阳光，在不可抑止的兴奋里，又不知道如何迈第一步。多少年来，我脱离革命的群众，脱离群众的实际生活，我猛地见了一直在渴望着的光明事物，反而觉得不能像亲人一般地立刻拥抱它。

我开始用心学习毛主席的《讲话》。我知道如果用高谈阔论、用宣言或者粗制滥造的作品来证明自己是人民的作家，那是枉费心机。工农兵希望读到忠实地反映他们的真实生活、反映他们的思想情绪的作品，他们毫不需要冒充工农兵的人物上场，不需要一些代用品在他们面前推销。一个人可以表示主观愿望如何为了工农兵，可是群众只会老老实实地看他的货色、他的行为、他所写的作品。毛主席教导我们：“社会实践是检验主观愿望的标准，效果是检验动机的标准。”这是千真万确的。

我逐渐发觉自己的空虚，我不熟悉工人，不熟悉农民，不熟悉士兵，也不知道马克思列宁主义。我缺乏新的社会现实的体验，甚至连人民大众的语言也不大熟悉。古人有一句话，“贫无立锥之地”。我今天才明白一个人在精神领域中到了“贫无立锥之地”的当口是多么痛苦。

在这个当口，我从毛主席的《讲话》里听见了伟大的指路的声音：“了解他们，熟悉他们”，要使“自己的思想情绪应与工农兵大众的思想情绪打成一片”。我又听见：“要与群众打成一片，就得下决心。经过长期的甚至是痛苦的磨炼。”

这一些指示深深刻印在我的脑里。是的，不熟悉的，我们应该去熟悉，没有了解的，就要去了解。除非对人民的事业毫无热情，除非对人民和他的先锋队的战斗和胜利永远抱着冷眼旁观的态度，我们见到了祖国的光明，见到了劳动人民的高贵品质，就得热情地去歌颂，一切困难都应该克服，也必能克服。一切纠缠在大小资产阶级的思想意识的根盘上的腐烂的东西，都应该斫断。新的生命不能从这样旧的腐朽的根上发芽，新中国的人民文艺不能在这上面生长。必须从一个阶级移到另一个阶级，必须把自己的思想感情改造一下。纵然是长期的痛苦的磨炼，也须要像许多开路的新中国文艺工作者一样，一步一步地经历过来。

要变化，要改造，我该沉下心来，好好地检查一下自己的思想意识，究竟有多少是人民大众的，多少是非人民的。一套套的超阶级的善恶是非的观念，若隐若现地深深扎在我以往的作品里，有的甚至还很猖狂地叫嚣起来。我好说我痛恨黑暗的旧社会，不满意人压榨人的血腥事实，也说必须推翻封建势力、官僚买办的万恶统治，可是我却是一个超阶级的人性论者，我相信在那样的阶级社会里，人性也是普遍的善良的。我从未明确意识到每个人都有自己的阶级性。我没有明了客观决定主观，存在决定意识，阶级斗争和民族斗争的客观现实决定我们的思想情感。

我明白我的精神领域里原来并不止于贫乏，那是一个好听的名词，一个旧知识分子在躲闪无路时找到的一个遮丑的遁词。实际上，在我的思想意识里，并非是如以往自命的那样进步，那样一心追求着真理和光明。我的仓库里有一大堆不见阳光的破铜烂铁，一堆发了霉味的朽木。如果不老老实实地学习马克思列宁主义，不把自己的思想根据毛泽东思想来加以彻底的清算，这些腐朽的东西还是放在那里。

一个出身于小资产阶级、没有经过彻底改造的知识分子，很难忘怀于自己多少年来眷恋的人物、思想和情感，像蚂蚁绕树，转来转去，总离不开那样一块黑乌乌的地方。我记得在反动统治时期，在特务如麻的重庆，第一次读了《在延安文艺座谈会上的讲话》，我仿佛立刻就明白了文艺当然是为工农兵。这还有问题吗？但是读到什么是人民大众，文艺为什么人的时候，我发现也可以为小资产阶级写，便又窃自心喜，觉得我所熟悉的那一类生活和人物还可以用得上去。只要能用马克思列宁主义的观点就成了。当时我虽然读了一两本社会科学书籍，却实在不能体会马克思列宁主义是怎么回事。现在才觉察了，这是小资产阶级意识在钻空子。真正掌握马克思列宁主义的立场、观点和方法，那不是容易的事情。《我们夫妇之间》的作者站在小资产阶级的立场，写革命的干部，结果歪曲了革命干部的形象。这是一个教训。

十年以前，毛主席《在延安文艺座谈会上的讲话》说：“小资产阶级出身的人们总是经过种种方法，也经过文学艺术的方法，顽强地表现他们自己，宣传他们自己的主张，要求人们按照小资产阶级知识分子的面貌来改造党，改造世界。在这种情形下，我们的工作，就是要向他们大喝一声，说：‘同志’们，你们那一套是不行的，无产阶级和人民大众是不能迁就你们的，依了你们，实际上就是依了大地主大资产阶级，就有亡党亡国亡头的危险。”

我们伟大的领袖是这样有力地指示过的。

记起童年时代在私塾里作文写一些“大禹惜寸阴”之类的东西，小学生写了一些类似平时如何不用心读书的缺点，末了总要写上两句“往者已矣，来者可追”的话，但从此也就忘了这两句话。现在想起来，“往者已矣”如果只指时间，那确是已经消逝了的。但“往者”应该是指自己的缺点，对于像我这样出身小资产阶级的人说来，这缺点主要应该是指小资产阶级的坏思想，那就不能凭两句宣言就能够“已矣”的。如果不随时检查，不随时靠着党和群众的指导，不彻底解决个人与群众的关系的问题，那还是会死灰复燃，即便到了群众中去，也不能从群众中学习什么东西。

我到过淮河，参加过土地改革，在那短促的期间，我曾犯了些错误，靠了群众的帮助，得到了及时的纠正。我还不曾写出一个字来。这使我每次想起毛主席要我们“长期地无条件地全身心地到工农兵群众中去，到火热的斗争中去”的指示，我就深深感到愧痛。

但我是毛主席的文艺队伍中的一员，新中国劳动人民伟大的建设业绩鼓励着我们，全中国光明的前途召唤着我们。在毛泽东思想的光辉照耀下，我一定要学习得比现在更好。我自身的毛病会使我遭遇到很多困难，但我一定要逐渐把自己的思想情绪和工农兵的思想情绪打成一片。

这是不可移的决心。

永远存在的力量

——为苏联《真理报》作

我们从不能设想亲爱的导师有一天会离开我们。即使在今天，当他已和我们永别了，中国的孩子们，还梦见克里姆林宫请来一位童话里面的医生，治好了他的病。他老人家仍在克里姆林宫继续为全世界的和平与幸福筹划着更美好的明天。醒来的孩子们伏在书桌上痛哭起来。中国人民一想起这无可弥补的沉重损失，我们全国人民的悲痛，是不能用言语形容的。

我们遥想此刻在全苏联最坚强的、正直的、忠诚的兄弟们，我们每个人恨不得有一万只手臂远远向莫斯科伸出，沉痛地拥抱着你们，紧紧地骨肉一般地拥抱着你们。我们都是伟大的斯大林同志，亲爱的父亲培养出来的子女，我们将更亲密地团结在一道，像巨树的根盘离不开土地，像江河必须汇入大海。

斯大林同志的天才理论和教导给予我们无穷尽的力量。它不但

【题注】载1953年3月15日《文艺报》第5号。

正确地指导了全世界劳动人民的革命事业，并且使我们在毛主席和中国共产党的领导下，消灭了帝国主义侵略的灾难，创造了新中国人民的幸福与和平。中国革命的巨大胜利正是因为有了斯大林同志对我们一贯的关怀和伟大的支援。我们今日获得的民主与自由的幸福的日子，是和斯大林同志所领导的伟大的苏联共产党、伟大的苏联人民和政府的慷慨无私的援助，一丝一毫也分不开的。我们永生永世不能忘记。

钢铁一般的苏联共产党是无与伦比的巨大力量。它的战无不胜的革命理论和为实现共产主义的斗争中所积累的丰富经验是我们一切力量的源泉。我们完全相信苏联共产党会领导全体进步人类从胜利走向胜利；在为世界和平事业，为共产主义事业的斗争中，它将是我们永远坚强、永远正确的舵手。诚如三月七日《人民日报》社论中所指出的："苏联共产党是以列宁、斯大林的学说充分武装起来的、在各方面完全成熟了的百炼成钢的党，它过去是我们的榜样，现在是我们的榜样，将来也是我们的榜样。"支持苏联共产党的一切事业，学习苏联一切先进的经验，这是全中国人民一致的衷心的要求和决心。

我们中苏两国人民的友谊团结，是永远不可磨灭的，我们将继续巩固和发展斯大林遗留下的事业，使残暴好战的帝国主义不敢妄图侥幸，使世界和平成为持久的现实。在以强大的苏联为首的世界和平民主阵营中，我们将与各人民民主国家的亿万人民及全世界进步人类更紧密地团结一致。一切爱和平爱真理的人支持我们，一切的胜利属于我们。伟大的斯大林同志，在他毕生致力的人类解放事业的斗争中，已经把我们锻炼成为无坚不摧的强大力量。他的崇高理想和预见，已经照耀我们前进的胜利道路。因为列宁、斯大林遗留给我们的无尽宝藏和巨大的和平与民主的事业，正是为了团结被压迫的阶级和被压迫的人民争取今日的幸福和明日的幸福，为着使全世界的孩子们有无限前途，为着保卫人类最宝贵的真理和光明。

要深入生活

同志们，在走上这个讲台以前，我想过，我用什么来和我的朋友、我的前辈、我的领导见面呢？四年来，在创作上我没有写出一样东西，我的祖国在前进，人民的生活同政治觉悟都是有史以来从没有过的提高、丰富、活跃。四年来我所受的教育是多方面的，我经过土地改革、文艺整风、三反、五反和抗美援朝伟大的运动[1]，但是我还没有写出一点东西。应该说，我是一个没有完成任务的人。同志们，祖国的建设像海水一样地沸腾，无论哪一条生产战线上都出现了很多英雄，在这种时候，一个人如若不能完成任务，他是多么突出、多么不光彩。所以要我来讲话，我就迟迟不敢上来。

但是，我终于要说几句话。因为我知道，同志们和领导是怎样诚

【题注】载《人民文学》1953年11月号，据以排印。又收入《迎春集》，北京出版社1958年第1版，题名《要深入生活——在中国文学艺术工作者第二次代表大会上的发言》，兹以通校（校注称“迎春集本”）。按，本文系曹禺于本年10月5日中国文学艺术工作者第二次代表大会上的发言。

1 “伟大的运动”迎春集本作“的伟大运动”。

恳地帮助每一个需要更多改造的作家，他们还在耐心地等着我，仔细地帮助我，并且相信我，我将终于会完成任务。

他们使我体会到一个真理：我们的祖国是不允许她的任何一个子女不能完成任务的。

四年来，我时时感觉到有无数温暖的、期待的、热情的眼睛望着我们，使我们不能不向前进。我时时感觉到毛主席的文艺方向强有力地引导着我们，使我们不可能走错路。所以，纵然是慢的，我相信四年来我还是在向前走，至少，我是在要求进步。

亲爱的同志们，这样的感觉不会是属于我一个人的，我想，我们很多人会有同样的感觉。当我们有时在行动中有些拿不稳的时候，不就是党和党所教育的群众扶了我们一把吗？当着我们自己有些信心不足的时候，不是党和群众又在鼓励着我们吗？当着我们的思想意识有些模糊、混乱，或者因为自己毫无根据的自大自满而犯了错误的时候，不又是党和群众诚恳地批评我们，纠正了我们的错误，把我们又纳入正轨吗？但是当着我们因为老老实实的劳动有些小小的进步的时候，不正是党和群众以父母热望子女的情感，首先赞许我们吗？苏联女作家尼古拉耶娃在她的作品《收获》里，提起苏联，说苏联的社会好像一片“不沉的水”，在那里，人与人之间充满了真诚、坦白、正义同关切。人们生活着，战斗着，像在一片广阔、温暖的咸水湖里自由地游泳，永远不会沉下去。今天的祖国和社会，对我们每一个人的前途的关心，对每一个人的培养、扶植，也正是这样。我们没有一件事业没有群众在后面，没有一件事业没有党在关心，也没有一件事业不是为我们的集体利益的。因此，在我们共同的大事业里，只要是诚恳的、肯学习的，任何人都不会沉下水去。

正因为我们是诚恳的、肯学习的，所以当我们说我们创作的道路是一条必胜的道路，我们的认识是，这条路并不是平坦的，我们有勇气看清楚横在我们面前的障碍，我们有决心以极大的努力来扫除这些障碍。有一个朋友告诉我："比起四年以前的我们，现在每个人都有了进步，进步的表现之一就是我们都明白尽管有了一些进步，但在我们身上还是存在着不少的缺点。"这话是对的。我们的眼睛是比以前亮多了，所以我们不能放松自己。我们需要时时刻刻向文艺阵地的个别落后现象做斗争，向我们思想里残余的个人主义、自由主义做斗争，和向我们创作方法上的一些缺点做斗争。

我们有极大的责任去写新英雄、新事物。周总理这样指示我们，群众也这样希望我们。在我们眼前有高尚品质的[1]，有社会主义时代气质的人物是很不少的。如果能够生动地、深刻地把他们的英雄行为和先进思想表现出来，那就会教育群众、鼓舞群众，使社会主义建设事业更早的完成。

但是在我们的笔下的新英雄、新人物写得不够多，并且有的写得不够生动，换句话说，写出来的人物和现实的人物还有一些距离，因此，老早就提出来，我们要深入生活，理解现实。

这真是一句老话了，但这个口号对我们，是永远有意义的。我过去有一段时期，翻报纸，访工会，读新闻报道，访问领导，为着多收集一些英雄模范的事迹。这些真实的故事，时常是别人费了心血整

---

1 "高尚品质的"迎春集本作"高尚的品质"。

理好了的，甚至于有一些起承转合、有高潮、有结尾的好故事。我于是很忙，像大风里的鹅毛，一会吹到这里，一会又吹到那里。两年前，我在淮河的短短一段生活就是这样，我收集了一大堆材料，但是我没有能够根据这些材料写出东西来。这说明文艺的工作是无从取巧的，不是可以不加长期的辛苦劳动，不切实地，不去亲身地进行生活体验，而完全依赖别人的劳动就可以创作的。曾经有过这样一个懒婆娘，她赖在炕上不起身，却嬉皮笑脸地对她丈夫说："你要是替我烧了锅，不就省得我下地了吗?"她丈夫答得好："我要是替你吃了饭，你还不饿了呢。"是的，别人吃饭，我们饱不了；依靠借来的生活材料，我们就写不好。然而这种创作方法是过去了，目前我们都比较深刻地体会到进行创作，不从生活真实出发是不成的。

如果现在依然还有公式化、概念化的作品出现，我们应该更肯定地说，我们现在学习社会主义现实主义的基本道路，从现实出发熟悉生活中的各种斗争，这条大道是一丝一毫没有错的。

我们必须继续不断地深入生活，不能因为现在还没有写出较好的东西来，就猜想这条路已经走到尽头了，怎么还寻不到珍宝呢？事实上，写不出好东西来，往往是因为我们虽然上了路，却连生活的源泉望都没有望见，就喜孜孜地以为是"满载而归"，回了家。或者望见了，并且走到了，却把生活的泉水喝得太少了，又急急忙忙地回了家。总是牵肠挂肚地想回"家"，而不能把"家"就放在工农兵的生活斗争当中，这就难怪写不出好东西来。

所以深入生活，每个人的道路虽各有不同，但是到底是要真地[1]“深入”下去，这是不能变的。

自然“深入”绝不仅仅是作“长期”讲。深入生活还可以从另一个角度来看。要真地深入下去，茅盾同志指出的“如何认识生活的问题”，就需要我们多想一想了。

茅盾同志说：“在我们中间，有一种相当普遍的情形，就是着重于生活的观察和体验，而比较忽略了对社会生活的研究和分析。”他又说：“许多作家在下去以后，常常是最初感觉新鲜，慢慢地就感觉有些茫然，我想这是和缺乏对生活的研究分析工作有关系的。”从我个人的体验讲，他这几句话是说到了我的心坎上的。不能分析研究生活，我以为会妨碍我们深入生活，会使我们在生活的海洋中看不见一条离着目的地最近的航程。近些时[2]，为着要写关于知识分子的剧本，我费了一些时间在医院体验[3]生活，和一些高级知识分子在一起，这自然还说不到“深入”，但是现在，正如茅盾同志提起的，我已感觉有些茫然，我真是不知如何把那复杂的生活现象概括起来，集中起来。作家是有感情的，因而下去生活，也是很容易受感动，但是只顾感动，而不更进一步去分析，也是无济于事。很使我苦恼的，是我的政治学习太差，像大家时常提起的，十分缺少马克思列宁主义。我不能站在较高的角度来研究一个人或分析一件事情，确定一个是非，或者从一团复杂的现象中，看出来龙去脉，前因后果。虽然我经过文艺

1 “真地”迎春集本作“真正”。

2 “近些时”迎春集本作“前些时”。

3 “体验”迎春集本作“深入”。

整风，并且决心以后不脱离政治，但是今天，一到实际地走上创作的行程上，我是痛切地感到我还是脱离了政治。譬如说吧，我没有下功夫读过《矛盾论》、《实践论》，没有每天仔仔细细地读《人民日报》，没有好好读过中国革命史，对日常发生的政治问题没有付与充分的注意，平时很少把理论和实际联系起来深思一下。这一切都限制我，使我不能够像茅盾同志所指出的，“全面地历史地来分析研究局部现象，从局部现象去看到全面，从一定人物或事件来反映出广阔的时代风貌和精神”。

谁都知道，生活的门不是那样容易打开的。轻轻敲了两下，自然不成；仅仅浮面地懂得了一些“如何认识生活”的方法，就自以为找到了开门的钥匙，也是不成。要深入生活就离不开在生活中斗争。要怎样斗争呢？这是进一步地理解深入生活的问题。关于这个问题，在这次大会上，我们是得到了很多启发的。

周总理说：你要先成为一个社会主义者，才能写社会主义的作品。同样的意思，周扬同志又强调地指出来了，他说：“作家必须站在人民的先进的行列，和人民一道，为拥护新事物和反对旧事物而斗争。”又说，我们“必须抱有争取新事物必胜的决心，对新事物具有敏锐的感觉和高度的热爱”。这些话的道理是再明显不过的，但是直到今天，在我们大家都努力使自己深入生活的当口，我才感觉到我们非成为一个先进的人物不可，或者说非要有一个先进人物的思想感情不可。如果做不到，那就不要谈起做一个用社会主义先进思想来教育人民的作家。在今天，无论何处都在进行着新的与旧的炽烈的斗争的时候，被动是不成的，像一只蜗牛那样慢慢地爬也是不成的。我们必须和旧事物做不妥协的斗争，并且还要很快的和大家一道把新的事物建立起来。

但是这困难不困难呢？这是有些困难的。要斗争，要具体地以全身全心来斗争，要做到具有我们最可爱的人那样的人生观、世界观，那样“一人吃苦，万人享福”的气概和胸襟，这就联系到我们自身改造的问题，我们的阶级立场问题。有没有这样的人，他想：“我的阶级立场完全摆稳了，我的思想也改造的差不多了，以后再也不必使用批评与自我批评了。”我想今天这样自满的人不会是很多的。事实上，我们确实看见了很多人在认真地改造自己，为了使自己的劳动可以有益于社会，为了使自己的精神面貌因为[1]比较接近于人类的更高的道德品质而更美丽一些。人民对我们的希望也正是这样：不但希望我们变为一个新人物，更希望进一步在我们笔下，出现许多真实动人、推动历史前进的新英雄。为着真正了解今天现实存在的英雄，深入他们的全面的精神生活里，我们必须使自己的思想感情跟英雄们的思想感情同样的高贵。他们在实际上参加的斗争，也正是我们有足够的觉悟和准备能够参加的斗争。这样，才能表现先进人物，才知道怎样热爱那新的、前进的、美好的；憎恨那旧的、落后的、丑恶的。我在大会的小组会上听到志愿军的文艺工作者曹欣同志的谈话。他提到一位名叫刘蓬的部队作家怎样写战斗英雄韩起发，他说刘蓬把他所描写的英雄写得非常出色，而刘蓬本人就是一个炮兵英雄。刘蓬原是韩起发的好朋友，他爱他，敬仰他，但他说：“我还没有把韩起发写出来。”他

1　迎春集本无“因为”。

讲了一句十分发人深省的话："因为我自己在思想上还赶不上他。"中国有一句老话，"慧眼识英雄"，谁能有这样一对慧眼呢？我看也只有英雄。我举这个例，并不是说我们每个人都得经过跟英雄一般一样的经历才能写英雄。我是说今天中国的社会主义现实主义的作家，如果没有为社会主义改造的事业而全心全意地去斗争的理想，没有为早日实现工业化，而向一切旧事物做不调和的斗争的决心，那他就不可能深入生活，不可能真正地彻底地理解先进人物，不可能表现先进人物，也就不可能完成文艺创作的崇高任务。

亲爱的同志们，让我讲一讲我更想说的话吧。我是多么庆幸我自己，我们大家一道生活在这伟大的英雄时代。我是多么感激啊！我们大家有党，有毛主席的领导，领导我们这样地大物博的祖国，领导我们这样智慧、勇敢、勤劳的人民。作为中国的一个文艺工作者，我又是多么地自豪啊！我们的祖先有屈原、杜甫，[1]有施耐庵，有曹雪芹，有鲁迅。我们祖先所遗留下来的文学语言是多么丰富多彩，他们创造的人物又是多么深刻生动，而人民的现实生活，到了他们的笔下，又是多么壮阔非凡啊！就以今天的中国文学来讲，虽然走上社会主义现实主义的大道并不算久，但是，在人民所喜爱的青年作家和工农作家里，硬朗的可喜的枝干不是已经普遍地成长起来，这些枝干，不正是日后会变为大树的么？而在我们较早一辈的作家中，不是已经写出成部的作品，那些优秀的著作，不正是证明他们是由无穷无尽的人民的智慧和生活的肥土里生长出来的么？

1　此处迎春集本有"关汉卿"。

我们的人民是最可爱、最可敬的人民，我们的创作道路，是最自由、最富于正义的道路，而我们的理想是最正确的，是唯一的有前途的理想。我们有绝对的信心，可以保证我们的创作能为人类最伟大的思想——共产主义的思想有力地服务。因为多少年来，党对于文艺工作者的珍爱、关怀和不断的教育，使我们每个人都有可能坚决地改正缺点，使我们一天比一天更能掌握社会主义现实主义的创作思想和方法。这就保证了我们一定会产生可以称得起继承并且发展了我国古典文学的优秀传统的作品，一种可以称得起无愧于我们伟大的英雄时代的作品。[1]

1　迎春集本此下署“1953年9月”。

（《曹禺剧本选》）前言

两年前，我曾将《雷雨》《日出》《北京人》这三本比较为观众所知道的剧本，修改了一下出版。在这个集子里，仍然选了这三本戏。不过这一次，除了一些文字的整理之外，没有什么大的改动。现在看看，还是保持原来的面貌好一些。因此，就在此地提一提。如果日后还有人上演这几个戏，我希望采用这个本子。

作　者

一九五四年三月于北京

【题注】据《曹禺剧本选》所载排印，人民文学出版社1954年第1版，原题《前言》。

用文艺宣传的实际行动，来拥护宪法草案的公布

我抱着万分喜悦和骄傲的心情，阅读了《中华人民共和国宪法草案》。这是中国人民盼望了多少年的一部伟大的宪法。凡是为革命流过血流过汗的人，凡是知道劳动的价值、创造的神圣、爱和平、爱正义、痛恨压迫和剥削的人，都会了解，这是一部真正民主真正平等，最能保障和发展人民的幸福文明的生活的宪法。

实施了这个宪法，就会把国家引入繁荣幸福的社会主义社会。我们的国家将逐步实现社会主义的工业化，对于农业、手工业和资本主义工商业，也将逐步实现社会主义改造，我们的人民民主专政的制度将更趋完美有力。人的精神品质和社会主义觉悟，将会一天比一天地提高。作为一个中华人民共和国的公民，获得了这样一部前途充满了人类最高理想，而又切实可行的宪法草案，这是莫大的幸福！

这部宪法是中国人民一百年来艰苦斗争的胜利果实，同时也是工人阶级和它的先锋队共产党数十年来领导人民革命最大的胜利。它用

【题注】载《人民文学》1954年7月号。

了最神圣最有力量的文字，向全世界昭示，中国人民已经完全站起来了，它上面每一个条文都是为了保证人民精神生活和物质生活的完美发展。它清清楚楚地告诉了世界，中国人民生活的目的，就是为了消灭一切的剥削和贫困，为了和平，为了自由和幸福。它也清清楚楚地告诉我们和我们的子孙，在国家生活中，我们是真正当家的主人。这个宪法保证了祖国的光辉前途，保证了每个人的更幸福的明天。想起这一切，我们该是如何的欢欣喜悦啊！

文学艺术，各种创造的文化活动，只有在人民民主和社会主义的国家里，才能受到真正的尊重和培养。这在今天的宪法草案中，又得到了一次有力的证明。宪法规定，要鼓励、帮助“从事科学、教育、文学、艺术和其他文化事业的公民的创造性工作”。这种规定，在今日资本主义社会里，作资本家钱袋的奴隶的文学艺术家们，是不可能设想的。今天，中国做文艺工作的人真幸福，得到人民这样的重视！我想起我们的古代祖先和同时代的先辈，从屈原、杜甫、陆放翁一直到鲁迅，他们一生颠沛流离，受尽了迫害。我们却在工人阶级的领导和马列主义的光辉照耀下，享有了千百年来，多少天才巨匠梦寐以求，而从未得到的保障和培养。我们感激宪法草案的诞生，感激中国共产党和毛主席领导的宪法起草工作。这个宪法不只把人民要逐步建成社会主义社会的这一共同愿望肯定下来，而且还为实现这个愿望规定了具体的道路；不仅注意到政治、经济许多方面，而且还照顾到文化方面。把帮助、鼓励文化创造工作列在宪法上，和第三章内其他公民的基本权利和义务，一同列为一个人的神圣权利，这是资本主义国家决不可能有的真正的文明的表现。我们是从事文学艺术创造工作的公民，有了宪法这样的保证，我们该如何发挥文艺的巨大力量，来创造宪法的精神里所希求的伟大的社会主义的文学艺术！

我们热烈地拥护宪法草案，我们必须以实际行动来帮助推动宪法草案的宣传和讨论。宪法草案的公布是中国人民政治生活的一个重大事件，也就是为工农兵服务的文艺工作者应该写的一个重大主题。我们每一个文艺工作者有责任使宪法成为家喻户晓的，各工厂、各城市、各矿区、各农村，每一个人都熟悉的文献。伟大的中华人民共和国宪法的诞生，我们文艺工作者应该尽到一份力量。宪法里面的思想精神力量，是取之不尽，用之不竭的。我们如果进行深刻的学习，就必然会加深对现实生活的认识，从而丰富自己创作的主题和题材，这样的一些主题决不会是暂时的。为了宪法宣传的光荣任务，音乐、绘画、戏剧、诗歌，以至于建筑雕刻，都是最好的工具。新中国的文艺工作者将运用巨大的魄力和匠心，来反映这千古未有的重大事件。我们活在一个伟大的人民的时代。人民用宪法的保证，来促成、推进今后国家在经济、政治、国防、文化上面的各种伟大的创造。我们就从今天公布宪法草案的日子开始，要用文艺宣传的实际行动来热烈地拥护宪法草案。

我们欢呼迎接宪法草案

中华人民共和国宪法草案公布了，全中国的人民都在欢呼迎接这件前所未有的大事情。经过多少艰苦曲折的道路，中国人民终于用自己的手和智慧庄严地写下了这篇神圣的、伟大的宪法草案。这是我国人民在中国共产党领导下，长时期来为人民民主、和平幸福的生活而流血斗争的胜利果实，是马克思列宁主义和中国实际情况相结合的集中表现。它用明确易解的文字，深刻地表现出中国人民建设社会主义社会的共同愿望，反映了国家在过渡时期的根本要求，并且把逐步走向社会主义社会的道路，做了具体而完善的规定。这一切都说明了人民民主专政的优越性。这部伟大的宪法草案，就是经过了民主的讨论才产生出来的，今天还正在全国各阶层、各地区人民中展开热烈的讨论。这是中国人民有史以来第一次发挥了最高的民主精神的集体创作，是共产党多少年来领导人民为国家的真正的民主而斗争的辉煌成就。

【题注】载1954年7月30日《文艺报》第14期。

今后的历史将无穷尽地证明这部宪法草案在过渡时期的正确性与完善性。建国四年多来，我们国家在经济、政治、文化上各方面的成就，和全国人民一天比一天幸福的生活，使我们深刻体会到：有了共产党的领导，中国人民才有真正享受民主自由的权利的可能。这部宪法草案更保证了我们日后的民主自由和无穷无尽的幸福生活。这是一部从中国的现实情况出发的、社会主义类型的国家大法。它用法律保证我们通过和平的道路，消灭剥削和贫困，建成繁荣幸福的社会主义社会。宪法草案上明确地说明了如何完成过渡时期的总任务。有了这些，我们就更有信心、更有把握为日后美好的前途而斗争。我们抱着无限感激和骄傲的心情，逐字逐句地阅读这部宪法草案；我们时时刻刻不能忘记，只有在中国共产党和毛主席的领导下，这样的宪法草案才能产生出来。

在关于公民的基本权利和义务的规定中，宪法草案说明了中国人民的生活和劳动待遇，已经得到了充分的保障，并且日后还要不断地提高、发展。作为一个中华人民共和国的公民，我们有言论、出版、集会、结社、游行、示威等各种自由，国家还供给必需的物质上的便利，来保证我们享受这些自由。我们有各种权利，我们有劳动、休息、享受教育和在年老疾病丧失劳动能力的时候，由国家得到物质帮助的权利。这些都充分表现出，作为一个新中国的公民是多么尊严、多么可以骄傲！这是人们在反动统治的时期，做梦也梦不到的。更使我感觉骄傲与兴奋的，是从第一百条到一百零三条的公民的义务这一部分，它深刻地告诉我们，作为一个新中国公民的光荣，就是首先要完成一个中国公民神圣的义务。那就是，遵守劳动纪律，发挥劳动的热忱，提高人民的社会公德，以一切力量保卫我们最亲爱的祖国。我们是新中国的文艺工作者，我们不只要认真学习宪法草案，有责任广泛地进行宣传，而且还要忠实地履行公民的神圣的义务。我们要以具体的行动，创作出各式各样的好作品，使宪法的基本精神成为人民生活中不可分开的部分，使这部人民的宪法成为全中国人民家喻户晓的文献，成为推动我们幸福生活的巨大力量和永远照耀着我们前进的明灯。

坚决实现人民的意志

中国人民当了家。五千年来，劳动人民第一次当了国家的主人。我们选出了自己的全国人民代表，按照人民自己的意志和愿望，行使最高国家权力，为我们管理国家。

能够用这样一双推翻了反动统治的手，选出自己愿意选的人，是最大的幸福。能够被这样诚实、勇敢、乐观、用劳动争得了幸福与和平的人所信任，被选为一个全国人民代表大会的代表，那是无法衡量的光荣！翻一翻五千年来的历史，哪一个朝代的人民能够享有这样大的权力？哪一个人能够骄傲地说“我是人民选出来的人”？

我不知道如何来表达我对选举了我的兄弟姐妹们的感激的心情，这是说不出来的。我没有做过什么事情，仅仅是一个普普通通的写戏的人。人民给我这样大的光荣，是希望我诚诚恳恳、老老实实地做他们交给我的工作。儿女对于母亲的抚养教育，不是仅仅感激两个字能

【题注】载《戏剧报》1954年9月号。

够说得完的，我们只有做好母亲交给我们做的事情。

我要把代表的工作做好。我将遵守宪法和法律，尽一切力量为人民服务，并且主动地协助宪法、法律和国家政策的实行。我知道把代表工作做好这个任务很不简单，我确实感觉到肩头上的责任。但我一定要努力改造自己，一日比一日提高自己的政治觉悟，使自己的思想感情够得上一个中华人民共和国全国人民代表大会代表的思想感情！

我要好好地写戏，长的短的都要写。这是在我的专业工作里可以"协助宪法、法律和国家政策的实行"的武器。我要磨炼它，不只是在纸上磨炼它，我要不断地在群众的严格的批评中，毫不吝惜自己精力地磨炼它。我应该深入生活。深入，对我说，就是要长期地在一个生活的根据地生根。我一想起我们的总路线，我们的一百四十一项重工业，和社会主义建设中宣传的需要，我恨不得立刻就到工厂或者矿区去。这两年来，有两本书非常地感动我，吴运铎的《把一切献给党》和杜鹏程的《保卫延安》。从这两本书里，我体会到作为一个"个人"，我们是多么渺小，但是当他变为群众的一部分的时候，这个"个人"和群众在一起，就会发出光辉、热力，推动了一切，那力量是多么伟大呀！我要到群众中去，作为一个文艺工作者我应该去，作为一个人民的代表我更应该去。

目前在每个人的心目里，除了全国人民代表大会以外，还有一件重要的事：解放台湾。台湾是我们的领土，不能容许凶横的美帝国主义和它的走狗蒋介石占据。我们要解放自己的土地。任何匪徒也不能阻挠。我们将用血和汗来保卫这个真理：别人的土地一寸我们也不要，我们的土地半分也不能让给人！五年来，中国人民日日夜夜挂念着、焦虑着台湾弟兄们在黑暗统治下的痛苦。祖国母亲不能允许她一个孩子继续在蒋介石的罪恶统治下受宰割。台湾是我们的地方，中国人民百年来未尝忘记过。由日本军国主义手里解放出来的台湾，不允许又转到美帝国主义侵略者的手里。我们要解放台湾！作为一个全国人民代表大会的代表，我要求解放台湾！这是全国人民的意志。

北　京

——昨日和今天

我写这篇文章的时候，正是北京的初秋，暑气还没有全消，蝉在叫。我的[1]窗外白杨树迎着风飒飒地响着。抬头望，天蓝得像海，空气像洗过了一样，新鲜、爽快。远远地，我看见两只鸽子在空中静静地飞翔。我铺好了纸，心中充满了喜悦，我要写一写北京，这个和平的首都，全世界的眼睛注视的地方。

我不知道怎么样描写它才好。人都有这个缺点，一提到自己心上最爱的地方或是[2]人，时常找不出适当的字眼来形容。我就不知道怎样写北京才能够[3]把那些使人不能忘掉的建筑，山水，人物，艳媚的花朵，美丽的语言，欢乐的情绪，藏蓄在每人心头的理想……这些千头

【题注】载1954年9月28日《北京日报》，据以排印。又收入《迎春集》，北京出版社1958年第1版，兹以通校（校注称“迎春集本”）。

1　迎春集本无“我的”。

2　迎春集本无“是”。

3　迎春集本无“够”。

万绪、不可言传的印象讲得清楚。北京好比一座百宝山，无论谁来都不会空手回去，都会带一些东西回到自己的故乡，和朋友和孩子们共同[1]分享。

一提北京，谁都会想起这是一个几百年的古都，是历代的文物荟萃的地方。任何人到了北京，总要逛一逛富丽的故宫，明媚的颐和园，琳琅满目的琉璃厂，和一些名胜古迹。有人甚至于讲[2]，北京的每一条胡同里都可以找到几百年前美丽的建筑和装饰，一个雕窗，一个石狮子，一个门环，都是一件艺术品。是的，北京的确是有吸引人的地方，但北京美丽的文化遗迹只有在今天才真正地放出光彩。我看见过解放以前，故宫的文物七零八落地被人盗走，颐和园像一座残破的古庙，没有人给它一点注意。解放以前的北京居民每天为了一升米，空着肚子站队成天为生活发愁，再也没有闲情逸致去游逛。我看见过凛冽的狂风里，衣不蔽体的老人追着人力车求乞。在冬天天亮的时候，朦胧中，时常看见木排子车拉着倒毙的路尸从古老的城门出去。我还记得我从城外的清华大学走着进城，当时没有公共汽车，也没有平整的路[3]。风吹过来，黄沙漫了[4]天，树木全都隐没在灰沙里。树叶不绿，经常盖着一层土。那时的北京充满了压迫、黑暗，正像一只衰老的骆驼，迈着悠悠的步子，不知走向哪里去。

1 “和朋友和孩子们共同分享”迎春集本作“朋友和孩子们分享”。

2 “有人甚至于讲”迎春集本作“甚至有人讲”。

3 “路”迎春集本作“公路”。

4 迎春集本无“了”。

然而，就在那一大串痛苦的日子中，北京的人民并没有失去自己的意志。光荣的“五四”运动使古老的北京，成为中国新民主主义革命的摇篮。在国民党的统治下，在天安门前，成百成千的学生，冲破了警察的包围，呼着[1]“反对饥饿!”“反对内战!”的口号。……北京人民的革命力量终久在历史的考验中成长了起来。每一个北京人，每一个中国人将永不忘记一九四九年十月一日那个庄严的时刻，亲爱的毛泽东主席在天安门上宣布了：中国人民站起来了！从那一刻起，北京仿佛变成了一个充满精力的青年，整日欢快地歌唱。

北京，这是一个有悠久文化的古都，是一个有革命传统的城市。现在它是一个朝气勃勃，气象万千的新城市，是中华人民共和国[2]的心脏。五年的工夫，巨大的钢铁厂、纱厂、水泥厂、煤矿，已一个一个地恢复、发展和建设起来。柏油马路像网子一样地向外铺展。全城的下水道，古老的在翻修，新的在安装。河湖疏浚好了，空气中尘土少了，苍翠的树木迎着阳光闪烁。新的房屋，[3]公共建筑盖起来了，一座一座的高楼由平地升起：剧场、百货公司、旅馆、俱乐部、工人宿舍、工厂、医院、大学……像花朵似地在古代的建筑当中点缀[4]起来。如果站在北海的白塔上望下一看[5]，你就看见在那一望无际的绿树的海

1 “呼着”迎春集本作“高呼着”。

2 “中华人民共和国”迎春集本作“社会主义的中国”。

3 “，”迎春集本作“和”。

4 “点缀”迎春集本作“耸立”。

5 “望下一看”迎春集本作“往下瞰望”。

中，仿佛用了[1]魔杖一点，绿色的海上四面升起无数的插着红旗、正在建筑中的高楼大厦。

谁能相信中国人民在五年内就把他们[2]的首都打扮得这样美丽？四处都是崭新的建筑。劳动人民已在五年短短的工夫里又盖出一半的城市来。长住在城里的人不太觉得，短时期离开北京再回来，就会诧异是什么神仙在原来的平地[3]上搬来了这样多美丽的楼房[4]。在东郊，有一个离家几年的青年人归来探亲。他按照记忆中的路途寻找自己熟悉的村舍。但是在他眼前出现的是一个接一个的工厂，和一大片工人新住宅。这个青年人不服输，是他从小生长的地方，怎么会错呢？他往返地走了二十多里路，最后还是从别人口中打听到回家的路途。到过北京的人们也许还记得西郊有一个动物园[5]。解放的时候，仅仅剩下十几只猴子和一只瞎了眼睛的鸵鸟，但现在已经成为中国历史上从来未有过的充满了各种珍禽异兽的大动物园[6]。

北京现在是中国的首都，它也是各个国家的国际朋友经常开会的地方：亚洲及太平洋区域和平会议，亚澳工会代表会议，亚洲妇女代表会议，世界民主青年联盟理事会会议，……在天安门前太阳光下，

1　迎春集本无“了”。

2　“他们”迎春集本作“自己”。

3　“平地”迎春集本作“荒地”。

4　“美丽的楼房”迎春集本作“壮丽的高楼”。

5　此句迎春集本作“到过往日北京的人们也许还记得西郊有一个破烂的动物园”。

6　“中国历史上从来未有过的充满了各种珍禽异兽的大动物园”迎春集本作“养育地球上各种珍禽异兽的世界著名的大动物园了”。

经常可以听见世界各国的语言，经常可以看见穿着各式各样的服装的人们。他们是从北方的瑞典到南方的印度尼西亚，从东边的印度到隔着一层太平洋的南美洲的朋友们。

人和人的关系改变了。过去，从人们的脸上看见的是饥饿，愁苦，惶恐，愤怒，吃人的社会制度，使得每个人时时刻刻都提心吊胆地防备着意外的不幸。我看见过成年的男子公然在大街上劈手抢去了一个孩子正在吃着的食物。然而今天，眼前共同的幸福生活，和对明天更美好的生活的共同理想把人们紧紧地团结起来。前几天，我在路上买东西，遇见一位带着孩子的西藏妇女，从市场里买了很多东西，要跨过马路。立刻就有一个汉族青年把她扶过街去，替她抱着孩子，把她送上车。两个人谁也不懂谁的话，那感激的妇女就说了一句汉语："毛主席。"两个人都开怀地笑了。"毛主席"这三个字已成为了中国各民族幸福和团结的象征。

让我再讲一件事情吧，依旧是一件极平常的事情。有一次我到工厂去，是一个私营的铁工厂。一个三十多岁的车工聊起闲天来，对我讲[1]，有一天在工作的时候，一个邻居的孩子跑来找他，说他的妻子得了急病，要他赶紧回去。他请了假就跑，心里慌张而焦急，几乎辨不出路的方向。待他走进家门的时候，他看见他的妻子已经安静地睡着了，旁边坐着医生和护士，邻居们轻轻地谈着话。原来邻居们已经把病人安顿好了。是的，这样的事情是很多的。人与人之间那种旧日的

1 "一个三十多岁的车工聊起闲天来，对我讲"迎春集本作"和一个三十多岁的车工聊起闲天来，他对我讲"。

冷漠但是复杂的关系，已经被新的热烈但是朴素的关系代替了[1]。

刚解放的时候，我们之间流行着两个字："翻身"。这两个字的意思是说被压迫的不受压迫了，在黑暗里的见着光明了，不平等的变成平等了，不幸的变成幸福的了，遭受过各种痛苦压榨的人已经获得了扬眉吐气的自由日子了。对农民说，翻身就是获得了土地；对工人说，翻身就是从奴隶变为主人；对知识分子说，翻身就是摆脱了失业的忧愁和随时因一句话而被捕的危险。从地狱里走到地上，又重新见到阳光的人，或者会懂得这种我们叫作"翻身"的感情。

但是在今天"翻身感"这个词已是快被忘记的词[2]了[3]。环境和思想都变得这么快，几乎没有人愿意多想过去的悲痛和穷困。人们现在更习惯于想将来，想如何用自己的双手实现自己日夜梦想的美好生活。你走到工厂里，你可以随便找到一个工人，他会告诉你他的生产计划，和他个人的劳动在整个祖国建设里所处的位置。在北京的街道上，我们习惯于看见在夕阳西下的时候，正在向上升起的脚手架下一堆一堆地聚着建筑工人，在讨论着怎样提高工作效率。这样亲切而严肃的讨论是我们日常生活的一部分，我们随处听得见人们在热烈地、严肃地讨论着工作计划、前途和中国人民的理想。这是我们生活中的音乐，因为对我们，劳动已经不是一个负担，而它的果实将属于我们

---

1 此句迎春集本作"人与人之间那种旧日的冷漠而复杂的关系，已经被新的热烈、朴素的关系代替了"。

2 "这个词已是快被忘记的词"底本作"这个字已是快被忘记的字"，当作"这个词已是快被忘记的词"。

3 此句迎春集本作"但在今天，'翻身感'这几个字已快被忘记了"。

自己和我们的子孙。

就在昨天，我曾经回到我的母校，风景如画的西郊清华大学。草坪清溪[1]，碧柳红楼，还使我依稀想起我从前的学校，但新的建筑是这样多，有些角落我简直不能认识了。人的面孔是陌生的，但我和一些学生们谈了话之后，我才发现那些青年人的思想感情和我们读书的时候是多么样的不同[2]，我们从前的愤恨、忧虑和苦闷的情绪再也找不到了。我遇见的是一群就要毕业的学生，热烈、兴奋[3]，充满了朝气的青年。他们是学电机、土木、水利以及各种我数不上来名称的工业科学的。他们之中很多人的平均分数在九十分以上，他们的体格很好，能够泅水，跳沟，做各种持久性的运动。最使我惊异的是这些人中很多不仅会音乐、歌唱，也喜欢诗，并且能写诗。他们骄傲地告诉我：我们的班是“先进集体”。“先进集体”在他们的大学里是每个学生都希望以自己优秀的学习、工作和体格使他的班获得的荣誉称号。属于这样“先进集体”班的任何一个学生，都具有确实使人羡慕的才气和胸襟[4]。我和这样的一个学生谈过话，他是学给水的，他在这群人当中一点看不出特殊，他的眼神是温和而诚挚的，外貌看起来，仅仅是一个

---

1 “草坪清溪”迎春集本作“清溪草坪”。

2 “但我和一些学生们谈了话之后，我才发现那些青年人的思想感情和我们读书的时候是多么样的不同”迎春集本作“我和一些学生们谈了话才发现那些青年人的思想感情和我们读书的时候是多么不同”。

3 “兴奋”迎春集本作“奋发”。

4 “才气和胸襟”迎春集本作“品质和能力”。

浓眉细眼、筋骨结实的年轻人[1]。他说："我们学给水。刚一进学校，我们都认为我们将来的工作是挖臭坑，钻阴沟；我们一生将庸庸碌碌，没有名字[2]，我们做的工作，人家将永世也看不见。我们的学习情绪并不安定，而且那个时候我们中[3]有些人还怕吃苦，看不见前途。我们就[4]进行学习志愿军的教育。在朝鲜的土地上，我们英勇的志愿军流下血，流下汗，他们并没有想到自己的名字，也并不企图人们的报偿，因为他们知道自己是在保卫和平和自由[5]。接着我们到天津去生产实习。很多劳动人民已经搬入了新建筑的宿舍。但是旧社会还遗留下在尾板河的附近一些低湿地带的房屋，阴天下雨，泛着臭味，雨水直渗进屋里[6]。大家看到这些，都深深感觉到我们一定要通过自己的专业，使劳动人民永远脱离过去遗留下来的恶劣环境[7]。到钢铁厂实习时，我们更认识了水对于工业，就和电一样的重要，水是整个国家工

1　此句迎春集本作"我和这样的一个学生谈过话，他是学'给水'的，眼神温和而诚挚，是一个浓眉细眼、筋骨结实的年轻人"。

2　"名字"迎春集本作"名声"。

3　迎春集本无"中"。

4　迎春集本无"就"。

5　此句迎春集本作"我们英勇的志愿军在朝鲜的土地上，流下血，流下汗，他们并没有想到自己的名字，也不想得到什么报偿，他们一心只想保卫和平和自由"。

6　此句迎春集本作"但是旧社会还遗留一些低湿地带的房屋，阴天下雨，泛着臭味，雨水渗进屋里"。

7　此句迎春集本作"大家看到这些，都深深感到我们一定通过自己的专业，使劳动人民永远脱离过去的恶劣环境"。

业中不可缺少的一环。我们对自己的专业有了无限的自豪[1]。回来后，有人还写了诗[2]：

我要带给工厂以新的血流，
我要带给城市以甘露，
我要使中国变成花园，
我[3]要把污秽从地图上抹掉！”

他们是工程师，是建设者，又是诗人。爱和平，爱自由，爱真理的人就不能不爱这样的青年——人的花朵。我必须再引一段一个学输配电的、刚毕业的二十一岁的青年对我说的话：“我们现在就等待着走上工作的岗位。我真幸福，二十一岁就能参加祖国的建设[4]。我们要到艰苦的地方去，使艰苦的地方变成舒适美丽的地方。我们都爱北京，所以我们就要爱远离北京的每一寸土地，因为我们爱月亮，就会爱星星；爱花朵，就会爱叶子；我们爱北京，爱学校的环境，就要在全国建起很多无愧于北京——我们的首都的地方。我们将来一定要做工作模范，到北京，做毛主席的客人[5]。”

---

1 此句迎春集本作“我们逐渐看见个人主义思想的丑恶，也看见了今天中国青年的豪迈的事业”。

2 “有人还写了诗”迎春集本作“我们写了诗”。

3 诗中的“我”迎春集本均作“我们”。

4 “祖国的建设”迎春集本作“祖国社会主义的建设”。

5 “做毛主席的客人”迎春集本作“亲眼看见毛主席愉快的笑容”。

是这样的大学生，每年从北京——这政治和文化的中心，输送到祖国的各个角落。新鲜，热烈[1]，有力的血流，从祖国的心脏向遥远的边疆矿区奔流。他们和建设祖国的巨大的工人队伍在一起，使荒地变成肥沃的田野[2]，使地下的宝藏变成汽油和钢铁，使自然成为人的仆役，使人们的衣服多了颜色，使孩子们的脸一天比一天红润起来。

北京的面貌一日比一日加速地变化。每一个到北京来的客人都可以看见新的花园、工厂、托儿所、学校、剧场、文化宫[3]，像雨后的菌子一样，生长起来。然而这只是新的北京灿烂的外貌，最巨大的变化是在北京人民的心里，是做一个中国人的骄傲的感觉[4]，是无限量的爱国精神，是不可言传的为和平建设和幸福的理想[5]。这些燃烧在北京的每一个年纪大的年纪轻的人的心中，使北京在光荣的中国共产党和亲爱的毛主席的领导下，踏着雄壮巨大的步伐，发出响亮有力的号召，叫全国的人民，跟着一同前进[6]。[7]

---

1 “热烈”迎春集本作“热烘烘的”。

2 “田野”迎春集本作“良田”。

3 “花园、工厂、托儿所、学校、剧场、文化宫”迎春集本作“社会主义建设”。

4 “感觉”迎春集本作“感情”。

5 “和平建设和幸福的理想”迎春集本作“和平建设的幸福的理想”。

6 此句迎春集本作“这燃烧着的理想，使北京在党和毛主席的领导下，发出响亮的号召，叫全国人民，踏着雄壮巨大的步伐，跟着一道前进”。

7 迎春集本此下署“1954年9月”。

胡风先生在说谎

这几天我读了胡风先生的《关于几个理论性问题的说明材料》。他的文章很长，我来不及仔细地读，但是我发现有一段文章（一一四页—一一五页）引用我修改《日出》的事情，作为他攻讦何其芳同志的批评文章的事实根据。我想我有权利对胡风先生说几句话，因为无论如何，修改《日出》是我做的事情。为什么修改，以常情而论，应该是我比胡风先生知道得多一点。

为了证实何其芳同志理论的“严重的危害性”，胡风先生说何其芳同志用了一种叫作“题材差别论”的理论，在作家的脑袋上放下了三根棍子。那三根棍子就是为了威吓作家，要他们必须选择“工农兵的题材”。他列举何其芳同志很多罪状，他说：在何其芳同志这种理论的棍子前面，就造成了“太平观念”的精神状态。那就是，只允许

【题注】载1955年2月21日《人民日报》，据以排印。又收入《迎春集》，北京出版社1958年第1版，题名《胡风在说谎》，兹以通校（校注称“迎春集本”）。按，底本中的“胡风先生”迎春集本均作“胡风”，不一一出注。

大家歌颂“革命胜利底光彩”，不许写落后，不许写否定的现象。只许写工农兵，而写工农兵还必须把“工农兵底思想感情写成只能说光明的政治话或思想话”，写工农兵以外的生活和人物，那就说明作者的“立场不稳或立场不多”。我不明白胡风先生这样估计解放以后中国的文艺状况，背后究竟是怎么一种心理。[1]我的感觉是[2]胡风先生在故意把《文艺报》过去所犯的一部分批评的错误夸大起来，诬栽在何其芳同志等身上，并且说何其芳同志等的理论是在全中国统治着的理论。根据胡风先生的文章，全中国的为工农兵的文艺已被诬蔑成为不自由的，不民主的，完全被一种不受人民欢迎的理论所统治的东西。凡是老老实实地和人民在一起，想参加到生活的斗争中去自我改造的文艺工作者都会察觉出来，胡风先生这样的说法是非常荒谬的，不合乎事实的。现在我先就他举出我修改《日出》的例子，讲一讲胡风先生是如何的主观和横蛮。

据胡风先生说，就在何其芳同志的理论批评支配下，今天的现实主义已经成了一个空洞的名词。今天的创作只能走公式化、概念化的道路。因此谁想忠实于现实，谁就必然吃今天的理论批评家的棍子。不只是今天的创作必须“按照公式制造”，连过去已经发表和上演的作品也必须“赶快自动地改造”，不然，那过去的作品就不能“入选”，不能“再印”。想想，胡风先生把今天的文艺界说成是怎么样一种一塌糊涂的黑暗的情况！

1　迎春集本无此句。

2　迎春集本无“我的感觉是”。

他是这么说的：

例子之四。一个剧本，写的是抗战前上海没落社会的人物，他们被所谓金融家和大流氓头子控制着，有喝血者，有醉生梦死者，有追求新生者，有被牺牲者。这被牺牲的是一个穷苦的女孩，受不住凌辱，自杀了。解放以后，作者重新修改了。怎样改呢？那女孩没有自杀，被无产阶级救出来了。这当然光明起来了。抗战前的上海都光明起来了。中国无产阶级底心肠真软得很，或者说真冷得很，居然美化了抗战前的旧中国历史，居然不让这个女孩用自己的尸体为无数万的在旧中国屈死了的姊妹们呼一次冤，向那个穷凶极恶的封建流氓社会作一次控诉！……

这样的修改，如果是照的理论批评家底意思，那已经足够说明问题，但如果是作家自动修改的，那更足以说明：何其芳同志等底理论棍子把作家威吓到了怎样的地步！

我为什么要修改《日出》呢？

《日出》描写的是抗战前天津的社会，大约是一九三五年写成的。我当时怀着一腔的愤慨，想对那时万恶的社会狠狠地控诉一下。发表以后，多少年来，我总觉得没有写好，我没有能把新的力量、代表革命的力量在戏里表现出来。至少，我想，我应该写出一两个正面的人物来代表当时在与反动势力斗争着的人们。后来，无论谁一提起我写的《日出》，我就有些不自在，老觉得我漏掉当时社会最重要的一面，因此戏写得不真实[1]，给观众以错误[2]的印象。解放以后，这个感觉更强烈起来，那时我想，一旦有机会改，我必定改了它。凑巧，开明书店要印我的剧选，我就费了一夏天工夫，把三个剧本:《雷雨》,《日出》,《北京人》，都改了，照我个人的想法修改出来。在一串错误的修改里，就有胡风先生所指的那个被牺牲的小东西，如他说的，我硬叫“那女孩没有自杀，被无产阶级救出来了”。我修改得不好的原因是我写《日出》的时候，我并不接近也不了解当时的革命力量，修改中对于当时的革命情势也没有加以研究，而我偏要描写一些所谓代表光明的人物，其结果必然是写得不真实，以至于成为反历史的。我这次修改的错误证明深入革命斗争和学习马克思列宁主义文艺理论之重要，并不证明胡风先生所持的“题材的差别并不重要”的理论是对了。这一点，我在下面还要谈到。

我在此地愿意告诉胡风先生的是：我不是受了谁的理论的威吓才想起修改的，相反的，在修改的时候，我记得周扬同志和丁玲同志[3]听说我要修改，曾经不止一次诚恳地劝我不要改动，还是把原来的面貌保存下来好，我没有考虑。那时我想，修改是我的事情，我是这样认识的，我就这样修改。修改以后，改稿曾由蒋天佐等同志[4]看过，他们也是不同意这样修改，并问我可否仍照原作发稿，我仍然没有同

1 “不真实”迎春集本作“不够真实”。

2 “错误”迎春集本作“不完全”。

3 迎春集本无“和丁玲同志”。

4 “蒋天佐等同志”迎春集本作“编辑者”。

意。这个修改本最后由于我坚持我个人的意见，就出版了。后来，读者是知道的，我渐渐认识了修改的错误，我又把那三本戏恢复了原来的面貌。

我奇怪胡风先生为什么这样气愤填胸地替我打抱不平，硬说这样的修改不是由于我自己的意志。他说现在“谁企图‘忠实于现实’，那是准要惹得一身不干不净的，不吃棍子那还算是万幸”。为了证明他这句话的真实，他就强横地说，我是在理论批评的威吓之下改的。而且他的逻辑是这样的：如果是何其芳同志等叫我改的，那何其芳等自然犯了错误；如果是我自动改的，那就证明，何其芳等的“理论棍子”把我“威吓到了怎样的地步”！于是，何其芳等就犯了更大的错误。因为在胡风先生的“主观战斗精神”“自我扩张”等等理论的“照明之下”，何其芳等无论如何是错的。于是胡风先生就大抱其不平了，连我的剧本修改问题也成了他“同情”，“愤慨”的对象了。我记得在全国文联主席团和作家协会主席团举行的扩大会议上，讨论到《文艺报》的错误同缺点的问题，他一面以一副“替天行道”的面孔想为阿垅的错误“仗义”“伸冤”，一面就恶毒地捏造事实，在袁水拍同志身上诬栽罪名，这已经够令人不耐的了。但是当着他提起冯雪峰同志主编《文艺报》时[1]所发生的错误同缺点，他又忽然眼泪汪汪地表示他“个人的心情是沉重的”，反复不厌地，满脸痛苦地说“这是我们战线上的失败……失败了！……”这一类的话，这时的胡风先生俨然又是为同一目标奋斗的亲密战友了。作为胡风先生的一个听众，到了

---

1 “当着他提起冯雪峰同志主编《文艺报》时”迎春集本作“一当他提起《文艺报》”。

此地，我不由想起谢德林笔下创造的那个不朽的被称为“犹大”的人物——伪善的“约杜施卡”。我几乎要站起来，提醒他一下：“胡风先生，你太假了！这样的‘同情’真是可怕的！”

胡风先生提起《日出》修改的错误，不只是为说明今天作家是怎样的不自由，忠实于现实是怎样不可能，以至于连过去的东西都要修改得“光明”起来，“乐观”起来；同时，也为了使大家知道，题材在写作中之不重要，写先进人物并不一定是必要的。因此，你看，曹禺受了何其芳等的“题材差别论”的“威吓”，他在《日出》的修改中为了把它“光明起来”，添了代表先进人物的无产阶级，其结果就是歪曲了现实，“美化了抗战前的旧中国历史”。胡风先生的这种荒谬理论的结果会成为什么呢？那只有承认，在全国解放以前的社会革命的历程中，我们可以忽视，可以取消中国的革命领导力量。只要把“黑暗势力”，把任何方面的“斗争”和“牺牲”写出来，就算是“忠实于现实”；反之，如果在描写旧社会的作品里，添上了“无产阶级”，那就一定要走上“公式化、概念化的独木小桥”。描写旧社会的作品是否可写先进人物或革命的领导力量，我想应该看历史真实中是否已存在这样的力量。我不能把《日出》修改好，除了因为我缺乏革命的生活外，还可能因为在《日出》所描写的特定环境里，不宜于硬生生地插进去代表光明的先进人物。但在《日出》所指的那个时期的社会中，我必须说，一直是有革命的先锋力量在奋不顾身地斗争着。一个有良心的作者，想忠实于现实，如果写《日出》所写的那一段时期的中国社会的话，他还是应该写出那时的革命领导力量，写出那时期代表人类光明的人物的。

关于胡风先生如何捏造罪名，利用我修改《日出》的错误，来诬蔑何其芳同志等的真相，我已经讲完了。我抗议胡风先生这样横蛮而又伪善的行为，这不是一个光明磊落的中国的文艺工作者[1]应该做的事情。我简直不敢断定胡风先生看了我这篇文章后，是否又要说，我这篇文章不是按照我自己的意志写的；是否又要说，即便是我自动写出的，“那更足以说明：何其芳等同志底理论棍子”把我“威吓到了怎样的地步”！他会以为这样逻辑的天罗地网是任何人都不能逃脱的；但是我想胡风先生有一天会明白，当着群众认清楚他的真面目的时候，那么他多年卖弄的一切破铜烂铁，包括他那“主观战斗精神”等等，都是无能为力的。[2]

1 “中国的文艺工作者”迎春集本作“人”。

2 迎春集本此下署“1956年2月21日”。

我签了名

谁都知道，原子能的发明不是用来杀人的，正如同我们的祖先发明了火，并没有准备给美国南方的地主们用来把无告的黑人烧成焦炭。[1]原子能变成屠杀人类的炸弹，变成恐吓母亲和孩子，压榨正直人民的血汗的工具，是美帝国主义[2]做的事情。十年以前，美帝国主义者已经在无辜的日本孩子和母亲身上试验过了，十年以后的今天，美国统治集团——艾森豪威尔们，又在准备着使用原子弹来向中国、苏联和全世界，发动第三次世界大战。

在头顶上时刻悬着利刃的威胁的时候，一个人可能感到畏惧。但是当着全世界人民的头顶上悬着美帝国主义的原子武器爆炸的可能的

【题注】载1955年2月22日《人民日报》，署“北京市文学艺术工作者联合会副主席、北京人民艺术剧院院长曹禺”，据以排印。又收入《迎春集》，北京出版社1958年第1版，题名《我们签了名》，兹以通校（校注称“迎春集本”）。

1　此句迎春集本作“谁都知道，原子能的发明不是用来杀人的，正如我们的祖先发明了火，并不准备给美国南方的地主们把无告的黑人烧成焦炭”。

2　“美帝国主义”迎春集本作“美帝国主义者”。

时候，我们感到的不是畏惧而是满腔的愤怒。[1]今天不是昨天，和平的力量已经壮大起来。在我们还没有像今日这样壮大的时候[2]，美帝国主义的威胁、恐吓和武装干涉都没有挽救他们的失败。今天，强大团结[3]的中国人民和全世界的和平力量，更不[4]允许美国侵略者再向我们伸出血腥的手。我们要告诉战争贩子们：一个人的愤怒也许可以暂时按捺得下，全世界人民共同的愤怒，对美帝国主义者是比原子弹还要可怕的。[5]如果一旦美国统治集团扔下了那致命的东西，倒在地下的将不是人民[6]，而是美帝国主义。如果它真的掀起世界大战，它所遇到的敌人[7]将是会彻底地、完全把他们从地球上消灭干净的伟大的和平力量。玩火的必然死于火，玩弄原子弹的必然死于原子弹[8]！

我们[9]感谢苏联人和苏联的政府[10]，他们第一次把原子能运用在和平

---

1 “在头顶上”以下迎春集本作“一个人头顶上时刻悬着利刃的威胁，是可能感到畏惧的。但全世界人民头上盘旋着美帝国主义的原子武器的时候，我们不是畏惧而是满腔的愤怒。”。

2 “在我们还没有像今日这样壮大的时候”迎春集本作“以前”。

3 “强大团结”迎春接本作“强大了”。

4 “更不”迎春集本作“就更不”。

5 此句迎春集本作“我们要告诉战争贩子们：一个人的愤怒就可以烧起燎原大火，全世界人民共同的愤怒，是比美帝国主义者所有的什么核武器、原子武器千倍万倍地可怕的。”。

6 “人民”迎春集本作“人民这一面”。

7 “敌人”迎春集本作“对手”。

8 “原子弹”迎春集本作“原子武器”。

9 迎春集本无“我们”。

10 “苏联人和苏联的政府”迎春集本作“苏联人民和苏联政府”。

建设上。有人类历史以来第一个原子能工业电力站已经在社会主义国土上放着光和热。同时我们知道，即使在氢武器的制造上，落后的也已经不是苏联，而是美国了。爱和平的人们并不是任人屠宰的羔羊。虽然这样，苏联政府过去和现在都坚决主张禁止原子武器的使用，并且销毁它的储藏。因为对我们来说，保卫世界和平是神圣的事业。

我们有力量捍卫和平，我们也有责任来制止美帝国主义发动侵略战争。战争的发生与否并不完全取决于帝国主义的主观愿望，如果仅仅按照它的狂想的话，第三次世界大战早就发生了。世界和平保卫到现在，一直是因为我们每个人捍卫和平的意志在发挥着作用。[1]叫嚣着要用原子武器来攻击苏联、中国和朝鲜，并且阻挠我们解放台湾的美国好战分子们是吓不倒我们[2]的。台湾是我们的领土。热爱和平并且坚信和平力量的新中国的[3]人民从没[4]想过侵犯别人，但也决不允许任何疯狂的敌人来侵占自己的土地。幸福和平的生活必然由于我们的解放台湾，降临到那目前正在受难的土地上。台湾的同胞们眼巴巴地等待着我们，任何原子武器的威吓拦不住我们的决心。因为[5]历史证明，炸弹永远消灭不了人民，而是人民消灭炸弹！

1　此句迎春集本作“世界和平之所以得到保卫，是因为我们每个人坚强的捍卫和平的意志在发挥着作用。”。

2　“我们”迎春集本作“人”。

3　迎春集本无“的”。

4　“从没”迎春集本作“从没有”。

5　迎春集本无“因为”。

我[1]在反对使用原子武器《告全世界人民书》上签了名。我[2]是充满了信心和骄傲的心情签下名的。伟大的中国人民已经站起来了，我从心里感觉到拉着历史倒退的恶势力再也没有力量把我们拉回到黑暗里去。[3]现在已经是深夜了；这是北京早春的冷冽而充满了生气的夜晚。风息了，我走到外面，北京的空气宁静而和平。[4]乌黑的天空上，繁密的星星显得那样出奇地干净而明亮[5]。我呼吸着自由清新的早春的夜气，我想，在这个中国的早春的深夜里，集体农庄土地里的冬麦正在暗暗地[6]滋长，许多工业城的高炉正在吐出奔腾的铁水[7]。这是母亲正抱着爱儿酣睡的时刻，这是毛主席正在计划着祖国建设的时刻。我充满了幸福的感觉，我想拿出一切力量为着和平斗争，为祖国的伟大前途斗争。在这深夜里不只是我一个人这样想，我相信，无数的中国人会跟我有同样的感觉。千千万万的中国人都是以同样的信念、决心和骄

1 “我”迎春集本作“我们”。

2 “我”迎春集本作“我们”。

3 此句迎春集本作“伟大的中国人民已经站起来了。我们相信任何反动势力没有力量把我们再拉回到黑暗里去！”。

4 “现在已经”以下迎春集本作“深夜了，风已停息。这是北京早春的冷冽而充满了生气的夜晚。我走到外面，空气宁静而和平。”。

5 “出奇地干净而明亮”迎春集本作“出奇的干净、明亮”。

6 “暗暗地”迎春集本作“欣欣地”。

7 此处迎春集本有“，雪亮的纱厂正纺着雪海一般的棉纱”。

傲的感觉签了名。[1]那信念、那决心[2]将化成巨大的力量，足以打退敌人的任何叫嚣、威吓[3]和进攻。[4]

---

1 “我充满了幸福的感觉”以下迎春集本作“我充满了自信和幸福的感觉。拿出一切力量为着和平斗争，为祖国的伟大前途斗争。在这深夜里不是一个人这样想，无数的在工作中的人同样地思虑着。我们是以无可比拟的信念、决心和骄傲的感觉签下名的。”。

2 “那信念、那决心”迎春集本作“那信念和决心”。

3 “威吓”迎春集本作“威胁”。

4 迎春集本此下署“1955年2月”。

胡风是走的哪一条路?

我从来不读胡风的文章，因为过去我有一个印象，胡风的批评论文一向是艰涩难懂，往往读了两段，意思还没有弄明白，头已经昏了。但是我也听说过胡风小集团的一些口号：什么“主观精神”呀，“自我扩张”呀，要“拥抱世界”呀，要“楔入世界”呀，要有“艺术良心”呀，要“在创作实践中完成作者的思想改造”呀。这些字眼，和断章取义的摘录混在一道，有时被胡风玩弄得非常巧妙，仿佛像杂技场里七上八下地抛掷着的彩球，惹得人眼花缭乱，以至于使人猜测着：在那些文章里面，大约也有一些马克思主义的思想吧？然而这又不十分像，因为即便在胡风的“主观战斗精神”处在极端“扩张”的状态中，被他那些追随者们连声喝彩的时候，已经有些同志们在他的缀满了马克思主义引文的文章中听出一种虚伪的、不正派的声音。因此，有一个时期，我很迷惑：胡风究竟是怎么一种人？他是拥护为工农兵的方向，还是一个口是心非的、别有用心的“批评家”呢？他是

【题注】载1955年5月30日《文艺报》第9、10号合刊。

如他一再声明的，拥护党的领导和党的文艺政策的，还是一个日夜梦想着占据山头，另树旗帜的个人野心家呢？他是一个马克思主义的文艺工作者，还是一个隐藏在马克思主义文艺阵营里的资产阶级反动思想的代理人呢？

这个问题，直到最近批判胡风思想已经形成为全国性的群众运动的时候，我才弄明白了一些。因为，到了此时，我才得到机会阅读了他的《关于几个理论性问题的说明材料》，和他的《作为参考的建议》。胡风凭着他的“主观战斗精神”，“血肉追求”了一辈子的东西，在这个小册子里突然非常具体、非常鲜明地展现在我们面前。这是些什么东西呢？这是一堆彻底反党反人民的狂妄而险恶的文艺理论和纲领。“图穷匕首见”，一直自命为马克思主义者的胡风，到了今天，对掌握了政权的人民，忽然露出他明晃晃的匕首。

胡风好说他在国民党统治期中所用的语言，是一种受着压迫的人常用的晦涩的“奴隶的语言”，因此说得不明白的地方，请你们猜吧，反正我是卡尔和伊里奇的信徒，并且是一直在“历史底总的冲动力照明下面”（据胡风解释，那是指“无产阶级先锋队底政治纲领的引导下面”）“冲击”，“搏斗”，做了一辈子“相生相克的决死斗争”的。但在今天，胡风不可能再用他那种“奴隶的语言”了，于是一切就摆在眼前了。读了他的那两篇类似宣言的大著之后，我才明白，尽管胡风说他一生都是在无产阶级先锋队底政治纲领“照明”下面的，他的主张原来是要让中国人民的文艺事业在他的不要共产主义世界观、不要工农兵的斗争生活、不要作家进行思想改造等理论的指导下，变成胡记的反党反人民的文艺战场。

这样险恶的打算怎么能成呢？事实上，党和人民早已看穿了这个“聪明”的批评家一直卖的什么药。我们参加了学习，开始认真地学习辩证唯物主义，学习分辨什么是真的马克思主义，什么是假的。我才知道，原来胡风这一套是马克思列宁主义所最痛恨的东西，是彻底的资产阶级主观唯心论，也就是凡是马克思主义的真实信徒都必须以唯物主义的武器来打倒的反动的东西。

我想胡风决未料到大家一旦学习了辩证唯物主义，他的文艺思想忽然会在群众面前变成一块脏抹布。这一点他固然料不到，也许还有些人都未曾料到的。然而却更有出人意料的事情。在这场批判胡风思想的斗争中，过去胡风的追随者们已经开始转变、觉悟，奇怪，恰恰在今天，忽然平地飞来了一种专为胡风的捧场者；这却不只是使我大吃一惊，恐怕连胡风听到也会大吃一惊的。

事情的原委是这样。

解放以后，一贯坚持主观唯心主义的胡风一天比一天地愤愤然了。发展到了今天，他的不可抑制的忿恨情绪简直是到了不可收拾的地步。于是，当着我们的文艺正如初升的太阳吐放着光芒的时候，胡风却大喊其“苦闷哪！黑暗哪！”忽而嚎丧似地哀悼起来，忽而疯子似地叫骂起来。他把今天的文艺阵营诬蔑成为“宗派主义”的“军阀统治”，把自由蓬勃的、一直为社会主义建设的新文艺说成为被什么“五把刀子”“三根棍子”压迫下的东西。诬蔑、捏造、诽谤，无所不用其极，真是“主观战斗精神”的“燃烧”发挥到了顶点了。

这些恶毒的谎话和充满了仇恨的诅咒已经广泛地激起人们的愤怒。正当群众的指责、抗议和批判潮水一般地向胡风涌来的时候，这时忽然从天外对胡风传来一阵喝彩的声音，那热心的喝彩者管不住地称赞着：

“凭良心说，胡风先生的指责是有道理的。他指责何其芳在作家的脑袋上放下三根棍子，这是威胁作家，要他们仅仅选择工农兵的题材。在这种理论的棍子前面，又造成了太平观念的英雄状态。那就是说，只许大家歌颂革命胜利的光荣，不许写落后；只许写工农兵，而且还必须把工农兵的思想感情只能说光荣，不许写黑暗。如果写工农兵以外的生活和人物，那就是说明作者的立场不稳，或者是立场不够。胡风先生这段话，实在是一针见血地说出了今天大陆上文艺作家的悲哀和苦闷。”

这个热心的捧场家是谁呢？正是那臭不可闻的，一直为人民所痛恨的蒋介石匪帮。上面的话，正是由台湾来的广播，为胡风捧场的。对胡风说，来了这么样一个捧场的，无论如何，是一个“不祥”的声音。说到此地，我却想起在解放之前，胡风小集团为了打击党的领导下的进步作家们，曾经写过文章，说不但要在“友中寻仇”，而且还要“仇中求友”。今天，这段为胡风热烈捧场的“台湾之音”，似乎说明，他真做到了“仇中求友”了。

敌人的捧场是由胡风一系列的反党反人民的文艺思想才引起，这是一看便知的。但是，为什么今天胡风忽然会扯去他那副伪善的面孔，对人民的文艺露出那样不共戴天的仇恨呢？当着胡风的“主观战斗精神”完全掌握了他的头脑的时候，那种疯狂的“冲击力量”之凶猛，恐怕连胡风自己也是难以想象的。也许胡风现在还在想：“我为什么铸成这样一件大错，弄得天怒人怨，全国的人都要来批判我呢？

为什么当时我不能更‘聪明’一点，‘含蓄’一点，隐蔽一点，岂不可以少惹出这些麻烦吗?”自然，也许胡风是真明白了，开始认真考虑主观唯心主义对他的危害了。不管胡风现在怎样想，他的思想今后如何变化，有一点是可以肯定的，就是胡风对党的文艺路线的仇恨，恰恰是他多年坚持和发展主观唯心主义的必然的结果。如果能读一下胡风的全部著作，则必然会看出从头到尾，一道反辩证唯物主义，也就是反党反人民的黑色的逆流逐渐扩张，泛滥，以至于把胡风当初自吹自擂的那一点点小资产阶级脆弱的进步要求完全淹没了，变质了。任何人堕入主观唯心主义的泥坑里，一任其猖狂发展起来，其结果也必如胡风。

人民的批判对胡风是严厉的，也是应该的。因为早已走上了歧路，如今达到反马克思主义的顶点的胡风确实需要群众和文艺界的同志们好好拉他一把。遭受到同志们严厉的指责是一件很痛苦的事情，但是比一切痛苦还可怕的事情，就是你当初鄙视、憎恶的敌人现在却跑来向你喝彩了。“台湾之音”的喝彩是丑恶的、无耻的，但也说明胡风的思想已经堕落到了什么程度。这是警钟，是说明一个人：已经走到万丈深渊的边缘上了。

坚持资产阶级反动的主观唯心主义，以至于走上反党反人民道路的胡风，现在是他必须醒悟的时候了。

后记：

今晨刚刚写完这篇文章，就看见《人民日报》上舒芜的《关于胡风反党集团的一些材料》，和胡风的《我的自我批判》两篇文章。从舒芜先生揭露的胡风给他的密信里，我才更看出胡风的恶毒、阴险的面目。原来一个人是可以伪善到如此地步的，我们还是太天真了。这样的反党集团真是无法容忍的！这样对党、对人民的文艺的仇恨是必须揭发，必须加以彻底的清算的！正当美帝国主义和蒋介石向人民进攻的时候，正当全国人民为了争取民主、解放，一致地向敌人反击的时候，胡风却把党的文艺工作中的负责同志们称作“官方”“权贵”，“老爷”“钦差”，把党和非党的进步文艺工作者指为“豪绅”“马褂”，“市侩”“蛆虫”，并且说要“警戒”党员作家们和党领导的进步文化工作者们，“警戒他们，肯定他们，用微笑包着侮蔑和他们握手言欢都可以，但如果对他们发生了一丝的希望，那就是自己污辱了自己”。这是怎么样一个人！他“肯定”人，原来为的是“警戒”人，他对你“握手言欢”，原来心里包藏着恶毒的“侮蔑”！看他多恨哪，对党的和进步的文艺工作者“存了一丝希望”，他恶狺狺地说，“那就是污辱了他自己”。而且，你看，他是用怎么样一种方法来对付批评了他的反党集团的人们：“对于大师们的回敬，太斗鸡式的了。气派不大。有一种用橡皮包着钢丝打囚徒的鞭子，打伤了而又表面上看不出伤痕，我以为是好方法。”胡风，你知道不知道，这是美蒋特务对待革命者的办法，是反动统治者才想得出来的办法！

读完了胡风给舒芜先生的密信，再看另一页上胡风满篇虚伪的《我的自我批判》，我简直无法再看下去。胡风从进攻转变为退却（即检讨）的策略，像党报所指出的，是无论如何瞒不过人的。在我上面写的文章里，我说，发出“台湾之音”的蒋匪帮是他当初鄙视、憎恶的敌人；从现在所揭发的材料来看，我很担心我这句话是不是靠得住的，因为他对党的仇恨，看起来，并不比美蒋匪帮对我们的仇恨少。

二十多年以来，胡风是走的哪一条路，现在已经揭露了真相。但这种揭露还只是开始。彻底揭露胡风反对革命的全部真相，这就是我们的任务。

无坚不摧的党的光辉必然会照见每一个黑暗的角落。胡风反党集团的人们也应该知道，站出来批判自己，揭露胡风，是他们的唯一出路。现在是他们最后选择自己的道路的时刻了。

一九五五年五月十三日

谁是胡风的“敌、友、我”

读了胡风的《我的自我批判》和刊载在后面的舒芜先生[1]的《关于胡风反党集团的一些材料》之后，我觉得对胡风，已经没有什么话可谈了，因为事实摆得这样清楚，“表”和“里”对照得这样明白，可以说用不着任何注解，已经活脱脱地画出胡风的面貌。但是我又按捺不住自己的愤怒，我要斥责这个伪善者，我要说话。

谁都知道，对一个人的评价，是要看他实际卖的是什么货色，而不看他嘴上是怎么样地花言巧语。

如果没有读舒芜揭露的胡风的密信的话，胡风的“自我批判”显得是多么诚恳老实，光明磊落！一会儿说[2]他主张要有“和人民共命运的立场”，一会儿又是要有“对于敌、友、我的爱爱仇仇的态度”，

【题注】载1955年5月18日《人民日报》，据以排印。又收入《迎春集》，北京出版社1958年第1版，兹以通校（校注称“迎春集本”）。

1　迎春集本无“先生”。

2　“一会儿说”迎春集本作“一会儿他说”。

一会儿又坚持要有“革命的人道主义精神”，一会儿又强调他一直宣传着的“仁爱的胸怀”“真诚的思想要求”。从进攻转变为退却的胡风浑身披挂着金光耀眼的“小资产阶级的革命性和立场”。他的错误据说仅仅是混淆了小资产阶级的革命性和立场同工人阶级的革命性和立场的区别。而且你看，对党的领导，他是多么感激涕零！对他所犯的错误，又感到多么沉痛悔恨！什么“如果不是革命和中国共产党，我个人二十多年来是找不到安身立命之地的”，什么“一些牺牲了的先烈们和一直忠贞战斗着的同志们引导过我，教导过我，有些同志长期以来规劝过我，期待着我”，什么“我个人的一点微小的工作是从伟大的革命事业而来”，什么“我沉痛地感到辜负了人民，辜负了党和阶级事业，辜负了伟大的时代”。在他的自我批判里，一切都说明了他是一个一直在追求着真理的高尚而正直的斗士。尽管他在认识上有些错误，然而这不过是出身在小资产阶级的革命家难以避免的挫折，从动机和本意来讲，他对党和人民一直是忠实而真诚的。

然而事实被揭露了，假面具被揭穿了。在胡风“阴暗”的心的角落里，中国共产党是站在什么一个地位呢？原来他提起来就感激涕零的党是“官方”，对它“妥协不来”的，但“敷衍总是要敷衍的”。“教导”过他，“引导”过他，“长期以来规劝”过他、“期待”过他的党的文艺工作中负责同志[1]，在他的密信里，原来是“老爷”，“权贵”，“官们”，“马褂”，“公子们”。在一九四八年（正是人民反美蒋反动派的解放战争向高潮发展的时候），当党的作家批评了他的文艺思想，他

1 “文艺工作中负责同志”迎春集本作“文艺工作的负责同志”。

认为那是对他“发动各种卑鄙的手段”，向他“抵抗、反攻”，是“特别恶劣”的“对手”，警告他的追随者“不能轻敌”，因为“我们”（即胡风小集团）是要“动摇二十年的机械论的统治势力”的。

胡风写文章一向是晦涩难懂的，里面仿佛有许多话要谈又不愿意谈出来，使得读者可以向马克思列宁主义方面猜想。我一直以为他的文章落笔就必然是不通顺的。现在我才明白，只有当他不能够称心如意地写出他对党的仇视和痛恨的时候，他的舌头就仿佛拴上了一根绳子，疙疙瘩瘩，说不出什么通顺的真心话来。但一旦他觉得找到了他所信任的、可以畅所欲言的对象的时候，他的文章就如野马脱笼，奔放而流畅，不可抑止地倾出他那满腔的仇恨。不只是党和党的文艺工作者是他所嘲笑和敌视的对象，连倾向党、靠近党的进步文艺工作者也免不了遭受他的恶毒的讽刺。那是“豪绅”，是“市侩”，是“蛆虫”。而这些同志们，在国民党统治时期，和党的文艺工作者一同受到国民党特务残酷的迫害，出生入死，一直在贫穷、敌对的环境中，为着人民的革命事业奋斗的。但是胡风怎么样对待他们呢？他劝舒芜说：要“警戒他们，肯定他们，用微笑包着侮蔑和他们握手言欢都可以，但如果对他们发生了一丝的希望，那就是自己污辱了自己”。这里何曾有一点点同志间的感情，为共同事业奋斗的感情！他“肯定”我们，原来为的是“警戒”我们，他跟我们“握手言欢”，原来他“微笑”里藏着恶毒的“侮蔑”，而且他警告了他的追随者们，如果对我们“发生了一丝的希望，那就是自己污辱了自己”。难道一个人，如果他还可以算一个真正的人的话，可以这样对待朋友和同志么？

但事实上还有厉害的，当着[1]同志们批评了他的小集团的文章的时候，你看他采取的是什么样的态度。他劝舒芜先生说："对于大师们的回敬，太斗鸡式的了。气派不大。有一种用橡皮包着钢丝打囚徒的鞭子，打伤了而又表面上看不出伤痕，我以为是好方法。"胡风，你当然知道，只有国民党特务对待革命者才会用[2]这样的毒手，只有法西斯反动统治者才会想出这样的办法！

然而，胡风一向以"真诚""仁爱"自命，并且是能够"爱爱仇仇"的。

我想起在中国文学工作者第二次代表大会上，胡风曾十分多情地谈起历史的文坛上战斗的友情的问题。他说起伟大的批评家别林斯基如何爱护果戈理；多才多艺的、胸襟阔大的聂米罗维奇-丹钦科如何赤诚地爱护斯坦尼斯拉夫斯基。言下之意，只有他——胡风，明白这样伟大的感情，而慷慨陈词的他，说着说着，居然满眶泪水了。今天我不寒而栗地想到他那根"橡皮包着钢丝"的"鞭子"，我[3]很难相信那个热烈地崇拜着别林斯基、歌颂伟大的战斗友谊的人，恰恰就是那个举起橡皮鞭子，要"打伤了"朋友，还要"看不出伤痕"的人！

在那阴气森森，而又杀气腾腾的密信中，胡风的"敌"和胡风的"我"已经很清楚了。但谁又是他的"友"呢？难道还可能是他所仇视的党么？难道还可能是他所仇视的人民么？

---

1 迎春集本无"着"。

2 "用"迎春集本作"下"。

3 迎春集本无"我"。

据说有一种九尾狐，因为有九条尾巴的缘故，才是狐狸中最狡猾的。今天这个九条尾巴的狐狸，似乎才露出一条。但，露出来总比不露出来好，而都露出来又比仅仅露出一条好。因为尾巴完全露出来的狐狸，大家才知道这是个真“狐狸精”，必须“打”。再则，狐狸知道自己在群众面前是个狐狸，才开始打算，想转变为人。[1]

自然，胡风实质上的“友人”可能是谁呢？这是任何人都可以替他说出来的。因此，胡风及其反党小集团只有老老实实地把全部真相揭露出来，才是他们每一个人唯一的出路。[2]

1　此句迎春集本作“再则，败露了的狐狸知道自己在群众面前不过是个禽兽，不敢装腔作势、为非作歹。”。

2　迎春集本此下署“1955年6月”。

胡风，你的主子是谁？

今天全国人民已经完全明白了：胡风和他的小集团是一个反党、反人民、反革命的组织，胡风一直就是一个跟我们势不两立的敌人，是隐匿在革命阵营里的暗藏分子。我从来[1]没有见过像胡风这样的恶人。这样狠毒，这样阴险，这样奸诈，这样鬼祟，这样见不得阳光，人坏到了这样的地步，真是“今古奇观”！然而，他和他的小集团就在我们身边阴谋活动了二十多年。到了今天，我们才看出来，这个魔鬼的心里原来长期藏着这么一大堆反党、反人民、反革命的东西！

什么“五把刀子”，“三根棍子”，他那一些污蔑我们文艺阵营的鬼话，已经无须在此地再谈了。根据《人民日报》上关于胡风反党集团的第二批材料，我们又看出，在解放以后，全国人民获得了自由幸福的日子的时候，胡风的反革命的活动却更猖狂起来。他穷凶极恶地

【题注】载1955年5月27日《北京日报》，据以排印。又收入《迎春集》，北京出版社1958年第1版，兹以通校（校注称“迎春集本”）。

1　迎春集本无“来”。

污蔑我们，仇视我们。什么“僵尸统治的文坛”，什么“咳一声都有人来录音检查的”，甚至于毛主席《在延安文艺座谈会上的讲话》——这是多少年来我们的领袖天才地领导了我们真正走上为工农兵服务的道路的光辉著作——[1]他也要把它诅咒成为“被当作‘图腾’的小册子”。他决心向我们进行“挖心战”,“神经战”，他一面在“磨剑”，一面在“窥测方向”。他说，要等到他看准了的时候，情愿割下他的头颅，抛掷出去，要把人民的文艺阵营“击碎”。诡计多端的胡风是有周密的计划的。根据他们反党集团的“组织原则”，他下了决心暗地里跟我们“点点滴滴地斗争”，他唆使他的党羽们“用孙行者钻进肚皮去[2]的战术”打进党内，打进革命团体里面，建立据点。他是想一个细胞一个血球地破坏我们的革命阵营。

胡风反动集团这样罪恶的行动，我们[3]还能够容忍吗?

同志们[4]，好人的面孔就是一个，恶人的面孔却是多种多样的，正因为胡风有一种多种多样的会变[5]的面孔，他能长期地表面上[6]跟我们“握手言欢”，却[7]长期地在我们背后向我们狠毒地进攻。而我们呢，

1 迎春集本无“——这是多少年来我们的领袖天才地领导了我们真正走上为工农兵服务的道路的光辉著作——”。

2 迎春集本无“去”。

3 迎春集本无“我们”。

4 迎春集本无“同志们”。

5 “会变”迎春集本作“善变”。

6 迎春集本无“表面上”。

7 迎春集本无“却”。

就长期地被他的善于伪装的面孔所欺骗，失去了一个革命的文艺工作者的警惕性[1]。过去我和几个朋友一提起胡风，总好说这个人性格十分褊狭呀，好搞小宗派呀，种种。后来，明白了他一点，也不过认识到这是一个卑鄙的个人主义野心家，是反马克思主义的。谈来谈去，很少从严重的政治问题的角度上来看这个反革命分子。因此，一提到胡风和胡适是一丘之貉，有人还要替他区别一下，仿佛这样对人才“君子”似的。

如今自然是被[2]弄明白了。但，谁使我们明白的呢？是党，看穿[3]了这个败类的反动，彻底揭露了他的阴谋，才把我们的眼睛打开的。这是无坚不摧的中国共产党在文艺战线上的又一次的重大胜利！[4]然而，[5]作为文艺战士的我们，老实说，我们的警惕性是不高的。胡风日日夜夜地对他的党徒们下“指令”，要“警戒”我们，甚至他的老婆，当作家协会帮他们找来一个通讯员的时候，都会说“公家人不能不存戒心”。而我们居然让这群反党反人民的分子在我们身边长期隐蔽着，使他们有机会发展力量，向我们猖狂进攻。我们总好空喊“警惕，警惕”，然而警惕性仍然是不高的。我们像一群喜欢谈“毒蛇能咬人”的道理的人，但，正在谈着谈着的时候，那险毒的东西已经暗暗地爬

1 迎春集本无“性”。

2 迎春集本无“被”。

3 “看穿”迎春集本“它看穿”。

4 此句迎春集本作“无坚不摧的中国共产党这次在文艺战线上又获得了重大胜利！”

5 迎春集本无“然而”。

到我们的衣服里，而且已经快要爬到我们的心上了。[1]

今后，我们真不能再马马虎虎的了[2]，我是十分赞同张天翼同志在《人民日报》上所写的话的。他说：

“我们文艺界政治空气应该加强，不能再容许自由主义了：否则，反革命暗藏分子是还会钻空子的。我们要团结，可是是有批评的团结：否则，反革命暗藏分子是还会钻空子的。我们一时一刻也不能离开党性原则，不能脱离群众：否则，反革命暗藏分子是还会钻空子的。”

我们确实应该把这段话认真地读一读，想一想。

揭露了胡风的罪恶行动，并不等于胡风反党集团的人们的罪恶行动就到此停止了。胡风是并没有死心的，他在今年二月还告诉他的党徒们要“忍受”，“只有在忍受中求得重生，一切都是为了事业，为了更远大的未来”。他是准备潜伏下来，伺机再起的。这样有计划、有组织、有长远打算的反动机构，是不可能没有反动的主子在他们背后为他们撑腰，做他们的后盾的。但[3]人民是再也不会受他们的欺骗了！我们要问：“胡风，你的主子究竟[4]是谁？你的后台老板究竟是谁？”让我[5]先提一个线索吧。当胡风向党和党所领导的文艺战线发动

1　此句迎春集本作“我们喜欢空喊‘毒蛇是咬人的’，但，正在谈着的时候，那险毒的东西已经暗暗蠕入我们的衣袋里，而且已经快要爬上我们的心头了。”。

2　“我们真不能再马马虎虎的了”迎春集本作“不能再马马虎虎了”。

3　迎春集本无“但”。

4　迎春集本无“究竟”。

5　“我”迎春集本作“我们”。

了猖狂进攻以后，不久就来了台湾广播热烈的响应，和胡风一样，甚至连胡风的词句都完全保存着，无耻地重复着胡风对党和党所领导的文艺战线的污蔑。“五把刀子”，“三根棍子”的话就成了臭不可闻的蒋介石匪帮响应胡风的广播内容。他们丑恶地跟胡风一唱一和地策应起来，一会无耻地叫着，“凭良心说，胡风先生的话确实是有道理的”，一会又忍不住的兴高采烈地赞扬着，“胡风先生这段话，实在是一针见血的说出了今天在大陆上文艺作家的悲哀和苦闷”。

什么“悲哀”“苦闷”，这种卑鄙的造谣是无人相信的。但是，当着新中国的文艺正像初升的太阳吐露着光芒，每一个有觉悟的文艺工作者都感到从未有过的兴奋、快乐，对自己的前途信心百倍的时候，美蒋匪帮这样的谎话和污蔑，不恰恰就是胡风和他的小集团们日夜筹划着向我们进攻，向人们宣传着的同样毒恶的谎话和污蔑吗？

胡风和胡风集团分子们听着！你们必须老老实实地向人民投降！你们必须老老实实地交代出来，你们的主子究竟是谁？如果台湾之音所代表的，不是你们的主子，那么，你们还得要明白交代，另外的什么反动势力是你们的主子？我们要追，追问下去。不说出来，人民是不和你们善罢甘休的。[1]

1　迎春集本此下署“1955年5月”。

凡是敌人最害怕的，我们就要做！

这几天，我一直等待着读关于胡风反革命集团的第三批材料。今天看到了，我才知道，果然胡风和胡风集团中的骨干分子很早以来就是蒋介石国民党的忠实走狗。这一群狼心狗肺的东西原来就是从胡宗南的“战干四团”那里派来的鹰犬，是屠杀共产党员和进步分子的美蒋特务机关“中美合作所”训练出来的匪徒，是蒋介石在重庆一手栽培的暗害分子。而胡风，这个以革命面貌伪装了二十年的匪魁，一开头就是以在江西“剿共”军中做反共政治工作，求得国民党的信任，干起来这个卑污阴险的勾当的。

看了这些材料之后，我们还能不清楚胡风及其匪帮的主子是谁吗？

今天我们真是看清楚了，但是在这反革命黑帮的阴谋未被我们的党揭露之前，我们的眼睛是多么不中用啊！事实上，躲在暗地里的敌人是无时无刻不在运用他们的“阴暗的聪明”，“窥测”着我们，在

【题注】载《文艺报》1955年第11号。

路旁暗伺着我们的。他们对中国共产党和人民的政权，又恐惧，又仇恨，恨不得“一不做，二不休”，使用一切恶毒的阴谋促使他们的主子——美帝国主义和蒋介石政权——在今天人民的土地上复辟。今天，我们人民真正得到了幸福、自由和文化，但这群杀人匪徒们的血管里，却流着反动统治阶级的毒水。他们不只是仇恨党，他们还恨今天的“社会秩序”，仇恨一切今天得到幸福和自由的人。读着这第三批材料，我的感觉是仿佛看见了一群阴狠毒恶的地主恶霸和残暴的还乡团员在磨擦着刀枪，盘算着“旧账”，按照美蒋的指令，准备向人民进行“倒算”。

这样的事情是无论如何不能允许再发生的了！我们必须提高我们的政治觉悟和政治敏感，我们必须揭露一切暗藏的反革命分子！不要以为胡风反革命集团是唯一的仅有的反动组织，经过这次严重的教训，我们还能麻痹吗？还能迟钝吗？凡是敌人最怕的，最不喜欢的，我们就要做，而且要认真地去做。敌人怕我们整风，因为整风就会进一步挖出他们的反革命根子，我们就应该好好地整一下风。敌人怕我们纯洁和巩固自己的革命队伍，我们就应该坚决地依靠党，依靠群众的力量，认真地纯洁和巩固我们的革命队伍。因为只有这样，胡风反革命集团和一切反革命的暗藏分子，即使是那最顽固的死硬分子，也决然逃不出人民的手心去！

朽木生出了绿芽

——我所看见的清河农场

我在作为一个人民的代表到清河农场视察之前，我脑子里就闪出那群国民党特务在解放之前的那副残酷凶恶的面目。[1]同时我听说，那里面除了判刑的国民党特务，还有判刑的抢匪、恶霸、惯窃、流氓、贪污分子和各种会道门的头子。这批人，我在旧社会是看见过的。他们是人的渣滓，像蛇一样，吮[2]吸着人民的鲜血。他们不只是工人阶级的敌人，他们是一切生产力量的敌人。但是，今天他们被改造了。是什么力量能够使这群生产者的死敌，变成为生产的力量。自然，谁都知道，这是共产党，是中央人民政府英明的劳动改造政策，才会使他们如此。但是只有亲眼看见了这批开始改邪归正的罪犯在祖国的田地

【题注】载1955年7月3日《人民日报》，署“全国人民代表大会代表曹禺”，据以排印。又收入《迎春集》，北京出版社1958年第1版，兹以通校（校注称“迎春集本”）。

1　此句迎春集本作“我到清河农场之前，脑子里就闪出国民党特务在解放之前的那付残酷凶恶的面目。”。

2　迎春集本无“吮”。

上认真地耕种着的时候，我才真正感觉到中国共产党伟大、正确的领导和力量。[1]

我记得，有一个从资本主义国家来的，并不同意我们的社会制度的国际人士参观北京的监狱之后，他赞叹着："这里一点看不出是一个拘押罪犯的地方，这像是一个普通的工厂，显然是当前压倒一切的生产运动的一部分。"这是外国人的估计。自然，说我们的监狱像工厂，在他看来，已经是很高的赞扬。但他仅仅看到了外表，仍是一个极肤浅的观察。他看见了人在好的条件下劳动，他没有看见这样的犯人正在慢慢地改造，成为新人。事实上，在劳动改造政策坚决贯彻之后，我们的劳动改造机关已经成为"改造思想的医院，培养技术的学校"。因此，凡是[2]稍稍注意我们的劳动改造罪犯的工作的国际朋友，他们看了从罪犯里居然大量地教育出对社会有用的生产者的奇迹，都忍不住赞扬说："这是极正确的和最人道的对待罪犯的政策。"

凡是到过清河农场的人，都会感到自己像是来到了江南的鱼米之乡。绿树成行，阻挡着自北吹来的风沙。稻田、麦地、果园、公路、畜牧场、纵横的水渠，以及附设的一些扬水站、造纸厂、碾米厂、宿舍、医院、学校，呈现了一片和穆[3]的景象。水汩汩地向田里流着，沟渠里满是鱼虾和螃蟹。一队一队的人在红旗下面老老实实地劳动着。如果事先不知道这是一个劳动改造的地方，谁也看不出来这是一

---

1 迎春集本无此句。

2 迎春集本无"凡是"。

3 "和穆"迎春集本作"和睦"。

群犯过罪的犯[1]人。

这批犯人，在我们工作人员辛勤的管理教育之下，开始养成了劳动习惯，学会了各种生产技术，有的甚至在劳动生产中积极地想办法，改进了操作。他们已经懂得如何施肥、耙地、蹚地、插秧、放水、饲养猪牛。有的学会了造纸，有的学会了驾驶拖拉机，有的甚至于创造了劳动的工具，提高生产的效率。他们很多人学会了专门的农田技术，果树园艺，还有的学会了兽医。很多犯人进来时目不识丁，现在这些罪犯里基本上已没有了文盲[2]。凡是刑满释放的人，都至少学会了一种生产技术，使他今后能够成为一个对社会有用的新人。

对犯人的教育真是一种艰苦而复杂的工作。这批原来骑在人民头上和抢夺人民劳动成果的罪犯，从来是鄙视、仇视劳动的。想想，对于一个杀人放火的军统特务，买卖人口的窑棍，诈骗成性的一贯道坛主，和一些从来就是自私自利、残狠毒辣的抢匪恶霸，讲在新社会做新人的道理，是如何的困难。不骂人，不打人，我们的人民的[3]干部就一点一滴地在这群人身上昼夜不息地做工作，诚恳地跟他们讲道理，使他们逐渐认识了自己过去所犯的罪恶，骑在劳动人民头上是如何的丑恶、可耻。这些人被组织起来了，他们之间也开始运用了批评和自我批评。在黑板报上，他们也学会了表扬认真劳动的犯人，批评那些在合理的、人道的劳动条件下还偷懒怠工的罪犯。白天做工，晚

1 迎春集本无“犯”。

2 “没有了文盲”迎春集本作“没有文盲了”。

3 迎春集本无“的”。

上学习，我们的干部为了使这群犯人学会劳动，亲自下地耐心地教他们。农场为他们开了生产技术讲习班和政治理论的学习，我们的干部认真地执行着“惩罚与思想改造相结合，劳动生产与政治教育相结合”的方针，这些犯人们开始明白劳动是光荣的，剥削是可耻的，有的从思想和行动中表现出来立功赎罪的精神[1]，他们就受到了人民的欢迎，提前释放。犯人们由不会劳动到会劳动，由仇视劳动到有了劳动习惯，由劳动效率低、质量坏，到劳动效率高、质量好，这一段曲折复杂的过程，确实需要我们优秀的革命干部忘我地投下极大的力量。

然而最显著的成果是这批犯人在政治思想上逐渐明白起来。他们经过了劳动改造之后，已经不想为非作歹，开始树立新的道德观念，认识了人民民主专政的不可动摇的力量。他们亲身体会到劳动改造政策的伟大和正确。有一件事实可以说明劳动改造的成就，就是犯人在期满释放的时候，看着这亲切的农场，经过自己操作的绿绿的田野、果林和草地，这充满了文化与和平的劳动，使自己从腐烂不堪的生活变成了一个新人的地方，他们就舍不得这个可爱的使他们获得新生的场所。[2]他们不愿意再离开，他们要求把自己的妻儿老小也接到农场里，从此做一个新社会的好人。今年，清河农场已经释放的犯人有六百四十二名，自愿留场的就有四百五十三名，占释放人数的百分之七十二。这些得到自由的人被农场批准了，做了留场的就业人员。其

1 “表现出来立功赎罪的精神”迎春集本作“有了立功赎罪的表现”。

2 “这充满了文化”以下迎春集本作“这充满了文化、和平、劳动的使自己变成了新人的地方，他们就舍不得这个可爱的新场所。”。

余的到家以后，他们的父母妻子都惊叹地望着这些思想有了转变，养成了劳动习惯的新人，他们说：“人民政府真是我们的好政府，它改造了我们的丈夫、孩子，把一个不容于新社会的坏人改造成为好人，给我们带来了真的幸福。”

清河农场在罪犯未来之前，原是一片不毛之地。清河农场搬来[1]了，这块一望无边的荒地就成了产粮的良田，而且眼看着就成为一个风景优美，适宜于畜牧和园艺[2]的地方。清河农场的巨大工作不只是改造了人，而且改造了自然。

清河农场的成就，使我深深感到共产主义的新的人道精神，它说明了伟大的共产主义的无坚不摧的积极力量，它使朽木生出了绿芽，使社会渣滓成为社会上[3]有用的人。但是看见了这些罪犯，我不由得想起这些罪犯的“前身”，[4]当年如何在上饶集中营、中美合作所，或其他类似的地方，残害共产党员和进步的革命工作者们。今天清河农场的工作，固然表现了党的政策的伟大和正确，但这种人道主义的精神也是在严厉地镇压反革命的前提下，才能真正表现出它的积极的意义。这样的罪犯，在未改造之前固然是反革命，但是当他在改造中或者改造后还不能真正老老实实低头认罪，重新做人的时候，他还是反革命。敌人只有在完全投降的时候，才能把他不再当成敌人。在今

1 “搬来”迎春集本作“建立”。

2 “园艺”迎春集本作“耕种”。

3 迎春集本无“上”。

4 “但是看见”以下迎春集本作“当我看见这些罪犯，不由得想起这些罪犯的过去，他们”。

天，依然有许多反革命分子继续同人民为敌，不甘心向人民缴械，而我们中间有不少人却滋长一种极端危险的太平麻痹情绪。我们必须提高警惕。只有把一切暗藏的反革命分子铲除干净，才能更好地保卫我们伟大的社会主义事业。[1]

1　迎春集本此下署“1955年6月”。

和平和快乐的散播者

——关于蒙古人民革命军歌舞团的演出

七月六日的晚上，首都人民和首都文艺界看见了蒙古人民革命军歌舞团访问中国的首次的盛大演出。我们盼望着这一群光荣的客人们——蒙古人民革命军歌舞团——真是很久了。自从我们两国人民共同用铁道把乌兰巴托和北京联结起来以后，我们就天天盼望着这蒙古人民革命军的光荣的代表。

尊贵的客人们终于通过了这条代表了人民之间的幸福和和平的铁路，从乌兰巴托来到北京，带来了蒙古人民最真诚的友谊。英勇勤劳的蒙古人民，富有诗意地把这条联系莫斯科—乌兰巴托—北京，由苏、蒙、中三国人民用巨大的劳动共同建设的铁路歌颂为“友谊之路”“社会主义之路”，这是多么美丽动人的名字！

在蒙古人民革命军歌舞团这次演出的绚丽多彩的节目中，就有勒

【题注】载1955年7月10日《人民日报》，署“中央戏剧学院副院长、北京市文学艺术工作者联合会副主席曹禺”。

哈姆苏仍作词、穆尔道尔吉作曲的《友谊之路》的合唱，它获得了听众一致热烈的赞扬。这首洋溢着美丽的民歌旋律的歌曲，仿佛描写着飞奔着的胜利的火车，通过美丽的草原、高山、森林和两国毗连着的可爱的边疆，带着叫啸着的愉快的风声，和几乎使人闻得到的迎面而来的蒙古草原的清香。我们感到火车的奔驰，快乐的友谊，和人民的欢笑，都是那样真实、自然、明快地表现了出来。这是高度艺术性和思想性的完美的结合。

由策仍道尔吉少校指挥的合唱，是非常出色的，每一个节目都给人以难忘的印象。首都的观众以崇敬的心情，倾听着庄严美丽的《蒙古人民革命党之歌》。歌的语言充满了自豪、乐观，它歌颂着光荣的蒙古人民革命党，表现了蒙古人民对领导他们走到幸福大道的党的衷心的爱戴的感情。《蒙古人民革命军之歌》是一支异常有力的进行曲，它和《苏军之歌》和《中国人民解放军进行曲》一样，都演唱得十分出色、雄壮、豪迈，洋溢着革命的英雄主义的精神。人民的军队前进着，它的无敌的力量迫使敌人崩溃下来。我们看见幸福自由的人们在美丽的土地上迈着壮阔的步子，一切都是昂扬而愉快的。

蒙古人民共和国是一个充满了欢乐和和平的劳动的国家。在蒙古人民的心里，燃烧着热爱领袖、热爱祖国的永不熄灭的火焰。《光荣属于苏赫·巴托尔》那支永久纪念蒙古人民革命党的杰出领袖苏赫·巴托尔的歌曲，深刻地表现了蒙古人民爱戴领袖的崇高的感情。《阿尔泰山颂》和《乌兰巴托颂》是对祖国山河和美丽的首都的颂歌。在蓝色的天空下，积雪的阿尔泰山蕴藏着无限的宝藏，山谷里响着悠扬的笛声，富饶而明朗的边疆在望。乌兰巴托美丽得像一只雄鹰，它是蒙古人民自由幸福的泉源。这是雄壮豪迈的歌声，只有这样热情的人民才会这样美丽动人地歌颂自己的土地和领袖。歌舞团里富有才能的艺术家们的表现是多种多样的，女声合唱的《色楞格河之歌》描写着潺潺的河水，轻盈的铃声，少女们在低低地歌唱，在宽阔平静的色楞格河畔，牛肥马壮，草木茂盛，是一支恬静的抒情歌曲。

音色优美的抒情歌唱家海多布演唱的蒙古民歌《托海·赞丹》和苏联歌曲《在遥远的地方》都是异常动人的，他和女高音歌唱家普尔布苏仍用民族的唱法唱的中国民歌《南泥湾》，都深深地引起我们热爱生活和劳动的感情。最能为真理战斗的人，永远是最爱生活的人。蒙古的舞蹈《青年骑士》，美妙地表现出蒙古人民生活里的乐观和幽默；而壮阔草原上绚丽缤纷的舞蹈《那达慕》，又表现出蒙古人民丰富的体育生活。摄住我们心灵的，还有那愉快活泼的《青年之歌》，它赢得了全场一致热烈的赞美。这支民歌，将会同其他蒙古美丽的歌曲一样长久地深深地印在中国人民的心里。

这里，我必须提到民歌《走向集体》和舞蹈《愉快的劳动》，它们以生动的舞姿和美妙的旋律，歌颂着生产合作社的幸福而富饶的生活：秋日的田野在喧哗，温柔的手指在雪白的羊毛上飞动，还有美丽的眼神和幸福的劳动。它们充分地描绘出蒙古妇女们在提高生产方面优越的成绩。蒙古人民不朽的英雄阿尤喜，是我们永不能忘怀的光辉的战友，他在配合苏军解放我国张家口的时候所表现的崇高的国际主义精神，是一切共产主义战士的榜样。我们怀着无限感激的心情，聆听着《英雄阿尤喜》这个动人的节目。它充分体现出我们两国人民之间的山岳一般的不可动摇的友谊，正如同巴斯特作词、勒·道尔吉作曲的《蒙中友谊之歌》充分地表现出蒙中两国人民之间的深厚情感一样。最后一个节目是热情奔放的《友谊舞》和歌唱《全世界人民心一条》，把苏联、蒙古、中国和全世界爱好和平民主和自由的人民结成了一条巨大有力的阵线，这个歌舞给我们以极大的兴奋和喜悦。

真实美妙的音乐，总是和人的伟大理想接近的。我是一个幸福的人，我曾亲眼看见过蒙古人民建设社会主义的辛勤和愉快的劳动以及他们丰富的文化生活。蒙古人民革命军歌舞团的卓越的演出，使我又想起在乌兰巴托和其他富饶的农场、牧场和城市里，我所遇到的那些积极战斗着的先进人物和战士们，那些富有天才的诗人、歌唱家和舞蹈家们。那是马克思列宁主义照耀着的地方，是伟大的苏联无私的友谊放着光彩的地方，是蒙古人民丰富的民族艺术融会了苏联先进的社会主义艺术的经验，成为美丽的花朵的地方。演出完了，大家站起来，我看见无数观众的感激的目光向台上蒙古的朋友们投射，我们的面颊似乎感到从明朗的远方蒙古人民送来的热情的呼吸。

蒙古人民革命军是蒙古人民自由幸福生活的保卫者，同时和伟大的苏联红军一样，也是和平和快乐的散播者。它的代表——有高度艺术修养和成就的蒙古人民革命军歌舞团——一直是以它饱满的政治热情和出色的艺术表现，时时刻刻地向所有它的观众证明了这句话的。这是蒙古人民心上的一块瑰宝，是革命部队可以引以自豪的艺术的战斗单位之一。当中国人民正在以空前的政治觉悟忘我地执行着我们的第一个五年计划的时候，蒙古人民革命军歌舞团的到来，给了我们以极大的鼓舞。我们感激它，因为它带来了蒙古人民深厚的友谊，也带来了先进的社会主义艺术，给中国文艺工作者以极好的学习机会。

我们相信，蒙古人民革命军歌舞团在中国无论到什么地方，都会得到中国人民和部队最热烈的喜爱和衷心的敬意的。

社会主义建设者的摇篮

——我所见的中国人民大学

在完成第一个五年计划的道路上，暗藏的反革命分子为了破坏和阻挠我国的社会主义建设事业，对工矿企业进行了各种破坏；这些人有些[1]是以“专家”、“技术人员”的面貌出现在我们的面前，获得我们的信任的。最近《人民日报》上[2]提到的某工厂的一个工程师，就是这样一个恶毒狡猾的反革命分子，他屡次故意配错原料，制造事故，保卫部门查出来他的底细，向工厂建议处理，但是该厂的负责同志居然不同意处理，说：“全厂就这一块宝，处理了就影响生产。”把反革命分子当作我们人民事业的一块“宝”，这样的厂长想必还是稀少的。中国有一句老话：“饮鸩止渴”，正适用于这类负责同志的麻痹糊涂、

【题注】载《文艺报》1955年7月15日第13号，署“全国人民代表大会代表曹禺”，据以排印。又收入《迎春集》，北京出版社1958年第1版，题名《社会主义建设者的摇篮——我所看见的中国人民大学》，兹以通校（校注称“迎春集本”）。

1 “有些”迎春集本作“有的”。

2 迎春集本无“上”。

缺乏警惕的行为。然而从另一个角度来看，这件事情却严重地说明我们的工业建设多么迫切地需要忠实于国家、忠实于社会主义事业、觉悟高、技术好、能解决问题的建设干部。

解放以来，绝大多数旧知识分子起来迎接革命，认识革命，参加历史上空前的社会主义建设事业，人民欢迎他们。但是同时，我们必须要有能深切了解和领会党和政府的政策，并且有决心诚诚恳恳把它付诸实现的工农劳动人民和知识分子[1]出身的专门人才。他们是人民的宝贝，是建设社会主义、创造人民幸福、民主生活的重要力量。应该说，劳动从来没有像今天这样地发挥着光辉和力量，这是因为工人阶级不只是掌握了政权，并且掌握了文化与科学的缘故。

作为一个人民代表，我视察了中国人民大学。[2]中国人民大学是一所新型的正规大学，五年来，它为中国的社会主义建设事业，从工农干部里培养了大批的高级建设人才。它的突出的成就，不仅表现在供给各工矿企业以阶级觉悟高、工作能力强、有马克思列宁主义思想基础的干部；不仅表现在帮助了很多高等学校培养了大量的新的师资，编印了适合于今天建设需要的教材；而且更突出地表现在他们创造性地学习了苏联的先进经验，并且广泛地传播开来。这个大学是中国工农知识分子的摇篮，它所以获得这样巨大的成就，首先是因为它的正确的教育方针。一开始，党和政府就规定了中国人民大学必须执行教学与实际联系、苏联经验与中国实际情况相结合的方针。这就保

1 迎春集本无“和知识分子”。

2 此句迎春集本作“前两天，我访问了中国人民大学。”。

证了中国人民大学的教员和学生把从学习得到的苏联先进经验又创造性地使用在解决中国工业的实际问题上。并且因为一直在系统地密切注意着中国各方面的实际问题，他们在课室里所学的技术、知识和理论，正是和今天时时刻刻生长着变化着的具体情况相结合的。因此，历年来，毕业的学生七六二〇人（其中专修科一五五七人，本科四八九四人，研究生一一六九人），为国家的建设和教育工作解决了很大的问题。他们首先得到工矿企业领导上的重视，这些工矿企业的领导者们说："人民大学的同志们，理论修养高，看问题尖锐；他们懂得如何在企业里运用分工配合，提高生产；肯钻研，能发现问题，而且原则性强。"

在视察中[1]，我和中国人民大学负责同志、系主任、教师、研究生、学生和就要毕业的同学进行了谈话，参观了城内和郊区的校舍和设备。一切都告诉我，这是一个充满阶级友爱的、处处为工农着想的大学。它为工农学习创造种种有利的条件。教学中一直重视马克思列宁主义的思想教育，教师和研究生们学习苏联先进经验的过程，也就是无产阶级思想与资产阶级思想进行斗争的过程。他们能够深入体会苏联的科学成就，是因为他们在边学边教的过程中，提高了共产主义的觉悟。因此一切教学和工作都是以马克思列宁主义为指导思想来进行的。教员们对工农学生也确实有真实的感情，这是一。学校看重工农学生的学习特点，用各种补习的办法帮助一些在开始时缺乏课堂学习的习惯和方法的、文化水平较低的学生，把文化补习教育看成培养

1 "在视察中"迎春集本作"访问中"。

工农干部成为国家建设骨干的关键，这是二。领导上重视培养工农干部成为高等学校的师资与科学工作者，这样，就贯彻了培养工农干部的方针，这是三。

在人民大学里，我遇见了多少位在祖国昨日的革命斗争中无私地献出了自己力量的人们，他们纯朴、谦虚、热诚、踏实。他们来自祖国的各个角落。他们经过各种不同的生活：采煤、电焊、炼钢、炼油、修铁路、造轮船、开火车、打游击战、纺织、印刷、种地、做农村工作，受尽了过去反动势力的压迫和苦难。在党领导的革命斗争中，他们站起来了，锻炼成钢铁一般的英雄，成为富有创造性的劳动模范。但是他们大多数人入学以前的文化水平，只是初小和高小的程度，有的勉强看懂《人民日报》的消息，看不懂社论；有的仅仅知道加减乘除，分数比例就不会；多数人说不出物理变化与化学变化的区别，水就是冰，讲H_2O简直等于听神话[1]。但是人民大学给他们开了门，积极地为他们补习文化，用各种办法，使他们在短期内“开了窍”，不只能够跟上了大学的功课，而且按照正规大学的标准，得到了优良的学习成绩。

我见到某兵工厂的一个机械工人，在一九五〇年进了人民大学，今年，他已经胜任愉快地在石油学院和人民大学的石油班教书。他的学习经过，是我国工人自觉地要以科学武装自己的艰苦的斗争。他在苏联专家和我国教员的辛勤培养之下，掌握了马克思列宁主义的指导

---

1 “水就是冰，讲H_2O简直等于听神话”迎春集本作“水就是水，说他是H_2O简直等于听神话”。

思想，能够独立地进行他的石油专业的研究。他理解力强，善于联系实际，加以他在求学的时候对一般文化科学认真钻研（他现在能够通畅地读俄文原著），他第一个讲授了过去大学从未开过的功课——“石油企业组织与计划”。这个工人出身、由人民一手培养出来的大学教师，得到同学们一致的欢迎。听过他的课的同学告诉我，说他讲得有条理、明确、通俗，容易接受。他领导生产实习也有办法。大家说他接受了人民大学教师的传统，对待工农学生热情诚恳，经常到学生的宿舍，主动地去帮助他们，是个有求必应的老师。

另外，我又见到一个过去在唐山做过童工、后来下井在煤掌上做推车装煤工作、受过无数压榨的工人。在解放之后，他成了优秀的共产党员，积极参加煤矿生产，推动工作。在人民大学毕业后，他已经是一个优良的研究生。从一个掘煤的工人到能读马克思、列宁的原著，掌握了物理、化学、地质、钻探各种文化与技术的课程，这是一个非常艰苦而复杂的过程。他和他的同班同学们很多被学校留下做科学研究工作。他对我讲，过去不敢梦想的事情，现在实现了。我见他的时候，他正准备利用暑假到他童年时做过沉重的采煤劳动、今天已经用最新式的康拜因采掘的煤矿里去参加实习，在那里，他准备写他的第一篇关于采煤工作的科学研究论文。和他所有的同学一样，作为一个科学工作者，他的文艺修养也是丰富的，他爱读的是《收获》、《远离莫斯科的地方》、《母亲》、《虹》、《日日夜夜》、《保卫延安》、《顿巴斯》、《茹尔宾一家》、《暴风骤雨》等。在那样紧张的学习中，他已经读了大量的文艺书籍。

在今年毕业的学生里，有一位工业经济系的学生，他是全国的劳动模范。他告诉我："解放以前，在工厂里，一听见空气压缩机转动的声音不对就高兴，每天就盼着它坏；现在，一听机器声音不对就着急，生怕它坏了。我是一个炼石油的老工人，解放后，党把我提升了，做领导工作，提高生产。我记得头一天我坐在办公室里，我心里想：'屋子还是一样，可人不一样了。'我做了国家的主人，创造了出氧气的新纪录。今天，我又从人民大学毕了业，党用尽了一切力量培养我们，照顾我们的家庭生活，提高我们的政治觉悟，让我们有这样好的机会学习，为祖国服务。一个学生在人民大学学习三年，要用七千元，国家用了这么多钱来培养我们，就是为了要我们今后在生产战线上永远打胜仗。加紧实现社会主义工业化事业是要费力气的，但是只要我们要，我们就能！"他是一个典型的优等生，三年的功课全是优等，体育好，社会活动多，得到群众的拥护。像很多老的革命干部一样，阶级觉悟高，遇见问题比学生出身的技术人员有办法。

中国人民大学的学生，因为课堂上学习的东西，也正是实际上需要而且应用的东西，因此，他们在生产实习当中，有的[1]已经能够发挥作用。譬如今年人民大学工业经济系的学生在大连的起重机厂实习，参加生产实习的教员和学生，就在实习当中，根据苏联先进经验，帮助工厂提高了生产，受到了工厂的拥护。今年该厂三月份的生产任务，就是按照人民大学编制作业计划的方法完成的，这生动地证明人民大学教学上突出的成绩。

中国人民大学在短短五年内的巨大成就，说明了坚决贯彻学习

1　迎春集本无"有的"。

苏联先进教学方法的正确性，说明了学校的领导、教学干部和工农学生对祖国和工人阶级事业高度负责的斗争精神。中国人民大学的强壮有力的生长和发展，使我，我想也会使全国人民感到惊奇和骄傲，也使上面提到的那些缺乏革命警惕、竟想“饮鸩止渴”的工厂领导们醒悟。有一位预科英雄模范班的同学对我讲，“刀把是要掌握在自己手里的”。这是多么深刻的一句话！在这朴素而充满了友爱的大学里，无论在图书馆、宿舍、教室和操场，我遇见了多少中国著名的劳动模范、战斗英雄和在长期革命斗争中用自己的[1]血汗赢得革命战争胜利的老干部，在那里勤勤恳恳地学习和锻炼。他们当中有郝建秀、陆阿狗、安之荣、高玉宝、郭俊卿、杭佩兰、米国华等同志。这个学校这样自然和谐地显出它那种特有的浓厚的政治空气、学习空气和团结友爱的空气。看见这些活泼、精干、政治觉悟高、有革命同生产斗争经验的中国新兴[2]的知识分子，我为祖国感到不可言传的喜悦和兴奋。历史上，无论什么时候，中国人民从来没有像今天这样光明地、有信心地表现出他自己神话似的力量。最叫人喜逐颜开的，就是短期内在苏联人民派来的专家们真诚无私的兄弟般的帮助之下，第一次出现了我们工人阶级自己的专家和科学研究工作者。他们是人民的精华，是地上的盐，是中国伟大历史的继承者，是带来社会主义生活以至于共产主义生活的无限光辉的力量！[3]

---

1 迎春集本无“的”。

2 “新兴”迎春集本作“新型”。

3 迎春集本此下署“1955年7月”。

曹禺代表（的发言）

这几天，当我们正在诚诚恳恳地讨论第一个五年计划和根治黄河水害和开发黄河水利的综合规划的时候，当我们怀着极大的喜悦和信心讨论“为全国人民和后世子孙谋幸福的大事”的时候，我在想，如果胡风反革命集团到现在还没有被揭露，胡风还没有被逮捕，那岂不是胡风——这个暗藏的蒋匪特务还会藏在我们当中，也要参加这个讨论么？我深深地感觉到我们过去对暗藏的反革命分子不够警惕，是多么可怕！

感谢党，感谢我们的政府，及时地揭露了这个反革命集团，逮捕审判胡风这个罪大恶极的反革命分子。这个大快人心的举动不只说明我们的政府是最民主的政府，也是最有力量的政府。

一想起胡风反革命集团的恶毒、阴险，和对我们人民事业的仇

【题注】载1955年7月28日《北京日报》，原题《曹禺代表》，据以排印。又载1955年8月9日《戏剧报》第8期，题名《极其巨大的胜利》，署“全国人民代表大会代表曹禺”，兹以通校（校注称“戏剧报本”）。按，本文系7月27日曹禺出席第一届全国人民代表大会第二次会议的发言。

视，我的心就充满了愤怒。但是今天已经不是仅仅表示我们对反革命分子如何愤怒的时候，而是已经到了这样的关头，我们必须要下定决心，通过这场斗争，把自己锻炼成为眼光锐利的坚强战士，叫一切反革命分子遇到了我们，就无从藏身！

我们是坚决要批驳这样的话的：胡风反革命集团不过是一群作家，车沟里的泥鳅成不了龙，他们怎么能够兴风作浪呢？作家么？人说，作家是灵魂的工程师，可是这批东西是灵魂的刽子手。且不说他们仇恨人民的反动思想毒害了多少人，就先看看这批东西肮脏的历史吧：以革命的文艺理论家面貌出现的胡风，原来是围攻井冈山的剿共军的反共政治工作人员；以诗人面貌出现的绿原，原来是中美合作所的美蒋特务；以小说家面貌出现的芦甸，原来是蒋匪中央军官学校的指导员；以批评家面貌出现的阿垅，原来是蒋匪陆军大学的战术教官；以大学文学教授面貌出现的贾植芳，原来是贩卖人口的土匪。他们恨极了共产党，恨极了人民民主专政，恨极了我们在此地这样热烈地讨论的中国人民的永久事业。他们用“阴暗的聪明”，要瓦解我们的革命队伍，脸上贴着伪装的马克思列宁主义的美丽的花纹，就这样，打进了我们的经济、文化、军事、学校、各种机关里，探听党内秘密，骗取共产党员的称号，他们的头子甚至于钻进最高国家权力机关——全国人民代表大会。这批毒菌，已经深入我们的肝脏，我们还忍心说这是车沟里的泥鳅，对人民不能兴风作浪吗？全中国人民都恨极了，要扑死这群毒蛇。蒋匪帮在台湾如丧考妣，大哭大叫，痛惜他最得力的走狗、特务终于灭亡在人民的手里。蒋匪哭了，人民笑了，这是我们在镇压反革命运动中极其巨大的胜利！

我们是坚决要批驳这样的话的：胡风集团的反革命活动确实是证据确凿，那么就干脆依法惩治，何必又是宣传，又是学习，耗费了我们从事建设的宝贵的时间。这些天报上登载的反革命的破坏活动，早已批驳了这种只求简单化的思想。残酷的事实说明，如果我们不决心肃清一切反革命分子，我们今天这样美好的建设就会为反革命分子增加破坏的目标。在这场惊心动魄的斗争中，我深深感觉到太平观念和自由主义会把人变成瞎子，叫人看不见在我们眼前严重的阶级斗争。我想伟大的共产党是组织上最严密的，政治警惕性最高的，思想领导最坚强的，但是敌人——反革命分子，用各种伪装，用“阴暗的聪明”，还要钻进来，破坏我们。敌人并不那样愚蠢，他也知道堡垒是最[1]容易从内部攻破的。我想，敌人都会混进共产党里面，那么为什么他们不能够混进各民主党派，各人民团体，以及各工商业的机构里面呢？事实上，在这些党派和团体、机构里，不是已经发现了暗藏的敌人吗？我们不能把这个斗争简单化，我们必须在这个斗争里好好地学习。胡风反革命集团所采取对我们进攻的战术，是一切暗藏的反革命分子对人民进攻共同采用的战术，它是最典型的。深刻地学习《关于胡风反革命集团的材料》，就能使我们提高警惕，帮助我们看穿一切暗藏的反革命分子的假面目。

我们是坚决要批驳这样的话的：胡风和其他的反革命分子居然在我们当中潜伏了多少年，敌人这样会伪装，使我们感觉到周围的人都可以怀疑，仿佛这样就是提高警惕了。说这样话的人不是太天真，就

1 戏剧报本无“最”。

是别有用心的。如果这种想法散播开，它的效果会是什么呢？那就是在我们革命队伍中会搞得是非不明，真假不分，让好人对革命事业失去了信心，让坏人、反革命分子乘机混过关去，是会造成混乱局面的。党一直教导我们实事求是，毫无根据的猜疑跟一个革命工作者应有的革命警惕性是没有共同之点的。我们的革命队伍里绝大多数，百分之九十五以上都是好人，只有少数是暗藏的反革命分子和坏分子。建设一座水力发电站要数万人乃至十数万人的力量，但是破坏它，只要一个暗藏的反革命分子就成了。所以，反革命分子尽管少，我们必须团结起来，用一切力量肃清。我们有正确的领导，我们现在有广大人民的政治觉悟，最重要的，我们有马克思列宁主义的武器，因此，我们镇压反革命的工作是非常科学的，非常实事求是的，是无坚不摧的。

在学习当中，我个人有两个体会。第一，要警惕一切反革命分子，首先要警惕自己的个人主义和自由主义。“个人主义与自由主义是反革命分子的好朋友”，凡是认真学习过《关于胡风反革命集团的材料》的人，都会认识到这句话是绝对正确的。第二，经过这次学习，我感觉到我必须更要靠拢共产党和人民政府，必须对共产党和人民政府做到绝对的忠诚老实。这不只是我个人的要求，凡是爱国爱党爱人民的人都自然的从心里会有这样的要求。我深深感到一个人如果做到对党无所不谈，他就必然有充分的勇敢和力量对反革命分子进行斗争。事实就是这样：好人想靠拢党和政府就会愈靠愈拢，当所有的好人都完完全全向党靠拢了，那暗藏的反革命分子就会被孤立起来，失掉了藏身之地。

我爱我们的祖国，不只因为它给了我们幸福、民主、自由，给了我们一个真正的和睦的大家庭的感情，更因为五年来，从各方面的进步和建设的光辉成就中，我感觉到劳动从来没有发挥过这样伟大的力量，做一个中国人，从来没有这样可以自豪过。我站在这个台上，我感觉到全中国的人民都用幸福的目光，满藏着喜悦同信心的目光注视着我们，万分殷切地关心着我们现在讨论的社会主义建设的大事，但是他们更迫切地嘱咐过我们，不能再放过反革命分子在我们幸福的国家里面活动了，不能再允许社会主义建设受到一丝一毫破坏了。这个庄严的嘱托，这个关系到无数人的生命、事业、幸福的嘱托，我们是一定要做到的。今天，全中国人民的政治警惕性和阶级觉悟确实大大提高了。有一句老话，十目所视，十手所指，这就够严厉的了。现在，我们有六亿人的眼睛在注视着，六亿人的手在警戒着，一切的反革命分子无论如何是逃不出人民的手掌的。

大家的好朋友，好先生

我喜爱听人民的广播，应该说从一九四八年我住在上海的时候起。那时，上海的局势混乱极了，人们天天愁着早晚几变的物价。蒋匪的金圆券把人民的血汗压榨得干干净净，转眼金圆券又变成了废纸。美蒋的特务、警察在上海四处横行，光天化日之下把一群一群的无辜的爱国工人、学生绑走。一到夜里，连续不断的抓人的警车发着恐怖的哨响呜呜地急驰过去，善良老百姓早早地就藏在家里。这时，昏昏蒙蒙的马路上一列一列的运货汽车向码头上飞驰，里面有时运的是美钞黄金，有时运着没有罪的“囚犯”，有时装满了美国的军火和溃败的匪军，有时塞的满满的蒋家权贵们的贵重资产。[1]

真是盼星星盼月亮似的，人们每天等候着人民解放军渡过长江的

【题注】载《广播爱好者》1955年第4期，据以排印。又收入《迎春集》，北京出版社1958年第1版，题名《美妙的声音》，兹以通校（校注称“迎春集本”）。

1　此句迎春集本作“昏昏蒙蒙的马路上一列一列的运货汽车向码头上飞驰，里面运的是美钞黄金，无辜的‘囚犯’，美国的军火，溃败的匪军，和塞的满满的蒋家权贵们的贵重资产。”。

消息。但是扭开了收音机，播送出的不是蒋匪的永不变样的无耻的谎言，就是一些令人作呕的小市民层流行的[1]歌曲。只有到了深夜，我们已经[2]可以察觉隔壁那些神秘的邻居不会再偷听的时候，我们才爬起来，扭开收音机，把指针扭到那熟悉的位置上，我们[3]就听见一种低低的，但是亲切诚恳[4]的声音，清朗有力地报告着："邯郸人民广播电台，……"

天哪，这就是我们人民解放军那面的声音哪！[5]我[6]的苦恼、疲倦登时一扫而空，所有的精神都被这美丽亲切的声音吸引住。尽管空气中不断掺杂着敌人故意搅乱[7]的噪声，但我仍然像喝到了甘露似的，几乎听进去每一个字。我[8]的心明亮了，我[9]仿佛亲眼看见祖国的东北已经全部解放，北京眼看着就要归到人民的手里，我们的大军就要打到长江岸边。代表了民主、[10]自由、幸福的人民力量，不久就要来到眼前。这时[11]在微弱的灯光下，我望着跟我一道静听着人民的广播的那

1 "小市民层流行的"迎春集本作"黄色"。

2 迎春集本无"已经"。

3 迎春集本无"我们"。

4 迎春集本无"诚恳"。

5 此句迎春集本作"天！这是我们人民解放军那面的声音！"

6 "我"迎春集本作"我们"。

7 迎春集本无"故意搅乱"。

8 "我"迎春集本作"人"。

9 迎春集本无"我"。

10 迎春集本无"代表了民主、"。

11 迎春集本无"这时"。

个热情的青年朋友[1]，滢滢的欢喜的泪光已经涌满了他的眼眶。我们感到那只破旧的收音机忽然变成霞光四射的宝箱，因为它清清楚楚地指出了中国人民的希望，报出了党和人民解放军的宝贵的消息，它发出来的有我们最喜爱的人的声音。[2]那时，我们常[3]想，如果全中国每一个[4]都自由的听到这个声音该多好，如果我们能够整天的爱听就听，尽情地吸收它给的力量该多好。人民的广播一直给我们带来真理和信心，爱国主义的教育和永远真实的消息。从那时起，我就知道这是我的好朋友，好先生。[5]

天明了，解放了，长长的黑夜终于到了尽头。我们听见我们伟大的领袖毛主席在天安门上，用他的有力、洪亮的声音宣告中华人民共和国的成立。[6]全国的一切事业都[7]突飞猛进，人民的广播事业像雄健的骏马一样[8]向前奔驰。从此再也听不见蒋匪广播丑恶的鬼叫，我们

---

1 “我望着跟我一道静听着人民的广播的那个热情的青年朋友”迎春集本作“那个热情的青年朋友望着我”。

2 此句迎春集本作“我们感到那只破旧的收音机忽然变成霞光四射的宝箱，它清楚地指出了中国人民的希望，报出了党和人民解放军的消息，发出来我们最喜爱的人的声音。”

3 迎春集本无“常”。

4 “全中国每一个”迎春集本作“中国每一个人”。

5 迎春集本无此句。

6 此句迎春集本作“我们听见伟大的领袖毛主席在天安门上的声音，他洪亮庄严地宣告：‘中华人民共和国成立了！’”

7 “都”迎春集本作“都在”。

8 迎春集本无“一样”。

从早到晚听见明朗而愉快的声音，播送出祖国人民在各个角落上幸福的有意义的生活。[1]通过人民的广播，我们随时知道伟大的工人阶级如何把祖国逐渐推进到社会主义的光明的前途上。[2]许多广播是真实而生动的。有时[3]坐在屋子里，我仿佛看到先进的模范们一个个的出现在我眼前，他们就像平常[4]那样热情地，一贯充满了信心地[5]劳动着，战斗着。纺纱、掘煤、炼钢、修铁路，建筑工厂[6]、铁桥、巨大的水库和新兴的城市，这些壮丽豪迈的事业的主人，和保卫祖国的英雄战士们一道，经常亲切地用他们感人的事迹[7]告诉我们，祖国是如何通过每一个人的辛勤的劳动和智慧向前发展的。

今天的广播已经成为我们大家最好的朋友和先生，它[8]每天用新的养料来滋养我们的精神生活[9]，增强我们的马克思主义[10]的世界观，加深了我们对祖国各方面的认识和情感，指导我们在各方面的学习，甚

1 此句迎春集本作“从此再也没有蒋匪广播的鬼叫，从早到晚听见一种明朗而愉快的声音，播送出祖国人民在各个角落上幸福的有意义的生活。”

2 迎春集本无此句。

3 迎春集本无“有时”。

4 “平常”迎春集本作“平常生活中”。

5 迎春集本无“，一贯充满了信心地”。

6 “建筑工厂”迎春集本作“建立起来工厂”。

7 “亲切地用他们感人的事迹”迎春集本作“以他们的事迹”。

8 “今天的广播已经成为我们大家最好的朋友和先生，它”迎春集本作“这个美妙的声音”。

9 迎春集本无“的精神生活”。

10 “马克思主义”迎春集本作“马克思列宁主义”。

至于许多人的身体一天天变得结实、健康，都[1]因为每日练广播体操的缘故，和广播[2]有了直接的关系。我时常感觉人民的广播仿佛是一个有血有肉的活生生的新中国的人，“他”确实知道为人民服务的意义，“他”无昼无夜地对全国男女老幼进行巨大的文化工作。[3]我常想，我们的生活里如果没有“他”，就缺少了我们生活中最重要的一个因素，因为“他”无时无刻不在教育我，“他”是党的得力的助手，是人民的忠实的朋友。[4]有时我恨不得亲眼看见“他”，和“他”热烈地握一握手。[5]我知道我们的孩子们是多么的感激“他”，凡是受过“他”的教育的人是多么的感激“他”。[6]自然这是一个幻想，但有一次，在国庆节日的实况广播中，全家的人都在收听[7]，那播送出来的景象，真是一片壮丽、热烈的充满了爱国精神的诗篇。我的孩子们骄傲而兴奋

1 “都”迎春集本作“是”。

2 “和广播”迎春集本作“这也和它”。

3 此句迎春集本作“我时常感觉人民的广播是一个活生生的人，‘他’为人民服务，‘他’无昼无夜地对全国男女老幼进行巨大的文化工作。”

4 此句迎春集本作“我常想，生活里如果没有‘他’，就缺少了生活中最重要的一个因素。”

5 此句迎春集本作“有时我似乎亲眼看见‘他’，甚至于感觉到‘他’在我耳傍轻微的呼吸。”

6 此句迎春集本作“我知道我的孩子们是多么的喜欢‘他’，凡是听过‘他’的声音的人是多么的喜欢‘他’。”。

7 “在国庆节日的实况广播中，全家的人都在收听”迎春集本作“在国庆节，全家的人都在收听广播”。

地告诉我这些播音的工作者们是谁，又[1]说出一连串孩子们[2]从每日的广播里熟悉了的名字。我忽然惭愧起来，我恍然明白，我想看到的那个“他”，不就是这些一直老老实实、诚诚恳恳地为人民工作永远没有想到露面的人吗？[3]不就是一切这些忠实可爱的从事今天人民广播事业的人吗？[4]

我不知怎样描写出我对人民广播[5]的感情。我时常觉得它似乎是无所不知，又似乎是无所不在。[6]它在我静静的书房里，在孩子们睡着了的床前，在黄河的勘探队驻扎的草原上，在玉门油矿冒出黑金子似的石油的井旁，在边疆要塞保卫祖国的战士们的耳边，在一切热望着得到党的教育的人们的心里。在明亮蔚蓝的天空下，我的周围是宁静而和平的，但我感觉到美妙的声音从四面八方向我们传来，这是祖国在建设的声音，这是孩子们在学习在游戏的声音，这是一望无边的绿色的田野里[7]，茂密的农作物欣欣滋长着的声音。我们伟大的祖国是一个永远不停息地奏演[8]着无限美妙的音乐的国家。扭开了我们的收

1 迎春集本无“又”。

2 迎春集本无“孩子们”。

3 此句迎春集本作“我惭愧起来，恍然明白，我想看到的那个‘他’，不就是这些一直老老实实、诚诚恳恳地为人民工作而从未想到露面的人吗？”

4 迎春集本无此句。

5 “人民广播”迎春集本作“这声音”。

6 此句迎春集本作“时常觉得它几乎是无所不知，又是无所不在。”

7 “一望无边的绿色的田野里”迎春集本作“一望无边，映着天光云影的水田里”。

8 “奏演”迎春集本作“演奏”。

音机，从早到晚每一个时刻不都是洋溢着从祖国各方面的生活发出的绝美的音乐吗？[1]

党告诉我们，“星星之火，可以燎原”。正义的力量是永远不可抵抗的。今天的光辉的人民广播事业，使我想起解放前在上海收听的邯郸新华广播电台，也使我想起《广播爱好者》第一期上刊出的那个在小小的土地庙里播音的延安新华广播电台。那时候的声音尽管不如现在巨大，已经冲破一切的黑暗，唤起了全国群众，团结了全国的人民，奠立了今天人民广播事业的基础。但是，在我国几个五年计划之后，从来日无限壮丽的规模来看，可以想得出，在今天已经可以称得上“燎原”的广播事业，那时回想起来，恐怕还只能算是“星星之火”。

去年冬天，我在首都附近国营红星农场一个农民的家里，看见一位老祖母坐在十分整洁而温暖的炕头上，一面在一盏明亮的电灯下为正在上夜校的孙女们做着针线，一面戴着耳机，从矿石收音机里，极有兴味地收听着语文讲座。对面坐着她的儿子和儿媳妇低低地讨论着来春的生产计划，这样美丽动人的图画是永远不会使人忘记的。那位健康愉快的老祖母告诉我，过去在冬天他们全家连一条像样的棉裤都穿不上，如今在农场里，不少户人家也像她家一样，不只是有吃有穿，连矿石收音机都能买了。苏联邮电部长普苏尔采夫说：苏联无线电事业当前的重要任务，是要保证在最近五六年内完成全国无线电

1　此句迎春集本作“扭开了我们的收音机，从早到晚每一个时刻不是洋溢着从祖国各方面发出的幸福生活的音乐吗？”

化，做到每个集体农庄的每个人家都有一个收听工具。这实际上就是说还需要建立一千五百多万个新的有线广播收听点，而今天的苏联已经有三万个有线广播站，有一千六百多万个有线收听点了。据他讲，为了做到这一步，就需要全国无线电工业和电工器材工业及时地迅速地扩大生产，并且大批地培养无线电和广播事业的技术干部。以今日我国工业和干部的条件来说，这样高度的先进的生活标准，对我们确实是有相当距离的，但是“星星之火，可以燎原”。在党的坚强有力的领导之下，来日人民的广播事业将会有更迅速更巨大的发展。不难想象，在全国完成并超额完成几个五年计划之后，当我们走进全国任何一个集体农庄里，任何一个好客的庄员，都会请我们到他的舒适而富裕的家里，指给我们看看他们新买的收音机，告诉我们，他们一家大小共产主义的教育，一直是因为有了这样一位好朋友、好先生对他们负起严肃的培养的责任，才得到那样高的发展和巩固的。[1]

---

1 “党告诉我们”以下迎春集本无。此下署“1955年9月”。

在幸福的祖国的天空下

今天是祖国的国庆，是我们母亲的生日。她的儿女们，无论在什么地方，在北京，在海南岛，在赤日炎天复盖着的丛林地带，在终年积雪的长白山头，无论是在拉萨，是在乌鲁木齐，在上海，在鞍山，在波涛汹涌的海洋上，或者在一望无边的灿烂的戈壁滩里，散布在全中国和全世界各个城市的祖国儿女们，都在这美丽的节日，为我们亲爱的母亲热烈地庆贺。

我们的母亲真是一天比一天年轻了，美丽了。我怎样描写我们新中国，我们亲爱的母亲呢？我即使有一万双眼睛，一千张嘴，我也难看完、说尽祖国今天的光彩。她的变化是这样广大、深刻、迅速，在祖国的大地上，凡是太阳照耀过的东西，都起了巨大的变化。连千万年长眠在地下的宝藏，也被欢乐的祖国唤醒。原煤、铁矿、黑金子似的石油，以及各种稀有的金属，都被冒着严寒盛暑、无昼无夜辛勤工作的勇敢、聪明的勘探者们一样一样地发现出来。

【题注】收入《迎春集》，北京出版社1958年第1版。

全中国的工人、农民、知识分子和各界男女老少，紧紧团结在一起，我们今天才知道，中国人民团结起来以后，他的创造的力量原来是如此惊人。我们生活好了，兴致高了，每个人都感到生活是从未有过的热烘烘的新鲜、有劲。工作、劳动对我们是幸福，是快乐，是创造有意义、有价值的东西的美妙过程。

昨日的荒山野地，今天出现了整夜通明的光海一样的工业城市。祖国的农村变样了，数以万计的生产合作社，不只是提高了粮食的产量，并且提高了广大农民物质和文化的生活。全国添建了无数新的工厂和企业。钢铁，石油，水泥，重型机器和轻工业一道，更加繁荣了祖国各地人民的生活。新铺设的铁路，网一般地把丰产的农村和巨大的工业基地连在一起。

我们回到自己的故乡，时常惊奇地望见：数千年来没有变化的车辙、土道，有的变成行驰着巨型卡车的公路，有的变成直通城市、港口和边疆的钢轨。我们是多么兴奋和骄傲，看见喷着青烟、满载粮食和工业成品的火车，沿着祖国工人自制的钢轨，穿山越岭，在肥沃的原野上奔驰。

往日有些区域不是旱就是涝的自然灾害逐渐稀少了。干旱的地方，一年四季被新开的水渠里的流水灌溉着。往年泛滥成灾的洪流，被新建的水库拦蓄起来，经过自己制造的水力发电机，变成了光，变成了热，变成了生产的力量。

城市的面貌也不同了，消费的城市，变成了生产的城市，处处都井井有条，表现出人民富足，安定，有文化的生活。长住北京的人，经常有一种节日的欢快的感觉。每天走到街上，总看到一些新的气象，偶尔出城逛逛，便按捺不住惊喜，发现一条一条的林荫大道的两旁又突兀地矗立起一座座的学校、工厂、托儿所、剧场、图书馆和职工的宿舍，像童话中海神的宫殿一般，神奇地展现在我们的眼前。

然而这不是梦，不是幻想。这样迅速的变化，在全国大小城市甚至在荒僻的森林和沙漠里发展着。

我们的母亲今天是如此的美丽，成千上万的国际朋友们万里迢迢地被吸引到我们的祖国来观光。他们惊奇地瞻望了全国各处物质和文化的建设，衷心赞美地说，中国人民现在是活在一个永久的春天里。

他们看见，到处洋溢着生命、乐观和勇敢；他们看见，在乡村或者在城市，成年人的脸上露出青春的笑容，孩子们的脸上现出幸福的红润；他们看见，共产党、毛主席给我们带来了和平、民主和自由，共产党、毛主席领导我们争取到了从未有过的幸福。

这幸福的感觉深深藏在我们的心里，但又时时刻刻在我们日常的行动、语言和表情中流露出来。一个模范工人告诉我："我们富足极了，我们每个人都继承了整个的国家。"一个七十几岁精神健旺的老科学家庄严地告诉我，他必须在这幸福的时代里多活几年，不是为他自己，而是把他的学问知识都用在社会主义工业化的建设事业上去。

愚昧贫困的日子过去了，我们的眼光变得锐利而远大，我们知道自己是国家的主人。经过几十年的流血斗争，人民的意见和愿望终于成了国家的法律。

今天，中国的社会里，人与人之间没有职位高低的区别，只有做人的勇敢和卑怯、高贵和猥琐的区别。人的尊严开始放出黄金一样的光彩，人的声音开始变得自由而嘹亮。我们的目的只有一个——大家用全力建成一个更幸福、更文明的社会主义社会。

在这条宽阔，但是充分可以考验人的品质的大路上，勤劳、勇敢、正直、善良的人们受到普遍的尊重，祖国儿女们的无限创造的力量得到了空前的发扬。在伟大、英明的共产党、毛主席的领导下，一个爱自由，爱和平，愿同全世界人民友好合作的崭新的中国，终于站起来了。

如果有人问我们，为什么今天我们大家在生活里、斗争里这样贴心地感到幸福，回答是简单的，那就是因为我们有一个勇敢、智慧、坚强、光彩照人，而又永远年轻的母亲。

我们为她的繁荣富强而骄傲，为她的文明进步而欢喜。她使我们在友人面前得到衷心的敬爱，在敌人的面前得到迫不得已的畏惧。（自然，时常也会得到他们的野蛮而无力的憎恨，但这样的憎恨，对我们又算得什么！）

为了她，再好的赞颂都是不够的。为了爱她，仅是美丽的词句，也是不成的。亲爱的母亲保护了我们，需要我们去保卫她；她养育了我们，我们就要献出无穷的力量使她更加强壮。

在十月一日的今天，无论我们在祖国或全世界的什么地方，让我们一同向祖国的心脏，我们伟大的首都祝福吧，向我们亲爱的共产党和毛主席祝福吧。

让我们的刚强的声音越过高山，飞过海洋，在幸福祖国的蓝的天空下，清朗地传送：“亲爱的祖国，我们生身的母亲，我们将鼓足一切力量，迅速地建设强大无比的社会主义中国。有了她，和平、幸福和文明将战胜一切战争、剥削和蒙昧。”

1955年10月

必须认真考虑创作问题

一想起我们的国庆，谁都充满了自豪和欢喜。

这一年——从去年“十一”到今年“十一”——在祖国辽阔壮丽的土地上，有多少铁路已经修好，有多少重工业基地已经开工，有多少农业生产合作社获得空前的丰收，有多少新兴的城市在祖国僻远的边疆和沙漠里迅速地成长。我们每天醒来，就意识到周围的世界又起了巨大的变化。英勇伟大的中国人民终于站立起来，历史在飞快地发展，我们时时刻刻有一种创造的渴望。我们经常有一种新鲜的、明朗的、永远像是有一种出色的美丽的东西等待着我们的感觉。我们要劳动，要学习，几乎是迫不及待地要把一切工作都干得快，干得好。

伟大的党深深地教育了广大的人民群众，人的眼界更开阔了，人的信心更坚强了，我们看见了社会主义社会的灿烂的前途。今天我们敢向一切巨大的新的事业挑战，我们正在计划前人未曾想过的大事，

【题注】载《北京文艺》1955年10月号，据以排印。又收入《迎春集》，北京出版社1958年第1版，兹以通校（校注称“迎春集本”）。

我们正在做前人未曾做过的大事。

无疑的，建国六年来，新中国的文艺工作者也是有空前的成绩的。任何时期没有产生过这样多的富有社会主义精神的先进人物的光辉形象的作品，任何时期的舞台或者银幕上没有出现过这样多的、真实地反映人民群众的思想感情并且以社会主义的崇高精神指导人的生活的演出。成千上万的文艺工作者在思想改造的过程中得到了我们在过去不能想象的进步。在党的英明的文艺政策的正确领导下，我们的工作不只是在思想上提高了，艺术的质量也有了令人兴奋的进展。

然而，从另一个角度来看，随着我国社会主义工业化的飞跃进步，如果我们向来日更灿烂夺目的文学艺术的远景想一想，今日这些惊人的成就还是远远不能满足当前广大人民的热烈的愿望的。在北京，有几位爱好文艺的青年工人对我说：几本出名的小说，如同《保卫延安》、《暴风骤雨》、《太阳照在桑干河上》[1]、《三千里江山》、《铁道游击队》等等，我们已经读了好几遍了！我们确实从这些作品得到很多好处，但是全国青年有一亿二千万，我们不能一年到头就读这十几本书啊！时间跑得快，生活变得更快，我们要看祖国各方面的新建设、新人物和新气象。我们每个人兴趣不同，有的喜欢森林，有的喜欢海洋，有的想着勘探队的英雄，有的想知道黑龙江的肥土上如何垦荒，有的想了解我们祖国天空里那些美丽的神鹰如何成长。作家们为什么不能快一点写，多方面地写，并且写得更好一些？我们非常喜欢读苏联的优秀作品，因此，我们更希望中国的文艺界产生同样辉煌的

1　迎春集本无“《太阳照在桑干河上》”。

创作。中国文艺工作者是有责任[1]创造出更多更好的生动、真实、使我们不能忘记的先进人物的光辉形象的。

从一亿二千万少年儿童发出更迫切的呼声，他们的文化教养和品质也需要全国的文艺工作者写出优美、健康的读物来培育。《人民日报》刊载了社论，号召我们从事少年儿童读物的写作[2],《文艺报》的专论也迫切地要求“所有的作家艺术家定期地为少年儿童写作一些东西，并且要把这个工作作为自己长远的终身任务之一”。孩子们讲：我们已经把《古丽雅的道路》读到第八遍，把《罗文应的故事》读到第九遍了。教了三十八年书的小学教师郑芸同志大声疾呼:“建议作家们彻底批评‘写大书不写小书’、认为写儿童文学作品‘太平凡’‘没出息’等错误思想。”[3]她和所有的中国小学教师[4]热诚地拥护郭沫若先生的号召，要每个作家至少写一两篇儿童读物。

难道戏剧的创作情况就能满足人民的需要么？有人告诉我，中国每年的戏剧创作大大小小至少是两千个，但是能长期为人民所喜爱，并且可以称得起代表今日优秀的社会主义现实主义的剧本还是不多的。“请你们多写几本好剧本吧!”我们[5]经常听见观众对我们又是鼓励又是抱怨地说:“你们看看每个剧院门口那些如饥似渴、等待购票的

1 “有责任”迎春集本作“有责任并且完全有可能”。

2 “号召我们从事少年儿童读物的写作”迎春集本作“号召从事少年儿童文学的作家写作”。

3 迎春集本无此句。

4 “她和所有的中国小学教师”迎春集本作“中国小学教师都”。

5 “我们”迎春集本作“我”。

那样热烈的拥挤的观众，你们就不能多写几本好戏，多演几次好戏给我们一些教育么？——老实说，今天祖国一切都在突飞猛进，像《万水千山》和《考验》这类好剧本，新中国的观众是有权利要求剧作家们多写几个的。”

最能鼓动我们前进的人往往不是那些仅仅对我们的工作加以赞扬的读者和观众。为了祖国，为了党的事业的继续前进，我们永远不要停留在把今天的成就和往日的落后对比的阶段上。因此，党时时刻刻号召我们，要万分关心群众的与日俱增的要求，要经常瞻望着更光辉的未来。多少年来的革命斗争，和解放后几次全国规模的运动，使我们认识了一个事实：最能促使我们迅速地进步的人就是那些以来日的不断提高的水平，随时向我们严格要求的人。

从我们的笔锋下，确实写出不少次关于“全心全意为人民服务”这类庄严的词句了。问题在于，我们如何身体力行这个伟大的道理。“忘我”这两个字是很容易写的，但做到它，就需要一个伟大的胸襟，永远高贵、毫无自私自利的打算的思想和感情。对一个真实的人，世上没有比发现自己表里不符，言行不一，再难堪，再痛苦的事情了。但是做一个有“灵魂工程师”称号的人，我们却随时可以遇见青年人那样真挚、透明的燃烧着青春的火焰的眼睛。[1]那对[2]发亮的眼睛是如此赤诚地期望着你，使你禁不住问一下自己：“我的灵魂是否如此完

1　此句迎春集本作“做一个有‘人类灵魂工程师’称号的人，我们随时可以遇见真挚、透明的燃烧着青春的火焰的青年人。”

2　“那对”迎春集本作“他们那对”。

美，确能称得起是他的灵魂的工程师?”如果真有一个直率的人当面问我们：“你就是那被称为灵魂工程师[1]的作家吗?”我们是否都能毫不犹疑地答复说“我就是”呢?

如今，人民需要我们创造出更多更好的东西。在努力完成这样艰巨的任务的同时，我们难道不需要以世界上最先进的思想——共产主义的思想立场要求一下自己么?在一系列惊心动魄的反对胡风反革命集团的斗争过程中，我们难道不深深觉悟到，党的文艺队伍不是应该整顿么?我们已经明白了，有了纯洁的党的文艺的队伍，才能彻底完成党的文艺的事业。但事实上，除了反动的胡风分子之外，我们当中不是还有一些人保存着严重的自由主义的倾向，浓厚的资产阶级思想，因此，使今天的文艺领域中还遗留下那种野蛮的现象：对美好的新生力量不够关心，对旧的丑恶的，甚至是反动的事物不够憎恨么?历史证明：只有那完全属于人民，把个人的幸福、快乐，以及个人的生命完全和亿万人民的斗争事业时时刻刻地紧密连在一起的作家，才能和人民一道完成社会主义的革命事业，才是人民永远怀念着的作家。历史也多少次证明：那些脱离人民，脱离政治，缺乏对新事物的强烈喜爱的人，必然会堕落在腐朽的个人主义的泥坑里，被时代所淘汰!

是时候了，正因为广大的群众已经不能满足于我们已经达到的成就，需要我们在文学艺术各方面都拿出更多更好的作品，我们就更应比以前百倍深入地学习党的光辉思想，十分具体地体会到党的领导的

1 “灵魂工程师”迎春集本作“人类灵魂工程师”。

深厚的力量，要下定决心以党性原则在创作上、在生活行动上、在思想感情上不断要求自己，永不懈怠地锻炼自己。我们知道，没有丰富的生活的知识，是不能创作出好东西的。可是今天，我们也明白另外一个重大的真理：没有认真学习过马克思列宁主义，没有巩固的坚强的无产阶级的世界观，在个人的精神世界里没有党性原则，那是决定创作不出好东西的。

是时候了，正因为六亿人民已经以空前的力量克服了无数的困难，在国民经济第一个五年计划的光明大道上胜利地走了一半，我们作为今天的文艺工作者是必须在生活实践里和亿万人民的轰轰烈烈的社会主义建设事业万分紧密地结合在一起。我们必须站在这亘古未有的巨大的经济、文化的进军的前哨，我们必须在这种惊天动地的伟大建设的火热斗争中充分认识到：这是一场无所不在的不断增强的尖锐的阶级斗争。我们必须深刻地体会在这尖锐的阶级斗争里无数有强烈党性的人物，他们是怎样在党的伟大的领导下，以无限的精力、意志和智慧，和群众一起战胜了那旧的落后的势力，建成了移山倒海的事业。只有充分了解在这样斗争里的深刻的冲突，心里洋溢着党性的精神和感情，我们才能十分深刻地写出在这富有历史意义的斗争里成为胜利者的卓越的人物。

是时候了，在全国英勇的工人和农民正在不断以完成任务和超额完成任务的行动来庆祝一九五五年举国欢腾的国庆的时候，我们大家应该认真地考虑一下我们创作的问题了。[1]

1　迎春集本此下署“1955年10月”。

《明朗的天》在日本演出的祝词

最近日本进步的话剧界经常演出中国的话剧，这确实是一件十分使我们兴奋的事。中国的文艺工作者一向对于进步的日本文艺是十分关心的，尤其在全国解放以后，中国人民因为更关心在斗争中的日本人民的命运，就格外地关心反映日本人民真实生活的文艺作品，日本的进步电影、小说、报道、戏剧、诗歌，已经成为我们中国人民了解当今日本人民的生活桥梁。日本人民争取民主自由的英勇的斗争已经成为我们生活中经常谈起的巨大事件，这样勇敢、诚实、富有智慧的人民是永远不会被枪炮和原子弹所吓倒的。

《明朗的天》是在中国人民赶走了帝国主义和蒋匪帮的反动统治者之后写出的。它描写中国的旧知识分子如何从美帝国主义文化侵略的枷锁中挣脱出来，如何开始觉醒，和自己的人民站在一起，成为一个真正爱国的、富有革命人道主义心肠的中国的科学工作者，著名的新协剧团演出这个戏对于作者是一个很大的鼓励，我相信这个演出将

【题注】载《戏剧报》1955年12月号。

会十分精彩，得到日本观众的同情和拥护。中日两国的文化交流必然会使我们两大民族的关系日趋密切，我们的文艺是永远为真理而斗争的文艺，是为人民的幸福生活而斗争的文艺。它必然有助于我们争取民主自由的伟大事业，它是一个不可征服的力量。

热诚地祝新协剧团为和平民主的戏剧事业有更大的贡献。

热诚地祝进步的日本文艺界为日本人民幸福的生活的英勇斗争有更光辉灿烂的成就。

（《独幕剧选（1954—1955）》）序言

这本选集收的是近两年来出现的优秀的独幕话剧和一部分表现现代生活的小型歌剧（戏曲）剧本。读者可能已不是初次见到它们，这些作品的绝大多数都曾在全国各地普遍上演，已经是为广大观众所熟悉的了。

回顾从第二次文代会以后，两年来我国戏剧创作发展的情况，呈现在我们面前的，是一种令人鼓舞的欣欣向荣的景象。独幕话剧和小型歌剧（戏曲）剧本在全部创作中是一个相当可观的数目。多幕话剧的重要收获有《考验》（夏衍）、《明朗的天》（曹禺）、《万水千山》（陈其通）、《青年突击队》（老舍）、《战线南移》（胡可）、《幸福》（艾明之）、《春暖花开》（胡丹沸）、《春风吹到诺敏河》（安波）、《如兄如弟》（苏一萍）、《钢铁运输兵》（黄悌）、《在康布尔草原上》（甘肃省话剧团集体创作）、《海滨激战》（王军、张荣杰执笔）等。大型歌剧（戏曲）

【题注】据《独幕剧选（1954—1955）》所载排印，人民文学出版社1956年第1版，原题《序言》，署“曹禺、陈白尘、赵寻、贺敬之”。按，该书由曹禺编选。

剧本有《刘胡兰》(于村、海啸等)、《草原之歌》(任萍)、《走上新路》(叶至诚、高晓声)、《志愿军的未婚妻》(丁毅、田川)、《嘉陵江英雄歌》(冯旭、萧培禧等)、《嘎达梅林》(李悦之)、《迎春花开了》(陆苍、张烈等)等。我们可以肯定地说：两年来的戏剧创作，在数量上和质量上都较过去发展和提高了。戏剧作家的队伍在不断地壮大着。大批青年剧作者如雨后春笋一样涌现出来。他们中间有：专业的青年作者，工农群众中的业余作者，还有兄弟民族的青年作者。在这本选集中，读者会看到这些作品的作者大部分是新人。无数新人带着新作品，生气蓬勃地加入到我们剧作家的行列中来了。这是两年来戏剧创作发展中的一个最值得重视的现象。

两年来，我国的现实生活，发生了惊天动地、波澜壮阔的伟大变化。剧作家们在党的文艺方针和社会主义现实主义创作方法的引导下，较过去更进一步地参加了现实斗争，深入了群众生活。(许多业余剧作家，他们原就是各个实际工作岗位上的一员。)作为社会主义革命运动的积极参加者，对现实生活的真正熟悉，高度的政治热情与生活敏感，是我们戏剧创作发展的重要保证。这使得剧作家们的创作力能以日益旺盛，青年剧作者们的创作才能能以不断成长；使得我们的戏剧创作明确地反映现实斗争，适应了我们人民斗争的需要。

关于多幕话剧及大型歌剧(戏曲)创作我们不在这里来谈。就这本选集中的独幕话剧和小型歌剧(戏曲)剧本说来，它们反映了两年来我国现实生活的各个方面。反映工业建设生活的如《刘莲英》、《姐妹俩》、《照相那天》、《东西两峒口》、《女技术员》等，反映农业合作化运动的如《黄花岭》、《两兄弟》、《两个心眼》、《扔界石》、《扩社的时候》、《战士在故乡》等，反映保卫国防、反奸反特斗争的如《边寨之夜》、《海上渔歌》、《在哨岗上》、《我们都是哨兵》等，批判行政与企业机关生活的落后现象的如《新局长来到之前》、《葡萄烂了》等。这些作品向我们展开了我国现实生活的色彩丰富的崭新的画面。它们给我们提供了一系列的表现我国人民在完成民主革命之后进行社会主义革命的伟大生活的新题材、新主题。这些作品和其他许多作品中的这种新题材与新主题的出现，从我国的社会主义现实主义文学艺术的发展上看来，是有重要意义的。它说明我们已不仅是用社会主义思想来一般地表现“生活的革命性发展”，而是直接地在表现社会主义革命阶段的现实生活了。

我们在这些作品中看到了社会主义革命的正面人物的生动形象。关于英雄人物的创造，过去曾进行过广泛的讨论。这是我们文学艺术重要的同时也是十分艰巨的任务。对于独幕剧及小型歌剧说来，由于篇幅的限制，使得对于人物的充分表现更感困难。但是，像《刘莲英》中的刘莲英、《战士在故乡》中的乔明刚、《女技术员》中的袁文清等，都可以说是在相当程度上成功地创造了正面人物的形象。他们是一些具有社会主义觉悟，具有高尚的精神品质和鲜明个性的人物。作者满腔热情地歌颂他们。像刘莲英这样的人物，已成为我们今天的社会主义先进人物的生动榜样，鼓舞了广大的读者和观众。这些人物形象和另外的许多成功的例子，证明了那种在实际上是要把正面人物的精神品质加以歪曲和丑化的、本质上属于资产阶级颓废派文学的腐朽观点的破产，同时，它们也克服了把正面人物简单化与图式化的幼稚现象。

正面人物代表着社会生活发展中的正面力量。在戏剧创作中，它是通过戏剧冲突表现出来的。生活中的矛盾构成戏剧中的冲突。我们社会主义革命运动的每一个胜利，都是在尖锐的新与旧的矛盾发展中取得的。我们的戏剧创作，一向是紧密地结合党的政策，反映当前革命运动的。这是一个十分有利的条件，使得我们的戏剧创作能找到真实的冲突，使冲突成为真正的社会性的冲突，体现着社会生活发展的本质意义。我们看到，在选集中的这些作品，都是描写了社会主义革命运动的重要题材，抓住了现实生活中的重要矛盾，在戏剧的短篇形式中，表现出戏剧冲突的明确性和尖锐性。

冲突是由正面力量与反面力量两个方面构成的。真正的现实主义作品，不能避免对反面力量的深刻、大胆、有力的描写。在选集中，表现人民与反革命分子斗争的如《边寨之夜》、《我们都是哨兵》等剧本，冲突是十分尖锐的，垂死阶级的代表人物在做着疯狂的挣扎。表现农业合作化运动的剧本中，很多是揭露富农的阴谋破坏的，如《黄花岭》中的富农形象，表现得鲜明有力。但是，我们跟反革命分子、敌对阶级的斗争和在人民内部的前进与落后的斗争，这是冲突的两种不同的表现形式。这体现着冲突的两种不同的性质和作者的两种不同的态度。当反面力量体现为反革命分子和敌对阶级的人物形象的时候，作者无情地暴露他们，目的在于摧毁这些人物和他们所代表的社会力量。当冲突中的反面力量体现为人民内部的落后现象和存在于人物身上的落后思想的时候，作者揭露它们，目的在于帮助人物克服缺点，表现人民的进步过程。像《照相那天》、《东西两峒口》、《两个心眼》等剧本，表现了一部分工人和农民群众中的个人主义思想与落后意识，揭露是有力的，但却不是从根本上否定他们，作者严肃地指责缺点，同时，充满了对他们的热情爱护，表现了他们克服缺点变成新人。而在这里，并没有因此取消了冲突，冲突仍然是尖锐的。

我们表现现代生活的戏剧创作对冲突的处理，特点还不仅是如前所述的，它的巨大的社会意义，对反面力量的大胆揭露和对不同的反面力量采取不同的态度对待，特别重要的还在于，不论在任何形式的冲突中，正面力量总是处于优势的地位，反面力量不管是怎样顽强，正面力量总是在冲突的发展中，在情节的复杂曲折的变化中，显示出它的优势地位来。因此，一些成功的作品，总是鲜明地体现了党的领导力量，正面人物英雄主义的气概，而使作品具有真正乐观主义的精神和健康明朗的艺术风格。有些人企图根据我们对冲突处理的这一共同特点说我们的作品是“公式主义”，这是完全荒谬的。创造正面人物，表现冲突中正面力量的胜利，这正是和我们作者的世界观相联系的，社会主义现实主义创作方法的基本任务。

我们戏剧创作艺术水平在不断提高中。公式化、概念化的倾向，得到了一定程度的克服。这正是由于作者进一步熟悉了生活，掌握了社会主义现实主义创作方法，并且也提高了艺术技巧的缘故。在这本选集中，浓厚的生活气息成为这些作品共同的优点。虽然大部分作者是新手，但在人物刻画、语言的创造和戏剧技巧的掌握上，都有了各种不同程度的成就。

独幕剧和小型歌剧（戏曲）的体裁，形式短小、情节单纯，对于题材的提炼是十分重要的。它不是无选择地描写某个运动某个事件的全部过程中的一切细节，而是抓取具有典型特征的某一生活片段和某一情节，加以戏剧性的表现。如《刘莲英》、《两个心眼》等作品，可以说正是很好地掌握了独幕剧的表现方法，并且具有各自不同的一定的艺术独创性的。

在人物性格的刻画上，许多作品也掌握了一定的艺术技巧。如前面所举过的几个成功的人物形象，都是在冲突的发展中，通过动作，运用性格化的语言，揭示内心的思想感情，因此，这些人物成为具有典型特征和鲜明性格的人物。

许多作品的语言是生动丰富的。它们的显著特点是生活化，是人民群众口中的活生生的语言，经过了一定程度的艺术加工，成为富有表现力的文学语言。语言是一切文学作品的基本要素，在戏剧作品中，就是台词——对话。它要求性格化、动作性强、精练、准确和生动。我们看到，这些作品在语言上的成功之处，正是它们在不同程度上达到了这种要求的。

在两年来的戏剧创作中，开始出现了喜剧——讽刺喜剧。收在这本选集中的，是《新局长来到之前》、《葡萄烂了》等作品。正确的运用笑的武器来打击生活中的反面因素，批判生活中的落后现象，是讽刺喜剧的主要任务。生活的真实性和艺术上的夸张，是构成喜剧艺术的基本条件。在表现我们现代生活的讽刺喜剧中，不管正面人物是否作为主角出场，正面力量必须强调出来，这一点是被我们的剧作家注意到了的，像《新局长来到之前》，就是一个很好的例证。

表现现代生活的歌剧和戏曲创作，两年来也有一定的收获。前面提过的一些大型作品，和这本选集中的《两兄弟》、《扔界石》、《海上渔歌》等小型作品，都是较为成功的。其中有的我们习惯上称之为“新歌剧”，有的称之为“新戏曲”。这是继承我们民族的戏剧传统和发展这种传统的新的创造工作。就文学的样式说来，它们是一种诗剧——我们的民族形式的诗剧。诗的特点和民族形式的特点，共同表现在这些剧本中。它们或者是基本上采用民族的传统戏曲形式，或者是吸收民族戏曲传统的表现方法和艺术风格上的特点，而同时，又都是根据新内容的要求，在寻求着新的表现方法，创造着新的艺术风格。因此，就两年来的实践看来，我们已可以把它们统称为“新歌剧”了。这种新歌剧特别为我国的人民群众欢迎和重视。它们的重要意义就在于：用社会主义现实主义方法，表现社会主义的思想内容，并且和民族形式的继承和发展结合起来。

两年来戏剧创作的收获是多方面的。当我们愉快地叙述以上这些收获的时候，需要指出，这正是在戏剧创作方面执行了全国第二次文代会决议和党中央对文艺工作的指示的结果。

但我们的成绩还是不够的。当把我们的创作成绩和生活的壮丽景象对照起来的时候，就显得太逊色了。我国社会主义革命的伟大现实并没有完满地在我们的戏剧创作中表现出来。作品的思想水平和艺术水平还需要进一步提高。现实生活的许多方面还表现得非常贫乏，有一些方面甚至还不曾在戏剧创作中加以表现。社会主义工业化的主题是表现得远远不够的。资本主义工商业和手工业的社会主义改造的主题没有得到应有的表现。而关于中国人民解放军在保卫国防和生产建设方面的爱国主义与英雄主义伟大业绩，戏剧创作所反映出来的更是和现实十分不相称的。

许多戏剧作品中存在的问题最重要的仍然是正面人物——社会主

义革命的英雄人物和正面力量——社会主义革命的前进力量的表现无力。从一些表现农业合作化运动的剧本中，这一点可以看得特别明显。许多作品中主要强调的只是农民群众中的消极现象——保守、自私和落后，而党的领导力量和在党领导下的具有社会主义觉悟的先进农民形象，则很少或完全没有表现出来。在冲突的发展中，社会主义的正面力量，合作化运动中的积极因素，没有真正地显示出来。这些作品不能够正确地反映出我国农业合作化的“主流”和“本质”。根据这些作品的描写，合作化运动的发展是完全不可能如今天在事实上所表现出来的那样，以汹涌澎湃之势达到了前所未有的高潮。这些剧本和另外的表现其他主题的剧本虽然也企图描写正面人物，但正面人物的成功形象还是不多的。我们常常看到，一些正面人物不过只是某个具体的积极行为和某种具体的正确思想的简单化的说教者而已，人物缺乏性格特征，内心世界非常干枯，他们远不能成为真正的社会主义英雄人物的典型形象。因此，这些作品是没有充分表现出我国社会主义革命的历史真实的。这些作品缺乏社会主义革命的思想威力和社会主义革命的巨大热情，是不能激动我国千百万读者和观众的心的。

造成这种情况的原因，除去艺术方法上的问题之外，最重要的就是作者和社会主义革命运动的实际斗争还缺乏密切的结合。有一些作者还没有真正投身到社会主义革命运动的火热斗争中去。有些人虽然参加了实际斗争，但也还没有从对现实的熟悉上、思想上、感情上真正赶上社会主义革命的前进步伐。有的人虽然处身于暴风骤雨之中，但内心却仍然是“微波不兴”的。我国从民主革命阶段走向社会主义革命阶段，采取的不是爆发的形式而是和平过渡的形式，很多人不能够强烈地感到革命形势的发展。革命是大踏步地前进了，而我们一些人的思想却停滞了、落后了。对现实生活中的深刻的巨大的变化认识不够，对新生事物缺乏敏感，对社会主义革命的热情不足，因此，不能抓住现实发展中的社会主义的前进力量，不能热情洋溢、神采焕发地去歌颂社会主义的先进人物。这是有关作者的世界观和生活实践的根本问题，也是社会主义现实主义创作方法上的根本问题。

从艺术的表现方法上来看，公式化、概念化两年来虽然得到了一定的克服，但仍然是在戏剧创作中普遍存在着的现象，仍然是妨害创作水平提高的一个重要问题。

空洞的政治概念、政策条文从化了装的角色口中背诵出来。“人物”划分成正确思想和错误思想的几个方面的代表者，他们对某件事情进行争吵就是“冲突”，经过一番教训就完成了“转变”。这类性质的剧本是经常可以看到的。在这些剧本中，没有对生活的深入描写，没有人物形象的鲜明表现，没有引人入胜的生动情节，没有真正的思想感情的揭示。“要走社会主义道路，不走资本主义道路”，“依靠贫农，团结中农”，或者“提倡先进经验，反对保守思想”等等，只不过变成多少具体一些的图解而已。甚至连“包工包产”“宽垄密植”等生产技术与生产组织上的问题，也作为某些剧本中主要的描写对象，而使得作品变成了生产知识的说明书。

某些作品之间的相互差异是很少的。积极的女儿或儿子和落后的父亲或母亲发生了入社与不入社的争论，一个舅舅或者其他的远房亲戚是一个富农，引诱、挑拨一番，使得这一家受了损失，死了牛或者遭了水灾，合作社社长进行了劝说，然后决定“走合作化道路”，诸如此类。复杂深刻的生活变化变成了枯燥、雷同的死板公式。特别当一个运动进行的某一阶段中，我们可以看到这一时期的剧本不少都是采取这样一个公式，而当运动向前发展了一步，那一时期的剧本又有不少都是采取了那样一个公式。

当然，在有一类剧本中，似乎一下子不容易明显地看出公式化、概念化的毛病来。这一类剧本有不少生活细节的安排，甚至详细地写出了某一事件的整个过程，有许多不同人物登场，有许多“真实的”语言等等。这类剧本不像前边说的那样简单化，但却可以说，也许是比较“复杂化”一些的概念化、公式化吧。这类剧本只有事件过程的表面记录，仍然没有生活本质的深刻表现，只有事实的罗列，仍然没有人物典型的创造。作者观察生活和表现生活的时候，首先仍然不是从丰富、生动的生活出发，而是从政治概念、政策条文出发，不过把事件过程做一些事实的补充说明而已。

公式化、概念化现象决不能认为只是由于初学写作者的写作能力不成熟所引起的一个“合理的”现象。不少剧作家们的作品中都存在这种现象。这一方面是因为作者生活贫乏和思想贫乏所致，同时，也因为一些作者忽视艺术的特性，对艺术和政策的关系了解不正确所致。

艺术为政治服务，作家学习马列主义，掌握政策和表现政策，这是我们的不可动摇的原则。但艺术是以自己的方法来表现的。马列主义和党的政策给予我们认识生活和评价生活的巨大力量，可以在我们创造典型环境与典型性格的工作中给以无比重要的帮助。但是这并不代替创作方法，并不取消艺术的特性。政策来源于生活，揭示生活的发展规律，按照这个规律指导生活的发展。文艺作品反映政策，仍然是表现生活本身，不是去重复政策条文。文学创作要求对生活做形象化的表现，它的根本任务是描写人，创造人的典型。这一点对于公式化、概念化现象的克服是十分重要的。

必须进一步熟悉生活，熟悉人，熟悉我们社会主义革命的现实生活，熟悉我们社会主义革命的英雄人物和其他一切人物。必须掌握艺术的特性，对剧作家说来，还有戏剧的特性，戏剧创作的表现技巧。关于文学的主要任务——人的表现问题，关于戏剧冲突、结构、语言、风格等问题，关于喜剧和讽刺剧的问题，独幕剧的表现方法问题，关于我们民族传统的戏曲的发展和新歌剧的创造等问题，这都是我们的重要课题。只有掌握了社会主义现实主义创作方法，并且掌握了艺术的表现技巧，才能更好地提高我们戏剧创作的水平。

两年来，我们已经取得了不少成绩，在现有的基础上，让我们的剧作家和青年剧作者们发挥更大的积极性和创造力吧，让更多的青年剧作者从四面八方涌现出来吧，我们满怀信心地期望着：表现我们伟大时代的更多的更好的戏剧作品将会不断地出现在我们面前。

1956年1月2日

半日的“旅行”

——记龙须沟、北京体育馆和百货大楼

北京——全世界最美丽的花，时时刻刻放着光彩。当我们在车间里，在实验室里，在办公楼里，在广阔的去掉[1]了界石的田野里劳作的时候，我们会感觉到四周围的环境在变化，新的事不断地涌现，新的人不断的在成长[2]。一切都在飞快地向前奔，它不停脚，不等待任何人。只要放眼一望，一个强烈的感觉就会抓住我们，那就是革命在进行，革命像是坐着喷气式的[3]飞机在前进。

无论你走到什么地方，这感觉处处触动你，你会看见许多新鲜的、从来没有见过的东西。时常在旧的丑恶的废墟上，突然出现一片惊人的景象。在一个星期日的下午，我和一个朋友在我们的首都做了

【题注】载《旅行家》1956年第2期，据以排印。又收入《迎春集》，北京出版社1958年第1版，兹以通校（校注称“迎春集本”）。

1 “去掉”迎春集本作“拔掉”。

2 “不断的在成长”迎春集本作“不断地成长”。

3 迎春集本无“的”。

一个短短的“旅行”。我们先到了龙须沟，这个原来是又臭又脏、堆满垃圾、拥挤不堪的地方，现在已经是宽阔的马路，整齐清洁的住宅。过去的贫民今天不只是享受着廉价的自来水、电灯和公家房屋，他们的孩子都穿上了整洁的衣服，脸上红扑扑的，在住宅区里一座红瓦青砖的小学操场上做着游戏。他们见着参观的朋友们时那样有礼貌，他们骄傲地拿着自己的分数单和作文，报告他们学习的成绩。就是这些孩子，在过去，他们整天挎着一只破篮子，在垃圾山上捡煤核、捡烂菜叶子，为着偶然发现的一个破铁罐，就会争吵、咒骂、动起武来。空气是新鲜的[1]，过去低洼潮湿、蚊虫苍蝇滋生的地带，现在种上了垂柳和桃花。混浊的金鱼池成了一片清澈[2]的湖水。随着习习的春风，看得见在水波里荡漾着碧绿的水藻，和迎着阳光偶然闪出[3]点点金光的金鱼[4]。

这里过去是小手工业者谋生的地方。他们打铁，硝皮子，染布，织袜子，缝零活，补胶带，箍木桶，编草帽，打剪刀，以至于各种各样，说不出名堂的工作。解放以前，他们在国民党的苛捐杂税、军警恶霸勒索之下，无昼无夜地在饥饿线上挣扎。他们有很多人熬不过从各方面压在头上的灾难，卖掉了借以谋生的生产工具，去拉排子车，卖苦力，最后还免不了沦落到沿街乞讨。这些人对我讲：“咱们过去

1 “空气是新鲜的”迎春集本作“现在，这里的空气是新鲜的”。

2 “清澈”迎春集本作“清沏”。

3 “闪出”迎春集本作“闪射”。

4 “金鱼”迎春集本作“游鱼”。

不但自己吃不饱、穿不暖，到了热天，说句不嫌寒蠢[1]的话，连家里的老太太都只有光着脊梁。”今天，我在那里走了半天，看不见一个穿着打补丁衣服的人，而过去他们世世代代，都是在烂布条里长大的。这些手工业者已经组织起来了，这是多么叫人兴奋的事情。他们每个人现在都是精神饱满，准备了充足的干劲，加入了手工业生产合作社，有的全家都是生产合作社的社员了[2]。不过是前一月，我访问他们的时候，他们还打着算盘，为自己那一点点赢利[3]用心思；今天一条条街上都悬灯挂彩，锣鼓喧天，庆祝手工业的合作化。一个六十高龄的手工业工人兴高采烈地对他的全家讲：“孩子们，咱们都赶上了，往后子子孙孙再也不愁吃不愁穿，我们要有文化了！”

是啊！这个地方的许多手工业者都加入了夜校，有的人甚至于[4]学会了更专门的技术。在那里，人不只是善于工作，并且也有了自己丰富的文娱[5]生活。他们经常可以看电影，看戏，看杂耍；到了夏天，在天坛公园里，按期放映几乎等于是不收票价的电影。从前梦想不到的事，今天蓦地来到他们眼前。一个小学教员兴高采烈地对我讲：“我简直不相信我的耳朵。一月十五日我在天安门前庆祝社会主义改造胜利联欢大会上听见彭真市长宣布，我们北京市已经进入社会主义

1 “寒蠢”迎春集本作“寒怆”。

2 迎春集本无“了”。

3 “赢利”迎春集本作“盈利”。

4 迎春集本无“于”。

5 “文娱”迎春集本作“文化”。

社会了！难道我们真的已经生活在社会主义社会了？”是的，仅仅我们在龙须沟这一个地方所看到的变化，不已经是[1]说明我们开始进入了灿烂幸福的社会主义社会了么？

革命迅速地[2]发展的脚步，我们处处看得见。往日“无风三尺土，有雨一街泥”的窄路变成了一条条的林荫大道，从龙须沟向南通向陶然亭[3]。陶然亭过去是一片荒芜，现在是一座幽美的公园了。那里面经常充满了儿童的欢笑声，许多游艇插着红旗在水面上游来荡去。工人们带着自己的爱人和孩子来这里度着愉快的假日。这里亭台楼阁油漆得焕然一新，一座座古色古香的牌坊点缀着长长的柳堤。这些牌坊百年来一直是矗立在旧北京狭窄的闹市中，它们妨碍着交通，造成数不清次数的车祸，伤害了多少行人和儿童。经过了[4]和一些艺术至上的保守主义者的斗争，这些碍手碍脚的老废物才搬到了这里。它们居然也在解放后获得了新生，得到人民的喜爱。这几座牌坊的命运说明一种深刻的感情，无论哪一方面，我们的党和政府都用尽心思，她是多么像慈母一般地关怀人民啊！

从陶然亭往东是龙潭，龙潭附近是新建的体育馆。我不知怎么样来描写这一块地方，因为我过去的印象，这一带是一片荒凉的乱岗坟堆。三九天里，迎着刺骨的寒风，仅有一两个衣衫褴褛的乞丐在附近

---

1 迎春集本无“是”。

2 迎春集本无“地”。

3 “从龙须沟向南通向陶然亭”迎春集本作“我们从龙须沟向南走，到了陶然亭”。

4 迎春集本无“了”。

的垃圾堆里挖掘着什么。一到春天，水塘里墨绿色的冰块解了冻，又融化成一泓铜绿色的死水，随着气温的上升，慢慢蒸发出一种刺鼻的臭气。死人的骸骨从朽烂的破棺木里露出来。无论什么时候，在这个地方，极目一望，那是死亡，是穷途末路，是永久的冬天。然而我现在看见了什么？温暖的阳光照着各种各样美丽得像花色图案的运动场，运动员们热烈有力的叫嚷声在清新的空气中震荡着。他们有的玩球，有的赛跑，仿佛世界都跟着他们在跳跃。周围新建起许多楼房，那是宿舍、工人俱乐部、学校和医院。这些美丽的房屋点缀在田畔、水边和新辟的林荫道旁。溜光的柏油马路上不断地驶行着银色的公共汽车，它们载满了热心体育的观众。这些观众经常包括首都各行各业的人们。体育竞赛的欣尝[1]已经成为首都生活中的一部分。这个令人可以[2]自豪的体育馆不但提高了全国的体育水平，它也对这些千千万万热情的观众进行了新中国体育的教育。

有一个人告诉我，走进了这个体育馆，就会引起人的爱国主义的感情，这种心情几乎每个参观过体育馆的人都有。谁能想象仅仅在八个月的时间里，就完成了这样雄伟壮丽的建筑。全国的工人和首都的工人一道，都在支援着这个光荣的任务，新中国的工程师从头到尾担任了整个的设计。这是一个现代化的、包括练习馆、比赛馆和游泳馆三个巨大建筑的体育之宫。保加利亚排球队来参观的时候，这些远方的客人，倚在练习馆楼上的栏杆上往下一望，不由得称赞说：“这个

1 “欣尝”迎春集本作“欣赏”。

2 迎春集本无“可以”。

馆简直可以踢足球!”事实就是如此，当着外面风雪交加的时候，练习馆里灯火辉煌，温暖如春；光滑的地板像是有弹簧的[1]，承住数不尽的矫健如鹰的男女青年运动员。他们个个都像鱼在水里那样活跃自在，进行着篮球、排球、网球、羽毛球、体操和拳击等项目的练习。球场两旁，宽宽的走廊里也进行着乒乓球和武术的练习。有修养和[2]有丰富经验的体育教练在场上尽心指导。馆里有许多单间隔音的练习室，俱乐部，客厅，休息室，浴室，换衣间，弹子房。在一间放着垫子和各种各样举重器械的房间里，我遇见了一群钢筋铁骨的青年。和他们谈过话，我才知道他们如何从早到晚艰苦地锻炼。他们心中只有一个念头：为祖国的体育事业争光荣。提高祖国的体育水平，为社会主义建设事业增加力量，这是所有新中国运动员的信念。在练习馆里我也遇见了许多朝气蓬勃的青年运动员，他们对祖国和体育前途的信念和他们在体育上所表现的道德修养深深地打动了我。新中国的运动员所表现的[3]勇敢、技术、合作、智慧、爱国主义和国际主义的精神就是我们的[4]首都的体育馆的灵魂，这些可爱的青年给我们这个可以引以自豪的体育馆添了无限光彩。

胜利的革命在体育事业上显出它雄伟的惊人的气派。很多国家的体育队看了这个体育馆以后，体育馆的负责人虚心地征求他们的

---

1 “有弹簧的”迎春集本作“有弹簧似的”。

2 “和”迎春集本作“、”。

3 迎春集本无“道德修养深深地打动了我。新中国的运动员所表现的”。

4 迎春集本无“的”。

意见，他们都说：“提不出意见，因为这样大的建筑对我们说来，还只是个理想。”有些外国记者说：“这样的体育馆在世界上是少有的。”有的建议说：“这样的体育馆应该拍成电影，给全世界的人看一看。”游泳馆的水池碧清见底，大得几乎像个小湖，多少条拉得笔直的红绳浮在水面上，新中国的游泳选手穿梭似地，激着浪花，沿着红绳隔成的水道来回地练习。从水里忽然射出几道雪亮的强烈的光线，把他们的每一个动作照得清清楚楚。原来，水池里的一面白磁砖的墙上镶嵌着玻璃窗子，里面是游泳教练用的观测室，从玻璃窗望出去，游泳的人们正在头上浮过，人仿佛置身在水晶宫里。

新中国不只是给了我们这样好的体育馆，培养了大量优秀的运动员，它同时也把我们教育成为最好的体育观众。当着成千上万的首都观众拥进比赛馆的时候，人们都会感觉到自己落入一个巨大的、欢乐紧张的、人的海洋。最动人的是国际性的球赛。随着电动记分牌的变化，人的心情就像波浪似地起伏，正在比赛着的健儿们吸住了每个人的眼睛。然而就是在最紧张的时刻，我们的观众从来没有忘记做一个国家的主人的风度，自己的球队得胜的时候自然高兴，但是当着朋友们抢先获分的时候，我们的观众也衷心地为他们欢呼祝贺。这是富有自信心和国际主义精神的观众，他们不论是工人、农民、干部、学生、老人、小孩和妇女，都是一致地向远方来的客人表示出一个好客的民族特有的慷慨和热情。好多国家的运动员们被这种现象所感动，每次球赛完毕，中国方面无论胜负，满场的观众总是热情地留在场上，欢呼拍手，一直把客人们送走才散去。客人们讲：“我们走遍全世界，很少看见这样爱体育，有修养的观众。”

从体育馆向南[1]，走到百货大楼。天已经黑了，在灯光如昼的大楼里，挤满了城里城外和由四乡来的顾客。我们到了这里，忽然想起解放前上海的几个萧条的百货公司，一座六七层的高楼里往往店员比顾客还多。最触目惊心的是：货物多半[2]是美帝国主义向上海倾销的物品。但是今天在我们的百货大楼里，从食物，布匹，服装，毛线，呢绒，乐器，钟表，收音机，教育用品，以及各种各样的日用品，差不多[3]全部是我国劳动人民自己生产的。望着这些陈列在玻璃柜里的又多又好的物品，心中不由得感觉幸福和骄傲。顾客这样多，每天都有七八万，最多的时候达到了二十一万。农业生产合作社的社员们时常到这里买钟表，成套的制服，被面，花布，花瓷脸盆；过去销得最畅的竹皮热水瓶如今却变成了冷货，因为丰衣足食的农民们需要更好看的五色花漆的铁皮暖水瓶了。百货大楼和体育馆一样，应该说是来到北京的人必须去的地方。我看见许多国际友人脸上浮着满意的笑容在挑选货品，我看见殷勤有礼的营业员帮着来自祖国边疆的兄弟民族选择他们心爱的货品。百货大楼不只是供给各种兄弟民族用的服装，用具，乐器，食物，并且还在各种货品上用少数民族的文字做了标签。我们民族之间的平等团结就在商品购买的地方也表现得这样亲切。在百货大楼里，无论如何忙、挤，人们总是那样从容礼让，使我感觉到我们真是生活在一个有文化的大家庭里。

---

1 “向南”迎春集本作“向西北”。

2 “多半”迎春集本作“绝大部分”。

3 迎春集本无“差不多”。

在营业员和顾客之间，有许多感动人的事情。货价万一多收了，营业员有的情愿下班后不肯回家，有的连等十几天，一直等到顾客回来。货品万一给多了，无疑问的，顾客们总是把东西送回来。我们人与人之间的道德标准随着社会主义社会的到来，一天比一天地提高了，尽管旧社会个人主义的恶劣习惯在有些人身上还没有摆脱，但是在生活中发生的许多新事物随时随地都在教育着人，使这些人终于要认识自己的错误。[1]在百货大楼短短的售货的历史当中，发生这样一件小事情。一个干部从上海买了一双胶鞋，到了北京他发现尺寸大了，就拿到百货大楼去换。他谎说是在这里买的，丢失了发票。营业员相信了他，不但换了，还补给他一些钱。回去之后，他没有高兴几天，愈想愈难过，终于写了一封信，把这件事情原原本本坦白出来，补款也寄回来了。但是给我极深刻的[2]印象的，是一个母亲向百货大楼经理表扬一个售货员的一封信。这封信写得太好了，虽然她提的是一件很小的事情，但却充满了社会主义时代的新情感。她在一个平凡的事实中看见了极不平凡的今天人和人之间互相关心的精神。她是一个普通的机关工作人员，三个孩子的妈妈。在国庆节前夕，她和她的爱人带着孩子们到百货大楼，想给他们添一件夹衣欢度国庆佳节。她在童装部非常满意地挑选了两件灯芯绒[3]的小上衣，付款的时候她才发现没有带布票。夫妻二人凑了一下，还差四尺布票。当天晚

---

1 迎春集本无此句。

2 “极深刻的”迎春集本作“深刻”。

3 “灯心绒”迎春集本作“漂亮”。

上不能买，明天就是国庆节，孩子们要穿新衣服。他们向[1]售货员商量："能不能欠下这四尺布票，过两天送来？"这时，那女售货员和蔼地说："布票是不能赊欠的。"一面[2]就从自己袋里拿出四尺布票来："我可以把自己的布票借给你们。"由于这个售货员这样对工作负责，又乐于帮助人的行为[3]，就解决了这位母亲和她的孩子们当时非常焦急的问题。

这个幸福的母亲在她的信里是这样解释这个[4]经过的："我深深的体会到在党和毛主席的教导下，每一个新中国的公民都具有着新的高贵的品质，都像母亲的心一样的在爱护着孩子们，爱护着祖国新生的一代。事情好像很小，在新社会里这也是平凡的，但就在这些小的、平凡的事情里，体现了我国人民新的品质和无穷的力量。"

我们的新社会是多可爱！做任何一件好事情，哪怕是极细微的，都会有人衷心地赞扬。这个售货员是可敬的。但是这样热情地表扬这个售货员的母亲是同样可敬的。新的品质在党的关怀和培养下，是不可抑制地生长着，却也正由于我们当中有许多善良、慷慨、容易看见社会主义积极性的人，新的品质和人物才这样快地发展起来。

我们用了半天的工夫在北京做[5]了一次"旅行"。从这小小的旅行

---

1 "他们向"迎春集本作"她和"。

2 迎春集本无"一面"。

3 "帮助人的行为"迎春集本作"帮助别人"。

4 "这个"迎春集本作"这件事的"。

5 "做"迎春集本作"作"。

里，我深深感到生活是这样丰富，同时它又发展得这样迅速。很多东西我看的时候是崭新的，等我把它们写出来，更新更美妙的东西又像雨后春笋似地生出来了[1]。我们应该旅行，到处看一看，如果是时间太少，我想就在北京——我们日新月异的首都，城里城外，工厂农村，做一个半日的“旅行家”，就会给我们增添了更多的社会主义的、乐观的情感[2]。许多新的事物需要我们去看，去亲自体会，仅仅从杂志上看些新事物的特写是不够的。[3]

1 “又像雨后春笋似地生出来了”迎春集本作“又出现了”。

2 “情感”迎春集本作“感情”。

3 迎春集本此下署“1956年2月”。

不断努力，写更好的作品

这两年来，出现了不少青年的文艺创作者和青年作家们，他们写出大量的诗歌、戏剧、小说、散文、报道，反映了祖国人民在社会主义建设的火热斗争中各方面的生活。这些同志们的政治热情像火一般的炽烈，对于当前的斗争生活又那样的熟悉，对新人新事的感觉也十分敏锐，因此，写出来的东西，绝大多数都亲切动人，洋溢着对生活的热爱。他们歌颂人民中的英雄，抨击、讽刺今日的渣滓。他们的活泼犀利的笔锋所及之处，不只感动了千百万城市和农村的读者，推动了我们的建设，给我们的生活添了光彩，同时也给新中国的文艺的[1]远景开辟了无穷尽发展的可能[2]。在这些新人当中，我们不敢说哪一个一定会成为将来的伟大作家，但是我相信我们朝夕盼望着的，充满了

【题注】载《文艺学习》1956年第3期，据以排印。又收入《迎春集》，北京出版社1958年第1版，兹以通校（校注称“迎春集本”）。

1　迎春集本无“的”。

2　“可能”迎春集本作“道路”。

社会主义精神[1]，反映中国人民伟大斗争的作家，会在革命的千锤百炼中，在这支广大的强健有力的队伍里逐渐生长出来。我深深感觉到这是出色的新的一代，每当我们传诵着一个青年作者的一首新诗，一篇小说，一个剧本，[2]我们时常鲜明地听到我们的时代欢乐地前进的声音。这些人是在最近几年里涌现的，在这样短促的时间里，青年的文艺作者们得到了史无前例的培养和教育，那只有在党一直鼓励和发展创作的方针指导下，才能得到的。

这些青年人优秀的作品有一个特色给我印象最深，那就是，在他们的作品里出现了精神饱满的正面人物。看得出来，这些正面人物不仅是作者深深熟悉的，并且给了作者以深刻的影响，打动了他们的心灵，也提高了作者的政治觉悟。一个作者对他所写的人物都应该熟悉，但是在今天，对我们，最重要的任务是更应该熟悉今日美好生活的创造者。很多青年作者有丰富的斗争经历，他们对革命工作的热忱和他们在革命行动中所表现出来的党性，就保证了他们在写正面人物的时候，有了坚实的基础。正面人物在作品中逐渐有血有肉地成长起来，正说明我们的青年作者们自己的思想和情感[3]日益高贵、成熟起来。这是非常可喜的事情。

其次，今天青年创造者的作品充满了有生活气息的、生动活泼的语言。搜集、选择、运用人民生活中的语言是极其辛勤的劳动。我们

---

1 “充满了社会主义精神”迎春集本作“充满社会主义精神的”。

2 此处迎春集本有“一本长篇，”。

3 “情感”迎春集本作“感情”。

青年[1]的作者们已经开始懂得掌握语言的特色，已经习惯于这种艰巨的劳动了。在大多数作品里，往日仅仅是罗列许多俏皮的、似乎是闪烁着金光，但既不表现性格，又非常琐碎的语言已经逐渐消失。[2]在剧本里，我们已经可以从对话当中听得出某些人物的特色，有些优秀的剧本甚至于可以叫我们闭起眼睛听来都感到人物的虎虎的生气。[3]

然而我还想谈几句关于写作的话，正因为在这些成千上万的新的青年人的作品当中，也有一些作品还可以写得更好一些。文艺作品的完美是古往今来多少大艺术家们竭尽心力，用不可想象的巨大劳动换来的。在今日中国的文艺作品当中，正如同读者屡次反映给我们的要求，提高质量[4]是我们文艺工作者最迫切的任务之一。

我们（我也指一般的像我这样的作者们）[5]的作品还存在着公式[6]概念化的现象。对我们文艺工作者来说，犯了公式[7]概念化的毛病，简直就是“罪过”。公式[8]概念化的造成时常[9]因为自己的懒惰或者偷巧，

1 “青年”迎春集本作“年青”。

2 此句迎春集本作“在大多数作品里，罗列一些无性格、不真实、空洞、琐碎的语言的习惯已经逐渐得到改正了。”。

3 此句迎春集本作“在剧本的对话里，我们已经可以亲切地感到人物的声音笑貌，有些是那样鲜活如生，神完气足，使人闭起眼来，仿佛就活在面前。”。

4 “质量”迎春集本作“写作的水平”。

5 迎春集本无“（我也指一般的像我这样的作者们）”。

6 “公式”迎春集本作“公式化”。

7 “公式”迎春集本作“公式化”。

8 “公式”迎春集本作“公式化”。

9 “时常”迎春集本作“有时”。

有时也许因为作者自己的不勇敢，看见了真实的事物却缺少足够的勇气打破写作上现成的公式，做活生生的描写。我们当中确实有这样的人，他在写的时候也觉得写得不够真实，但是由于上述的几种原因，他会想，“这毛病不大，顶多是公式化而已，但是如果独创呢，也许会创出错误来”。因此便走上刻板、十分不感动人的写作道路上去。独创性是异常可贵的东西，但是作品中有它的独创性并不是说可以推翻马列主义[1]的世界观和生活中必然的规律，更不是说在写作中我们可以忘记今日生活里深刻地表现出来的[2]人民群众在思想、政治和道德上的一致性。公式[3]概念化的东西，谁都知道，是不真实的描写，公式[4]概念化给予我们最大的厌恶是违背了生活的规律，是一些不肯深入生活，不肯切实掌握毛泽东文艺方针的人们才造出来的东西。如何能够打破公式[5]概念化的写作现象呢？除了应该不惜用大量的劳动使自己能够接触到真实的事物外，更需要踏踏实实地提高自己马列主义[6]的修养，能够深入地分析这些千变万化、极其复杂的生活中的真实。

有些观众告诉我：“我们经常在办公室里开会，讨论问题，为什么你们在舞台上还和我们一模一样地开会、讨论问题呢？”我们时常

---

1 “马列主义”迎春集本作“马克思列宁主义”。

2 迎春集本无“深刻地表现出来的”。

3 “公式”迎春集本作“公式化”。

4 “公式”迎春集本作“公式化”。

5 “公式”迎春集本作“公式化”。

6 “马列主义”迎春集本作“马克思列宁主义”。

听说[1]一个作家应该比一般的人对生活懂得多、看得深，但是有时我们也有这样的经验，[2]我们从舞台上看见的仅仅是生活中一般人所看见的，我们感觉不到作者从生活的斗争经验中体会出来的尖锐而深刻的看法[3]。我们的舞台上以共产主义的道德和精神为内容。同时能激动人心，使人久久不能忘怀的东西还不够多。共产主义的道德和情感应该是永远歌颂不完的主题，但是有些人脚下却还拴着一个绊脚石，那就是简而易行的，提笔就来的公式化概念化的写作方法，这是我们为了中国文艺的远大前途，继续要努力克服的障碍。

我时常觉得在我们脑子里，有[4]许多文学写作上的教条，比如说：语言应该丰富、生动，人物应该鲜明、深刻，作品是深刻的人物形象支撑起来的等等。这类话本身不错，也有它一定的提醒作用，但是毕竟这还是条文规矩之类的东西，认真说，对作家们，这些条文是用处不大的。除了坚持地用巨大劳动认识生活、刻苦写作以外，我想比较对我们有直接用处的是我们脑子里活生生的文学典范，我指的是中外古今——包括五四以来和解放以后的——一切伟大作家所刻画的那些千千万万的完美的人物形象，尤其是苏联[5]社会主义的经典著作里面所描写的那些先进人物。这些人物应该经常活在我们的脑子里，应

1 迎春集本无“我们时常听说”。

2 迎春集本无“我们也有这样的经验”。

3 “看法”迎春集本作“思想”。

4 “有”迎春集本作“装了”。

5 迎春集本无“苏联”。

该像自己最近的朋友和[1]一同战斗着的战友们那样熟悉。这些人物将会给我们一些[2]启发，但最重要的还是这些完美的形象给予我们在写作上[3]标准。自然，经典著作中还给我们其他文学因素的标准，比如说[4]，语言，结构，风格等等。这些标准会使我们具体地体会到什么是深刻的，什么是有内容的。这些活生生的典范我们愈熟悉，在写作的时候我们就愈会感觉它们给予我们的无限的好处，它们会经常地提醒你，你所写的哪一句是好的，哪一句是不好的。我们逐渐会感到一种摸得着，看得见的尺度，而这种尺度比文学规范这类书里所写的“深刻”，“自然”，“真实”，“优美”，“朴素”等等名词给我们更大更切实的帮助。中国有一句老话：“大匠能予人规矩，不能予人巧。”“巧”大概指的是才能吧，[5]我想[6]如果我们能够完全熟习了这些伟大的活生生的典范，我们将会[7]体会到这个“巧”字具体的是怎样讲。伟大作家的才能无疑问地会启发我们的。

1 “应该像自己最近的朋友和”迎春集本作“像多年和自己”。

2 此处迎春集本有“思想感情上的”。

3 “写作上”迎春集本作“创造人物上的”。

4 “比如说”迎春集本作“比如”。

5 此处迎春集本有“也许指一切创造中难以言传的千变万化的传达思想感情的特殊能力吧。无论如何，创作中的‘巧’是大有别于刻板的‘规则’；它是需要学习写作的人自己从许多源泉中——譬如，深入生活、思索、探讨，学习‘大匠’们创作中的‘巧’妙之处——在艰苦的劳动的过程里心领神会逐渐得到的。”

6 迎春集本无“我想”。

7 迎春集本无“会”。

我是一个写话剧的人[1]，我深深感觉到戏剧比起其他的文艺形式来，有它独特的限制。这种限制使我知道戏剧究竟不同于小说、散文，它的容量是有限的，但是它同样的可以表现深刻的思想。我们当中有这样的作者，他企图在一出戏里表现出很多的思想，时常把主题弄得过分复杂，人物、故事也因而要排得很多。舞台上短短的几个小时里，常常使观众眼花缭乱，忙不过来，对戏里一个一个的思想和问题不能有一点从容的心情好好地接受。戏演完了，观众感觉到："我受了一场很大的教育"，但是，谁也说不明白他自己究竟得到了什么。有时我们对主题的选择太轻易，仿佛别人随便告诉我们一件动人的事情，我们就可以立刻从中想出一个主题来加以发展。有时甚至于弄得更简单，先找着了一个巨大的思想，便搜集许多事情来附丽[2]上去，很快地演化成为一个作品。事实上，确实有些好的作品的开始是大致经过这个路子，所以我并不是说这样开始就一定是错了。问题是在我们对于主题和现实关系的认识。主题永远不能像一个招贴，能粘在现实上面的。每一个戏的主题都有它的独特性，那是根据那个戏的具体发生的内容而发展出来的。主题是个有生命的东西，它是从我们所十分熟悉的，并且日夜思考着的现实的土壤里生出来的。它是灵魂。一个人有胖有瘦，有好有坏，但每个人都有自己极特定的思想面貌。主题的深刻性往往在于它准确地反映出我们在戏里表现的真实，正如同一个人的思想面貌比他的鼻子、眼睛或者习惯、癖性更能说明他的特

1　迎春集本无"人"。

2　"附丽"迎春集本作"附加"。

征似的。我觉得在我们写戏的时候，第一，不要在一个戏里塞进太多的主题，弄得头绪纷繁，无从理会。第二，要在创作的工作中，即深入生活和对生活进行深入思考的劳动[1]过程里，让主题逐渐有机地从有血有肉的人物里和充满了生活气息的事件里生长出来[2]，不要匆匆忙忙抓住了一个主题就写，并且扼住它，不许它生长变化。我想[3]一开始先写些独幕剧是一件很好的事情。最近产生许多优秀的独幕剧本，主题鲜明，戏里有足够的地方借性格、故事合理的发展，反复引申、发挥主题的深刻性，使作者的意图很有力地传达到观众的心里，这是很大的优点。在戏剧的创作里懂得如何集中火力，射中一个目标，就会省下了一些不必要的人物，多余的片段、场景，也可以使观众的精神更注意你所要说的东西。

全国青年文学创作者会议就要开幕了。我的喜悦的心情[4]是难以形容的。我想起中国文艺工作者在过去苦难的年代里英勇、坚苦的斗争的过程。[5]从五四以来，固然出现了很多的优秀作品，但是今天回想一下，我们的文艺队伍是远远配合不上今天翻天覆地的革命形势

1　迎春集本无“劳动”。

2　“让主题逐渐有机地从有血有肉的人物里和充满了生活气息的事件里生长出来”迎春集本作“让主题从有血有肉的人物和充满了生活气息的事件里逐渐有机地长出来”。

3　迎春集本无“我想”。

4　“我的喜悦的心情”迎春集本作“我们的喜悦”。

5　迎春集本无此句。

所要求的。[1]群众、读者对中国的文学工作者们的要求是极其迫切的，他们要我们写出更多更好的东西。培养新生力量是党的殷切的嘱咐，反映了群众对于为社会主义建设进行斗争的文艺的重视。[2]群众要求我们写好的作品，更要求我们在实际行动上做一个充满社会主义道德和精神的高尚的人。[3]开阔的胸襟、无私的气概和集体主义的精神，才会帮助我们产生一些[4]不负群众期望的作品。我望着由四面八方来到祖国首都的、[5]生气勃勃的青年文艺创作者们，我[6]深深感到我们社会主义时代的文艺的前途是无穷无尽的。让我们共同努力吧，把党和群众对我们的嘱托——繁荣创作，提高质量的任务，以最大的热情和信心坚决做到。[7]

1 此句迎春集本作“五四以来，出现了很多的优秀作品，然而回想一下，我们的文艺队伍是远远配合不上这些年来翻天复地的革命形势的要求。”

2 迎春集本无此句。

3 此句迎春集本作“更要求我们作一个充满社会主义道德和精神的高尚的人。”。

4 “才会帮助我们产生一些”迎春集本作“帮助青年作家们写出了很多的。”

5 “我望着由四面八方来到祖国首都的、”迎春集本作“我们望着这些”。

6 迎春集本无“我”。

7 迎春集本此下署“1956年2月”。

在中国作家协会第二次理事会会议（扩大）上的发言（节选）

这两天我们每个人的手里有五本书，是作家协会总会编选的诗歌、散文、小说、戏剧和儿童文学的选集。这几本集子使我们每个人都很高兴，不只是因为装订好，印刷好，主要的是因为这五本书的内容闪着社会主义文学的金光。这五本书所选的文章是结实的、有内容的、优美的，反映了我国社会主义翻天覆地的历史变革。另外一个特色就是，老作家虽然不倦怠地写出好文章来，但绝大部分色彩鲜明、热情澎湃的作品是青年作家们写的。然而，这仅仅是两年来的事情。这两天，我回到家里，就情不自禁地把这几本书反复地翻翻看看，真是说不出的喜悦，常常看到深夜。自然，除了这五本集子以外，更有许多优秀的长篇作品得到了群众的热爱。所有这些作品，这些从人民那里得到了灵感和力量，现在又反过来给人民以教育的文章，都使我们感到新的真正繁荣的社会主义的文学时代就要到来。一种发出万丈霞光的东西就要在地平线上露出头角，我们几乎听见了就要和那光辉

【题注】载《文艺报》1956年3月25日第5、6号合刊。

灿烂的文学同时发出的雷一般的声音。

但是，说这样的时代必然来到，并不等于它已经来到了。昨天还有人在说，文学艺术落后于生活，难道今天的文学就已经完全走在时代的前面了吗？我们需要做很大的努力，像大会所号召的，把建设社会主义文学的伟大任务担在我们的肩上。

在我们的作品中，还存在着一些严重的缺点。我们还不由自主地有时犯着公式化概念化的毛病。我明明知道写文章万万不可概念化，但是当我对我要写的对象知道得不多或者了解得不深的时候，公式化概念化这股邪气不知不觉就会钻到笔下来了。同时，当我对一个人物、一件事情的思想意义模糊的时候，我就自然而然地求救于某种一定公式的解决方法。在公式化概念化的下面，经常掩盖着思想水平的低下和生活知识的贫乏。从我个人的感觉来说，这原因有时要归罪于自己的政治责任感不强，还没有完全体会到写作的真实对于一个作家是多么重要。我想，公式化概念化的东西既然是不真实的，那么，如果我要成为一个老老实实勤勤恳恳的作家，我就不应该犯这样的毛病。公式化概念化的东西仿佛把生活的真实告诉人了，实际上什么也没有告诉。你能想象一篇概念化的作品，即便它是企图歌颂先进人物，宣扬共产主义的道德，它能对于它的读者有一点点作用吗？实际上，恐怕它所起的更多的是坏的效果。公式化概念化的写作倾向会使我们懒惰，使我们渐渐忘记独创的精神，使我们忘记了一个作家应该是有了真正的感受才写出东西的，而不应该是死盯着一个政策或者一个运动的过程，絮絮叨叨地说着千篇一律的故事。有时我们笔下写的人物往往是一样的，就像在路上远远望见的几个人影，但是观众总希望走近一些瞧瞧，仔仔细细地认一认人物的精神面貌究竟是什么样子。但是，当我们自己对所写的人都没有真正走近他的身边好好地看过，那就难怪有时我们舞台上的人物就像罩在大雾里，虽然模糊地看见了，但是张三和李四是分不清楚的。凡对一件东西透彻地了解了，这个透彻的了解就会给我们带来自己的独创的看法。舞台上常见着描写工人的合理化建议受到车间主任的，或者工程师的阻挠，得到了党的支持、群众的帮助，终于获得了成功等诸如此类的故事。是的，生活里也有这种现象，但是它并不能代替观众所要求的艺术的真实，而且复杂的真实的生活也并不这样简单。我们的观众真是从心里厌恶这一类落在沉闷、不透气的棉花套子里面的东西，因此他们就不看。这两年出现的优秀的获得人民喜爱的作品，都是无例外地发挥了独创的特点，它们以鲜明突出的英雄形象，合乎生活真实的规律，但又新颖脱俗、引人入胜的情节，和饱满的社会主义热情，教育了我们，使我们长久不能忘记。

我完全同意周扬同志指出来我们写作的缺点不只有公式主义，还有自然主义的倾向。最近我们在舞台上确实看到一些描写正面人物的生活，因为观众不能再忍受舞台上仅仅是车间、小组会、工作方法的研究、思想分析、无穷无尽的讨论这类东西，于是生活出来了，在台上慢慢地喝茶、包饺子，红领巾不断地唱歌讲故事。我们不是说这些生活的细节不该写，问题在于要知道写了这些东西究竟是为了什么？但是，我们有些剧作者总是过于匆忙地搜集一些生活细节，堆在台上，忘记了应该为了一个目的选择最动人的细节，加以不断的锤炼，使这些细节能够集中地表现出真正的戏来。自然主义的倾向，会使一个作者把许多闻不出一点戏的味道的东西搬上舞台。这些毛病发展下去将同样地会使观众退票，他情愿少受一点这样的教育，情愿回到家里慢慢地喝茶、包饺子、听孩子们唱歌。有一个朋友告诉我，他走进剧场就害怕会生两种感觉：一种，刚看完第一幕戏，他已经兴趣不大，完全算出来二幕、三幕、四幕将要怎么发展了。另外一种，就是舞台上进行着互不发生关系的两部分，一块是所谓的“生活”，一块是作者想出来的戏。在这类戏里，这两块东西的结合有时搞得粗，有时搞得细，但无论如何，他感觉到这两块东西——生活同戏，是生硬地放在一起，互不相干的。有艺术性的剧本，自然不是这样创造出来的。戏应该是依据生活、表现生活的，但是剧作者必须从复杂的生活中看出了戏才成。一部戏的写成需要极大的劳动，从头到尾，不能有一块松劲的地方，一松了劲，不是自然主义的东西冒出来，就是公式概念，或者别的什么东西冒出来。最近这两年，令人兴奋的是我们舞台上确实出现了一些思想高、艺术性强的剧本，它们靠了真实的富有戏剧性的人物、撼动人心的戏剧场面、紧张吸引人的气氛、强烈的生活气息，同比较严密的结构，使观众得到满足，感到真正的快乐，从兴奋、快乐、激动的情绪当中，充实地感到舞台上有一种使他抑制不住地向前迈进的力量。这样的作品是冲破了自然主义的限制，向真正的社会主义现实主义发展的好作品。

有一位做党的工作的同志曾经谈起作家的工作，他说：“你们的工作是为了丰富生活、改造生活的，你们从生活里看到的事物同人应该比别人看得多、看得深。你们常来找组织工作者谈话，不过你们也应该告诉我们一些不同的，但是非常重要的东西，那就是生活的复杂性和人的内心活动。组织工作者可以告诉人们事物发展的规律，但是你们应该告诉人们一个最重要的东西——人的灵魂。”他的话说得真对，我们有些作者有时仿佛仅仅靠着生活的“规律”来写东西。对这些作者来说，生活的规律像是一列靠得住开到目的地的火车，他们坐上去，就再也不下车来看看生活和人物的真实的复杂面貌了。每当我因为自己的懒惰或者算它是创作思想上的缺点，写出粗糙、空洞、落套的，自己也完全不能满意的东西，我就想起我没有真正听懂刚才我所引的那段话，公式主义或者自然主义的邪气就向我袭来了。

我们的戏剧队伍确实空前壮大起来了。解放以前，中国的话剧作者不过是二三十个，真是少得可怜。然而今天呢？有一位同志算了一算，老一点的剧作家仍然是十几个，中一辈的就有四十多，青年剧作者有四五百个，业余的剧作者有三千多个。中国两千年来的戏剧史上，哪一个时代能够拥有这样巨大的创作力量？从这三千多人里，谁能否认，今天的关汉卿、王实甫、汤显祖，自然，在艺术上必然还要超过他们的光辉的剧作家们不会产生呢？我们今天的剧作里已经产生了令人不能忘怀的，充满了高度社会主义革命精神的正面人物，陈其通的《万水千山》所写的不朽的英雄们便是极好的例子；在我们的剧作里，共产主义的道德，人民的真实的生活气息和热烈的斗争，已经成为主要的突出的特征。周扬同志说：我们应该创造出够得上伟大的作品，至少为产生伟大的作品打下良好的基础。他的话不但说出人民对我们的要求，也说出我们自己的愿望。我们的时代是一个社会主义建设的伟大的时代，在党中央和毛主席的关怀和领导下，我们一直走着正确、宽阔的道路。就像太阳将从东方升起，我们伟大的文学艺术的高潮就要到来。

我们撒下了和平的种籽

——为苏联《文学报》写

从日本回到北京，已经五天了。院子里海棠树上累累的果实，已经红透了。清晨起来，扑面是稀有的秋高气爽的气息。首都街上是一片悦人的景象，到处招展着鲜丽的旗帜，市民们戴着鲜花正在进行全市的普选。活泼昂扬的手风琴声随着凉爽的秋风和学生们的歌唱四下飘扬着。天安门像一只美丽的宝石，早放的菊花已经盛开，我们的孩子正在准备国庆节的衣裳。我翻开了报纸，我们的党正在开第八次代表大会。胜利的情感在全国各个建设的基地上激荡着。

昨天我走在首都的林荫道上，望见我们第一次制成的解放牌的卡车在街上奔驰，它走过的地方便腾起一片惊喜欢呼的声音。我一看见眼前这终日喜气洋洋的生活，不由得记起在富士山下的芦之湖畔西望祖国时的情感。哦，我的祖国，这几个月来我是多么的想念你！

一个人最难忘记的是自己的乡土，这句话在我几次国外旅行中一

【题注】收入《迎春集》，北京出版社1958年第1版。

再地证实着，无论向北出满洲里的“国门”，或再向南过深圳的桥梁，我的目光总恋恋不舍地凝视着身后一望无边的原野和稻田。中国的繁荣富强已经引起远方的朋友们的喜悦和敬重；几年来中国的“和平共处，求同存异”的精神已经使中国这名字成为全世界人民所喜闻乐道的名字。

前一阵我在印度开亚洲作家会议的筹备会，遇见许多印度知名的作家和活动家们，他们谈起中国时那种欢欣喜悦的心情就像谈起一座最美丽的花园。他们对于新中国的知识正如他们对新中国的感情，同样是丰富的。有一个印度诗人问起我们黄河水利工程的进展，他所知道的情况的详尽，几乎可以使一个有经验的工程师感到吃惊。新中国的文艺作品开始在资本主义国家被人重视起来，尤其是在日本，鲁迅和新中国的最近的文艺作品被广泛地介绍着，多少日本读者以如饥如渴的心情等待着更新的中国文艺作品的日译本的出现。

然而我记得不过是七八年前，“中国”这两个字在资本主义世界里，仅仅代表着一个黑暗、落后的国土，是一个原料和商品的市场，只可以供资本家们压榨的最大的半殖民地。

中国在国际上的地位是空前提高了。到了日本，随处都可以看见摇着鲜花和名片想和你恳谈的人。有一位热心和平运动的日本人，听说中国代表团来了，他从横滨赶到长崎，从长崎追到大阪，终于在东京的一个会上碰见我。他说：“我走了这样多的路，仅仅是为告诉你一句话，新中国的道路是我们大家都应该走的道路。你们的友好政策深深印在我们日本人的心里。请回去告诉中国朋友们：正直善良的日本人感谢你们对我们的慷慨和真诚的友谊。”

我们是为了参加禁止原子弹氢弹大会到日本去的。我们除了亲眼看见了正在抬头的日本人民的巨大的和平力量，也看见美帝国主义者在日本的众多的军事基地和扼住日本人民咽喉的沉重的枷锁。民主、和平、强盛的新中国在日本人民心里掀起一片希望，独立自由的新中国成了全世界被压迫人民向往的地方。许多日本国民，无论是军人、商人、政治活动家、科学家、诗人、青年、妇女，都希望被邀请到中国来，他们从已经访问过中国的日本人的话里明白了翻了身的中国人民怎样在为伟大的社会主义建设进行着史无前例的工作。他们以吃惊的眼睛聆听着这巨人一般的邻居怎样从一个半殖民地的奴隶变成掌握自己命运的主人。使他们更高兴的是这个站起来的巨人，是一个正直、和善、慷慨大度、忘记了过去中日之间一切不愉快的事情的伟大邻居。

我在长崎曾经慰问过一个原子病患者的老人。那是一个夏日炎热的下午，他盘膝坐在蚊帐下面，安静地等候着我们，医生偷偷告诉我，他的病使他随时会死的。从他的目光里可以看得出来他是知道我们绕了很远的道路，跋山越海来探望他的。我永远忘记不了他那充满了悲哀和希望的目光，他见了我们，一句话还没有说，眼泪就流下来了。我们的眼泪也落在他的干枯的手上。他紧紧地握着我们的手，断断续续地说:“终于看见了你们，我是幸福的。我知道中国的朋友会来看我的。我们的孩子们一定要得到幸福自由的日子，正如同你们一样。”说着，说着，他已泣不成声了。

这里我又想起在长崎的一个文艺座谈会上，一个作家告诉我在原子病人的病房里，一个普通的日本人的感觉:“当我们头上霹雷一般地落下来原子弹的灾难和家破人亡的时候，我们望着自己周围不可言喻的惨痛景象，才突然地想起过去日本军队在中国南京的屠杀，在华北一带实行的‘烧光、杀光、抢光’的政策的惨无人道。但是今天中国人民还是对我们伸出手来，不但派人来慰问正在受着灾难的我们，还捐出钱来，为我们医治原子弹遗留下来的病痛，我们面对着你们——来自中国的人，就好像见着自己亲生的父亲一样。”

就是这伟大的和平共处，尽一切力量维护世界和平的政策感动了每一个日本人民的心。从中国释放回国的日本战犯经常不顾困难，来到我们的旅舍里，当面对我们表示感谢。在东京一个三十九岁从中国释放归国的日本战犯对我讲：“我们现在所处的环境是非常困难的，归国以后我一直找不到职业。但是我们在中国看见了真理，我们将永不忘记这个真理，而且就在这样困难的环境下面，我们将坚持这个真理，宣传这个真理。”说完以后，他和其他的同伴们珍重地从怀里拿出两封厚厚的信，托我们交给在中国管理战犯的同志们，表示他们永不忘怀的感谢。

中国人民对于和平的热爱和人民政府对和平事业的真诚的表现，日本的旧军人亲眼看到了，并且得到了启发。日本前军人代表团参观了新中国的建设事业以后回到日本去，在返国的途中他们讲：“中国是强大了，但是看得出来，中国的军队完全不是为侵略，而是为了防御。”最引人深思的是这群曾经侵略过中国的日本军人参观了和平的新中国，在离别的时候，讲出一句老实话：“侵略者总是肯定要失败的，不论他们武装得多么好。”

和平事业发展得十分迅速，我记得四年以前，在一九五二年的冬天，北京开着全世界注目的亚洲和太平洋区域和平会议，三十七个国家的和平代表，从太平洋的西岸来到新中国的首都。那时中华人民共和国仅仅成立了三年，刚刚开始和平建设，中国人民已经在国际的和平事业上贡献了力量。从那时起，倚靠了以苏联为首的各兄弟国家的支援，以及全世界爱好和平人民的同情，我们在亚洲看见一连串的使人兴奋鼓舞的事情——朝鲜停战、和平共处五大原则的宣告、越南和平谈判的成功。通过了文化交流和友好合作，我们和世界上各个角落的正直善良的人民做了好朋友。就拿去年一年来讲，北京就热烈地迎接款待了六十多个国家来的四千位客人。在同一年里，我们派遣出三千个中国代表在全世界三十多个国家里做了友好的访问，在国庆节的前夕，在党的第八次代表大会上，从世界各个角落来到了五十几个国家的共产党、工人党、劳动党和人民革命党的代表。

新中国是以苏联为首的全世界和平民主大家庭的一个成员，我们从来没有感觉孤独过，每一个中国人都感到祖国的骄傲，但同时也感到作为一个社会主义国家的公民的骄傲，我们的一举一动，每一样建设，都是有世界上进步力量来支持的。

写到这里，我忽然听见在北京秋天美丽的蔚蓝的天空上，传来银色机群的响雷一般动人的声音。抬头一望，一群孩子在拍手指着："喷气式！我们的新飞机！"我想这些中国制造的飞机就要在十月一日天安门上空隆隆地飞过。它们保卫我们的祖国，保卫全世界的和平事业。而这些飞机，亲爱的苏联朋友们，正如同中国其他许多和平建设事业一样，是因为有了苏联人民惊人的智慧和无私的兄弟般的援助才出现的。

1956年9月18日

难忘的印度

我知道印度，是我还在四、五岁的时候，我还不认识字。我的母亲给我讲唐僧取经的故事，她说，西方有一个美丽的国家，那里的人好看，聪明，水绿山青，出了许多圣贤，那个地方叫"天竺"。我大了，慢慢知道从那个地方传来的许多美丽的雕刻、图画、诗歌、经文、[1]灿烂的神话故事以及印度丝绸和节日家里燃起的檀香木氤氲的幽香，都点缀了我们的生活，使我一想起印度，便充满了亲切的喜悦之感。

每一个中国人对印度都有这样的感觉。中国和印度[2]两千年悠久的历史联系里，听不见一声战争的喊叫，来往于两国之间的是不断的求知识、求文化、求生活繁荣的和平使节。这样美好、和谐的邻居是历

【题注】载1957年9月20日《人民日报》，据以排印。又收入《迎春集》，北京出版社1958年第1版，兹以通校（校注称"迎春集本"）。

1 "、"迎春集本作"和"。

2 "中国和印度"迎春集本作"在中国和印度"。

史里找不到的。

如果说中印两国文化交流像恒河和长江一样不舍昼夜地长流不息，今天这两国人民，获得了独立和自由之后，就像这两条奔泻千里的巨流，汇聚在一个无边的欢腾的海洋里了。

周恩来总理对印度人民说："我们可以毫无愧色地说，今天我们之间的友好关系超过了历史上的任何时期。"这正是我们每一个人心里想说的话。

中国有一句从印度学来的比喻，"恒河沙数"，是说多得像恒河的沙粒一样。解放后，中印两国来往的艺术家、诗人、歌唱家、舞蹈家、科学家、讲学的教授、求知识的留学生们已经可以用上这个比喻了。

凡是到过印度的人，都不能忘记印度人民对我们的感情。当我们的飞机从新德里蔚蓝的天空上降落在机场的时候，像海洋一般热烈的人群，欢乐的笑声，闪亮、动人、充满了友情的眼睛，欢迎我们。我从来没有见过那样多美丽的，如同久别重聚的亲人。花瓣撒在我们的头上，我说不出花的名字，看不清多少双柔软的手臂给我们戴上花环。他们在我们头顶上洒了花水，额上点着珍贵的红粉。他们把红土铺在路上，欢迎从喜马拉雅山那一面来的客人。我们有许多种民族，印度有许多种语言，我们话不相通，可是一见面，我们摇着头，拍着手，兴奋地歌唱起："印地秦尼巴依巴依！（印度中国是兄弟！）……"因为那支火热的歌真正唱出我们心里奔腾的感情。

无论我们走到哪里，大城、小镇、农村和工厂，我们遇见[1]同样

1 "我们遇见"迎春集本作"我们都遇见"。

亲切、热烈的语言和欢迎。印度天空上的繁星是和点缀在印度地面上众多的浮雕、建筑、喷泉、花园、壁画、宫殿、城堡一样的美丽，但是更动人的是一个个印度朋友的心。

我们每到一个城市，便有无数的印度朋友邀我们到他们家里住，和他们的妻子儿女欢谈。在多次文艺晚会上，多少诗人写了动人的新诗赞颂我们的友谊，他们诵读得那样好，如同多年的老朋友和我们谈心。印度的音乐和舞蹈是多么迷人！从大城到小镇，音乐家、舞蹈家们像仙人一般给我们带来了来自心底的欢喜，真是“花瓣般的手指，流星般的眼睛，倾诉着我们之间的友谊”（诗人袁水拍的诗句）。

在印地文里，“糖”和“中国”这两个词[1]的发音是相近的，我们的印度朋友对我们谈笑着说：“一想起中国人，便有一种甜蜜的感觉。”中国人对印度人也是如此。我们一想起印度朋友来，便觉得恬静、亲切，像一望无边的智慧的湖一样。和印度朋友们谈话，就感到他们的丰富的文化修养，谈起话来娓娓动听，我们还感到他们是那样和易可喜，每个人的眼里透露出一种灵气。

印度人民是异常热情的。到了印度的乡村、小镇，我们更感觉出印度人民对中国人民海一般的深情。一个到过印度的作家告诉我，有一次，他们搭公共汽车，路过一个小镇，停留了片刻。镇上的印度人出其不意地看见了新中国的朋友。所有的农民、小贩、修理站的职员和开起重机的工人都跑来热情地向他们打招呼，亲切、有礼，那一刹那朴素、真诚、热情的交往，使他们永难忘记。

---

1 “词”底本作“字”，当作“词”。

中国的代表团搭火车到印度各地访问的时候，沿途大小车站都挤满了人群。男女老少举着花环，洒着花水，唱着动人的歌曲，沿站欢迎我们。半夜里，他们在月台上往往举着火把，持着灯火，在印度的繁星像宝石一样眨着眼睛的天空下，等待着我们的列车。我们有时一夜经过大大小小许多这样的车站。

有一次，大家在睡眼朦胧中，车停了。车门有许多轻柔的手在敲着。我们赶紧从车里跳出来，看见无数印度人的闪耀发光的大眼睛，在薄明的天空下向我们微笑。欢迎我们的人赠送了礼物，在中国的好朋友身上抹上香料做的膏油。在习习凉风吹来的时候，又给每位下车的客人送来一杯热腾腾的咖啡。歌声、笑语，说不尽的欢喜的情绪，道不完的殷勤和友谊。

但是汽笛一声，突然察觉停车的几分钟已经眨眼一般闪过。我们在兴奋、感激的情绪中，竟然忘记问：“这是印度的哪一个城镇?”便和这群火焰一般燃着友谊的人们分开。

车开远了，只看见熹微的晨光中，一大群不相识的，但是又深深和我们连着的人们，向我们摇着手，举着孩子们。远远，微风吹动了他们渐渐小了的飘展的头巾和“纱丽”。我们的眼睛满蓄着泪光，我们的心已经完全留在他们那里。尽管我们不知道这个城镇的名字，但这就是印度，就是千百万印度人民对来自新中国的人的感情。

“起一个中国名字吧!”多少印度年轻的母亲要我们为她的婴儿留下中国人的友谊。印度的孩童是那样可爱，他们的长睫毛、大眼睛，黑亮黑亮的发出异常的光彩。我们在许多幼儿园里，看见他们欢喜地唱着印度的儿歌，表演着印度的舞蹈。他们使我们想起祖国的孩子们。这两种言语，服饰不同的孩子们，都是那样喜欢远方的客人，见了客人都不由得伸出那胖胖的小手，欢呼叫喊，如同来了自己的亲人。

在印度的时光是那样的宝贵，我们都恨不得车载斗量，把得来的知识和智慧带回来，分给自己的亲友。印度的每一个地方都那样美丽，每一个地方都像一个梦境。我们忘记不了斋浦尔“淡红色的城”，我们忘记不了宏伟、壮丽的“阿旃陀”，[1]明净、瑰丽、诗一般的“泰吉陵”。有些地方孔雀多得像鸡一样普遍，鹦鹉像鸽子一样飞来飞去。但使我们永远记在心里的，是庄严、美丽的新德里。辽阔的草地，巨大的建筑，用红色砂石筑成的总统府，融合了印度风格和现代建筑特色的国会大厦和数不尽的古迹胜地，它使人想起我们的北京。

独立后，印度人民的建设使我们为印度骄傲。巴克拉—南迦尔的灌溉系统、马德拉斯附近的火车车厢工厂和其他巨大的建设，都使我们看了高兴。爱和平、爱歌唱的印度人民正在近代工业化的道路上向前迈进。

这几年来，印度的诗歌、小说、戏剧、散文已经大量地译成中文，受到广大的中国读者的热烈的赞誉和喜爱。印度的音乐、舞蹈和电影成了我们生活的一部分。不只是我们的歌唱家，连大学生、儿童都会唱出一两首他们喜欢的印度歌曲。我们的广播电[2]台经常播送印度的音乐，这是中国人喜爱的节目。卓越的印度舞蹈家乌黛·香卡先

1　此处迎春集本有“和”。

2　迎春集本无“电”。

生和卡拉玛姐妹访问中国的时候，他们的表演成了我们艺术的节日。多少观众赞美地说，他们很少欣赏过这样完美的舞蹈。

印度的电影已经深入到我国的各个角落。看印度电影成了我们的癖好。优秀的影片像《两亩地》、《流浪者》和最近献演的《章西女皇》，加强了我们两国人民之间的了解和友情。今年，首都的中国青年艺术剧院演出了印度伟大的诗人迦梨陀娑的古典戏剧《沙恭达罗》。这部不朽的杰作使成千上万的中国观众拜倒。

访问印度回来的中国作家、诗人写了不少优美的诗歌、散文、通讯，记载他们对印度难忘的印象。

最近，作家严文井同志为儿童们写的印度游记《印度，我们永远不会忘记你！》就是一本优秀的文学著作。作者用朴素、生动、优美的文笔，那样真实、感人地写出他所看见的印度。感谢他的美丽、凝练的文笔和真实的材料，它使我更怀念美丽的印度。我写这篇东西，也引用了不少他的材料。

我一想起印度，就像看见映在湖水里的天空、白云，岸边的枝叶，那样清新、明彻。我一闭上眼，就仿佛看见印度天空上的流星和印度人民心里藏蓄着的火焰。和平、友好，是我们祖先传给我们的美德。我们经过千辛万苦，血汗的斗争才建立了今天独立、自由的国家。[1]

往昔的印度被帝国主义者称为“维多利亚皇冠的宝石”。今天，

1　此句迎春集本作“伟大的印度人民的光辉前途与发展是任何反动势力不能阻止的”。

这块神奇的宝石已经掌握在印度自己的手里。我们是多么欢喜，我们身旁有了这样一个伟大的，站起来的[1]，对和平事业有无限信心[2]和力量的邻居——印度。

想起了我们的友谊，我的心中就涌起浩瀚无边的人群的歌唱。那歌唱充满了信心和欢喜，越过喜马拉雅山，交织成一个伟大的声音：“印地秦尼巴依巴依！（印度中国是兄弟！）……”

我们永不停息地这样热情、真诚地歌唱下去，子子孙孙，传至万代。[3]

1　迎春集本无“站起来的”。

2　“无限信心”迎春集本作“信念”。

3　迎春集本此下署“1956年9月”。

征服不了的

——记日本之行

凡是到过日本的，都会感到日本的风土人情之美。我在日本将近一个月，为了开[1]禁止原子弹氢弹的大会，到了很多地方，交结了很多朋友。几乎每天住不同的旅舍，经常和不同的旅舍的主人握手道别，和车站上相送的老人，抱着婴儿的少妇，豪爽的青年，浓情似酒的诗人、戏剧家们以及谈笑风生的政治活动家们和科学家们做临别的谈话。这些普通的日本人确实以他们的朴实、诚恳、幽默、智慧，使我对日本增加了情感。老实说，这次到了日本，看见了日本人民今天所处的环境和生活，才不由得使我更感到这样一个富于风土人情之美的日本，在今天处在一个被奴役、被压榨、受了无穷灾害的地位上，是多么值得同情。

【题注】载1956年11月20日《人民日报》，据以排印。又收入《迎春集》，北京出版社1958年第1版，题名《征服不了的》，兹以通校（校注称“迎春集本”）。

1 “开”迎春集本作“参加”。

在日本，很少人愿意在我面前提起美帝国主义这个不愉快的题目。但是农村里到处是美国建立的军事基地，城市里到处是美国货的广告，火车每停一站，便可以看见美国的兵士、军官，挟着一些可怜的花枝招展的“乓乓女郎”走上车来（乓乓女郎是一种依靠美军生活的妇女）。无论在什么美丽的风景地区，幽雅的小城，临海的花一般的城市，到处可以看见一座一座用铁丝网拦成的美国兵营、美军住宅和绿色的军器的仓库。我总是在飞机上过着旅行生活的，但我每一下飞机，便有一些不愉快的现象像针一样刺痛着我的眼睛：飞机场上一些嚼着口香糖的美军驾着汽车横冲直撞，美国的喷气式战斗机、直升机，以及各种奇形怪状的飞机在机场的跑道上移来移去。他们是这样的目中无人，使我感觉到他们把日本看成像是脚下面的一粒灰尘。在飞机场上，日本的临时工人沉默地工作着，大家望着这些骄傲的自封为主人的外国人，眼睛里像要说出什么，但是又低下头去。天空不断响着暴雷一般的美国飞机声，几乎震聋人的耳朵。美国的国旗在这个美丽的国土上傲慢地飞扬着。望着这一切，我的心胸都要爆炸。我，作为一个来到日本的远客，我替这块土地上的主人感到不可忍受的屈辱！

平常，我们主人与客人之间很少谈起美军在日本的横行霸道这种随处都可遇见的事实。对他们说来，这类事情因为太使人痛心了，也太普遍，反而觉得没有什么可谈的，而我们自从到了日本以后，心里一直充溢着对善良的日本人民的情感，所以虽然在街上，在很多的场合里，很容易遇见这一类的事情，也是不忍在主人面前提起。然而我也遇见过这样的场合，由于眼前事实的触动，留在主人脸上的笑容顿时收敛起来，久抑在心里的愤怒也制止不住地在我的面前迸发。痛苦积压久了，到了忍耐不住的时候，即便是针尖一样的刺激也会使人发作的。

在一个热得喘不出气的酷夏的中午，我坐的飞机从凉爽的天空上降落在日本南部九州岛上一个城市的郊外。对面是光秃秃的不生青草的山（这在到处都是青山绿水的日本是很少见的）。强烈的阳光射在飞机场上的水泥地上，映得人睁不开眼睛。又是同样的美军[1]的营房，同样的正在修理着的一群一群的美国飞机，同样奔忙着的美军的汽车，同样的美军在机场的出入口门上斜靠着，[2]检查着出入的男女工人，同样的震耳欲聋的天空中美机的声音。忽然一架飞机远远地从天空中像一只恶鸟似的翻了个跟斗，紧贴着远处山坡上一座农民的小屋屋顶上擦飞过去。在[3]它飞去后，山坡上的草舍立刻隐隐地冒了一点白烟。一个当地的日本朋友叫了一声："你看！大概是屋顶塌了。"另外一个沉重地讲："但愿遭害的仅仅是屋顶，下面没有正在睡觉的婴孩。"我们离着那个山坡很远，听不见房主人叫喊和屋子倒塌的声音，远远看去，不过冒了一缕白烟而已。但是[4]在我身旁的日本朋友抑制不住地告诉我："这太[5]不稀奇了。常常在夜里，就是这样低飞的飞机，使一家农民连老带小，来不及发出一点声音，都死在一片房倒屋塌的瓦砾堆里。天亮的时候，远处的邻居看不见平日照例的炊烟，才惊讶

1 "美军"迎春集本作"美国军队"。

2 此处迎春集本有"嚼着口香糖，"。

3 迎春集本无"在"。

4 迎春集本无"但是"。

5 迎春集本无"太"。

地发现几十年的邻居，一夜之间全家不见了。”[1]这个地方夏天的正午，酷热难忍[2]，如果在机场的水泥道上放上一块生面饼，就会眼看着烤熟似的。但是[3]一个日本小学教师指着机场附近的一座小学的[4]楼房，对我说：“你看，小学[5]的楼房每个窗户都关得紧紧的，不能流通[6]一点空气，里面热得像烤炉。我们的孩子们就在那样的课室里读书。为了避免飞机声音的剧烈的干扰，想勉强听清楚一点教师们的讲话的缘故[7]，只好让几岁的孩子们忍受着这样的热，把每个窗户都关上。”

其实，不只是飞机声音在摇撼这个美丽的城市，山岩旁边的许多掘土机、凿石机的声音，也就使人无法安居下去。但是，[8]身旁一个日本老工程师说：“只是声音倒也罢了。”他指着远方山坡下面挖掘进去的一条隧道，“那是美军新近挖着[9]的武器仓库，你们知道里面将要放什么东西吗？那里面就要储藏从美国运来的原子炮呢！”

“也可能有一天爆炸起来，我们全城的人都会完了吧[10]！”另一个

1 此处迎春集本有“我的喉咙仿佛在冒烟”。

2 “酷热难忍”迎春集本作“真是酷热难忍”。

3 迎春集本无“但是”。

4 “小学的”迎春集本作“小小的破旧的白色”。

5 “小学”迎春集本作“那座小学”。

6 “不能流通”迎春集本作“不通”。

7 “为了避免飞机声音的剧烈的干扰，想勉强听清楚一点教师们的讲话的缘故”迎春集本作“美国飞机在头顶上闹得太凶了。为了勉强听得见教师们讲话的声音”。

8 迎春集本无“但是”。

9 “挖着”迎春集本作“挖好”。

10 “完了吧”迎春集本作“完了的”。

人这样忧虑地讲着。

然而，大家当时最忧虑的是美军在这个飞机场上的扩建问题和筑路问题，因为这样一来，不知要征用多少家的田产、土地、房屋、菜园以及公路边上的学校和工厂。主人们的脸上除了愤怒之外，又罩上了一层忧虑的阴影，那就是眼前和将来的生活，孩子们的牛奶和学费，日后从什么地方可以得到。因为失去了自己成家立业的土地以后，城里也正在闹着失业的问题，另谋职业几乎是不可能的。

美军在日本的军事基地达到六百多个。这些军事基地的土地上浸透了数不清的日本人民的血泪，没有一个基地的建立不是充满了人间罕有的残暴和老百姓愤怒的抵抗的故事。我听见冲绳岛的农民代表的愤怒的控诉，他愤怒[1]的脸上流着纵横的热泪。他提起去年美军在伊江岛的强行占地，千万个当地岛上的农民向全副武装的美兵哀求："拿去我们的土地就活不下去了！请你们别收去吧！"敌人的枪弹个个上了膛，在敌人轻蔑的眼睛前面这不是一群养老育幼、种植着谷实来换取生活的农民，而是一群凄惨无告、可以随便凌辱的低等动物。多少个像小山一样的压路机轰轰地在农民的房舍面前响着，等着号令向这些农民用好几辈子的辛苦盖成的简陋的木舍草屋推进。不顾女人们的哭喊，孩子们的号啕，老年人的哀求，冰凉的枪口顶在由于震惊、愤怒使得心都停[2]止了跳动的胸口上。一个个的人睁大着眼睛，被枪口逼着离开了自己温暖的土地和房屋。一声号令，噩梦一般的压路机

1　迎春集本无"愤怒"。

2　迎春集本无"停"。

向眼前的房屋冲过去。“房屋啊！我的房屋啊！”一生辛苦，白了头发的农民在里面生儿育女，指望着在里面送终的房屋啊，就随着万里运到日本的美国压路机的震耳的声音，一座一座地倒下去！残酷的压路机什么都没有放过，连晒衣服的竹竿、泥罐里的小鱼和小孩子简陋的玩具都和门板窗棂一起压成粉碎。

一个农妇的婴儿得了急病，等到妈妈匆匆忙忙把婴儿放在医院门口就赶回来的时候，只看见孩子的父亲在一堆竹片土块的残迹上垂头立着。家，已经没有了。

衰弱的老人家是没有气力再向这些美国占领者示威了，他们只有求看在白发的份上得到一些怜悯。井里清二——一位六十多岁的老农民在美军强迫占用他的土地的时候，慌乱的“身子也动手也动”地哀求着，央告着：

“别收去吧！我们一家七口只有这一点土地，收走了，就活不下去啦！”

年老的井里清二完全迷惑了，突然占地的事实使他震惊、痛苦。他想不出他的这块土地为什么要被人强占去，现在只是不断地像一个年老的痴子似地重复他的央告。

这些外国人没有作声，用一个布袋迎头就把老人装进去了。

井里清二被送到军事警察署，进行了军事审判。他们向这个老人起诉了，起诉的理由是：“（一）侵犯了美国军事财产；（二）向居民做了危害美军驻扎部队的煽动。”

他还被控对美军中校犯了“暴行”。他犯了什么暴行呢？他唯一的“暴行”就是对美军不断地央告，“身子也动手也动”地不断地央告！

被占了地的农民们已经无路可走了，最后只有采取所谓“栅内实力农耕”的办法。他们就在美军强占的大片的土地上，又辛辛苦苦地种上芋头和花生。一天一天的眼泪和汗使这一片一片绿色的嫩苗生长起来，人的希望跟着这些嫩苗也偷偷地生长起来。然而在这些农作物快成熟的时候，美国的飞机在三十万坪的土地上洒下汽油，燃起剧烈的火焰，把方圆数十里绿油油的庄稼和防风的松林、牧草，一起烧得干干净净。美军说，这样做是为了扫清射击场，不阻碍他们的视线。但是[1]那些农民望着烧净了的焦黑的农田，泪眼[2]婆娑地说：“烧完了！净光了！但[3]我们的花生和芋头不过四寸高，我们不知道这四寸高的东西怎么可能[4]挡住他们射击大炮时候的视线？”

这些事情都是美帝在保卫“自由和民主主义”的名义下进行的。但[5]同时，他们经常不断地开[6]丰盛的酒会、茶会和漂亮的舞会，盛情款待着日本的主人，进行“友好”与“合作”。在日本也有所谓“日美技术合作所”的组织，这种组织的名字叫我联想起在解放以前，蒋介石统治下，美国与国民党特务在重庆设立的“中美技术合作所”之类杀人如麻的地方。强盗们有时也要用“科学”“文明”的动听的名

1 迎春集本无“但是”。

2 “泪眼”迎春集本作“眼泪”。

3 迎春集本无“但”。

4 “可能”迎春集本作“会”。

5 “但”迎春集本作“自然”。

6 “开”迎春集本作“举行”。

词来遮掩自己的。日本朋友们告诉我，美军在日本的农村里确实也散给日本孩子们一些糖果。他们冷冷地谈着："那些糖果里并没有什么毒物，吃了以后也是令人[1]觉得甜的。随着这些甜的糖果或类似的东西，他们想把我们对他们的仇恨变成他们所需要的那种'亲善'和'友好'。"

美帝国主义的糖果是有各式各样的，比方说，在禁止原子弹氢弹的群众运动在日本全国各个城市里如火如荼地展开起来的时候，每个城市有千千万万的日本人愤怒地控诉美军的罪行，大会在各地热烈地开着，这是谁都看见的事实。但所有美国津贴的报纸[2]都沉默着，一字不提，却轻描淡写地报道着一个美国富孀收养了一个原子病少女的事情。这一块甜甜的"糖果"正像美国军官在占领地偶尔对日本妇女露出的那种微笑，是并没有藏着什么良好的意图的。

莎士比亚说："一个人可以微笑，微笑，但他还是个恶棍。"

美国[3]这个恶棍，日本人民是看透了的。冲绳全岛的八十万人民已经觉醒起来，要保卫自己的土地。像他们对全国人士所号召的，已经形成"民族的总抵抗"了。今年8月，我在东京的时候，看见了十二万个在美军机构里工作的日本工人举行着示威性的罢工。今年11月10日，我在《人民日报》上又看见一幅动人的照片，成千上万的日本人民的庞大的队伍，头上扎着"决死"的头巾，手挽着手，结成

1　迎春集本无"令人"。

2　"美国津贴的报纸"迎春集本作"拿美国津贴的报纸"。

3　"美国"迎春集本作"美国帝国主义者"。

一层铜墙铁壁，雷一般地喊着："决不交给美军一寸土地！"这是东京郊外砂川町的农民和从全国各地来的工人、农民、学生、知识分子和国会议员结成的轰轰烈烈的队伍，他们在用鲜血和愤怒的示威来抵抗美军在东京郊外扩大原子弹飞机机场的暴政。两年的工夫，他们举起草席做的大旗，上面写着"不服从"三个大字，把全国人民都叫醒了。不顾木棍、枪托、子弹、刺刀和对人身自由的威胁，他们坚持斗争，终于在10月14日得到了胜利——日本人民巨大的胜利，因为美军和日本政府终于被迫放弃了征收砂川町土地的命令。

这些，证明了日本人民对美帝国主义的斗争一天比一天猛烈。正义的爱国的情感像火一样地在全国人民的心里逐渐燃烧起来。这不过是开端而已。

美帝国主义的武力并不是永远[1]可靠的东西，在日本，他种下什么，他就会得到什么。日本农民辛辛苦苦在地上播种出来的青苗，美军是可以用汽油烧光的。日本人民的房屋，美军是可以用推土机碾倒的。仿佛日本的一切都可以由美军用武力和美丽的言辞来征服，来巧取豪夺。但是深深地藏在每一个日本人心里的、美帝国主义在这十几年来所种下的仇恨，一旦爆发起来，将会变成一片熊熊的火海，侵略者们都会葬身在里面的。

让这些强盗们尝一尝自己亲手种的果实[2]吧！[3]

---

1 "永远"迎春集本作"什么"。

2 "果实"迎春集本作"仇恨的果实"。

3 迎春集本此下署"1956年9月"。

《雷雨》英译本序

我的朋友中有很多人怕谈自己的作品，我也是其中的一个。尤其是谈二十几年前写的东西，这对于我简直是苦难。曾经应一个杂志的嘱托，写了关于我的作品的思想内容这类问题的文章，结果被委婉地退给我了。他们对我说："你写的关于自己作品的批评远不及别人谈的深刻。"因此，断了这个念头，再也不想写这种徒劳无功的文章了。

然而我还是得写两句，因为出版者热情地要我为《雷雨》的英译本写一篇序。他说："这样可以使读者们更亲切地明了这个剧本。"这位好心的出版者确实给了我一些自信心，但是我仍怀疑读剧本以前有什么介绍的必要。肖伯纳的序写得是非常精采的，但是我总是先读他的剧本，而后才看他的序。"The play is the thing." 我们的心灵首先是被好的戏所吸引的。

【题注】据《迎春集》所载排印，北京出版社1958年第1版。另，英文版载王佐良、巴恩斯译:《THUNDERSTORM》(《雷雨》)，外文出版社1958年第1版，题名Preface，署名Tsao Yu。

《雷雨》这个剧本是否值得看呢？仿佛一个写序的人应该列举一些优点，来吸引读者翻读下去。但我又举不出什么可以使我自己满意的地方。关于这个戏在中国演出的情况，仅有一点可以提的。它的演出场数比较多，可以说是中国观众比较熟悉的剧本之一。

卖瓜的不说瓜苦，但是我卖的瓜仅仅有这一点"甜"而已。

这个戏原是我在二十三年前写的，它的生命还能留到现在，这是我意想不到的事情。二十年前看过这个戏的朋友又看了今天的演出以后，他告诉我："这次看《雷雨》，使我忽然感觉我们过去所生活的社会原来是那样黑暗。当初我看它的时候，分明觉得那里面所描写的生活对我是很熟悉、很平常的。但是今天，我却觉得这段生活离我们那样远，真是隔世了。"

《雷雨》是一个描写当时现实的剧本。如今，苦痛的时代已经过去了，这个戏仅存留下它的历史的现实的意义。每想到这一点，我的心上便不由得浮起一种快乐、兴奋的感情，因为我写《雷雨》的时候最深切的愿望，今天已经实现了。

这个戏太长了，曾多次想删改一下。大约是因为已经演了这么多年的缘故吧，每想删改便引起一些不同的意见，因此就搁下了。但如果在国外有人愿意上演这个戏，我想为国外的观众着想，剧本的缩减更是必要的。这项工作就只好留给那些愿意演出它的朋友们了。

1956年10月

汗和眼泪

我到日本，是在八月里一个极热的夏天的下午。长崎虽然是日本南部临海的风景优美的海港，但是三面的山挡住风，海水仿佛蒸腾出来一种闷热的水汽，初到长崎的人简直热得透不过气来。柏油路上白热的阳光反射得我睁不开眼睛。我走进了一个学校，从成千上万的日本人群里（这些人都是从日本各地来到长崎开禁止原子弹氢弹大会的），挤进了一个坐得密密匝匝、成了一片人的海的会堂里。人们流着汗，低低地交谈着。从扩大器里不断地听得见在台上讲着的妇女一边诉说着，一边抽咽的声音。空气非常热，人几乎要发晕，但是静极了，有时连最远的一声咳嗽都听得见。扩大器的声音那样响亮，仿佛可以从屋子里面传到天边外的各个地方。会场外面数不尽白色的布篷底下，坐着流着汗的妇女、孩子、青年和老人们。他们那样安静地谛听着会堂里台上讲话的声音，有的捧着用木片做的饭盒和简陋的水

【题注】载《人民文学》1956年12月号，据以排印。又收入《迎春集》，北京出版社1958年第1版，兹以通校（校注称“迎春集本”）。

壶，有的动也不动地拿着在日本常见的团扇。因为悲哀和痛苦这样深地塞满了自己的胸膛，火一样的炎热都不能使人再有什么感觉。我看见[1]一排长条凳上沉静地坐着那些原子弹受害者们，有的戴着黑的眼镜，有的脸上遭受到不可想象的炙伤，半边已经不成人形。有的低着头，用手把脸捂住。有的像是瘫痪了似的，靠在木背的椅子上。他们都没有作声，静静地谛听发言。但是我看见在他们隔壁的一排椅子上，有一些妇女望着他们，在低低地哭泣。一颗一颗同情的泪珠和额头上流下来的汗混在一起。

原子弹给日本人民的灾难，远远不只是限于一九四五年八月七日和九日，美国飞机在天空扔下来的两颗原子弹惊天动地的爆炸所屠杀的和平居民，从那一天起，已经有十一年。死了的早已埋葬起来了，经过那次灾难还能活下去的人却尝尽了人世罕见的磨折[2]和痛苦。千千万万的养家活口的人死去了，他们的家属长期的悲哀和无法填补的损失不用多说了。当时幸免于难的人们依然在十一年后受着原子弹的放射能所招致的隐藏的威胁。有些人已经娶妻生子，藏在身内的原子弹给的灾害终于发作起来。一种不可抗拒的白血球病使他突然地衰弱，终于没有逃出原子弹的魔掌，离弃了妻儿，冰冷地死在床上。这样的人我见过几个，他们还没有死，可是医生已经暗暗地告诉我，无法抑制的原子放射所引起的病灾已经降临在他们的身上。他们微弱地对着我发出悲哀的微笑，感谢中国人民对他们的慰问和给他们的慰问

1 迎春集本无“我看见”。

2 “磨折”迎春集本作“折磨”。

金，他们梦想着和平和幸福的生活，谈着医治好以后的生活安排。我看见在他身后的年青的妻子暗暗地垂下泪来。[1]

美国原子弹给日本人民的灾难是多种多样的。善良的日本人民的肩上承受着多么沉重的、难以忍耐的负担哪！我看见[2]许多年青、表面上看着健康的少女坐在家里，既无法工作，也不能结婚。因为原子弹放射所致的病和直接爆炸造成她们身体上的变形，使她们必须经过十次以至二十次以上外科的复杂的手术。身体衰弱了，有时走一步就要喘气，没有人欢迎她们去工作，而面包[3]在她们，是须要靠沉重的劳动换来的钱来买的。自己不敢想结婚的问题，但是隔壁比她们还小得多的姑娘们有的结了婚，生了小孩，有的经常有男朋友来找她们看电影，自己只有帮着把生活永远埋在灶下的母亲做一些不费力的轻巧的事情。“活着究竟为什么?”这是她们日夜想着的问题。于是多少女孩子得了这种不可医治的病症以后，就索性亲手割去生活的羁绊——自杀了。一个名叫铃木真枝的日本少女就在我们在长崎开禁止原子弹大会的前夕，吞下剧烈的毒药死去了。她有母亲，还有一个和她患着同样原子病症的十分爱她的男朋友，但是[4]两个人都因为身体虚弱，找不到事情，不能结婚。而[5]她想，结了婚万一生下

1 此句迎春集本作“在他身后站着他的年青的妻子，她暗暗地垂下泪来”。

2 迎春集本无“我看见”。

3 “面包”迎春集本作“米粮”。

4 迎春集本无“但是”。

5 迎春集本无“而”。

小孩，小孩也是活不长的。两个人爱得像柔密欧与幽丽叶，但是横亘在他们的中间不是男女两家的仇恨，而是十一年前美帝国主义扔下来的那一颗充满了灾害的原子弹。她怀着伤心和绝望死去了。她说，她不相信关于原子弹故事电影中所描写的那些勇敢的病人的事情，她认为那是文艺家的想象，真的人生对她来说是灰色的，没有希望的。

但是不幸的可怜的铃木真枝呵，你的绝望的心情比你的死亡更惹起我们的眼泪[1]。仿佛在你的短短的少女的一生里，你所知道的只是美国原子弹给你的灾害。你没有尝过欢乐，没有尝过人生的幸福，也没有机会懂得希望和信念的力量。因为[2]原子弹给你个人的压倒的灾害已经磨尽了你所有的生命的愿望，你再[3]鼓不起勇气来迎接为和平的战斗，而只有战斗，毫不屈服的战斗才能赢得了[4]幸福，[5]把人类的残酷的敌人消灭。

确实，生活在日本不是一件容易的事情，尤其是对一个原子病的受害者。但在日本，我也感觉到人的力量是无穷的。在一个邪恶残酷的敌人的面前，“人”确实可以成为美丽、勇敢、庄严、和平的化身，蕴藏着无限的威力，使残暴的敌人都战栗、恐惧。麦子撒在地里会生

1 “惹起我们的眼泪”迎春集本作“激起我们的愤怒”。

2 迎春集本无“因为”。

3 “再”迎春集本作“再也”。

4 迎春集本无“了”。

5 此处迎春集本有“才能”。

出丰美的粮食；仇恨深深地种在每个日本人的心里，一旦爆发出来，其结果将是残暴的敌人不能想象的。原子弹毕竟是原子弹而已，种下的仇恨是一个能变化、能生长的东西。我闭起眼就可以看见一个一个流着汗的日本人的脸上，两只燃烧着愤恨和决心的眼睛。汗同眼泪交织在一起，仿佛在那个大会上，全世界人们都和我们坐在一起，流着汗同眼泪。那时我想，我虽然不是一个日本人[1]，但我[2]愿和这些受难的人们在一起，为他们的和平事业贡献出我[3]的力量。我望着台下和窗外面千千万万的日本群众和身边的来自全世界各个角落的各种肤色的男女老少的代表，我知道，他们每个人的心里正燃烧着和我[4]一样的感情。

写到这里，我忽然想起那不幸的自杀的日本少女铃木真枝，她会不会说我[5]这只是一个文艺家的空洞的想象？我想不是的。和平的力量已经在日本像长崎和广岛的土地上重生的青草一样，在日本全国，各个城市、乡村、矿山、工厂，茁生起来，那是美国人动不动就用的汽油弹烧不尽的。我[6]亲眼看见日本多少大小的城市开着声势壮大的禁止原子弹氢弹的各种大会。美帝国主义者的眼睛虽然充满了仇视的目光，望着就在它军营旁边举行的大会，但是它的毒恶的手已经不敢

---

1 “我虽然不是一个日本人”迎春集本作“我们虽然不是日本人”。

2 “我”迎春集本作“我们”。

3 “我”迎春集本作“我们”。

4 “我”迎春集本作“我们”。

5 迎春集本无“我”。

6 “我”迎春集本作“我们”。

伸出来碰一碰声动[1]山岳的和平大会了。我曾经见过[2]另外一个原子病受害的日本少女。当我看见她所遭受的灾难的时候，我是多么难过！她表面上看着和一切少女一样，但是我发现[3]她的声音非常低弱，而且是哑的，像是喉咙上蒙上一层纸。她站起来，还没有说话，眼泪便泉水一般地流下来。忽然我发现她的喉咙上一种异样的黑洞似的东西。当她断断续续把她的病状讲完了的时候，我才知道她现在已经不能用鼻和口呼吸了。医生为了保全她的生命，在她的喉咙上钻了一个洞，原来她就靠喉咙下面那个异样的黑管似的东西呼吸的，难怪每当她呼吸的时候，脸上就显出隐隐的、难以形容的痛苦的表情。但是她仿佛超越了一切的痛苦，给我一种坚定而又热情的印象。最后她把眼泪抹掉，她以沉静的、温柔的声调对我们这些远方的客人们讲：

“我现在是幸福的。因为我终于看见了你们，我也看见我们日本的群众。我知道，和平的力量已经起来了。我们今天[4]的生活不会长久这样下去的。”

我想，这个女孩子说的就是千千万万日本人民要说的话。[5]

---

1 “声动”迎春集本作“震撼”。

2 “我曾经见过”迎春集本作“我们遇见过”。

3 迎春集本无“我发现”。

4 “我们今天”迎春集本作“日本人民”。

5 迎春集本此下署“1956年10月”。

全人类的节日

三十九年前的今天，地球上出现了第一个伟大的社会主义国家。从那时起，中国人民便从伟大的苏联吸取了无限的力量和鼓舞。每个中国人从自己切身的经验体会出来一个真理，那就是：苏联一直是全世界人民最忠心、最诚恳、真正能够帮助人们得到独立和自由的朋友。中国人民从来没有忘记过十月革命节，从未忘记由于有了十月革命，人类的历史才真正翻开了新的一页。

无论在什么时候，无论在什么情况下，我们相信伟大的苏联共产党以它的崇高的理想、智慧和坦白真挚，像一个巨大的灯塔，不只照耀着整个的苏联，并且照耀着整个的世界。哪一个人能够忘记在受尽了帝国主义的掠夺、压迫和剥削的黑暗时刻，在苦难重重、饥寒交迫的时刻，从苏联巨大的手掌里所得到的无私的支援和帮助？我们常说："患难之交才是真正的朋友。"伟大的苏联就是全世界一切被压迫人民的患难朋友。它从来没有因为自己走上了社会主义建设的康庄大

【题注】载1956年11月7日《人民日报》。

道，便忘记世界各个角落里还有无数的受苦受难的弟兄们同样渴望着幸福和光明。

必须认识，十月革命是全世界进步人类力量的源泉，十月革命节是全世界的社会主义者的共同的节日。尤其是在今天，当国际的反动势力拉下它伪善的嘴脸，公然用暴力和战争威胁人类的和平和幸福的时候，我们就更感觉到庆幸，因为十月革命的炮声带来了苏联，它给了今天渴望和平和反对剥削的人们以信念和光明。我们是共产主义的战士，我们也是人类一切进步事业的朋友。凡是拥护民主、自由的进步人士都知道这个事实：世界的和平和文明的发展，是因为有了以苏联为首的社会主义各国的困难，才得到有力的保障。

最近匈牙利事件发生不几天，世界人民已经看得很清楚，是反革命势力利用了过去匈牙利政府的缺点，混入人民群众内部，进行反革命复辟的阴谋。然而在极度的混乱中，匈牙利人民终于组织成功新的工农革命政府，在伟大苏联人民和军队的坚强援助下，粉碎了反革命复辟势力。匈牙利事件再一次证明苏联在社会主义各国共同的正义事业中所起的重大作用。难道这不是鲜明的事实吗？当匈牙利劳动人民的前途危在旦夕的时候，不就是苏联人民和军队以他们的热情和鲜血，支援了在水深火热中的匈牙利弟兄，使他们免于沦为法西斯主义的奴隶吗？

“社会主义事业是人类历史上的新事业。一切新事业都不免由于缺乏经验而发生这样那样的错误。”在以苏联为首的社会主义大家庭中，正是由于缺乏某些方面的经验，有些时候在社会主义国家的相互关系上，不免发生令人不能满足的地方。但这样的缺点如果和从这种伟大的国家所得到的无私援助和各方面的鼓舞相比的话，那么很清楚地可以看出，这些缺点是次要的，不能相提并论的，而我们从苏联所得到的真诚无私、国际主义的友谊，是在历史上任何时代国家与国家的关系上所见不着的。一个人的伟大不是因为他具有一副巨大的手和身体，而是因为在他的胸怀里，跳动着一颗伟大的、热情的、真诚的、坦白的心。苏联的伟大也正是这样。

苏联共产党第二十次代表大会已经就社会主义各兄弟国家的共同事业上，做了有重要意义的决议。一个星期以前，10月30日，苏联政府又就发展、加强苏联和其他社会主义国家的友谊和合作的问题上，发表了富有历史意义的宣言。这是一个充满了坦率、诚恳，富有说服力和建设性的宣言。这个宣言赢得了社会主义国家的衷心赞美，也赢得了一切爱正义、爱和平的人们的拥护。当乌云遮住了太阳的时候，乌云何曾减弱了太阳一丝一毫的光和热，但当太阳终于战胜了乌云，重又露出它耀眼的光辉的时候，一切人的脸上都禁不住浮起衷心的欢喜。随着时间的前进，人类获得了更丰富的知识，一个勇敢的伟大的国家随着时间的前进，也就获得了更深刻的经验和智慧。从那新的经验和智慧所发出的力量，将是一切帝国主义者的阴谋暴力所不能撼动的，将是一切战争贩子们所恃的原子武力所不能破坏的。今天，在十月革命节三十九周年的时候，在匈牙利的革命力量依靠着苏联弟兄般的帮助，粉碎了反革命复辟的阴谋的时候，在伟大的苏联10月30日的宣言发生着强有力的作用的时候，我们和全世界一切爱好和平的人民，都更清楚地认识了这个不可磨灭的真理：社会主义国家必须更亲密地、更坚固地团结起来，不只为了我们的今天，也为了我们的后一代。

在10月1日——中国国庆节的早晨，我的孩子从苏联一个中学的学生那里得到一封贺信。信里说："你们的节日就是我们的节日。"这个苏联小朋友的话像春天的歌唱，传遍了我的孩子的学校。在十月革命节的前几天，我的孩子兴高采烈地把她们写给苏联小朋友的一封贺信给我看，里面说："你们的节日是全人类的节日。"

这句话将不只传到苏联，并且将在全世界各个角落里和每个人的心坎上，像欢乐的钟声，永不间断地引起一声比一声更响亮的共鸣。

埃及，我们定要支援你！

这几天，每天天一亮，我就等着报纸，希望看到关于在战斗着的埃及的任何消息。

埃及！令人振奋的伟大的埃及，你一举一动都牢牢吸引住全世界人民的心灵[1]！你在保卫自己的祖国，你在驱逐侵入自己土地上的强盗，你为全世界殖民地的被压迫的奴隶们树立了榜样。在二十世纪的今天，你将给这些残余的，但依然猖狂的殖民主义者一个严厉的教训。

谁是正义的，谁是侵略者，已经清清楚楚地暴露在太阳光下。谁会胜利，谁会失败，在我们心里，早为你——伟大的埃及，做下了定论。英勇坚强，有如金字塔一般不可摧毁的埃及人们[2]哪，你不是唯

【题注】载1956年11月18日《人民日报》，据以排印。又收入《迎春集》，北京出版社1958年第1版，题名《埃及，我们定要支援你》，兹以通校（校注称“迎春集本”）。

1 迎春集本无“灵”。

2 “人们”迎春集本作“人民”。

一的一支钢铁的军队，你身后将有来自全世界各地的志愿兵士，做你的有力的后盾。在你的美丽的土地上，熊熊地燃起了烈火，我们听得见英法的飞机在你们头上轰炸的响声，我们听得见守住塞得港的勇士们的战斗的呐喊。你们每座房屋的倒塌就像我们自己房屋的倒塌，你们每一颗枪弹打进敌人的胸膛，就像替我们复仇一样。

埃及人民哟，我[1]的兄弟！你[2]不是孤独的。在中国每一个人都会这样说："不，不是[3]我一个在支援着伟大的埃及，我还有[4]六亿兄弟在支援着你。在这支庞大的队伍里，不是'我'，而是'我们'这个伟大有力的词[5]所代表的精神和力量，在支援着今天战斗的埃及！"

当埃及向侵略者宣布抗战的时候，消息传到了北京，那是严寒的冬天。但从四面八方立刻汇集起来四十万北京的市民，他们愤怒地在天安门前向英法示威，他们热烈地向远方埃及的兄弟高声呼喊："我们定要支援你！"

那一天，四十万人拥到英国代办处的门前，四十万人一齐怒吼，他们的声音震动天地，把那古老的帝国主义的使馆摇撼得像暴风雨中的一只破船。伟大的埃及兄弟，你们在尼罗河畔，也会听得见中国人民向你们欢呼，你们立在苏伊士运河的河口上，也会听得见我们如何

---

1 "我"迎春集本作"我们"。

2 "你"迎春集本作"你们"。

3 "不是"迎春集本作"并非"。

4 "我还有"迎春集本作"我们是"。

5 "词"底本作"字"，当作"词"。

热烈地摇着旗帜，向坚强守卫着埃及的勇士们欢呼。

那一天，我在街上看见一个黑头发、高身材、眼神里透露出勇敢和聪明的埃及人，我忍不住跑到他的面前将他拥抱，我对他说："争取自由独立的埃及兄弟，你的命运就是我[1]的命运！"

"我们定要支援你！"这句话已经成了全世界人民行动的口号。我们的大学生说："给我武器，给我证件，派我到埃及去！相信我，我一定打败侵略者，凯旋归来！"我们的文艺家们就在埃及宣布抗战的那一天，便有多少人申请，立刻到埃及去，作战地的[2]记者，把你们英勇的战绩向全世界宣布。连我们年轻的母亲，抱着她头生的婴儿，也亲笔写了热情洋溢的信，信里说："为了你，亲爱的埃及兄弟，我要放下我初生的婴儿，到苏伊士河边来援助你！"

"我们定要支援你！"这句话使伟大的苏联向英法帝国主义提出严重的警告，这警告使得帝国主义者胆战心惊，被迫宣布暂时停火。亲爱的埃及兄弟们，消息传来，我们是多么兴奋，在炮火当中，我们看见帝国主义早晚要以他们的炮舰政策葬埋了[3]自己。我们是多么兴奋，因为在炮火当中，我们每一个中国人都看见一个独立而自由的埃及，已像再生的凤凰，骄傲而美丽地飞起！

我们定要支援你，亲爱的埃及兄弟！我们知道英法帝国主义并没有真正放下武器，他们企图继续屠杀，但你们将像纳赛尔总统宣布

1 "我"迎春集本作"我们"。

2 迎春集本无"的"。

3 迎春集本无"了"。

的那样做，侵略者不完全退出埃及的国土，他们就一定遭到耻辱和死亡。全世界的殖民主义者，你们死了这条心吧！今天的世界不许强盗们横行，谁也不相信炮舰政策还有什么威胁的效用！英法帝国主义者们，你们不要再想勾结伪善的美国，用隐秘的方式再进行侵略！非洲和亚洲的人民已经团结起来，你们千变万化也逃不出彻底失败的结局。

中国人民将永不停止对埃及的支援，一直到埃及胜利为止。我们望着远远[1]一片漆黑的地中海上，满天弥漫着战云。大炮虽然暂时哑了喉咙，但随时它会吐出残暴的杀人的火焰。在一片漆黑的地中海上，我们的声音将穿过硝烟浓雾中的炮舰和战艇，达到埃及人民的心里。

我们定要支援你！我们将永不歇息，我们将以人力所能做到的一切，来支援这伟大的人民争取独立。我们要向全世界宣告，用最强有力的文字向帝国主义者宣告：不管地中海上空是如何的黑暗，不管在地中海阴暗的军舰里如何进行着战争的诡计[2]，我们将像爱自由的诗人海涅所说的，以强大的手，从珠穆朗玛峰顶上拔下粗大的古松，蘸着中国人民心里的烈火，用这支巨大的火笔，在地中海黑暗的天空上写下燃烧的字句：“埃及，我们定要[3]支援你！”[4]

---

1 “远远”迎春集本作“远远的”。

2 “战争的诡计”迎春集本作“殖民主义者的战争诡计”。

3 迎春集本无“定要”。

4 迎春集本此下署“1956年11月”。

难忘的印象

为了参加禁止原子弹氢弹的世界大会，中国代表团到了日本。这几年来，日本和中国的交往逐渐频繁起来。这两个国家仿佛仅仅隔着一道河水，两岸的人民早已互相招手欢呼，互通友好的声息。尽管渡口上还看不见正式[1]通航的船只，但是一片[2]欢呼友好的声音已经使全世界的朋友们[3]感到高兴。

往者已矣，过去这一段中日之间不愉快的历史已经忘记[4]，中国人民伸出手来，向他们的邻居和朋友表示出衷心的友好。我们的道路铺

【题注】载1956年12月7日北京《大公报》，据以排印。又收入《迎春集》，北京出版社1958年第1版，题名《不能磨灭的印象》，兹以通校（校注称“迎春集本”）。

1 迎春集本无“正式”。

2 “一片”迎春集本作“人民”。

3 “全世界的朋友们”迎春集本作“全世界爱和平的朋友们”。

4 “过去这一段中日之间不愉快的历史已经忘记”迎春集本作“把过去这一段中日之间不愉快的历史忘掉吧”。

的不是仇恨、妒嫉和战争，而是友爱、合作与和平。[1]

我们就是抱着这样的心情到了日本[2]。在日本，我深深感觉到日本的风土人情之美。我看见了日本的工人、农民、教授、诗人和一些和平运动者们，他们都很朴实、诚恳，对中国流露出一种无法形容的热情。我记得我们参观一个工厂，工人们看见新中国的人来了，争先恐后地向我们致意，和我们握手。他们把我们簇拥着到了[3]机声隆隆的车间，突然我们的眼睛亮起来，原来这些热情的主人们用无数的五星国旗把整个的车间插满了，每一个车床上都悬[4]挂着崭新的、美丽的五星国旗！他们露着满意的微笑，望着我们这些远来的客人，仿佛说："新中国的朋友，你知道我们心里是多么喜欢你。"

语言不通固然是一个障碍，但在日本，我们与主人有各种办法来互通心意。如果还记得起我国的文言，[5]我们可以默不作声，笔谈一两小时，主客都感到莫大的欣慰。其实不用什么语言，也一样表达出相互的情感。我记得在九州福冈市的一个火车站上，祖国的侨胞们举着五星国旗欢迎我们。那时正是一个炎热的下午，车站上挤满了流着汗的妇女老幼，[6]青年学生，在火车到达的时候，奔跑着，喧嚷着。但是

1　此句迎春集本作"我们的道路绝不应该是日本帝国主义者的贪婪、阴谋和战争，而是人民的友爱、合作与和平"。

2　"到了日本"迎春集本作"来到日本的"。

3　"簇拥着到了"迎春集本作"簇拥到"。

4　迎春集本无"悬"。

5　迎春集本无"如果还记得起我国的文言，"。

6　"，"迎春集本作"和"。

等到发现了五星红旗下面的我们的时候，许多人就立刻拥上前来，向我们鞠躬、寒暄。到过中国的人，就掏出名片来向我们致意，一再道谢在中国他们所得到的款待。每到一个地方都是如此，无论在车站、旅舍、学校、公园，每当我们被发现是从新中国来的，就会有人走上前来和我们热情地谈话。

我在东京遇见一个日本读者，他是喜欢中国近代戏剧的。他告诉我，为了和中国的文艺工作者见面，他从横滨赶到长崎，由长崎赶到大阪，西京（即京都），最后在东京，才在一个座谈会上碰见了我。他说，“我走了这样多的路，仅仅为想亲自告诉你一句话：每一个日本人都是主张和新中国友好的。”[1]

我在长崎和当地的一些诗人、小说家、剧作家、戏剧工作者等开了一个座谈会。那天有一位来自广岛的文艺界人士，和我谈起今天日本人民对中国的感情。他叙述到过去日本军国主义对中国的种种危害[2]，他说：“这些事情只有等到美帝国主义扔下原子弹以后，我们看见自己周围家破人亡，血肉纷飞的情景的时候，我们才意识到过去日本军国主义者对中国人民所犯下的罪恶是多么深。我们心中对你们的歉疚是不可言喻的。但是今天新中国却为了和平，伸出手来向我们表示友好。你们忘记过去一切的恩仇，你们不但派了代表到日本来看我们的受原子弹毒害的病人，并且送给我们大批的款项来为这些人治病。这些原子病人提到这一点就热泪横流，要我对你们表示感谢。他们

1 “我在东京”以下迎春集本无。

2 “危害”迎春集本作“残害”。

说，中国人[1]简直是比自己的亲父兄还仁慈。”

关于今天的中国，在日本有种种传说。传说的精神都是说中国人们的生活空前提高了，文化教育和科学都有极大的进步。关于新中国的任何书籍，销路都非常好。青年学生和文艺界人士更喜谈[2]中国文艺生活和文艺论战种种问题。商人们便爱谈中国人喜欢哪种货品，哪种中国出产品是日本现在生活最必需的东西。

我在长崎临海的一个美丽的花园里遇见了一个日本商人和一个日本诗人[3]，他们正激烈地辩论着：哪条道路离中国最近？那个诗人是早想到新中国来观光的。他听说长崎离中国最近，中间只隔一道海，他就搬到长崎住了半年。他说，他希望有一天在天朗气清、海上的雾消尽了的时候，望一望对面的新中国的景色是如何美丽。“不要相信他，”那商人说[4]：“那是海市蜃楼。我是讲实际的，货从长崎送上船去，一个昼夜就可以到上海，那是最近的路。”“不，”那诗人反驳他[5]：“最近的路并不在那里，而是从东京到北京。老百姓心上的道路是早就通了的，现在就等待从东京到北京正式开航了。”

日本人民希望早日恢复和中国的正常外交关系，处处都可以听到这样的论调。甚至在海关上等待办手续的时候，都可以听见一些小职

---

1 “中国人”迎春集本作“中国人民”。

2 “喜谈”迎春集本作“爱谈”。

3 “一个日本商人和一个日本诗人”迎春集本作“一个日本诗人和一个日本商人”。

4 “那商人说”迎春集本作“那商人鼓着眼睛说”。

5 “反驳他”迎春集本作“畅快地微笑了”。

员们抱怨着为什么还不赶快恢复邦交。大学教授、实业家和知识分子们就更不用说了。似乎是每个人的政见可以各不相同，但每个人从自己的生活里都感觉到必须和中国友好来往，才能解决眼前的问题。多少次派到中国来观光的各种日本代表团，回国以后都有些报道，这些报道有一个共同之点，就是：中国人民确确实实在和平建设。连一个前军官代表团都在香港发言，不得不承认中国的国防和军备完全是防御性质的。

想到中国来的日本朋友太多了。我们临行的时候，就有十二个市长来见我们，希望我们转达他们想到中国来观光的心愿。我们上飞机的前夕，几个"刑事"（即日本的警察）也和我们谈起观光的事情，他们说："各种代表团都看过北京了，我们觉得我们也应该观光一下。"

但是，最使我难忘的印象是已经从中国释放归国的日本战犯见我们的情景。无论我们走到日本什么地方，只要有日本战犯住在那里，他们就会从几十里路，甚至几百里路以外，三三两两地赶到旅馆里来见我们。他们每个人都把最好的衣服穿戴起来，整整齐齐地来见我们。有时带一封感谢的信，但多半的时候，他们并不带什么，就在客厅里坐着，等我们进来和我们见一面。见面的时候，常常先是沉默的，慢慢谈起中国，讲起在中国得到[1]的待遇，就不知不觉地喉咙哑了，眼泪水流下来[2]。他们说："'人道'这两个字，只有在新中国我们

1 "得到"迎春集本作"受到"。

2 "眼泪水流下来"迎春集本作"眼睛潮润起来"。

才看见，才感觉到。我们才认清过去的自己是什么样子，我们才知道今天的自己应该干什么。”有一个年老的，大约将近六十的战犯，唏嘘地对我们说：“我是一个被重新救活的人。我得了重病，你们找了最好的大夫给我治好了。但是这个不算什么[1]。我今天从内心里感觉我从此该做一个有人道心肠的人[2]，有正义感的人，这是我在中国当战犯的时候学来的。我永远不会忘记。[3]”

上飞机以前，正落着大雨，但是有两个日本人[4]坐了一夜的火车，赶到我们住的旅舍来见我们。见到之后，才知道他们也是从中国释放归国的战犯。他们的眼神流露出见着我们的喜悦，但是脸上笼罩着一种沉郁的神气。他们不知不觉地谈起他们自己的生活：“很困难哪！工作是不容易找的。我们都在亲戚朋友家暂时寄宿着，但是恐怕也住不久了。”谈着谈着，仿佛沉闷起来。然而立刻他们又抬起头来，露出微笑[5]：“可是我们要严肃地活下去的[6]。我们在中国看见了和平[7]的真理，无论我们处在怎样困难的情况之下，我们决不能够放弃和平的道理。

---

1 此句迎春集本作“这个，你们觉得不算什么”。

2 “我今天从内心里感觉我从此该做一个有人道心肠的人”迎春集本作“但从此我才懂得我该做一个有人道心肠的人”。

3 迎春集本无此句。

4 “但是有两个日本人”迎春集本作“又有两个头发斑白的日本老人”。

5 “微笑”迎春集本作“一种自信”。

6 “可是我们要严肃地活下去的”迎春集本作“可是我们仍然要坚强严肃地活下去的”。

7 “和平”迎春集本作“你们”。

朋友们，我们要活下去。”临行的时候，他们掏出两封感谢的信来，托我们转达给在中国照顾过他们的朋友。

他们原来[1]要送我们上飞机场的，但是他们讲，怕回来的时候车钱不够了[2]，就没有送。他们立起来，笔挺地站着，忽然像两个沉着而热情的青年人。他们紧紧地握住我们的手，像对多年的老朋友告别：

“永不能忘记。”[3]

---

1 迎春集本无“来”。

2 迎春集本无“了”。

3 迎春集本此下署“1956年11月”。

埃及，你一定胜利！

我们相信埃及人民一定会得到胜利。今天的殖民主义者不要再梦想用他们的炮舰飞机来吓倒亚非土地上的人民。被压迫的人们已经站起来，他们拿起曾经锁住他们的铁链，举起绊着他们的石头，便可以把侵略者们捣成烂泥！炮舰和炸弹压不下已经起来了的人民的怒火，埃及人民向全世界宣告：侵略者不退出埃及的国土，他们的命运就是耻辱和死亡。

伟大的埃及人民的宣告比世界上最有力的排炮还要响亮。不顾英法帝国主义残暴的炮火，塞得港的勇士们像保护自己的咽喉一般勇敢地坚守着自己的要塞。人民这样嘱咐了他们，他们就按照人民的意志来执行。他们知道，他们不是孤立的，全世界的人民都是他们的后盾。

在英法帝国主义突然袭击和平的埃及那一天，我们的心中便烧起愤怒的烈火。我们知道，帝国主义的炮舰政策是如何的残暴和无耻。

【题注】载《剧本》1956年12月号。

从我们自己的历史里，我们体会到，当帝国主义者撕下它伪善的面具的时候，你只有伸出巨大的拳头，狠狠地打在它的那张丑脸上面，它才知道以后见着土地上的主人，应该有怎样的规矩。必须告诉它们，谁是主人。谁在埃及的土地上，世世代代流下了血和汗。谁在肥沃的尼罗河畔，用眼泪和汗水，种下了粮食和棉花。是谁死了四十万的弟兄，才挖通了苏彝士运河。让它们记住，以后谁敢在这美丽的埃及土地上，挥动着殖民的鞭子，向劳苦的埃及兄弟们抽打！让它们记住，除了埃及人民自己，谁敢在这应该自由和独立的土地上，放出一声枪响！

不能允许！决不能允许！强盗们不能再在这块土地上横行。我们听得见开罗上空英法飞机的轰炸，但我们更听见了保卫祖国的埃及勇士们怎样用集中的炮火把它们击落。我们痛心地看见塞得港的母亲和孩子在炮舰的排炮下面，失去了花一般的生命，但我们也兴奋地看见了全世界的人们愤怒地集合在一起，向伟大的埃及贡献出正义的同情和强有力的手。

帝国主义者将在埃及得到惨败的结局。不管它们在被迫停火的时刻里，如何进行继续屠杀的阴谋，我们将强迫它们明了，全世界和亚非人民的和平力量必会使它们碰得头破血流！全中国的人民把埃及的独立和自由看成自己的幸福一样的宝贵，六亿人口的中国将和伟大的埃及紧紧地站在一起。埃及人民哪，你们的命运就是我们的命运！

我们将支援英勇的埃及人民，我们将永不歇息，一直到埃及人民得到完全的胜利为止。正义勇敢的埃及人民，我们如何相信太阳的升起，我们就如何相信你们必然的胜利！

致一个日本姑娘的信

寿美子姑娘：

今天雪停了，屋里都是太阳，外面有些风，映在我的白色的窗帘上是摇动着的秃枝的影子。屋子里很安静，外面远远的有孩子们在玩雪，邻居的白雪铺满的屋顶上有一只喜鹊很有精神地站着，叫了两声就飞去了。

不知为什么我想起了你，我不知道落雪的东京会是什么样子。可能这两天在东京也落下鹅毛似的大雪了吧？我想起我们在日本和你相处的一个月，从早到晚，为反对原子弹氢弹和为中日友好的活动而愉快地忙着。我又想起你告诉我，我们走了以后，你又到空了的旅舍的房间里的情景，那还是三个月以前初秋时的事情。你说，自从中国朋友们走了以后，你感到说不出的寂寞，而“寂寞”这两个字我记得是你经常对我们提起的。

【题注】载1956年12月5日《文汇报》，据以排印。又收入《迎春集》，北京出版社1958年第1版，兹以通校（校注称“迎春集本”）。

你还是那样的感觉寂寞吗？我想着在大雪纷纷的东京的街道上，一个日本小姑娘踽踽独行着，仿佛不知向哪一个方向走好。是回家呢？是到中国去呢？是上学校呢？还是急急忙忙地找一个事情维持生活呢？还是继续把整个的生命都交给这轰轰烈烈的和平工作呢？我想起在你这一个小小的日本姑娘心中装着这么许多问题，我就忍不住一阵心酸。我记得很清楚，当我们在热闹非凡的东京的旅舍里，听着你吐露自己的心情，那时我想，这种心情我们也曾经经过[1]的，因此我们很容易了解。

确实，不愉快的现象，当我们在日本各地旅行的时候是经常遇见的：飞机场上那些傲慢的美国兵士！火车上那些带着依赖美军生活的“蹦蹦女郎”的美国军官的[2]昂然自若的样子，和每一个城市里那些触目惊心的美国营盘和俱乐部。感谢你的诚实和坦白，你告诉我很多关于今天日本社会的情形。其实如果没有你讲给我们听，我们也必然[3]会看见一些。谁能忘记在东京和长崎的禁止原子弹氢弹的大会上，那些身体瘫痪了、眼睛瞎了、整个面目变了形态的原子弹受害者的神情？我总忘记不了在那炎热的下午，他们流着眼泪控诉的声音。我也忘记不了在原子病院里那个患了不治的白血球症的老人对我们欢迎的微笑。你默默立在他的身旁，满脸的泪水，说不出一句话。

但是，我知道对你，这还不是最使你心痛[4]的。我记得有一天夜

1 “经过”迎春集本作“有过”。

2 迎春集本无“的”。

3 迎春集本无“必然”。

4 “心痛”迎春集本作“痛心”。

里，那位熟悉东京的热心朋友带我们去看东京的夜景，无意中我们走到那些列满了热闹的酒店和灯光昏暗的咖啡店的小街上。多少喝醉了的都市青年！多少奇形怪状的、倚在门前或者徘徊在街道上的男女！他们的脸上既没有欢乐，也没有苦痛，仿佛一种漠不关心[1]木然的情感把他们的心灵麻痹了。立在一盏路灯下面，是三四成群的无所事事的青年，围着一个年轻的姑娘谈笑。那姑娘也和他们一样，看上去都不过是十几岁的青年，但是他们的举止神色都流露出一种玩世不恭的嘲弄的样子，仿佛他们的神经糊上了一层很厚很硬的壳，除了眼前的吃、喝、女人以外，对一切都不感觉兴趣。他们斜靠着酒店的墙边。叼着纸烟，冷冷地望着我们。那天并没有下雨，但在那昏暗的墙角里，我看见这些孩子们似乎都穿着黄色窄袖的雨衣，翻起袖口，没有雨衣的，就穿着花色古怪的短衫。但他们都像过去的上海阿飞一样，穿着裤管窄得惊人的西服裤。他们给我的印象是一群刚从好莱坞电影中跳出来的纽约街头的流氓。你告诉我这群孩子有些是高中的学生，有些是很好的家庭子弟[2]，但逐渐他们就变成了偷盗抢劫的罪犯。他们共同的有一种哲学：一切为了满足自己的欲望。在这些人当中，没有过去的道德观念，也没有新的行为的标准。在这些孩子们的脑子里，只有女人、斗殴、酗酒、偷盗，满足一切感官的刺激。他们崇拜享受，崇拜能获得享受的暴力。你告诉我，这些青年就叫作“太阳族”，仅仅在战后才出现的。

1 “漠不关心”迎春集本作“漠不关心的”。

2 “有些是很好的家庭子弟”迎春集本作“有的是很好的家庭的子弟”。

沿着那一条一条灯红酒绿、喧闹非凡的小街上，我们到处看见这一类的青年。你记得和我们同行的那个正直的日本老人，[1]他一面惊讶地望着，一面叹着气说："我到过从前的上海的，那是各种帝国主义[2]都蹂躏过的地方。今天你们的上海干净了，自由了。但是美国却把他们那些垃圾都倾倒在东京了。"

你没有作声，但我在你的眼里，看见了说不出的悲痛和愤恨。当夜我们回到旅舍，泡了一壶中国带来的清茶，几乎谈到天亮。

是的，我们了解你，从心里了解你的痛苦和悲哀。你说，"我需要温暖，但是在我四周，只有冷漠和绝望"。当时我们确实想不出什么话来安慰你。因为从你个人所感到的那些毫无理由的压迫和痛苦，就足够使一个年纪轻的姑娘感到沮丧，更不要说今天你亲眼看见[3]到的社会上的一些问题。负着沉重的苦难的美子姑娘哪！我们是多么想伸出双手来安慰你。

你说，你想到中国来。这不是一件困难的事情。我相信不久，你可以踏在[4]这个你向往很久的国土上[5]。你可以看[6]这里的青年是如何学习同劳动[7]，正如你说的，他们生活在温暖和自由里。但是，亲爱的姑

1 "日本老人，"迎春集本作"日本老人么？"

2 "各种帝国主义"迎春集本作"各国帝国主义者"。

3 迎春集本无"见"。

4 "踏在"迎春集本作"踏上"。

5 迎春集本无"上"。

6 "看"迎春集本作"看到"。

7 "学习同劳动"迎春集本作"学习、劳动"。

娘，你的美丽的国家里也有无数的[1]正直、刚强、富有理想的人。我们每个人[2]都相信，他们的力量再加上日本全国人民的[3]，就会把温暖和自由带到日本的国土上。你的朋友说得对，“要用自己的双手和坚强的心来为日本创造独立的民主的幸福生活，冷漠和绝望的心情是不允许有的”。你告诉过我，你身旁有许多这样的青年，你们互相鼓励着、督促着，走着一条艰难的但是正义的大路。当我想起你身边这一大群朝气勃勃的青年的时候，你在我的脑子里便不是漫天大雪，[4]一个踽踽独行的日本小姑娘的身影，而是迎着阳光，或者迎着风暴，你[5]在数不尽的雄壮的日本青年人中，昂头前进的形象了。

美帝国主义在日本国土上扔下来的原子弹给你们造成无法形容的惨痛的灾难，我们仅在日本三个星期，便亲自[6]看了不少。但是他们给日本送来的毁灭性最大的炮弹却是在日本一些人中流行的美国式的自私自利、冷酷无情的思想和哲学。这种看不见的杀人的武器已经逐渐在日本社会中进行着破坏。我在东京和那些热闹的城市里看见无数的设着赌博机器的赌博场——那种只有在美军侵入以后才出现的叫作“扒清科”的东西，一群一群昏昏沉沉的男女老少，在“扒清科”场

1 迎春集本无“的”。

2 迎春集本无“每个人”。

3 “人民的”迎春集本作“人民的力量”。

4 “，”迎春集本作“里”。

5 迎春集本无“你”。

6 “亲自”迎春集本作“亲眼”。

里，无昼无夜、专心一致[1]地站在一架一架的机器前面赌博，这些[2]和那些描写中学生如何在讲堂上侮辱女教员的[3]美国电影，真是使任何一个清醒的人痛心的事情。然而最使人痛心的还是这些美国影响下的青年——“太阳族”的孩子们。美国给日本青年所带来的这种灾害将比他们扔下一百个[4]原子弹还要可怕。

难道人们能够允许这样的现象长期地存在下去吗？你所看见的不平的现象当然比我要多，然而正因为你十分知道日本的今天的灾难和苦痛，我就更相信你必会更坚强地参加到你一直努力着的和平运动中去。在那多次群众性的和平运动的大会里，我看见你像一只小鹿似的高兴地跑来跑去，在群众当中，你的眼神闪出奇异的动人的光彩。你仿佛完全吸取了和平的人民所给你的力量，你不再是一个简单的小姑娘，你干练，你热情，你善于处理事务，有时，竟像一个年青的组织家。难道这不是你吗？亲爱的小姑娘，我们都经过这一类的苦痛的经历[5]，常常在艰难的环境当中，反而更清楚地认识到自己战斗的目标。当我们认清了自己是为什么活着的[6]，为什么战斗的，便突然地增加了无限量的勇气。

我是非常喜欢你的那些可敬的朋友们，他们为和平运动奋不顾身的精神，正是日本人民的优秀品质的表现。你能和他们经常在一起，和一

---

1 “专心一致”迎春集本作“专心致志”。

2 “这些”迎春集本作“这些现象”。

3 “侮辱女教员的”迎春集本作“侮辱女教员一类的”。

4 “一百个”迎春集本作“一百颗”。

5 “都经过这一类的苦痛的经历”迎春集本作“都有过这一类苦痛的经历”。

6 迎春集本无“的”。

群可以引以自豪的朋友们紧紧地生活在一起，这是任何人都要羡慕你的。

我想，不久我们会在北京或东京再见着面，因为我们都相信东京和北京很快地会有飞机往来，我们两国之间的关系会正常化。道理是很简单的，因为你要求这样，我要求这样，大家都要求这样。

亲爱的小姑娘，我忽然想起来我或者不应该叫你小姑娘，因为你在许多人面前已是一个大人了。但在我们的心里，你将[1]永远是一个小姑娘，因为不只是你的年纪和我们的孩子们仿佛，在感情上你也就像我们自己的女儿一样。

阳光耀眼地照着庭中的白雪，窗外孩子们已经堆好了一个胖胖的雪人了。他们[2]欢笑着跑进来要我为他们[3]点起一支烟卷，放在雪人的嘴里："那么雪人就呵热气了。"看见这些脸色红扑扑的女孩子们，我更想你[4]来了。亲爱的姑娘，春天的时候，到中国来吧！我和我的孩子们将到飞机场上来欢迎你。祝你

快乐

××[5]

于北京[6]

---

1 迎春集本无"将"。

2 "他们"迎春集本作"她们"。

3 "他们"迎春集本作"她们"。

4 "想你"迎春集本作"想起你"。

5 "××"迎春集本作"曹禺"。

6 "于北京"迎春集本作"1956年12月5日于北京"。

陋　规

古人有一句话:“积习难改。”这指的是多年传下来的陋规和恶习往往是不容易变更的。在新社会里，这句话已经不很适用了。先不提工商业社会主义改造这一类轰轰烈烈的大事吧，仅说前两天报上登载着上海一年来出现四千多件拾金不昧的事情，就可见连贪财和占小便宜的积习也在社会主义的阳光下起了变化。积习的改变，是新社会的新气象，这类的事情在今天是到处都有的。

然而如果说“积习难改”这句话在今天完全不适用了，这也不尽然。有些地方还存在着遗留下来的陋规和恶习，它夹在一片新的事物当中，就显得刺目。

眼前我所想到的，是今天很多剧团拒绝给予剧作者上演报酬的问题。

解放以前，一般作风正派的剧团演出一个剧本，总是给那写剧本的人上演的报酬的。剧团负责人以此为荣，他们觉得这样做仿佛尽了

【题注】载1956年12月8日《人民日报》。

道义上的责任。道理也不多，大概是因为写戏的人付出了劳动，就该给他劳动的报酬。再，如果不给作者上演报酬，那么那写戏的人会挨饿，或者不得不找别的生路去了。二者的结果都同样对剧团不利，如果没有人肯写戏，剧团的工作就会受到影响。一个老剧作家对我讲："过去，反动统治者使用各种办法来分裂进步剧团和作者的关系，然而我们却抱得很紧，互相支援。当时剧团的生活也是很苦的，但是剧团的人们总没有忘记为他们写戏的朋友，按期给我们上演报酬，使我们能够无后顾之忧，继续写戏。"

然而，当时另外也有一种剧团经理，他们演了作者的剧本，是以不给上演报酬为荣的。他们常夸口当某些作者不得已，登门请求给予上演报酬的时候，他们能用许多聪明的搪塞办法，比如诉说生活苦、赔钱、头寸紧之类的话，把这笔微小的演出支出躲避过去。这种人自命为"吃得开"的"铁算盘"，古今中外，多少作家碰见他们，就像被掐住了喉咙一样地没有办法。曾经有一个导演遇见这样一位剧团"经理"，便问他为什么不给某一个剧作家上演报酬？他神气活现地说：

"有人给，你放心。"

"谁？"

"别的剧团会给。这点钱不算什么，可钱要用在正事上。再说，嘻，嘻，嘻，把这些人喂得太饱了也不好。"

这些话引起我们极大的愤慨。但在这件事情上，这位剧团经理的话起着决定作用，我们仅能愤慨而已。我记得当时从上海给我寄来一张剪下来的《申报》，上面登载着我的四个剧本同时在上海上演的广告，但是接信的那一天，我正在重庆临江的一个小茶棚里，靠一碗沱茶和几个烧饼过了一整天。那时候的作家在那种黑暗的社会里，不愿意也不能去质问，因为反正是没有用的。

如今自然是一切都不同了，这种剧团“经理”早已不在戏剧圈子里面了，文艺工作者的劳动受到了极大的尊重，但不给剧作者上演报酬的现象还在很多的剧院、剧团里遗留着。据说，有一个描写农业生产合作社的剧本在全国上演了一千多场，但是作者没有从剧本的上演中得到任何的收入。又有一部描写长征的剧本在东北某一个剧团演出，演出的收入有四五万元，但这位作者也没有从这剧团得到一点劳动的报酬。这类事情是举不胜举的。我自己写过几个戏，有时在有些城市上演。除了北京和上海两个地方的一些演出之外，很少剧团通知过我，有的想起来通知我，也是绝口不提上演报酬的。

有一位老剧作家对我讲，他曾经“厚着脸皮”托人辗转向一个剧团询问他的剧本的上演报酬，因为这个剧团把他的剧本在上海、江苏各大小城市上演了多次。但是他所得到的回答是：不理。那个老剧作家本想再问一问，但又怕被人说成“有资产阶级思想，动不动就谈钱”，就不肯多问了。

但是正因为这类不给报酬的事情时时刻刻在全国各地发生着，不免有一些作者亲自找到剧团的负责人问过。但是他得到的并不是上演的报酬，也不是闪避，而是比什么理由都响亮的回答：

“我们没给过!”

有的剧团负责人是比较客气的，他托人很委曲婉转地转告那剧作者：

“对不起，我们的预算没有这一条。”

另一种剧团负责人则比较豪气，为了免得“啰唆”，他吩咐会计：

“干脆给他个整数，二百元，算了！”

但也有作风比较细致的人，当一个演员问他为什么不给剧作者上演报酬时，他沉稳地说：

“等他们来要嘛！”

后来作者果然去要了，但接到的回信上面写着：

“我们要给的，但是没有见到上演报酬条例，不知道该怎样给。所以，……很抱歉。……”

“没有见到上演报酬条例”就不能给吗？这是托词。

话剧工作者都知道按时付给剧作者上演报酬是话剧事业中的良好惯例，今天很有些剧院剧团也一直是这样做的。据我所知，就有中央戏剧学院、中国青年艺术剧院、北京人民艺术剧院、上海人民艺术剧院、上海电影演员剧团和北京实验话剧团（特别要指出，这是一个民营的话剧团）。他们这样做，是因为他们认为这不是一个条例公布与否的问题，而是道义上应尽的责任问题。因为他们自己是艺术劳动者，也尊重别人的艺术劳动。他们这样做不只使剧作家感谢他们，也鼓励了创作，帮助了创作的繁荣。

然而也该认识，这些拒绝给予上演报酬的剧院、剧团负责人全是革命的文艺工作者，很多是对革命有过贡献的好同志。他们勤勤恳恳，任劳任怨，多年从事于各种革命工作。我想象得出他们在土地改革工作中无情地斗争过地主，在五反运动中严正地斗争过不法的资本家们。他们在戏剧的组织工作中付出无私的劳动，为了工作，他们可以一夜一夜地熬红了眼睛，吃不下饭去。他们和本文前面提到的过去那些剧团“经理”们是绝对不能相提并论的，因为一个是忠诚的革命干部，一个是以铁算盘自夸的艺术商人。但，对剧作家来说，其不能帮助他们安心创作的效果却是一样的。

今天的剧院剧团负责人不给剧作者上演报酬，也许是由于疏忽，也许是因为他们认为剧团是国家办的，应该涓滴归公，剧作家个人的报酬问题也应该服从于人民整体的利益。自然，也可能有其他的想法。但无论如何，他们忘记了一点，那就是：剧作家和他们一样，是劳动者。由于他们拒绝给予剧作家上演报酬，剧作家们受到不少的痛苦和烦恼。突出的例子是，有些有成就、有前途的剧作家放弃了话剧写作，有的改写小说，有的去当编辑去了。但这不能怪他们，因为人的劳动必须要有一定的生活资料才能维持得下去的。

的确，还有不少人在写戏，但严格地说来，他们全都是业余的剧作者，那就是：他们是依靠薪水或者剧作以外的收入来生活的。我们有职业的小说家，有职业的诗人，但是拥有六亿人口的新中国，却没有一个职业的剧作家。我们听说文化部直接间接领导的国营的话剧剧团、剧院有四十几个，另外还有许多民营的话剧团和其他公开卖票的话剧演出。但这些，都不能培养出一个职业的剧作家，使他能够靠自己的上演报酬，维持合理的生活，安心写作，这是非常奇怪的事情。

打破这样的陋规，让中国出现职业的剧作家吧！这对戏剧创作的繁荣会有好处的。

花种需要沃土阳光

上海是话剧的发源地。从前有一段时期，这里起码有三四个甚至五个话剧同时上演。今天各剧种都在这里发展了，话剧相形之下就发展得不够。从全国看来，也发展得不够，远及不上一般地方戏。有人讲话剧像是不够群众化，但它历年来还是群众所喜闻乐见的，是最能表现现实生活的剧种，曾在革命斗争中发挥了很大的作用，是很可以发展的事业。

话剧演员是有的，而且有些还是很好的，后备力量也有。问题也不光在于建造一个剧院，而是在于领导对话剧事业的重视与否。当然，口头上总是重视的，然而实际办法少。这并不是说领导对话剧不扶持，而是扶持得不够。

话剧是个幼嫩的剧种，需要细雨和风、肥土、阳光。这些都很费事，不简单。

对于百花之一的话剧来说，剧本是花的种子，撒在石头上是活不

【题注】载1957年4月29日《解放日报》。

了的。然而据我所知，现在剧作家靠写剧本维持不了生活，剧本也就得不到一块可以活的园地。现在担心的是，能写话剧的人，慢慢地都不写了，或者写得不多了，尤其是青年一代。

我看有些地方戏，都有二三百年来的传统剧目。这样的剧目帮助了青年演员。话剧的传统剧目还不算很丰富，这几年来好剧本又不够多，大概也因此更不受到重视了。正因为这样，我们应加强主观努力。

话剧表现现实。在现实中，官僚主义能不能逼人上吊？能。艺术要打动人的心，就得使你不能不恨官僚主义。然而现在的剧本上写的，在你没有上吊以前，官僚主义者已经悔改了（事实上是有死硬的官僚主义者的）。然而哪种写法是更好的教育呢？是根据作者所感受的最敏锐的去写，还是根据有些人所要求的公式？

我们大多数的作品，远不能说是完美的，而是常常一个作品中有好的部分，也有渣，甚至渣很多。当好的与渣的部分还分不大清楚时，我们最好不要因为我们认为是渣的部分而否定全部作品，或说“你去改，改得和好的部分一样好”，除非作者自己要改。勉强地改，不但渣子改不去，好的也会改成渣子。

只要作者站在人民的立场上讲话，即使作品有些小错误，也应该发表或上演。这样，好的东西就能“放”出来了，不好的东西，观众自然会不要。

我们的观众中，即便是老太太也会从儿孙处受到社会主义教育。三四个月以前，这里到处演《济公活佛》（其中据说也有处理得较好的），现在没有几个济公了。可见不能把群众看得太浅薄。而我们有些人却那么神经过敏，自封为圣人，替观众选择：“这好，这坏。”

吴祖光向我们摸出刀来了

我读了十四期《戏剧报》上发表的右派分子吴祖光在文联第二次整风座谈会上发言的摘要，题目叫作[1]《党趁早别领导艺术工作》。这个题目，是编者根据他发言中的话给加上的，不是他原来的，我看加得非常好，正抓住他右派思想的核心[2]。但是，他[3]这篇短短的发言，又包括了很多他对于文艺以外的党的工作的恶毒污蔑。他反对党的组织制度，他说他“感觉党的威信太高了，咳嗽一下，都会有影响”，他认为“组织力量把个人的主观能动性排挤完了”。他又提到肃反，说“肃反这种斗争方式，即使在专制时代，也都是罪恶的”。同志们

【题注】载1957年8月15日《戏剧报》第15期，据以排印。又收入《迎春集》，北京出版社1958年第1版，兹以通校（校注称“迎春集本”）。

1　迎春集本无“题目叫作”。

2　迎春集本无“，正抓住他右派思想的核心”。

3　迎春集本无“但是，他”。

看看,[3]他谈的岂止是艺术工作而已。他是[4]反对我们整个的制度，他不喜欢推动今天社会飞跃进步的伟大力量——共产党。

在“鸣”“放”的时候，他说：文艺界“早已乱了”，并且说：他活到今天,“从没看到像这几年这样乱过”。“乱”到怎样程度呢？他“遇见的人都是怨气冲天”，不问意见相同不相同，不问党员与非党员，不问领导与被领导的，一律都是“怨气冲天”。这真是天下大“乱”了！

这和其他的右派分子们，有的说:“学生要上街闹事了!”“农民要拿起锄头扁担来了!”“现在已经是中国的‘匈牙利事件’的前夕了!”这类的话有什么区别呢？我听说吴祖光有一个小集团，叫“小家族”。我想，在“小家族”里定是“怨气冲天”的，吴祖光的有些朋友和他自己定是“怨气冲天”的，全中国的人民和整个艺术界就完全没有这样的感觉。相反的，凡是有最低的是非之感，对过去和今天如何不同，有一点认识的人，都会觉得今天的中国正处在历史上从未有过的繁荣光明的时代。

自然，他说“早已乱了”，自己也承认这可能是片面的。但他立刻又向我们扑上来，他说:“这很具体!”他以为这一口死死地咬住了我们的咽喉。

本来，以个别代替全局是右派分子们恶毒中伤我们的惯用的伎俩，然而，即使这所谓“具体”的个别例子也经不住放在阳光下照一

3　迎春集本无“同志们看看,”。

4　迎春集本无“是”。

照。具体的事情要具体地分析。“乱”在什么地方？哪一个人应该负责？但最根本的：究竟“乱”了没有？在“章罗联盟”内的右派分子们不是全部的捏造“事实”来污蔑今天的社会和党吗？而他们把那些捏造的事描绘得淋漓尽致，也确是非常“具体”的。吴祖光在他的几篇文章里歪曲、捏造一些“事实”，其动机也是同样的刻毒丑恶，如同什么“文艺战线上新人寥落”一类的谰言，不早已被人批驳得体无完肤了么？

说到“乱”的理由，吴祖光狂妄地叫嚣着：“年青的领导年老的，外行领导内行，无能领导有能，最有群众基础的党脱离了群众。这不是乱，什么才是乱？”

为什么年青的就一定不能领导年老的呢？

只要这个“年青的”[1]有党和人民的信任，有为人民服务的思想和感情，有领导的能力，我们就应该尊重他，听他的领导。孔夫子不也说过吗？“既不能令，又不受命”，那就是一个很不好的人。只要一个人拥有我刚才说的那些条件，我们就应该接受他的领导，管他是“年老的”，还是“年青的”。这不是很清楚吗？他为什么这样煽动、挑拨，一会儿说这样的人不能领导，一会儿说那样的人也不能领导，他这是什么心肠呢？[2]

至于说“外行不能领导内行”，这已经是一般右派的高级知识分子们的滥调了。一个空军司令并不需要自己会开各式各样的飞机，只

1 “这个‘年青的’”迎春集本作“一个人”。

2 “孔夫子”以下迎春集本作“不管他是‘年老的’，还是‘年青的’。”。

要他懂得战略战术，飞机的性能，最重要的，有了马列主义[1]和对人民热烈的感情，那也就成了。如果一个领导者必须对他所管的部门的事情，件件精通，才能领导，那等于是否定了一切的领导。因为那是不可能的。一个文化部门的领导要看整个部门的发展，要注意到如何配合社会主义文化的需要。一个音乐学院的院长未见得会吹笛子，但是，他应该可以领导笛子吹得最好的音乐家。他对吹笛子是“无能”的，但是对如何领导一个学院的发展就是“有能”的。[2]

至于[3]说到“最有群众基础的党脱离了群众”，这是对我们的党最恶毒的污蔑。我们从不否认有个别的党员脱离群众，但你[4]根据什么，能说整个的党脱离了群众？你真是糊涂吗？[5]我看不是的，你[6]是狼子野心，别有企图！看看吧！群众一旦看出右派分子们对党和社会主义的进攻，全中国的人民就一齐起来保卫自己的党，自己的社会主义国家，你为什么这样歪曲事实？[7]你这[8]是什么意思？

我认识吴祖光许多年了，他谈起笑话来确实是个很可喜的人物。

---

1 “马列主义”迎春集本作“马克思列宁主义”。

2 “一个文化部门”以下迎春集本无。

3 迎春集本无“至于”。

4 迎春集本无“你”。

5 此句迎春集本作“糊涂了吗?”。

6 “你”迎春集本作“你们”。

7 此句迎春集本作“全中国的人民一看出右派分子们对党和社会主义的进攻，就一齐起来保卫自己的党，自己的社会主义国家，为什么这样歪曲事实?”。

8 “你这”迎春集本作“你们”。

一个人能笑，并且能使人笑是好的，但是为什么现在，在他文章透出的笑声里偏偏有一种极端阴恶的、刻薄的强调呢？[1]我[2]过去仅仅觉得他有些自由主义，好谈小话。但是最近[3]看了他的文章、发言和关于他的材料以后，我就感觉到这个人变了，蜕化了，我不认得了。[4]原来他的自由主义仅仅是他的外表，而里面却藏着另外一种不可知的、隐蔽的东西。现在暴露出来的隐蔽的东西已经“理论化”了。譬如[5]他说：“组织与个人是对立的，组织力量庞大，个人力量就减少。”这不是最凶恶的敌人的理论么？这样的理论如果任其发展下去，便会瓦解今天的社会，瓦解社会主义，瓦解共产党，瓦解国家。我们从不认为组织和个人是对立的。我们认为，在党的领导下，我们不但一日千里地建设着社会主义崇高的文化，而且就在这样建设的斗争的过程中，同时我们充分发挥了个性，充分发挥了创作上的自由。每一个爱党爱社会主义的文艺工作者都是这样认识的。

在他最近的几篇言论里，他总是恋恋不舍地叫着：“社会主义的优越性究竟表现在哪里?”这句话他一时在这里提，一时在那里提。甚至于在党所领导的中国戏曲学校的一次公演中，演员们出了一些差错，他也要搬出他那一句：“社会主义制度的优越性究竟表现在哪

1 “他谈起笑话来”以下迎春集本无。

2 迎春集本无“我”。

3 “但是最近”迎春集本作“现在”。

4 “我就感觉到这个人变了，蜕化了，我不认得了。”迎春集本作“我发现”。

5 迎春集本无“譬如”。

里?”这些演员可能是正学着演戏的孩子们，如果他们偶然出了一些差错，为什么吴祖光非要在这些孩子们身上咒骂出[1]这样恶毒的一句话呢？吴祖光一向是自夸“忠厚”的。原来，他所谓的“忠厚”是对敌人，而不是对我们。原来他是对腐朽的资本主义社会“忠厚”，而对今天的社会主义社会，他就一点也不讲“忠厚”。他是这样仇恨今天的社会，他的仇恨甚至不能放过正在学习的孩子们。

他说，一个知识分子总有“孤高耿直”的个性，知识分子是“清高”的。所谓“孤高耿直”和“清高”在某种历史时期里也许可以算作一种美德，但是要看这种所谓“清高”是对压迫者，还是对人民。今天，吴祖光对人民的组织和社会谩骂、歪曲，说什么“今天的社会和一九四三年的社会多么相似”啊！什么“今天的政府机构和过去封建统治的机构有什么区别”啊！难道这就叫作知识分子的“清高”吗？难道咒骂、说谎、放冷箭来反党反社会主义就叫作“孤高耿直”吗？

今天人民已经看透了有些高级知识分子的真正面目了，他们既无知，又龌龊，真是臭得不可向迩。这些人若不彻底改造自己，早晚便会在自己挖的浊气冲天的臭坑里腐烂掉。吴祖光应该把立足点挪过来，不要再站在他那个“小家族”里了。人民已向右派分子和一切有右派言论的丑恶的人们大喝一声：你们必须改造自己！真正站在人民的立场，才能算作今天的一个知识分子，才能算作一个人。

吴祖光写过一些剧本，多少年来党一直是关怀着他，教育着他，

1 迎春集本无“出”。

这是朋友们都知道的。但是他为什么忽然地变了脸，成了一个我完全不认识的人？这是怎么一回事情？我的感觉好像是：一个和我们同床共枕的人忽然对隔壁人说起黑话来，而那隔壁的强盗正要明火执仗，夺门而进，要来伤害我们。吴祖光，在这个当口，你这个自认为我们的朋友的人，忽然悄悄向我们摸出刀来了。这是怎么一回事情？

古书有一句话："勿退有后言。"那是说，你不要当面不吭声，背后说我的[1]坏话。吴祖光，今天我们坦坦白白、诚诚恳恳当面对你谈，这就是今天的社会和过去几千年的社会不同的地方。它教人诚诚实实，无论对谁都不要做两面派。我们诚恳地[2]希望吴祖光，把自己丑恶的面貌揭露出来，具体地谈一谈自己的行动和思想，不要再搞那些两面派的把戏了。

吴祖光，你要下大决心，党在挽救你，大家在挽救你，大家都在期待着，你要下定决心，挽救自己。[3]

1　迎春集本无"我的"。

2　迎春集本无"诚恳地"。

3　迎春集本无此句，此下署"1957年7月"。

我们愤怒

同志们，我是一个刚入党的党员，各方面知道的很少。这一次会上揭发的事情，叫我震动，叫我愤怒。感谢党叫我参加这次会，我真是得了很大的教育。我第一次参加这样大的党的会议，被批评的是我认识的人，又是高级知识分子。他们由高级知识分子蜕化到今天这样的地步，使我痛切感到，高级知识分子必须要彻底改造，入了党更要继续改造。在这个会上我也得到另外一个真理，那就是，一个党员必须忠实于党，否则，人民就是不答应你，你只有走向毁灭的一条道路。

知道丁、陈的事情以后，我对丁玲、陈企霞两同志真是感到非常失望。丁玲有才能，能写作，办事也很能干，这是我的印象。丁玲同志是老作家、老党员，过去我对她的期望是大的。但我也觉得她骄傲

【题注】载1957年8月18日《文艺报》第20期，据以排印。文末附注："8月1日在第9次会议上的发言。"又收入《迎春集》，北京出版社1958年第1版，题名《我们愤怒——在中国作家协会党组扩大会议第九次会上的发言》，兹以通校（校注称"迎春集本"）。按，迎春集本对丁玲、陈企霞、柳溪均无"同志"称呼，不一一出注。

自满，很不谦虚，喜欢有一堆人捧着她，围着她转。我和她在莫斯科时，她得了斯大林奖金，她很高兴，我也为她高兴。她对我说：“以后要写几本好书了，像托尔斯泰、高尔基那样的多写几部。”一个作家想写出像托尔斯泰、高尔基那样的书当然好[1]，但是我觉得她的口气里有一种过于[2]自负的味道。我就对她说：“只[3]写一部像托尔斯泰、高尔基那样水平的书，就很不容易了。”

这次我参加会，从揭发的关于她的事实看，我感觉简直是“天转地覆”。我才发现她原来是这么一个对党不忠诚，作风不正派的人。作为“人类灵魂的工程师”的一个作家丁玲，这样就非常卑鄙[4]。丁玲同志有一种使人和她亲近的态度，这原是好的，但如若把这样的态度用来为党工作是多么好。但是她偏偏要搞丁、陈集团，搞恶毒的反党活动。昨天张天翼同志曾提到党一直对她多么爱护。就拿我说，到今天才知道他们所搞的这些事情，便可见党如何想挽救他们，希望他们在一段时期内，自己好好悔改。

我对前天丁玲同志的发言是很不满意的[5]，尽管她开始表示的态度比较好，但后来的发言内容就非常空洞。她不谈主要的问题，言语之间，总要叫人感到她很软弱，有了一种不正确的“受了委屈”之感。

---

1 “当然好”迎春集本作“是应该鼓励的”。

2 “过于”迎春集本作“莫名其妙的”。

3 “只”迎春集本作“你”。

4 “这样就非常卑鄙”迎春集本作“竟如此卑鄙”。

5 “是很不满意的”迎春集本作“很不满意”。

以后又做出一种委委屈屈的小媳妇的样子交代关系。说这里怕去，那里怕去，到别人家里就是下棋、打牌。你暗示一个党员的生活这样的不自由，我们听得出来这是有弦外之音的。这样做就不好，很险恶。党员的生活是自由的。应该为党的事业奋斗，这就是党要求我们的。但是在这个基础上我们可以发挥我们的个性，写出各种各样的作品，进行各种各样的社会活动，这有什么不自由？

我觉得丁玲同志应该老实，她的主要的问题就是，交代向党进攻的活动。

关于陈企霞同志，这两天我真气坏了。他说他是“疯狂的报复主义”，他说“有仇恨”，这倒是真话。我知道他不多，前几年，在一个人数很多的座谈会上，他和林默涵同志讨论文艺政策时，我看他的态度，不像一个党员，不像一个有文化修养的人。他嚣张极了！然而他虽多次如此，党仍然在教育他。他的反党活动，我今天才知道，可见党还是希望他自己能够悔改，想挽救他。

听了方纪同志对陈企霞的揭发后，我觉得陈企霞的反党活动是万分险毒[1]的。他对柳溪同志的行为简直不是人做的事。他侮辱她，玩弄她，利用她，指使她一道做[2]卑鄙的反党活动，做[3]出那些令人发指的罪恶。这叫什么人？这是莎士比亚所写的“亚高”，是一条伪善的、险恶、狠毒的狼。幸亏党内只有他一个，然而就是一个，也太多了。

---

1 “险毒”迎春集本作“险恶”。

2 “做”迎春集本作“搞”。

3 “做”迎春集本作“搞”。

昨天，陈企霞说，这是他的“生死关头”。这是对的。只有老实地向党交代，才能挽救自己。

在这次会上，我看见在我们面前的有两种人：一种人是透明的，使人看得见他的心；另一种人是混浊[1]的，心中七窍都堵塞着泥巴。我们不晓得他心里面是什么。我听了刘白羽同志的话，感到那就是透明的，诚恳的；读了周扬同志的发言，我感到就是透明的，诚恳的，是真正的党员在说话。看见反党的活动，就一定要揭发，要斗争，这是光明磊落的。但丁玲、陈企霞的话就都使我感到是一片乌糟糟，很不干净。

我现在想问两个问题：

1、丁玲同志说今年十月间要退出作协[2]，登报公开与作协[3]分裂。这就是和党决裂，因为作协是党领导的。丁玲同志说没有此事。前天会上，陈企霞答辩时，丁玲当众质问他，陈企霞也就当众[4]说：“没有此事。”这搞的是什么把戏？“丁玲是有此打算的。”柳溪同志说[5]，陈企霞这样告诉过她。昨天葛文同志也向大家这样说。但丁、陈他们却说是“无中生有”。那真是巧极了。为什么生出来这个“有”，两个地方都一字不差呢？

---

1 “混浊”迎春集本作“混污”。

2 “作协”迎春集本作“作家协会”。

3 “作协”迎春集本作“作家协会”。

4 “当众”迎春集本作“随声附和”。

5 “柳溪同志说”迎春集本作“柳溪千真万确地说”。

2、陈企霞找柳溪，要她去找《文汇报》浦熙修、姚芳藻访问丁玲同志，问“丁陈问题”是怎么回事。陈企霞说[1]，预料丁玲会说“找党组”。浦、姚访问丁玲同志时，丁玲同志果然这样说了[2]。我看，正常状况的回答[3]应该是：“这是党内问题，你[4]不要问。”或者老实承认：“这件事，我犯了错误。”就不和她们[5]再谈了。但是她并不这样做，却对她们说：“你找党组。”这就把党处在[6]一个两面受敌的位置。因为如果党组说，丁玲同志可以讲，那就正合右派分子[7]的心愿，也合丁玲、陈企霞的心愿；如果党说不可以，那就是表明作协党组对他们有阴谋，讲不出口，那也正中了丁玲、陈企霞的心愿。因此，在陈企霞所承认的话里，叫柳溪对姚芳藻说：“你去找党组，党组不答应讲，那就好办了。”什么叫“好办了”？这话是什么意思？丁玲、陈企霞又说，没有互相谈过这件事。这究竟搞的是什么把戏？真叫人疑惑，叫人放不下心。[8]

谈主要的问题吧！谈谈丁、陈集团的反党活动吧！具体一点，明确一点！

---

1 “说”迎春集本作“讲”。

2 “说了”迎春集本作“回答”。

3 “回答”迎春集本作“答复”。

4 “你”迎春集本作“你们”。

5 “她们”迎春集本作“这些人”。

6 “处在”迎春集本作“逼到”。

7 “右派分子”迎春集本作“这群右派分子”。

8 迎春集本无此句。

我入党不久，希望入党早的同志们多指点我，使我好好改造自己，给我教育。即使在今天，我还是希望丁、陈二位同志能给我一点正面的东西，那就是，过去党一直给你们的教育，使你们终于能醒悟过来，诚诚实实地、坦白地交代出最重要的问题。真正重新做人，然后做一个作家。这几天[1]我很愤怒，我也痛心。我衷心拥护党对你们所进行的最后挽救的政策。一个人把自己那样龌龊的过去坦白出来，彻底丢开，绝不是从此毁灭了，见不得人了。而是从此才能得到党的信任，我们的信任，才有一天能回到我们中间，做人民当中的作家。英明正确的党永远是这样的慈爱，从来不肯任人走向绝路的。[2]我诚诚恳恳地[3]希望丁玲、陈企霞两同志转过来，转过心来，下一次大决心，再做新人。[4]

1 迎春集本无“这几天”。

2 此句迎春集本作“英明正确的党从来不肯任人走向绝路。”。

3 “诚诚恳恳地”迎春集本作“诚恳地”。

4 迎春集本此下署“1957年8月1日”。

你为什么这样?

——质问吴祖光

最近我连续读了吴祖光写的两篇文章，一篇是板起面孔写的，一篇是以嘻嘻哈哈的神气写的，但这两篇文章都使我非常气愤。第一篇《谈戏剧工作的领导问题》，这篇文章，无论作者怎样巧妙地掩饰，从头到尾充斥着反对党的领导的右派思想[1]。第二篇《吴祖光谈后台》，就更露骨地透出作者对今天的社会及文艺创作的污蔑和诽谤了。

我不明白吴祖光最近发生了什么变化，抑或早已如此？[2]他[3]为何这样情不自禁地敌视今天的现实？他不但完全漠视今天蓬蓬勃勃新人辈出的百花齐放的景象，硬说“文艺战线上新人寥落”，他还狂妄地质问，“社会主义制度优越性在培养艺术人才方面表现了什么”。他一

【题注】载《剧本》1957年8月号，据以排印。又收入《迎春集》，北京出版社1958年第1版，题名《质问吴祖光》，兹以通校（校注称“迎春集本”）。

1 “右派思想”迎春集本作“憎恨”。

2 迎春集本无此句。

3 “他”迎春集本作“我不明白吴祖光”。

会儿说,“所谓领导只不过是行政领导”。他的意思是说，党的领导只能领导行政，在完全是“事务性的领导”之下，艺术家们“得不到发展，逐渐退化”。他一会儿又说，全国戏剧工作者对中央的领导近于迷信,“必须把对中央的崇拜予以消灭”。最后他又居然学起今天右派分子的恶毒的腔调[1]:“外行不能领导内行”，因此在文艺工作上应该取消党的领导。在他那篇绵密细致的文章里，一针一线都为[2]铺排着一个中心思想：有领导便坏，取消领导便好的思想。我不明白他为什么提出这样荒谬绝伦的意见。[3]显而易见的，他的文章完全不像他平时谈话那种随随便便的调子，而是用一种层次分明，有系统、有主题，一层逼一层，图穷匕首见的办法来宣扬他的反领导的思想的。

但是更使我气愤的是他的第二篇文章,《吴祖光谈后台》。吴祖光经常是嘻嘻哈哈、好说笑话的，他在朋友中间也是一个能使“满座生春”的人物。[4]在这一篇文章中他还是以“谈笑风生”的神气，仿佛又讲起他那动听的“闲话”。

这次他是以后台的爱护者的姿态出现的，然而在他这些“动听”的“闲话”中，却藏蓄着许多极可怕的文章。如果我们的猜想真[5]是对的，在这样一个“春风坦荡”的人物的心里，原来可以[6]藏着这样

1 “他又居然学起今天右派分子的恶毒的腔调”迎春集本作“他索兴恶毒地喊叫”。

2 迎春集本无“为”。

3 迎春集本无此句。

4 此句迎春集本作“吴祖光经常是嘻嘻哈哈，不谈正话的。”。

5 迎春集本无“真”。

6 迎春集本无“可以”。

多的“风险”，那么，吴祖光，你是多么使我失望啊[1]！

让我随便举一个例子，他提起解放以前的时期，引用起他在一九四三年写过的几句话：

“又一次一个在中学读书的邻居的女学生对我说：‘演戏真好玩，平常不敢说的话在戏台上都说出来了。’”

“多么有趣的话呀！一个‘多礼’的社会是不允许我们说出真心话来的；然而戏剧常常为我们道出心事，说真话，说心里想说的话；自然，真的就是美的。……”

吴祖光所指的“多礼”的社会是什么时候的社会呢？据他说，是指着一九四三年在重庆时蒋介石独裁统治着的、万分黑暗的社会。上面引话的意思分明是说，不要看当时一片漆黑的社会不好，但是在那个时候，戏剧里还被允许说出真话。但是今天呢？他说：

“今天的社会是新的社会，是人民当家作主的社会了，但是奇怪的是和我在一九四三年所提到的‘多礼的社会’，在某种程度上还有这么多相似的地方，甚至于在戏剧里也难看得见真话，看得见心里想说的话了。”

在吴祖光的文章里，作者是那样一副“言出无心”的样子，但他却曲折地道出他个人的“心里想说的话”：今天的社会不只是和一九四三年的重庆的社会“有这么多相似的地方”，而从戏剧的角度来看，比当时还要坏！因为当时的戏剧里还有“自由”，现在连说真话的自由也没有了。想一想看，这种说法和右派分子所玩的把戏，诬

1 “你是多么使我失望啊”迎春集本作“你是怎样一种人呢”。

蔑歪曲，把今天说成一团黑暗，比国民党时期还不如的手法有什么不同呢？[1]

然而不只如此，他还有下文：

“譬如贤如曹禺同志也有所谓‘想怎样写和应该怎样写’的问题。口是心非假如成为风气，那就很不好，这种情况必须改变，这就难怪我们的剧本写不好。”

在这一段话里他是什么意思呢？

第一，他是说，不只是他有真话说不出，还有一个人也和他一样说不出真话，那就是被吴祖光“夸奖”为“贤如曹禺同志”的我。到了此刻，“贤如曹禺同志”的曹禺也不能不惊愕作者笔墨歪曲的厉害了。我记得我曾在今年三月间作家创作规划会议上，提到一个创作方面的问题，那就是“生活里面事实是怎样，作者的感觉是怎样，和应该是怎样”，这三者之间的距离问题。这个问题，在《文艺报》的创刊号上茅盾同志的发言里，已经得到十分明确的解答。我不明白吴祖光怎么会把这样一个创作方面的问题拉扯到他所感觉到今日的创作没有“自由”的问题上去。社会主义的文艺路线难道在今天不应该发扬吗？共产主义的最终目的难道不应该是我们一生奋斗的目标吗？这不就是“应该如何”的基本答案吗？“应该如何”，或“应该是怎样”，其实根本是一个作者的立场和世界观的问题。一个作者的立场解决了，他写作的目的、路标清楚了，在写作上的“应该如何”，胸中总是有数的。茅盾同志谈起这三者之间的距离问题，他对我们说：“我

1　迎春集本无此句。

们每个人在写作中都会有这样的问题，也可以说每一个作家写了一辈子都是为了解决这个问题而奋斗。”以后这位老前辈在发言里也对我们指点得非常恳切、深刻，我们应该能够理解。其实，在创作的过程中，这三者“事实如何，感觉如何，应该如何”，总是需要统一的。“而且”，我记得我曾在《文艺报》第二期的访问记上说过，“往往因为统一了，才产生写出好文章的基本条件”。问题仍然在于作家如何改造自己，使自己真看见，并且强烈地感觉到今天使全国人民得到新生的社会主义的浩瀚的主流。这样，“感觉”和“事实”首先统一起来。如果一个作家不在自己的改造问题上经常注意，时时刻刻地留心教育自己，使自己有了工人阶级的立场，那么无论他自己是怎样有本领，他的“感觉”开头便不会对，他不但会看不见刚才提的那样一个容易明了的创作问题，而且也容易走上吴祖光的错误道路：把今天的社会看成是一九四三年重庆社会一样的黑暗的。

第二，他是说，今天的剧本“写不好”，原因就是他说的“口是心非”。今天的剧本真是一概不好吗？[1]这个问题我是和他有两样看法的。但是他的用意并不在此，他是说今天在党所领导的文艺事业里，原来有一种虚伪的空气。因此，凡以创作证实社会主义制度在文艺战线上的优越性的，便是“口是心非”，凡不承认今天“文艺战线上新人寥落”的，便是没有说出真话。凡戏剧中歌社会主义之功，颂共产党之德的，也是虚伪。吴祖光，你看一看，今天全国各地各方面社会主义的灿烂成就吧！体验一下全国人民反击那些恶毒的右派分子反党

1　此句迎春集本作“今天的剧本真写得是不好吗？”。

反社会主义言论的怒潮吧！我看全国的人[1]都看出来，“口是心非”的正是那些[2]颠倒黑白、歪曲捏造、昧着良心污蔑党的、伪善的右派分子。对于新社会的建设与光明方面，新人物、新英雄的说不尽的丰功伟绩上，我只恨我们每个人还没有充分掌握一支生花妙笔来尽情歌颂。

我曾经写过一个歌颂党对高级知识分子团结改造的剧本《明朗的天》。在《明朗的天》里，我没有说过一句言不由衷的话；而在我这一生仅仅写过很少的几本戏剧的创作过程中，我最恨的也就是把写作当作虚伪宣传的工具。但是今天，我要说，在《明朗的天》中我把那些坏的高级知识分子还是写得太好了。在那段思想改造时期，有些高级知识分子（今天看，有些果然成了右派分子！），暴露出来的丑恶思想和行为，实在太龌龊、太无知[3]。但是我过去却错误地体会党的思想改造的政策，以为既然要团结改造他们，就不如少揭露他们一点好，为他们留下一些体面。但是我错了，在企图对高级知识分子的思想改造能有些好处的剧本里，我没有充分反映那些人物的丑态，不愿伤害他们的自尊心，引起他们的非难，这正是我的愚蠢。因为这样，反而不是认真地帮助他们。今天我才更清楚，只有使一个人真正认识清楚自己的真实面目，才能使他真正洗心革面，改造自己。看了吴祖光的两篇文章以后，使我更加深这样的认识。

1 “全国的人”迎春集本作“全国人民”。

2 “那些”迎春集本作“你们这些”。

3 “无知”迎春集本作“无耻”。

我不明白吴祖光对今天的后台为什么那样憎恨？我认为今天的后台安适、恬静、有秩序，正是在创造中的艺术家们的好环境。但是吴祖光说“后台的每个人倒提着一口气”了，又说“演员们在后台长期的提心吊胆会得神经衰弱”了，他的文章里所描写的今天的后台，是那样森严可怖，像在一个侦探小说的环境里。我不明白为什么保卫工作同志托人委婉地问了他一下，竟会这样严重地触怒了他，使他写出那样一篇尖刻[1]的文章？一个后台[2]的保卫工作者不可能认识每一个剧本的作家，为了执行他的职务，见到一个陌生的面孔很有礼貌地转问一声，这有什么不好呢？而吴祖光竟然发了大火，指今天的后台是“杀气腾腾”，说今天后台有“大战一触即发的光景”。这是什么情绪呢？作为一个多少年来一贯追求党的进步的作家，怎么可能有这样的感情呢？

老实说，今天的保卫工作者的工作，无昼无夜，风里雨里，是很辛苦的。他们的任务又非常重要。这些人真是人民的好儿女，他们每一个人都为的是保卫社会主义的建设，做着默默无闻的无名英雄的工作。如果吴祖光肯冷静地想想，那个托人问他的保卫工作者，正是使他说他所爱的演员们可以安静地创作的人，正是使今天的观众可以安静地看他的戏的人，我们难道不应该在心里感谢他们一声吗？我们怎么忍心说，他们的出现就使人感觉到后台“杀气腾腾”呢？对今天的保卫工作者联想起“杀气腾腾”，你想想看，应该是什么人才会说出

1 “尖刻”迎春集本作“尖刻恶毒”。

2 “后台”迎春集本作“剧场”。

这样不公平的、歪曲的、恶毒的词句呢?

吴祖光，多少年来党一直是在关怀你、教育你。从在重庆的时候起，我们就知道，党的负责同志对你是多么关心。[1]读到你这两篇文章，我真诧异你的头脑里起了什么变化。为什么在反动的右派分子向我们猖狂进攻的时候，你也夹在里面对党在文艺的领导大肆咆哮？为什么你的眼睛竟然看不见，随处都可以看到的这几年来人民的文艺、戏剧蓬勃发展的景象？[2]一个写文章的人首先要能看见真实，说真实的话。是什么东西迷雾[3]似的遮住了你的眼睛？是什么思想情感统治了你的头脑?

吴祖光，应该诚诚恳恳地认真想一想，勇敢地把你这几年的思想状况向我们这些老朋友们揭露一下。[4]

---

1 “吴祖光，多少年来”以下迎春集本无。

2 “读到你这两篇文章”以下迎春集本作“吴祖光，我读到你这两篇文章，真气愤为什么你的眼睛竟然看不见，随处都可以看到的这几年来人民的文艺、戏剧蓬勃发展的景象?”。

3 “迷雾”迎春集本作“雾瘴”。

4 此句迎春集本作“吴祖光，你应该老老实实地想一想，把你这几年的思想、行动向我们揭露出来!”。此下署“1957年7月”。

原子弹下的日本妇女

去年，为了开世界禁止原子弹氢弹大会，在百度高热的夏天里，我从新德里飞到东京。由[1]灯火辉煌的东京才知道东京的大会已经开过了。搭上火车，赶到长崎。到长崎的时候，正是夜间十时半。夜晚的空气燥热而窒闷，无论走到哪里，我仿佛总是置身在火炉旁边。但是我看见[2]在临山靠海的长崎的市中心的公园里，成千上万的男女老少安安静静地坐在草地上，开着和平大会。他们是为祈祷在原子弹下牺牲的亡人们的灵魂安息而来的。人们的面色是那样悲哀而严肃，在那不十分明亮的灯光下，我看见满脸皱纹的日本老妇人偎着膝下仅存的孙女，默默地擦着眼泪。十二年前——在一九四五年八月九日那一个惨痛的上午，美国飞机扔下来的原子弹的一声爆炸，立时把所有长崎

【题注】载1957年8月8日《北京日报》，据以排印。又收入《迎春集》，北京出版社1958年第1版，兹以通校（校注称“迎春集本”）。

1　“由”迎春集本作“在”。

2　迎春集本无“我看见”。

市民的幸福、快乐、欢笑、美丽，一切人认为最宝贵的东西，变成了苦海和地狱。沿着长崎的街道上[1]，几乎没有一扇门里没有在原子弹下牺牲和损害的至亲和朋友。安慰亡灵的夜里，每家门口都有慰灵的凄惨的灯火，那是因为家里有了[2]在原子弹下招致的不幸的事情。

死了的毕竟是死了，但是他们留下来的家属却是过着凄惨悲痛、缺少衣食的生活。原子弹下的孤儿们有的读完了小学，就急急忙忙为了赡养不能动转的母亲，跑到附近美国军事基地做日以继夜的小工。有的竟得了一种无法医治的原子弹放射能所引起的重病，躺在床上，奄奄待毙。我在医院里看见过一个小孤女，她的父母就死在八月九日的爆炸里。她却在十一年后，忽然得了藏在她身内的原子弹放射能的遗留症。身边的亲人都死光了，一个人在医院里，只有一个十四岁的小朋友天天来看她。她拿着我们给她的花，她的少女的脸就像花一般的美丽，然而她将萎落，比花还要早，因为医生暗暗地说，她的生命在原子弹放射能的侵蚀下，已经不能超过两个星期了。

这样不幸的事情太多了。我在长崎看见一个精明、正直、热情、年轻的外科大夫。他个子不高，原来的面貌想必是很好看的，但是我见他的时候，他的面形和身体，因为原子弹的杀伤，已经经过二十次以上的复杂的手术。我说不出我看见他的脸的时候，我心里的感觉。我就是愤怒。我恨不得一手挡住那一天扔下来的美国原子弹，向那扔

1　迎春集本无“上”。

2　“有了”迎春集本作“发生过”。

原子弹的禽兽掷回去。人是不能这样残酷地对待人的！但是[1]别人告诉我，他的遭遇要比他身体上所受的残害还要痛苦，还要悲惨。他是一个多么坚强的人。他从衷心发出热情的笑声来欢迎我们，他领我们接近各种受了原子弹残害的病人，他讲述别人的痛苦，别人的病情。他像一个真正的日本人的[2]来迎接我们，但是更应该说像一个真正的日本人来迎接生活。而在他的后面，却有着说不尽的沉痛的事情。

被炸了以后，所有的亲友都不理他，抛弃了他，把他看成像得了麻风病一样。他饥饿，找不到事情，有钱的人把他当作灾祸。仅仅靠着几个爱和平的穷朋友的帮助，他上了大学，当了医生。他以后认识了一个也患有原子病症的少女，和她相爱了，然而当他在医院里接待我们的前一天，她——这个也是受尽了多次手术折磨[3]和人生的痛苦的少女，服了剧烈的毒药，自杀了。

我在报纸上看见这个少女的遗容，那是多么温厚可喜的善良的面孔。什么事情使她竟然撒手离开她的母亲和她同病相怜的男朋友呢？可怜的原子弹下的日本妇女哟，本来在日本社会里妇女找职业就是困难的，如今穷困和不可抗拒的原子能放射的病魔使她衰弱得几乎连盘子都拿不起来。而大多数日本的妇女生下来便要终身劳累，担负繁重的体力劳动，才能获得一碗简单的咸菜和米饭生活。[4]爱情不能使她

---

1 迎春集本无“但是”。

2 “日本人的”迎春集本作“日本的人”。

3 “手术折磨”迎春集本作“手术的折磨”。

4 此句迎春集本作“而大多数日本的妇女生下来便要终身穷困，担负过重的体力劳动，才能挣得一份粗劣的咸菜和米饭生活。”。

当作柴米来使用；爱情，即便是这样一个可爱的男人的爱情，也不能使她完全忘却实际社会中的艰苦、冷酷的生活。一个得了原子弹病的日本妇女是没有多少机会来从事养息，[1]恢复体力的。在她短短的少女的一生里，她的原子弹的病症治好了又坏，时好时发，根本不可能医治。她看见和她同病的男女结了婚以后，生下的婴儿往往是活不长的。她能给他什么呢？只有沉重的负担和不幸。谁想象得出她死前是怎样的心情？这个善良的少女离弃了人世，一定是抱着伤心和绝望死去的。这样一对青年爱人，当着他们的生命正像富士山的火山口一样地喷着热情的火焰的时候，却因为十一年前美国的原子弹爆炸，放射在他们身上所遗留下来的灾害，把青春和幸福的前途侵蚀干净了。一个[2]死去了，对美帝国主义所安排给她的命运降服了。她的死亡惹起了我们的眼泪，但是更使我们难过的是使她致死的绝望悲痛的心情。

然而这样残暴的敌人所安排的命运，人们真像羔羊一般顺从地接受下去吗？不！一万个不！正如同那个坚强的受原子弹爆炸的日本外科大夫对我说的："日本人民将起来迎接世界上所有和平的力量！日本人的生活不能长期这样下去。我们是有力量能够把残酷的代表原子弹势力的人们赶出去的。"

在他讲话的时候，在我身旁的日本妇女的目光里闪露着滢滢的泪水，那是欢喜和信心的眼泪。我在那可爱的、充满了热情的外科大夫的身上看见的不是一个死了自己相爱的、悲苦无告的情人，而是一个

1 "，"迎春集本作"和"。

2 "一个"迎春集本作"一个人"。

挺起胸膛，心里充满了日本亿万人民惊天动地的正义的呼声的一个斗士。但是在他的眼里，我又仿佛看见那个少女的微笑的发光的面容。如果她死而有知，她会完全懂得一个真正的日本人是应该这样勇敢地、有韧性地对待一个凶恶的敌人的。

我离开长崎的时候，那个外科大夫紧紧地握住我的手，在人声嘈杂、欢送的朋友们挤在火车窗前的当口，他忽然对我沉重地说：“她不能来送你们，这是无法挽回的事情。但是你们来了，全世界爱好和平的人们都来了，日本人民的命运必然会从不幸扭转到幸福的道路上去的！”[1]

1 迎春集本此下署“1957年7月”。

“夜叉”和“人”

——斥右派分子吴祖光

在右派分子中我们常发现有些竟是认识的，而且有些是多年认识的。看了群众揭发他们的言论和丑恶的行动以后，便想起那样一个总的脸谱：一张永远微笑的胖胖的脸，一对扫来扫去、老鼠一般的眼睛，背地里一副抑郁不得意的神色，见着他的同道便倾泻出蛇蝎一般的仇恨，但在党和群众的面前，便用他那油光光的舌头唱出一大堆甜言蜜语来。

平时这批人是“温文尔雅”的。然而在右派向党猖狂进攻的时候，这一批“温文尔雅”的“君子”们忽然揭开他们那慈眉善目的假面具，露出那副卑劣的嘴脸，魔鬼一般地向党进行袭击。

在一次反右派分子的大会上，当右派分子的阴毒丑恶的事情被愤怒的群众一件一件地揭露出来，那个显露了原形的右派分子瑟瑟缩缩，坐在一个角落里，再也没有他在大“鸣”大“放”时，向党进攻

【题注】载1957年8月13日《北京日报》。

那样不可一世的气概了。然而，在我旁边的一个“好心”的朋友被震惊了，被右派分子丑恶阴险的面貌惊愕得失了颜色，一直低声对我讲：“他原来是这样一个人！真是变了，变了！”

真的变了吗？这位“好心”的朋友应该想一想。

在严重的阶级斗争考验人的时候，我们常发现某种“朋友”变了面孔。出乎我们的意外，他的表现与我们所期待的表现完全不同，就以为：“他变了！”但时常是，多少年来这个人并没有变，他一直是那个老样子，只是原来我们没有看清。有一种什么东西迷住我们的眼睛，使我们看不见。问题并不在于恶魔如何善于巧装改扮，而在于我们自己的眼拙，头脑里没有一种像X光那样的东西，看透一个人的真相。

小时候我最怕人讲：半夜里，一个美丽的女人忽然变了一个夜叉的脸。其实，这还不可怕，因为他是在你面前变的，你看见了。最可怕的是：他本来就是一张夜叉的脸，你就是没有看出来。想想看，一个青面獠牙的夜叉在你面前，对你甜蜜蜜的嘻嘻笑着，腻腻地舐来舐去，而你偏以为这是“学者”“作家”，或者是什么“有美丽的灵魂”的人，这不是非常可怕的事情吗？

把面前的夜叉看成是美人，我们有些人对吴祖光曾经就是这样的。

吴祖光曾有“进步作家”之称，他也以此自命。多少年来，党教育他，大家爱护他。然而他竟恶毒地骗了我们。

他怎样对党进行攻击呢？

他四处放火，散布他的反党反社会主义的言论。他恨“党的威信太高了”，他刻薄地说：“咳嗽一下都会有影响。”他那样憎恶人民对于中央领导赤诚的信任，不由狺狺地咒骂：“必须要把对中央接近迷信的崇拜予以消灭。”他反对服从组织分配，宣扬敌人的最险恶的理论，“组织和个人是对立的”。终于，在右派分子们向我们猖狂进攻的时候，他索性公开举起黑旗，大声叫喊：“组织制度是愚蠢的”，党“趁早别领导艺术工作”。

原来所谓“进步作家”是这样一副“心肝”！

明明今天文艺界出现了千万枝花朵，人才辈出，他偏要说谎：“文艺战线上新人寥落，少得可怜。”明明老艺人都得到空前的发展的机会，充满了对党和今天社会的感激，他偏说：“被剥夺了舞台生存的权利，穷愁潦倒，老泪纵横。”几十年未曾出台演戏的韩世昌、白云生两位老先生不是完全由于党的鼓励、推动，组成了北方昆曲剧院，重现舞台，获得许多观众的欢迎吗？说“生我者父母，知我者共产党”的京剧宗师盖叫天先生不是经常一面热忱地演戏，一面把他的绝艺高高兴兴地教给下一代吗？多少种地方戏在往日、黑暗的旧社会里是湮没无闻的，如今全部翻了身，全国大小城市都热火朝天地演起当地群众爱看的地方戏，并且都在普及的基础上提高了。它们被党培养起来，成为从来未有的香草、鲜花，这不是全国千万群众所亲眼看见的事实吗？

然而这个所谓“进步作家”竟想一手抹杀，把今天的文艺诬蔑成一团糟。

他叫嚣着，他所“遇见的人都怨气冲天”，他说，“一切早乱了”。于是，他一面咒骂着“今天的后台杀气腾腾”，一面又向往着一九四三年他所说的“多礼”的社会，仿佛说：蒋介石的统治都比现在好。

而且，最恶毒的是，他随时随地都捏造题目来辱骂今天的社会，刻毒地问：“社会主义制度的优越性究竟表现在哪里？”

“社会主义制度的优越性”是今天每一个人都熟悉的题目，因为它渗透在我们日常的幸福里。每一个人都会这样严厉地驳斥他：

社会主义制度的优越性表现在人民今天丰富的物质和文化生活，表现在今天中国的科学、教育空前的猛进，表现在众多而巨大的轻重工业和水利的建设的无限繁荣。社会主义制度的优越性更表现在我们消灭了人剥削人的制度，表现在全中国的人民一致衷心对这个制度的拥护，表现在我们不能允许任何人用污蔑、歪曲、造谣的方法企图颠覆我们的党和社会主义社会。

今天吴祖光的嘴脸已经认清了，他头上“进步作家”的那个招牌已经被群众取下来了。有些人这时才如梦方醒，他原来是这样一个忘恩负义的两面派，一个有卑劣的灵魂的人。

其实，在大“鸣”大“放”，右派分子向我们进攻之前，吴祖光的文章里早已露出他的“长嘴、利牙”了。

一九五六年十二月三日他在《文汇报》上发表一篇文章《替那位好心的老太太抱屈》，内容大致是：有一位老太太要送给另一位老太太一罐辣椒酱，但是被坚决拒绝了。那拒绝礼物的老太太说：“决不能接受哪怕是一星半点‘不劳而获’的东西，决不能‘犯这样的错误’。”于是吴祖光便解释道：“这是新的生活经验给她的教育。”为了证明他这一句恶毒的话，他又引申出来另一个例子：一个女同志把一条不合适的裤子送给另一个女同志，那个接受裤子的女同志有一天忽然当众质问："你在两年前送我一条裤子，现在你说说，你对我有什么企图?"

显然，这两个例子是完全夸张和歪曲了的。即使确有所指，这两件事情的背景必会比吴祖光所描写的复杂得多。但是经过了作者的恶毒的眼睛筛滤以后，便成了对新社会极刻毒的讽刺。吴祖光以一种漫不经心的笔调，似在无意中选出一两个身边的琐事来指责今天的生活如何"不近情理""冷酷""刻薄"，以便使人们在毫不提防的状况中，听进去他这一串污蔑今天社会的谎言。他的用心是十分险恶的。但他意犹未足，又轻描淡写地，其实是大声喊叫地说："今天人与人之间戒备森严，今天许多人得了神经衰弱的毛病。"这才结论式地放出那支最毒的冷箭，"'解放'成了'无情'的代名词"！读了这几句话，我几乎听得见他暗暗得意的笑声，真是阴险极了！

又是那个《文汇报》：今年的二月五日吴祖光在上面又发表一篇得意的文章《将军失手掉了枪》。这个"将军"是指戏曲学校的一个学生在舞台上演的"将军"，他失了手，在台上掉了枪。但是当时的观众并没有像在旧社会里，给初学的孩子喝倒彩，相反的，演到终场，"观众看他没有再出乱子，热烈鼓掌"，于是吴祖光便叹息起来："宽宏大量的观众，你错了，你嘉奖了错误。"于是他意味深长地说："你有了上台的资格才能上台。你上了台就得对台下的观众负责。观众有一切权利不饶恕你在台上以任何理由所犯下的过失。"

最后，他果然又放出一支冷箭：

"当人们发现溺爱是一种犯罪的时候，他们就要把台上不称职的角色捅下去了。”

乍读这篇文章，还无法猜测其中的道理。当他的反党反社会主义的言行揭露了，我们就明白他这篇文章的深意。他是主张“党‘趁早别领导艺术工作’”的，并且恶毒地否定了今天社会主义制度的优越性。当听到有些右派强盗鼓励暴动，煽动学生上街，推翻共产党领导的时候，我们更领会了，吴祖光写这篇文章的用意并不在于告诉大家一个台上的“将军失手掉了枪”，而弦外之音是隐隐约约地暗示着，希望着，煽动着：人们应该把台上他所不喜欢的角色——共产党捅下去。

右派分子们被自己过分乐观的估计所蒙蔽，对党猖狂的进攻终于被极端愤怒的人民打垮了。但远远的却有他们的另一个同路者，也被群众掀起的愤怒的风暴吹现出原形，成了一个人人唾弃的东西。这固然吴祖光想不到的，连我们有些人也是想不到的，以为这个“美人”，忽然变得和往常不同了。殊不知，他并没有变，只是我们原来没看清楚。

今天我们领悟了一个道理，得到了一个教训，最可怕的还不是人变了夜叉，而是，原来就是夜叉，你偏把他当成人。

灵魂的蛀虫

任何人都会震惊：这几年来丁玲原来一直和陈企霞等人进行反党的阴谋活动。参加作协[1]党组的扩大会议以后，我才发现丁玲并非一个正直、善良、忠于党的女作家，而出乎她的相识和读者的意料之外，她是一个阴险、狡猾，一直对党不忠诚的变节者。

“阴险、狡猾”，连她的同谋者陈企霞也这样看她。他们这些人长期以来进行小集团活动，制造不和，破坏团结，拉拢那些落后的、对党不满的人，甚至和《文汇报》右派分子们勾结一道，扩大他们的势力。他们夸大自己的作用，抗拒党对他们的领导，把一切原则性的斗争都解释成卑鄙的个人的利益纠纷。最后，发展到个人站在党的上面，居然准备在今年十月的文艺代表大会上公开退出作协[2]，与党断

【题注】载1957年8月15日《人民日报》，据以排印。又收入《迎春集》，北京出版社1958年第1版，兹以通校（校注称“迎春集本”）。

1 “作协”迎春集本作“作家协会”。

2 “作协”迎春集本作“作家协会”。

然决裂。

原来写《太阳照在桑干河上》的丁玲是这样的一个人。《人民日报》揭露她在1933年被国民党特务抓去后，她变了节，成了党的叛徒，但她却长期隐瞒这件事情。记得有一次，我和她一道飞往莫斯科，在飞机上她谈起往日来。她说，在南京被捕入了狱，一天，有一个人来找她，她认清了这个人的面孔，就破口大骂："你这个叛徒！你还来见我！"我听了以后非常敬重她，我觉得一个革命者是该如此的。然而事实上她在粉饰打扮自己，正如她的同谋者说："丁玲很爱惜羽毛，希望美丽的羽毛都是自己的。"但这已不是羽毛的问题，而是她的灵魂的问题了。

她好说自己是"胆小鬼"，意思是说，她经不起考验是因为胆小。而"女人们"正如她那篇文章《三八节有感》中讲的："女人不是铁打的，她们[1]抵抗不了社会一切的诱惑和无声的压迫。"仿佛说，即使在敌人面前变了节，也是可原谅的。但是我一想起她变节后还能在人面前那样装扮自己，一点也不感到理屈，也不曾红一下脸，便觉得，这样的人确实是叫人害怕的。这不是一个"胆小鬼"，是一个胆大包天、心如铁石的女人。

茅盾同志说丁玲身上有莎菲女士的影子，这话真是对的。丁玲骄傲自满、目空一切，希望一切人都众星捧月地围着她，一切功劳归于丁玲，任何错误都是别人的，脑子里只有一个巨大的"自己"。但她在三个大关头上都没有经得起考验。第一，在南京被捕以后，她背叛

1 "她们"底本作"他们"，据迎春集本改。

了党。第二，在抗日战争最困难的时候，她写了反党的文章，并发表王实味的《野百合花》，对党和革命进行恶毒的诽谤。今天，社会主义的大关来到了，她却以反党集团的阴谋者的面目出现在我们面前。这是一个顽强的个人主义者走向毁灭的道路。

“顽强的个人主义者”，丁玲自己也承认的。但是为何她从仅仅对党有不满情绪，发展到搞小集团，准备与党所领导的作协[1]公开决裂呢？这正如丁陈反党集团的陈企霞所说：“反党像是偷东西，偷了一点点，就想偷得更多。”顽强的个人主义者便是这样。了无止境的个人野心和欲望使他对党“偷”了还要“偷”，水涨船高，“偷”成功一次，胆便更大，个人的欲望便更燃烧起来。高饶联盟[2]和丁陈集团[3]都是例证。

丁玲是很重视她自己的著作的。文章是自己的好，这原是旧文人的通病。区区一两本书在人民的丰功伟绩前面[4]究竟算得了什么，这是有眼睛的人都看得明白的。但在我们当中，却仍有一些搞写作的认为自己了不得，狂妄、自傲，任何人不能批评，任何人不能领导，自居群众之上，党之上，看见丁陈集团的丑恶的反党的[5]行为被揭露以后，应该猛醒了。听说，在延安文艺界批评写《八月的乡村》的萧军

1　“作协”迎春集本作“作家协会”。

2　“高饶联盟”迎春集本作“高饶反党联盟”。

3　“丁陈集团”迎春集本作“丁陈反党集团”。

4　“前面”迎春集本作“面前”。

5　迎春集本无“的”。

的时候，有一位老同志讲："作家写出一部书往往认为是他个人创造出来的。他总忘记，他的书仅仅是用笔写成的，而他所重述的人民的事迹，却是人民用一滴一滴的血和汗写成的。"写了一点点东西便狂妄自大，把党和人民都不放在眼里，动不动便提出他那"一本书"，以为他那一本书可以打死人，这真是过分估计自己的本领。这样的人早晚会被人民群众鄙弃，被历史的车轮碾成乌有。

据说，丁玲在家里曾把托尔斯泰的相片和她自己的相片并摆在一起，说这是两个大作家。而她领导的文学讲习所的墙壁上也挂起她个人的相片。当然，我们欢迎丁玲有一天会成为"今天的曹雪芹"或"中国的托尔斯泰"，但过早地把自己那样装扮起来，就显出自己太不谦虚，是个人主义者的坏习性。

"光荣归于党，一切功劳归于党"，这不是一句口头禅，而是经过千万先烈流血写成的革命历史证明的。但是顽强的个人主义者却不这样想，尽管他们嘴上也会这样说。他们把一切代表党的原则的斗争，都从[1]一双"个人主义者的眼睛"来估量。他们把个人利益与党的利益完全对立起来，而且看别人也和他们一样都是个人主义者。他们把代表党的利益，对他们进行原则性批评的人，也看成和他们一样的卑劣。他们以为反对他们的人就是与他们争权夺利的人，他们咒骂别人闹宗派，而看不见自己正是违反[2]党的利益的、反党、叛党的败类。

---

1 "从"迎春集本作"用"。

2 "违反"迎春集本作"违背"。

在作协党组的扩大会议上，有人说：“丁玲和陈企霞是一条狐狸，一条狼。”他们互相勾结，抱着反党情绪，鬼鬼祟祟。陈企霞到丁玲家里都是等到丁玲的公务员出门学习的当口。我忽然想起，胡风的妻子梅志曾经说过：“对公家人不能不存戒心。”想不到丁玲他们也有了同样的心理。一个闻名世界的党员作家，一旦她有了反党情绪，背叛了党，她便会堕落到像梅志那样的阴险。

我们一致认为，对丁陈集团的斗争对于全国文艺界是富有极大的教育意义的。它说明了，任何一个作家，不论他多么有才能，一旦有了腐朽的资产阶级思想，走上争权称霸、个人野心家的道路，他必然会反党，背叛人民，走向毁灭。

我们绝不能允许这样一个反党集团在文艺界兴风作浪，也绝不允许有第二个丁玲、陈企霞出现。我们现在争的不是一件小事情，而是究竟要不要党的领导，要不要社会主义文艺路线，要不要团结的问题。放松了这个斗争，便会使文艺界滋生资产阶级个人主义的毒草，这种毒草一旦蔓生[1]起来，定然会把今天的文艺界搞得四分五裂，离开党的社会主义文艺道路。这个反党集团一直提倡个人崇拜，互相吹捧，对党和群众都玩弄两面派的手法，挑拨离间，拒绝党的领导，这些人已成了一小撮鼠目寸光、失去了党性的人。这群“作家”早已不是“灵魂的工程师”，而是“灵魂的蛀虫”。

揭露了他们的阴谋活动是党的英明措施。我们必须扫清一切文艺界的反党活动和思想，必须摧毁个人野心家的阵地，我们才能在新

---

1 “蔓生”迎春集本作“蔓延”。

的、坚固的基础上团结起来，才能毫无后顾之忧，勇往直前地发展社会主义的文艺事业。[1]

1　迎春集本此下署“1957年，8月”。

斥洋奴政客萧乾

萧乾是文化界熟识的人，他很聪明，能写作，中、英文都好。但是他有一个毛病，就是圆滑、深沉，叫人摸不着他的底。过去，他曾在浑水里钻来钻去，自以为是龙一样的人物，然而在今天的清水里，大家就看得清清楚楚，他分明是一条泥鳅了[1]。

今年5、6月间，"中国的天空上黑云乱翻"的时候，他忽然露出头来，兴风作浪，拉拢这个，打击那个。他拉拢的是反党、反社会主义、阴谋篡夺党的领导的个人野心家们，他打击的是忠心耿耿、保卫党的事业的人。他还写了一些诽谤党、党员作家和新社会的文章，他集中火力对人民文学出版社，对《译文》，对[2]《文艺报》进行攻击。他在这个期间，四处点火，进行了一系列的反党活动。

【题注】载1957年8月23日《人民日报》，据以排印。又收入《迎春集》，北京出版社1958年第1版，兹以通校（校注称"迎春集本"）。

1 "他分明是一条泥鳅了"迎春集本作"他原来是一条泥鳅"。

2 "，对"迎春集本作"和"。

我们都知道他的过去，他在《大公报》和《新路》上所写的那些反共、反苏的文章我们还没有忘记。这是一个有历史的、有阴谋的右派分子。今天，大家已经完全把他看出来了。

大家说他是个泥鳅，这在他的文章里也看得出来。我们批判萧乾，就指出他的短处、缺点、错误，爽朗地批评他，希望他能够重新变成一个好人，一个正直[1]的人，不打歪算盘的人。但是，他写起文章来就要曲曲弯弯，先说许多好听的话，然后再骂你。他仿佛是那种能笑着骂人的人。你说他笑吧，他却是狠狠地骂你；你说他骂吧，他说："我分明是在善意地对你笑着哩。"

我们不喜欢这种笑着骂人[2]的办法。但是，在他的文章里，对党和今天的社会是采取了这样的战术的。

拿他在6月1日《人民日报》上发表的《放心·容忍·人事工作》一篇文章作例吧。

通篇看来，他明明是反对马列主义[3]，企图用资产阶级的所谓"民主精神"来代替马克思主义的思想领导，但他偏要举起双手，热烈拥护地说，马克思主义本身具有不可抗拒的吸引力，大家会自觉地接受真理。明明他歪曲事实，污蔑地说，今天的中国人没有说话和写作的自由，但他就在这句话的前面，满怀恶意地冷笑道："解放以来，每个中国人都可以自豪地说，我们的政府从来也没下命令查禁过一本

1 "正直"迎春集本作"真正"。

2 "笑着骂人"迎春集本作"笑里藏刀"。

3 "马列主义"迎春集本作"马克思列宁主义"。

书。”明明他堆着一脸笑容，希望大家用资产阶级的立场、观点来“独立思考”，“自由选择”，然而他偏把自己打扮成一个马克思主义的忠实追随者，骂党的领导是“拿马列主义当棍子使用的教条主义者”，“把马列主义神秘化，庸俗化”，“逼人家对政治起反感”。

他怎样污蔑今天党的领导呢？

他说，教条主义的领导好比是螳螂前面的车轮。而螳螂呢，就指的是他所谓不能“独立思考”的文艺工作者。教条主义者的车轮又那样无情，许多人都被辗死在它的下面了。于是，他接着就[1]说，问题的关键在于，领导对文艺工作者不够“放心”。要对文艺工作者“放心”，让他们“自由地”放，这才能够做到“百花齐放”的“放”。

这分明是对党在文艺工作中的领导的仇视与歪曲。党从来没有对爱国的、拥护社会主义的革命文艺工作者不放心过。多少非党的文艺工作者领导着重要的文艺机构和刊物，他们在党的领导下做了很多工作，成绩显著。他们从来没有说过，党对他们不放心。但是，萧乾忽然以一个仗义者的面孔出现了。一会儿说，党在“杀鸡吓猴”，一会儿说，党不许人独立思考，一会儿又说，党的领导对人不放心。处心积虑地挑拨离间，他的用意是在，使文艺工作者不相信党，远远离开党，要使大家跟他一样相信：党在文艺界的领导是“教条主义的统治”。他对党是这样的势不两立，却偏要做出一副正人君子仗义执言的面孔。《镜花缘》的“两面国”里的人都有两个脸，前面微笑，后面喷着毒气，萧乾就是这种两面三刀的“好汉”。

1 迎春集本无“就”。

然而，就在恶毒的攻击里，他却狡诈地布置下许多退路。[1]在那篇文章里，他一面骂，今天的社会“把政治庸俗化”，一面又用两面派的手法，埋伏一笔[2]：“在我们的社会里，有浓厚的健康的政治空气。”明明他赞同[3]资本主义的那种虚伪的“容忍”，他又偏要向大家卖好地说[4]：“资本主义国家的政府对他们的文化人是放心不下的。”说：“英美这两个自诩为‘民主的’国家，在这个‘容忍’的考验的面前早就破了产。”现在我们倒要问问萧乾，你到底认为英美是“民主”，还是“不民主”？我们替你说出来吧，无论你在我们面前怎样装疯卖傻，步步设防，骂英美怎样的“不民主”，心里却很向往这个“民主”，过去你的文章证明你是这样，今天你的文章证明你还是这样。

谈到“容忍”，他说，他要我们采取他所谓的“民主精神”。他说，“应该容忍你不喜欢的人，应该容忍你不喜欢的话”，这叫“民主精神”。他引用了一句极漂亮的话[5]，那句话是：“我完全不同意你的看法，但是我情愿牺牲我的性命，来维护你说出这个看法的权利。”其实，这句话是一种戏法，是语言的魔术，因为这句话没有真实的根据。谁都看得出来，这是资产阶级骗人的一句鬼话。国民党统治时期，国民党自称为“最民主、最自由”的时期，我们的革命者所受的

1 此句迎春集本作“然而，就在恶毒的攻击中，他不忘记布置退路。”

2 “一面又用两面派的手法，埋伏一笔”迎春集本作“一面又高声称赞着，埋伏着”。

3 “赞同”迎春集本作“倾倒”。

4 “向大家卖好地说”迎春集本作“极力卖好地讲”。

5 “极漂亮的话”迎春集本作“漂亮话”。

残酷压迫和屠杀已经完全证明，萧乾所引用的这句话是毫无心肝的谎言。然而，那个时候我们没有看见萧乾引用过这句“名言”。在那个时候，他并没有对共产党说：“我完全不同意你的看法，但我——萧乾，情愿牺牲我的性命，来维护你说出这个看法的权利。”然而[1]今天，他却扬扬得意地引出了这句“名言”，并且对我们说[2]：“这是一句非常豪迈的话。”我看，这句话一点也不豪迈，在那些英国绅士的嘴里是一句骗人的漂亮话，但是[3]今天出自萧乾的嘴里，便是一句别有用心、十分险恶的话了。果然，他就进一步污蔑，每个中国人没有说话、写作的自由；果然，他暗指肃反，歪曲地说：“在维护宪法的名义下，干出实质上是违背宪法的事。”

老实说，我们是最讲容忍的。只要他拥护党，拥护社会主义，哪怕有多少错误、缺点，我们总是一面容忍，一面教育，希望他改正过来。但是，我们也有绝对不能容忍的人，绝对不能容忍的话，那就是章罗和其他右派分子，以及他们到处散布的反党、反社会主义的言论。萧乾要我们对敌人表现他所谓的“民主精神”，让他们“自由”地动社会主义之根，摇共产党之本；萧乾要我们“容忍”章伯钧、罗隆基、储安平这类人，那我们就要对萧乾说：“不许你乱说乱动！”

萧乾难道不知道，他引用的那句“豪迈”的话是英美政客骗人的

---

1 迎春集本无“然而”。

2 “引出了这句‘名言’，并且对我们说”迎春集本作“引出了这句‘名言’了，他对我们说”。

3 迎春集本无“但是”。

把戏吗？难道他一点也不意识到，他是在替另外一个阶级在说话吗？我想他是知道的，他清清楚楚地知道，他在那段右派猖狂进攻的时候，扮演的是怎样一种角色。如果他还要掩饰自己，硬说自己并没有做什么，自己是一个好好先生，仅仅有一点点反党思想而已，我们能相信吗[1]？

读了萧乾的文章，知道了萧乾做的事情，我们感觉到，萧乾就像那种偷偷在井水里放毒的人。他要放毒，又怕被人抓到，处处先给自己留退路，装好人。然而，[2]这个放毒的罪人终于被人民抓住了，被我们看破了。他和张友松合谋写过一篇《封嘴记》，这篇文章的题目，就可以说明他们的阴谋。他们是想封人民之口，他们要把人民从光明幸福的今天，拉回到那听不见人的声音的、黑洞洞的旧社会里。

在对萧乾的辩论大会上，我听了同志们对萧乾的揭露，那些事实真使我们愤怒极了。他，一个中国人，怎么能惋惜，庚子年帝国主义的八国联军竟然没有共管中国！他，一个中国人，怎么能把自己的同胞，骂成“愚蠢、肮脏、自私、残酷”，用一切丑恶的字眼，来咒骂自己的国家和人民！他，一个中国人，怎么能把美国领事馆的帝国主义分子称颂为“他哪是人，他是神仙啊”！这正是一切爱国的人[3]所痛恨的洋奴政客。他在过去以“自由主义者”自居，执行反苏、反共的“中间路线”，进行了多少两面派的活动，党都“容忍”了他，还团结

1 “我们能相信吗”迎春集本作“谁能相信呢”。

2 “然而，”迎春集本作“但”。

3 “爱国的人”迎春集本作“爱国者”。

他，信任他，给他十分重要的职务，让他好好为人民服务。党把他的过去的一切丢下不谈，只希望他从此接受党的教育。但是，他说什么呢？他说："在狗窝里待久了，没有狗性，也失去了人性。"萧乾，只有一个毫无人性的人才能说出你这种话！

他的前妻梅韬同志讲，萧乾一生为人做事都脚踏两只船，从不落空。他的格言是，准备最坏的，希望最好的。大家都想知道[1]，他准备的"坏的"是什么？希望的"好的"是什么？

萧乾，你这脚踏两只船的人[2]，你这只脚踩着共产党的船，你那只脚踩着谁的船？[3]

---

1 "大家都想知道"迎春集本作"人们想知道"。

2 "人"迎春集本作"政客"。

3 迎春集本此下署"1957年8月"。

人与人

——昨日和今天

“阴阳河”里的游魂

5月间，中国天空上突然黑云乱翻，有些“人”唰地改变了他们那永远微笑的面孔，拼死拼活，赤膊上阵[1]，写了很多刻薄刁毒的文章。

在这些文章里有一种专门污蔑今天的社会人与人之间的关系的。

这些人说：“今天人与人之间太冷淡了，远不像从前那样温暖。”又说：“我们是整天在戒备状况下生活着，朋友都不来往了，有话都不愿意多谈了。现在，父子不像父子，朋友不像朋友，夫妻不像夫妻。总之，人与人的关系失调了。”还有人喊着：“干燥啊！十分冷酷

【题注】载1957年9月9日《中国青年报》，据以排印。又收入《迎春集》，北京出版社1958年第1版，兹以通校（校注称“迎春集本”）。

1 “拼死拼活，赤膊上阵”迎春集本作“赤膊上阵，拼死拼活”。

啊！冷冰冰的毫无温暖的同志关系啊！”总之，他们感觉，现在不够温暖，等待什么地方刮来一阵“温暖”给他们。

明明是明媚春光，偏要说是凄风冷雨；明明是一片光明，偏要说是一团漆黑。说这些话的人，有的是清清楚楚的右派分子，有的是明目张胆的反革命，但也有的是认识模糊，是非不明，失去立场的所谓高级知识分子。这些高级知识分子的思想应该说是处在“明暗之间”的。小时看戏，记得有一出戏叫《阴阳河》。河水翻腾，昏黑险恶，人的魂灵渡到那边便是“鬼”，返回这边还可以叫作“人”。大约这些知识分子，正是浮沉于“阴阳河”中的一些魂灵[1]吧。

说“人与人的关系存在一种戒备状况”，这在某些情况下也是对的。譬如，我们今天对章伯钧和罗隆基就存在着戒备的状态。如果有一天那些处在明暗之间的知识分子终于背弃了阳光，堕落成为恶毒的右派分子，那我们跟他们之间也会存在戒备状况。

为什么这样呢？因为“人心不同，各如其面”，有黑心肠的，也有赤胆忠心的，有口蜜腹剑的伪君子，也有披肝沥胆的好朋友。同是一个夜，有月白风清，谈心的夜，也有月黑风高，杀人的夜。我们对于夜，也是有不同的感情的。然而今天还有少数所谓“知识分子”，把光明看成黑暗，把白昼当作长夜。他们留恋过去人与人之间冷酷伪善的关系，鄙弃今天人与人之间坦白真诚的情感。工人说：这些人和大家是两条心眼。我看这是对的。

在今天反右派的斗争中，我们一天比一天认识到立场的重要。立

---

1 “魂灵”迎春集本作“游魂”。

场不同，并不是像大家常说的“瞎子摸象，各执一词”的情景。一个人失去了立场，他便成了一个颠倒黑白的疯子，任何真实的现象他都看不见了。

“头儿胡行于上，蚁民乱碰于下”

回忆起旧社会，我的心中就充满了痛苦。我的回忆是一串数不尽的悲痛、愤怒和愁苦的日子。鲁迅曾说：“头儿胡行于上，蚁民乱碰于下。”这便是当时社会的写照。“蚁民”就是像蚂蚁一般不值钱的人民。无论你是怎样刻苦辛勤，少吃少睡，最后总是被大头儿们一脚踩死。

抗战期间，我在四川一个小城里，经常看见，一串一串用麻绳捆缚起来的壮丁们，在手枪、刺刀、皮鞭的追迫下面，离开了自己的妻儿老小。这些壮丁都是枯瘦如柴，两眼陷成一对黑洞的“人干儿”了，有的竟是一丝不挂，仅仅一块粗麻袋挂在前面。他们身上长着脓疮，有的脊背上露着一道道被刺刀划破的血痕。满脸污黑，手掌上泥血淤积，还抓着一只破碗和一双刚编好的草鞋。这些人望着你，默不作声，像牲口似的在你面前走过，使你管不住的[1]心痛如割，说不出一句话来。

这是人吗？人待人可以这样吗？但是，我记得还有一次，从黄

1 “管不住的”迎春集本作“禁不住”。

泥坝赶回到城门的傍晚，我看见田垄旁的土路上，又一群这样衣衫褴褛、被麻索捆着的农民走过去。后面一群挎着“盒子炮”的保安队，押一辆土车，上面躺着一个四肢倒捆着的奄奄待毙的人。他们兴致勃勃地在路上吆喝，说是抓回逃丁了。那人的脸贴在车板上，嘴角流着血，腿骨已经被枪杆打断了。他似乎是一副高大的身材，泥土和血盖满了他，像从屠场中爬出来的。我只看见他那一对痛苦的黑眼睛向四周的路人投望。车身在高低不平的土道上颠簸，不停地震动着他的断骨，那痛苦一定是可怕的。他像牛一样地低沉地呻吟着，豆大的汗珠流下来。

路过一个“绅粮”——地主的门口，一个摇着团扇，穿着纱褂，呲着黄牙的“上等”人慢悠悠地问：

“捉啥人回来了？”

那个军官擦着汗，笑嘻嘻地说：

“猪仔跑了，捉回来了！今天晚上要杀，还请你老人家呢！”

说着催车飞跑，车更颠动起来，那黑眼睛的农民立刻晕过去了。

朋友们，当时人与人之间的关系就是这样的。城市、乡村都是一样。走到街上，满眼都是军阀、官僚、地主、恶霸，每个人都在做明抢暗夺、荒淫无耻的勾当，却每个人都衣冠楚楚，白领儿长袖儿的荡来荡去。

奴才的哲学

当时人们有一句话:“各人自扫门前雪，休管他人瓦上霜。”以前压迫者就在奴才们当中散布这种奴才的哲学。我记得，当时长江船上就像剑侠小说里面的黑店一样，搭船前，老一辈子的人照例告诫出门人:“在船上看见别人抢东西伤人的时候，应该把头转过去，装作没看见。如果声张了，便会在夜里被抢东西的帮客投进江心。”过去在上海弄堂里，邻居的丫头被主人打得皮开肉绽，惨厉地嚎喊。墙壁的那一边，电灯雪亮，四个心平气和的人依然“噼噼啪啪”地打麻将，纹丝不动。

那时人与人之间的关系真是温暖吗？长江的滩上[1]翻了船，男女老少落在险急的浪[2]里喊着救命，几十丈外摇着船的“把头”和帮手却高声讲价钱，多少钱才救起一个人。

如果旧社会里人与人之间还有透露了人情美好的地方，那便仅仅在劳动人民之间和正直的知识分子里面。在劳动人民的生活里，他们互济、互助，表现了同情、正义和崇高的感情。

我看见一个失业的钳工把仅剩下的一张钞票送给隔壁孤苦无依的

1 “滩上”迎春集本作“险滩”。

2 “险急的浪”迎春集本作“惊涛骇浪”。

病妇。抗日期间，一个父母被敌机炸死[1]的三岁小孩，被一群穷苦的工人叔叔伯伯轮流抚养，长大成人。解放前的上海米荒严重，一个纱厂女工日夜站队，挤购了几升粗米，走到半路就把一半送给一个比她更苦的老人。多少正直善良的知识分子对劳动人民怀着满腔同情，结果，被搜索，被迫害，被驱逐，被残杀，大家何曾有一天长舒过一口气。

在旧社会里，到处弥漫着自私和麻木，这些黑夜里闪出来的火花终于被浓密的黑暗吞没。只有在新社会里，人与人之间的平等、友爱、互助的崇高关系，才像亮晶晶的阳光普照着每一个人。新的生活像母亲的声音，把多少世纪被压迫的人们心中的高贵、优美的感情和理想从沉睡中唤醒。

在[2]往昔漫漫无边的黑夜里，只有一个地方燃着熊熊的火焰，大放光明，那便是党所在的地方。今天人民胜利了。党领导我们走上社会主义的大路，我们有什么理由还留恋那个人与人只有压迫者和奴才[3]的关系的社会呢？然而在大家做主人的时候，有人今天反而觉得不自在，说什么“人与人的关系失调了，冷淡了，不温暖了”。老实说，社会主义革命来了，三大改革五大运动之后人们的道德标准和感情起了极大的变化。旧社会的浑浊、黑暗、尔虞我诈的伪善关系一去不复返了。右派分子是在那种基础上求“温暖”的，难怪他们呼天抢

1 “父母被敌机炸死”迎春集本作“被敌机炸死父母”。

2 迎春集本无“在”。

3 “奴才”迎春集本作“奴隶”。

地的喊："人与人的关系失调了！"[1]

朋友和夫妻之间

你说朋友不像朋友吗？今天我遇见的朋友都对我真挚坦白。不只是今天的新朋友，连旧朋友都比以前亲切多了。

朋友之间应该以正义、真理见面，而不是"群居终日，好行小慧，言不及义"。今天有这样一种人，忽然瞥见门前的马路有一小块地方裂了缝，需要灌浆，便恶毒地讽刺北京的建设，而故意不看整个北京已经建设成一个仙岛[2]一般庄严美丽的都市。这些人心里根本没有正义和是非之感。难道我们要从这样的"朋友"去求什么"温暖"吗？

任何温暖的感情总要有一个共同的世界观的基础。如果不在共产主义世界观上建筑我们互相之间的感情，却终日沉溺在旧社会的追忆里，互相"嘤嘤求友"，那必然得不到什么"温暖"，一定会走向堕落和灭亡。

---

1 "然而在大家做主人"以下迎春集本作"然而在大家做主人的今天，有人却不自在了，说'人与人的关系失调了，冷淡了，不温暖了'。这是为什么呢？老实说，轰轰烈烈的社会主义革命来了，人们的道德标准和感情起了极大的变化。旧社会的混浊、黑暗、你虞我诈的伪善关系、吸血吮髓的剥削关系一去不复返了。敌视社会主义的右派分子却定要在那种关系的基础上求'温暖'，难怪他们呼天抢地地喊：'人与人的关系失调了！'"。

2 "仙岛"迎春集本作"乐园"。

你说“夫妻不像夫妻”吗？不要说农村解放后的家庭和妇女了。我看见许多城市里的妇女，现在从家庭里走出来，有的抛弃了从前终日跳舞、赌博的生活，安心地做了人民教师。有的从一字不识，今天居然上了大学。有的离弃了一无所长的依赖生活，在新社会里学会了专门技术，走上了工业建设的岗位。这些夫妻之间从此不那样贪图享乐，或者因为无聊、愁闷[1]，天天争吵。代替了过去夫妻之间穿衣吃饭的关系，是今天新社会的相亲相爱的夫妻兼朋友的正常关系。

今天的夫妻之间产生了一种优美的、社会主义的空气，他们用工作成绩互相鼓励，用教育下一代的责任互相督促，用高贵的对人民的感情来丰富夫妻的生活。

当社会主义走进了家庭，它就带来更多的幸福和温暖。

“其乐也融融”

难道“父子不像父子”吗？今天父子之间确是[2]有了很大的变化。往日的父母沿袭着他们的父母如何教育他们的老路，来教育孩子如何自私，如何踩在别人头上发达起来。然而今天这一切行不通了。孩子们不再是父母私有的财产。他们今天不仅是父母年老时的拐杖，他们也被人民认为是建设社会主义的砖石、螺丝钉和栋梁。在一切孝父母

1 “愁闷”迎春集本作“闲闷”。

2 迎春集本无“确是”。

爱子女的道德标准之上，还有一个更高、更美的标准——共产主义的道德标准，拥护党、拥护社会主义的道德标准。这样的标准使我们在父子之间也要明是非，辨善恶，而不是父亲要点火，儿子就应该加油[1]，或者儿子要当反革命，父亲就供给他手枪。这样的共产主义道德标准不仅有利于社会主义的建设，也加强了父慈子孝的关系。

人与人的任何伦理关系，如果他们之间产生了敌对的世界观的矛盾的话，是维持不下去的。有恶霸地主黄世仁，就有恶霸地主黄世仁的母亲，他们都认为吃杨白劳的肉、喝杨白劳的血是天经地义的。有不朽的英雄黄继光，就有那样深的爱他，又送他去抗美援朝保卫祖国的黄妈妈，这一对光荣的母子是翻了身的、有高度阶级觉悟的农民。

父子之间有了正确的政治空气，难道就会变得冷冰冰了吗？不，刚好相反。许多父子，因为其中一个政治认识提高了，使他们之间产生了一些矛盾；但是经过了一段诚心诚意的改造，那一个也进步了，父子的关系却比以前更好了。

我见过一个腐化堕落的“阿飞”在党的关怀和教育下，终于败子回头，成了做医生的父亲的得力帮手。我也见过一个反革命罪犯，经过劳动改造和儿子的启发，变成了诚实地劳动，和儿子亲密相处的人。经过这样一度变化之后，父子都成了崭新的人，那种新的父子关系真叫“其乐也融融”。

---

1 “加油”迎春集本作“泼油”。

最孝顺的话

右派分子们提起的“父不父，子不子”的话，在旧社会里倒是十分确切的。

我出身在封建的社会和家族里。我亲眼看见一个父亲带着自己的儿子嫖妓院；儿子为侵占财产活活把母亲逼死。女儿被生父劝诱，做了她父亲的长官的姘头。一群儿女在父亲未咽气之前，狼鼠一般地搜索病人枕下的珠宝钱财，居然为了这些东西，在快断气的父亲的眼前大打出手。这样的事情真是举不胜举的。[1]

今天，新的道德标准建立了。今天的家庭、父子关系便出现了可珍贵的气象：

著名的建筑学家梁思成同志提起他的女儿入党的事情，说：

“当我祝贺我的女儿光荣入党的时候，她却说，她还不满意。她说，她不仅要做一个共产党员，而且要做一个共产党员的女儿。”

这时，这个父亲感动地说：

“我认为，这是新中国的新型孝女所能对她的爹爹说的最‘孝顺’的一句话，也是为共产主义的崇高事业并肩奋斗的同志间最友爱的一句话。”

---

1 “我亲眼”以下迎春集本作“看见父亲带着儿子嫖妓院；为了侵占财产，儿子活活逼死了母亲。有的家庭，女儿被生父劝诱，做了她父亲的长官的姘头。有的，一群儿女在父亲未咽气之前，狼鼠一般地搜索他枕下的珠宝钱财，为了这些东西，在快断气的父亲的眼前大打出手。这样的事情是举不胜举的。”。

他们两个既是父女，又是同志。梁思成同志的这几句话代表了新的父慈子孝的关系。这是温暖的、崇高的、新的父子关系。

在大“鸣”大“放”的时候，北大学生王昌珞回忆起“三反”时他父亲被斗的情景，便写信给父亲，要他把过去的牢骚发泄出来。出乎他的[1]意外，他的父亲回信严厉地批评了他：

“你说‘三反’‘肃反’搞糟了，我说你的看法是不对的。难道党应该无条件的相信每一个人吗？特别像我这样一个人。我说‘三反’‘肃反’是好的。就拿我来说，运动之后，我的一切问题都搞清楚了，党更了解我，相信我了。相信我，这就是使我感到最痛快的事。今后我要更好地为社会主义服务……”

他责问自己的孩子说：“你为什么不想想解放前？”他回忆起解放前经常失业，到处流浪的苦日子，二儿病死，三儿送人。而今天，留下的这个儿子上了大学，他的生活、工作有了保障。“这还不好吗？”

这个父亲又慈爱地责问他的儿子：

“更重要的是，几年来我国国际地位提高了，中国人的地位也提高了，我国一天一天富强起来。这难道不是每一个正直的知识分子最痛快的事情吗？”

后来，[2]这个对“肃反”有过错误认识的儿子，经过父亲点醒，流下了[3]眼泪，认识了父亲，也认识了今天的社会。

1 迎春集本无“他的”。

2 迎春集本无“后来，”。

3 迎春集本无“了”。

叠罗汉

八年来，我天天感觉到爽朗畅快。然而右派分子们在大“鸣”大“放”的时候，说什么“现在解冻了”，说什么现在是“早春天气，乍暖还寒”，仿佛这几年来他们过的是寒风刺骨、冷不可支的冬天一样。

对他们来说，我们的春天正是他们一段挨不尽的冬夜。我们在欢乐，他们在抽冷气。我们感觉生活一天比一天好了，他们却痛心“挥奴使婢，一呼百诺”的日子永不再来了。于是在他们眼睛里，这个世界是冷酷了，人与人之间的关系不温暖了。

但是只要睁开眼睛看事实的人，便会明白，人与人的关系今天和昨日是如何的不同。我们的头顶上再没有什么脑满肠肥、畸形怪状的主子压着了。

过去，如果我们能有一双通天的慧眼，走到大街上，便看见所有的人不是单自走路，而是头顶上又顶着一个人，那人的顶上还有人，一个顶一个，乃至数人、数十人不等，像叠罗汉一样摇摇摆摆地走着。有些肥头大耳、红光满面的人物，原来也不是一个人走路，而是脚底下正踩着、压着一些流着汗、皱着眉的人向前移动着，好像一个腾云驾雾的妖怪。你自己也不例外。你不是发现自己头上还顶着许多人，便发现自己原来正压在别人的头上，像那个腾云驾雾的人物一样。

无论右派分子用怎样的恶毒的语言来污蔑我们，谁也不能掩盖住今天社会空前的变化。一个空前的变化，人压迫人的制度消灭了。

阴霾扫空，太阳出来，一切魑魅魍魉都露出原形。有的匍匐在地上。有的还不停地霎动着那豆大的见不得阳光的烂眼睛，向当空的太阳狂妄地叫嚣。右派分子们！我们难道认不出你们是谁吗？

消除了剥削，便使人和人温暖起来。

我们是重视感情的。但我们是要好人和好人为了社会主义团结起来，一天比一天发生深厚的感情，而不是放任恶人插在我们当中，用什么“冷淡啊”，“不温暖啊”，“乍暖还寒啊”的话来挑拨我们的感情，使立场不稳的好人对今天滋生了迷惑，使他们孤零零地落在群众后面。

人心的变化

让我就一些眼见的事情再谈一谈今天人与人之间的温暖吧。

上海在过去是个光怪陆离，填满了罪恶的城市。那时，人们不是险恶奸诈，便是胆小怕事。自从人民管理了上海，上海变成了一个从里到外、清洁、有秩序的城市。

人心变了，人与人之间的关系也不同了。从前谁也顾不了谁。今天在人的心里便绰绰有余地安放别人的苦乐。每次运动中都出现许多关心群众，拥护社会主义的模范人物。就在普通调查数字里也可以看出人的变化。

去年就有三千多三轮车工人把拾物送还物主。我曾经问过这样一位三轮车工人，他费了一天的工夫才把拾到的钱包送还给一个老太太，他说：

“钱是好东西，谁不喜欢要[1]呢？但是我拿去了，那个老太太怎么办呢？”

这便是今天人与人之间的关系，难道这不是温暖吗？

真实的喜剧

有一次，我在上海的中山公园散步，忽然看见一个长方凉亭里坐满了人，老的少的，男的女的，都[2]像是热烈地讨论一个什么重要问题。当时，我想可能是工厂的什么小组在这地方开会，从他们的服装看来像是工人和职员们。然而细看一下又不像，因为里面有抱着孩子的老太太和穿着长袍的老先生。他们讨论得那样起劲，完全吸引了我。我好奇地挤上前去，不管他们反对与否就插坐在里面。

天气热得很，每个人流着汗，急挥着扇子。一个人刚讲完坐下，一个老头儿又站起来讲。他对着一个穿短衫戴怀表的三十几岁的中年人严肃地劝告，用他待他老伴儿的事例来指责那个男子如何不应该动手打老婆。那个男子低着头听。跟他隔着一两个座位，坐着一个抱着孩子、擦着眼泪的中年妇人。

老头儿讲完了，忽然又站起一个灰白头发的胖老太太，和颜悦色

1　迎春集本无“要”。

2　迎春集本无“都”。

地向那个低头的男子劝说："女人家都心肠软的，……你说两句好话，对她低声下气一点，就好了……"大家你一句我一句地抢着讲，事情总听不出个头绪。我实在听[1]不懂他们的江浙话。

这时，满亭三四十人，男女老少，几乎没有一个不热烈发言。有的争得面红耳赤，有的窃窃私语，有的还热烈地为问题的中心人物出主意。后来我猜想这一定是个家属会议，男女双方家属到此地来和解的。我悄悄地[2]问另一位说苏州话的老先生，他刚发过一篇文绉绉的言论：

"你是他（我指的是那个谈论的中心人物）的什么人？"

"侬弗认得（我不认得）。"他摆了摆手。

我又指着那个抱着孩子、擦着眼泪的中年妇人，问他[3]：

"她是你的什么人？"

"弗认得（不认得）。"他又摆了摆手。

后来，他知道我是个北方人，就用他的苏州腔的国语对我把整个事情讲了一遍。原来这是一对因争吵离了婚的中年夫妻。现在又想住在一起，但是怕别人笑他们反复无常，就在这个亭子里坐着互相商量。而陪他们两个讨论已经有两小时以上的这些人，原来并不是他们的家属。

"那么是他们的邻居吧？"我问。

---

1 迎春集本无"听"。

2 迎春集本无"地"。

3 迎春集本无"，问他"。

原来也不是！老头儿这才说：

"我们这些人都是逛公园来的，谁也不认识谁！"

这真是个喜剧，但这是新社会的人与人之间真实的喜剧。我原想把这段事情写成一个短短的剧本，又担心写不出这样一群可爱的真实的人物，现在还[1]没有写。但是，朋友们，看看今天的人是多么可爱，今天人与人之间是多么温暖！

然而这是一件平常的事情。

今天人与人之间，比这个表现得更强烈的社会主义的感情的事，确还多得很。

前两天，一个内河小轮船因火失事的时候，就有[2]三个解放军军人为了救同船的人，勇敢地牺牲了。

最近，黄河防汛，就有[3]两个青年共产党员为了堵口，献出了自己的生命。无数这样的英雄就[4]生活在我们当中。难道这不足以说明人与人之间发生了真正的伟大的感情的变化吗？

这里面不只是温暖，而是能使一切生命永生的火热！[5]

---

1 "现在还"迎春集本作"就"。

2 迎春集本无"就有"。

3 迎春集本无"就有"。

4 迎春集本无"就"。

5 迎春集本此下署"1957年9月"。

从一只凶恶的“苍蝇”谈起

反右派斗争已经进行了两个多月了，在辩论会上，我们已经习惯于看见右派分子“乖乖地”坐在我们面前，仿佛是[1]一只落水狗，没有以前那样的威风[2]了。

但我一见到他们，就不由回忆起“中国天空上黑云乱翻”的时刻，他们四处点火，疯狂叫嚣，要把人民的天下撕成粉碎。那景象是触目惊心的。

如果章罗联盟的阴谋成了功，如果全国大大小小的右派分子，如他们期待的，终于造成了“中国的匈牙利事件”，如果一切中国的事情都依照这些人的愿望疾风暴雨般的变化起来，那今天的天下便不是由我们做主，而是这一切大大小小的右派分子们来统治了。但那时，[3]

【题注】载1957年9月20日《北京文艺》，据以排印。又收入《迎春集》，北京出版社1958年第1版，兹以通校（校注称“迎春集本”）。

1 “仿佛是”迎春集本作“象”。

2 “那样的威风”迎春集本作“那样八面威风”。

3 迎春集本无“但那时，”。

我们所遭受的命运便不是像今天他们得到的：在辩论会上这样从容，一面吸烟，一面静静地听我们对他们“摆事实，讲道理”。我们得到的将是：如有些右派分子说的，“群起而诛之”，“斩尽杀绝”。中国的社会会倒退一百年，我们千百万人头落了地。

我们在进行着翻天覆地的社会主义革命，右派分子和我们做着你死我活的挣扎。他们有的像狼，有的像野狗，有的像苍蝇。然而即便小若苍蝇[1]，在他们猖狂进攻的时候，也是杀气腾腾，恨不得撒下一切毒菌，置我们于死地。“苍蝇”得意起来，它摆起威风，也是不可一世的。

我想起这样一只凶恶的“苍蝇”，北京人民艺术剧院的戴涯。他在大“鸣”大“放”的时候，对剧院的党拍桌大骂，说我们“无法无天，暗无天日”。他四处煽动对党不满。他骂党员“无感情，没有人性”。他说，“党越领导越乱，文化部和北京市委派下来的都是官，飞扬跋扈，顽固不化，治人整人，群众是挨治挨整的老百姓”。他说我们“不培养人才，不懂得办剧院，只知道以党代政，闹宗派主义”；说我们“无理的排斥”非党院长焦先生[2]，说我们“什么事都不和他商量”。他说这个剧院是处在“离心离德，毫无希望的僵尸局面”。他准备掀起大混乱，把党搞垮，他们取而代之。

然而他装出一种诚恳、关心的神气，甜言蜜语[3]地对我们说：“搞

1 “小若苍蝇”迎春集本作“细若苍蝇”。

2 “焦先生”迎春集本作“焦菊隐”。

3 “甜言蜜语”迎春集本作“轻轻巧巧”。

剧院要讲天时、地利、人和。”讲天时，现在是共产党领导的天下，太阳普照大地；讲地利，北京人艺处在全国政治文化的中心；真是一切俱备，就差“人和”了。而“人和”，据这些人的“解释”，就是，“你把一切都让出来”！由他们另外组织一个反党、反社会主义的剧团。这个剧团要挂民盟的招牌，但是，要用北京人艺一切导演、演员、设计、房屋、剧场、经费和行政干部。一句话，他要“领导”大家走资本主义的道路。

章罗联盟是要篡夺人民的天下的。这个“苍蝇”所进行的阴谋，正和他的主子一样，在党的文艺事业上也要[1]篡夺人民的天下。

任何人都看见，解放后，在党的领导下，中国话剧事业有了飞跃的进步。北京人艺这几年来，在中央文化部和北京市委的领导下，克服困难，改进工作，是有进步、有发展的。我们的剧目逐渐丰富多彩，演员的实践机会增多；演出的质量提高，场数增加，今年就演出五百场[2]。剧院的收入增加，去年需要国家补贴三十万[3]，今年补贴二十万就够了[4]。这个剧院正循着社会主义的文艺路线蓬勃发展，走向[5]企业化。

正像所有党领导的机构一样，北京人艺的党组，开会以前经常征

---

1 “也要”迎春集本作“也来”。

2 “五百场”迎春集本作“五百零七场”。

3 “三十万”迎春集本作“三十六万”。

4 “今年补贴二十万就够了”迎春集本作“今年只要二十万，明年就完全不用补贴，并且给国家上缴利润”。

5 “走向”迎春集本作“迅速走向”。

求非党院长的意见，也经常邀请党外同志列席会议。有时遇见党外同志的意见和党的意见不同，党组总是再次详加讨论。剧院有院务会议和艺术会议，许多事情都是通过这两个会议和群众商量，戴涯也列席和参加了这样的会议。而戴涯说这样做还“是不民主”，“是排斥党外人士”。怎样才是他的“民主”呢？那就是，我们一个个屏息低头，满脸死相[1]，让他称王称霸，随他牵着我们鼻子走。

我们不许这个“苍蝇”再做梦了。他一直营营叫着，号召他的跟随者三三两两地向粪坑里飞，然而，这毕竟是他的梦[2]。

我们坚持[3]要走社会主义的道路。右派分子戴涯说，不要党的领导，要艺术家来领导剧院。他眉飞色舞地叫着：这样就可以做一个“超脱政治”、“自由的”、“清高的”艺术家了。其实任何组织都有自己的政治。不要这个政治，就得要那个政治。不要共产党的领导，便要资产阶级的领导。光明和黑暗总是要做彻底的战斗。从黑夜到白昼，半明不暗的时光总是短暂的。有了资产阶级的自由，就没有人民的自由。“自由”“民主”都是有阶级性的。[4]超阶级的、抽象的“民主”“自由”的鬼话是骗不了我们的。无产阶级的战士就是要求党的领导。有了党的领导，我们的才华就会放出光彩，我们就完全获得艺术上的

---

1 迎春集本无“满脸死相”。

2 “然而，这毕竟是他的梦”迎春集本作“但这不过是他的梦”。

3 “坚持”迎春集本作“坚决”。

4 迎春集本无此句。

民主和自由。[1]

右派分子们总好吹嘘自己如何有感情，如何重视友谊。戴涯也不例外。其实这些人无论在旧社会或新社会，都钩心斗角，在人背后“叽叽喳喳”，从来[2]不曾停止。阴谋算计，是这些人从旧社会学来的本领；翻云覆雨，挑拨是非是他们的拿手好戏。这些人何尝真正把人与人的感情放在心里。右派分子们总说，今天人和人[3]是冷酷的。这是谎话。我们是重视感情的，不过感情之上还讲是非就是了。古往今来，只有讲了是非生出来的情感，才经得住风波、艰险，永不衰灭。今天我们争大是大非，便是使我们在社会主义的道路上永远团结、和美的保证。

认真讲，文艺界这几年来的政治空气是不够浓的。有许多文艺工作者通过学习和运动，政治觉悟虽然有了显著的提高。但是，一小部分个人主义者总是强调文艺工作的特性，把个人放在党和人民之上，忘记：文艺如果不从人民中来，不服从群众需要，不接受党的领导，就会停滞不前，甚至走向反动的道路。我们当中有些所谓“灵魂的工程师”们就仅仅想着一个巨大的自己，忘记自己的一切都是人民给予的，是人民培养、教育出来的。这些人有了一点成绩就骄傲自满，把成绩都算在自己账上。有的，一遇到和人民休戚相关的政治问题，就

---

1 此句迎春集本作“有了党的领导，我们的知识、才华才会放出光采，我们才能获得真正的人民的民主和自由。”。

2 迎春集本无“来”。

3 “人和人”迎春集本作“人对人”。

常常摇摆不定，采取自由主义的态度。有的，参加了反右斗争，但积极性不大，或者思想上甚至和右派分子暗暗起了共鸣，这便是这些个人主义者精神上潜伏的“病毒”。如果不赶紧治疗，如果不在思想改造上痛下功夫，早晚是会发作的。

有一出旧戏叫《阴阳河》，大约这[1]指的是死后[2]进入“阴曹地府”之前的一道险恶的河水。我小时看这出戏，模糊记得，人的灵魂渡过去便成了鬼，转过来还有希望变成人。这些右派分子们大概已经浮沉在“阴阳河”里，离对岸不远了。但是，还有极少数知识分子，他们虽然还没有落在“阴阳河”里，却已糊里糊涂地走到“阴阳河”的边沿，成了一种所谓“明暗之间”的人物，这些人也应该及早回头了。

我们是社会主义革命的战士，我们在革命中是不允许[3]温情主义的。右派分子对我们就从未讲过“温情”，像戴涯他们，一上阵就想把我们一棍子打死。他们并不是如他们自誉，那样“温良恭俭让”的。

我们是嫉恶如仇的，但有些人偏偏嫉善如仇。古时，父亲被人杀死，就说有了“不共戴天”的仇恨。“不共戴天”是说，在一块天空下有你，就没有我。我们何尝动过右派分子们的一根毫毛，但是这些右派分子就对我们怀着“不共戴天”的仇恨。平时甜言蜜语[4]，握手

---

1 迎春集本无“大约这”。

2 “死后”迎春集本作“人死后”。

3 “在革命中是不允许”迎春集本作“从不赞许”。

4 “甜言蜜语”迎春集本作“嘻嘻哈哈”。

言欢，但是时机一到，就把脸一抹，立刻[1]把我们看成是杀了他们父母的仇人一样。这些人心中只有他们的个人野心，何尝有一点是非可讲。

鲁迅先生要我们[2]打落水狗，他说，当时，有些[3]落水狗“有时似乎受伤，其实[4]……至多[5]不过是假装跛脚，……他日复来，仍旧先咬老实人开手，‘投石下井’，无所不为，……”，他反对我们[6]姑息，反对纵恶，反对保护坏人。因为他说：[7]“当坏人得志，虐待好人的时候，即使有人大叫公理，他决不听从，叫喊仅止于[8]叫喊，好人仍然受苦。”

今天的社会自然是不同了，我们有了党的英明领导，轰轰烈烈地进行反右派斗争。[9]我们必须乘胜追击，彻底地把右派分子打垮。然而这一切，也是为了把右派分子们从“阴阳河”的那一面，拉回到这一面来，使他们从“鬼”的境地回到人的世界里来。[10]

---

1 此处迎春集本有“现出一付夜叉模样，”。

2 “要我们”迎春集本作“劝我们”。

3 迎春集本无“当时，有些”。

4 “其实”迎春集本作“其实并不”。

5 “至多”底本作“只多”，据迎春集本改。

6 “反对我们”迎春集本作“反复地讲不要”。

7 迎春集本无“他说：”。

8 “仅止于”底本作“仅止”，据迎春集本改。

9 此句迎春集本作“党告诉我们，轰轰烈烈地进行反右派斗争，”。

10 迎春集本无此句。

我们必须为保卫社会主义的文艺路线而斗争，我们必须为党的文艺队伍更坚固的团结而斗争。[1]

1　此句迎春集本作“这是为保卫社会主义的文艺路线的伟大斗争，我们一定用尽全力，进行到底。”。此下署“1957年9月”。

巴豆、砒霜、鹤顶红

——斥民盟右派分子孙家琇

在三反、肃反当中，革命的对象和我认识的还少。在反右派斗争中我忽然发现，很有一些右派分子是我认识的。可见革命更深入了，也可见有些人嘴里是“社会主义”，心里是资本主义，到了今天，他们必须在群众面前心口合一了。你要不，拥护社会主义，那就和我们一道走；要不，你就抱着“资本主义牌位”，一个人“守节”去吧。这些右派，很多是高级知识分子，口是心非，行为卑鄙。他们嘴上总是“理想啊”，“奋斗啊”这一类好听的话，心里却是包得紧紧的，里面发臭的极端腐朽的资产阶级个人主义[1]。而这些人是群众曾寄托很大希望的高级知识分子，是群众以为可以做社会主义的财富的专家。然

【题注】载1957年10月8日《人民日报》，据以排印。又收入《迎春集》，北京出版社1958年第1版，题名《巴豆、砒霜、鹤顶红——斥右派分子孙家琇》，兹以通校（校注称“迎春集本”）。

1　“里面发臭的极端腐朽的资产阶级个人主义”迎春集本作“极端腐朽的发臭的资产阶级个人主义”。

而他们使我们失望，欺骗了我们，他们是右派分子。

我有一个十九岁的女儿，她参加过反右派分子大会，对象是一个教授。她回来对我说："爸爸，我们这样信赖他，可是他这样靠不住，欺骗了我们！……"她非常气愤，说不出话来，半天她忽然说："爸爸，什么时候才有[1]我们自己的高级知识分子和专家啊？"

这些所谓高级知识分子使天真无邪的孩子们这样伤心，真是他们最大[2]的罪恶！

我那女儿所指的"我们自己的高级知识分子"是什么人呢？那是指忠于革命、爱党、爱共产主义的高级知识分子[3]。无论从哪个方面来，从资产阶级或者从小资产阶级，我们都是欢迎的。解放以后，我们已经培养出许多优秀的工农出身的高级知识分子。对工农以外的旧知识分子党永远是伸出双手，帮助他们真正走上社会主义改造的道路。党用各种办法培养、教育、照顾、鼓励，让他们参加各种生活的锻炼，来抛弃旧的、建立新的，成为一个合乎人民要求的专家。然而有一小群败类，一小群发臭的东西，拖着棺材里的尸骨，死不愿放，在大"鸣"大"放"的时候，他们露出了原形。他们不再是一群文绉绉的"教授""学者"，而是露出长牙，摇着舌头，对人民毫无心肝的狗和狼。

在这群人当中，就有右派分子孙家琇，她是中央戏剧学院民盟右派阴谋小集团的中心人物。我想仅就她在中央戏剧学院的发言，从一

---

1 "才有"迎春集本作"处处都是"。

2 "最大"迎春集本作"极大"。

3 "爱共产主义的高级知识分子"迎春集本作"爱共产主义的红色的高级知识分子"。

两个地方谈一谈。那个发言的题目叫“幻灭了的及还希望着的”。这个题目十分像胡风那种佶屈聱牙的句子。这位女将把自己打扮成一个旧约圣经里的先知召唤人们忏悔的圣洁模样。绕了半天，中心的意思不过是要推翻共产党，让她来领着我们走资本主义的道路。她的口气真是狂妄嚣张极了，使我想起谭惕吾来。她们都是那样不可一世的，把党看成眼中钉，非要拔去才心甘的凶恶女将。

一切右派高级知识分子都好夸耀自己有“理想”。孙家琇也说：“过去我追求过各式各样的理想，最后认识共产党，把理想寄托在共产党真理上。这是愿意牺牲一切来维护的理想，是任何人不能动摇，不能摧毁的。这是所有的群众不惜牺牲一切而为之奋斗的理想。可是党员们啊！”

于是，一切毒烟毒气就向我们喷射出来。她说，今天党员的行为动摇了她的“理想”，今天群众认为做党员不光彩，今天一切将陷于混沌！今天的党员“剥夺人的理想，窒息了人的事业心，堵塞了青年人的朝气，欺骗了学生们的信仰”，她大声疾呼，号召大家“群起而诛之”。因为她说，她“热爱共产党”，她“相信党”，她是真正的马克思主义者。

然而这个被称为“穿裙子的亚高”的人，真是一个马克思主义者吗？

我读书的时候见过一个老头儿，他是军阀时代的一个秘书长[1]。他一见我就骂共产主义，说马克思的理论根本不值一驳。我嘴里说不服

1 “一个秘书长”迎春集本作“一个什么秘书长”。

他，但我心里知道他是一个骗子。

待我大了一点，我遇见了他的儿子，他是留过学的[1]，在哥伦比亚还得了什么哲学博士。他对我满口称赞共产主义，说这是人类最高的理想，连他也要为共产主义而奋斗，“就是可惜，主义好，人不好；共产主义好，共产党员不好”。他唉声叹气，忧国忧民。看得出来，他比他的父亲是“高明”多了，但我知道，这才是一个十足的骗子！他留过学，比他父亲多懂一点世界大势，知道共产主义无法推倒。但抓一两个共产党员的缺点、毛病，就把共产党全部说成是“坏蛋”。没有见过共产党的人是容易相信的。

孙家琇就是这种人。然而她打错了主意，今天的人民亲眼看见共产党为社会主义建设做的事情。无论哪方面，科学、文化、教育、卫生、交通、水利、农业、轻重工业和国防建设，党的成就都是主要的，空前的，全世界注目的，帝国主义害怕的，爱和平的人们高兴的。而这些成就是在党中央的领导下全体共产党员和人民的劳动换来的。然而一小撮像孙家琇这种败类，偏要装作一副悲天悯人的样子，要为保卫她个人和“群众”的“理想”而战斗；仿佛，她是和群众站在一起的，她的“理想”就是群众的理想。

她的“理想”是什么呢？现在弄清楚了。她要把她心目中的两个“好”学校在今天的中国建立起来。一个是国民党办的南京剧专，她觉得“好”，南京剧专的那种精神应该“复辟”。一个是她读过书的美国的密尔斯女子学院，她觉得“好”，要把那样的环境移植到中国

1 “他是留过学的”迎春集本作“一个留美学生”。

来。南京剧专是国民党党棍张道藩、余上沅和二陈系统的人办的。我在里面看见国民党人横行霸道，党气冲天，特务横行。进步师生被逮捕，被殴打，被陷害，哪里谈到什么学术空气！至于密尔斯女子学院，那是为很多美国有钱的小姐们设立的，它有各种办法训练这些小姐们在很光滑、美观的表面下，舒舒服服地剥削人。这一类女子学校都是培养做装饰品的美国太太和老板娘的。想想看，这种环境如果搬到今天的中国来，是谁高兴？是买办资产阶级高兴？还是工农高兴？然而这一切都不过是她的理想的外壳，那图穷的匕首，是要党团退出中央戏剧学院。退一万步说，共产党也只能，如她说的，管她所谓的“思想工作”，她和她的民盟阴谋小集团要独管教学、财政和人事。而孙家琇呢，据她自己说，是想在这一切之上“做太上皇”的。想想看，他们还说要“美化人类的灵魂”，“要为美化人类的生活而奋斗”。人们不禁要问：这些“教授”“专家”到底有灵魂没有？他们是要美化我们的生活，还是丑化我们的生活？

孙家琇的发言透出一种对我们刻骨的仇恨。她这样诅咒我们，她说，是“因为感谢你们（指共产党）过去医治了我们身上种种资产阶级的缺陷”，因此他们今天要起来治治我们的病。我们是治过她的病的，温和、尽心，非常善意地治过她的病，但是没有治好。今天她要“治”我们的病来了。她用的是什么药呢？她用的是巴豆、砒霜、鹤顶红。她希望一剂药就把我们“治”死。她是“莎士比亚专家”，咒骂起人来也要斯斯文文，口吐莎士比亚。她说中央戏剧学院到处都是“莠草、牛蒡草、蜥蜴、毒虫”。这些东西都指的是我们。这是她的“莎士比亚”。她说她“碰见了奥赛罗的悲剧”，甚至“比奥赛罗更悲剧的悲剧”。奥赛罗是一个勇敢、真诚、高贵、热情的黑人将军，是她引以自喻的，这也是她的“莎士比亚”。她说我们“挂羊头卖狗肉”，她说我们“不学无术，冒充权威”，说我们“用虚伪代替真诚，代替党性”，还曲曲弯弯地讽刺、讥笑，说了许多俏皮话。最后她又搬出莎士比亚的“十四行诗”，说要给我们照照镜子。

镜子是不用她拿来给我们照的。群众已经给我们照了。群众看得清清楚楚，在党的领导下，中央戏剧学院从无到有，从有到大，从粗糙到细致，从简单发展到一个比较完善的教育机构。这个学院训练了全国的优秀的导演、表演和舞台美术的人才，介绍了苏联的史坦尼拉夫斯基体系，第一次比较有系统、有成绩地训练出戏剧各方面的毕业生。它和它的实验话剧院比较完美地演出了一些优秀的、有世界意义的、有社会主义内容的剧目。中央戏剧学院是有史以来第一个在共产党的领导下[1]话剧的最高学府。而这些成绩，她所不愿意看见的成绩，就是这个学院党的领导同志们和其他同志们在文化部的领导下，日日夜夜，辛苦地劳动，诚诚恳恳，一点一滴地争得的。而她呢，她在一旁引起[2]莎士比亚的“十四行诗”来：

对这些我都厌倦了，我哭求安息的死——

譬如，见到才能注定要做乞丐，

空虚的无物倒打扮得漂漂亮亮，

1 “的领导下”迎春集本作“领导下的”。

2 “引起”迎春集本作“唱起”。

最纯洁的信仰被不幸地破坏，
灿烂的荣誉被可耻的放错了地位，
处女般的贞洁遭到强奸，
邪恶，不法地侮辱了正义的完美，
艺术，被权威捆住了口舌，
愚蠢（俨如博士）控制着学术，
单纯的真理被瞎唤作呆笨，
被俘的“善”侍候着“恶”将军：
对这些都倦了，我要离开人间，
只是，我死了，要使我爱人孤单。

（根据她引的译文）

我不是莎士比亚专家，但我相信，莎士比亚是一个诚实的人，是一个见着光明就说好，见着黑暗就说坏的人，是一个见着好人就喜欢，见着坏人就厌恶的人，是一个是非分明、嫉恶如仇的人。莎士比亚在三百年前的英国，写刚才引的那样一首十四行诗，诅咒当时的英国社会，是合情合理的，证明莎士比亚是正直的。但是今天这位女教授，女莎士比亚专家引用莎士比亚的这首诗来诅咒今天的中国社会，便证明她是一个十足邪恶的、毫无正气的人。她侮辱了莎士比亚，滥用了他的诗篇。莎士比亚一共留下一百五十四首“十四行诗”。如果他知道了这位女教授这样引用了他的诗，他一定从坟墓里愤怒地站起来，写第一百五十五首来诅咒她，那头两句便是：

你这无知的女妖[1]，你为何夺去我死去的安息？

连坟墓里的人你都拿来利用，你这该诅咒的！

骄傲、自满，处处炫耀自己，是右派高级知识分子的通病。知道一点莎士比亚，就莎士比亚满天飞，生怕人不知道自己读过莎士比亚，真是丑！

这位女教授是自命为“被俘的‘善’”，“侍候着”我们这些“‘恶’将军”的。但她在赤膊上阵、拼死拼活地向党进攻的时候，却又甜言蜜语地对我们说：“同志们，亲爱的共产党员同志们，我们热爱你们，我们也是无术，德行也不大，但凭着我们的热爱！”

听起来，真像一个美国传道教士咬着夹生的中国话，向中国人布道一样。

她表面看去像是一块丝光糖果，里面却是巴豆、砒霜、鹤顶红。她伪善到了极点，这个“法里赛”[2]！

她向党进攻之前，是“死钻”马列主义[3]的。她说，感谢马列主义已经教会她“辩证的”看问题了。因此，她认为自己懂得“内幕”，便向共产党点起火来。希腊神话里有一个英雄遭受了巨大的痛苦和折磨，因为他从天上取了火种给人间。人民因此永远歌颂这个伟大的取火者。而这位女将原来一开始便存心从取火者学会举火，其目的是为

---

1 “女妖”迎春集本作“女魔”。

2 法里赛是《圣经》里说的伪善者。——底本注。

3 “马列主义”迎春集本作“马克思列宁主义”。

了烧死那伟大的取火者的。这便是那种和我们始终是两条心的人最[1]深不可测的地方。

自然，即使如此，我们还希望孙家琇幡然悔悟，重新做人。在新社会里，朽木能生出绿芽：右派分子只要诚诚恳恳，彻底改变立场，他是可以再生的。[2]

1　迎春集本无“最”。

2　迎春集本此下署“1957年10月”。

从一件小事谈起

——驳斥右派分子污蔑今天戏剧事业的谬论

我曾遇见这样一件事。

抗战时[1]，在四川的一个小县里，我在教书，自以为是一个“不问政治”、“不惹是非”的人。忽然，一个夏天的下午，县里的宪兵队派人围住了我的家，拿着手枪进来搜查，把书籍杂物乱翻了一阵，就气势汹汹地把我所有的信拿走了[2]。说理、抗议全不起作用，大家望着那乌黑闪光的枪管发愣，气得说不出一句话来。以后，我的家便天天来一个年青[3]、干瘦、穿着中山服的人，从早晨九点钟坐到下午，和我进

【题注】载《人民文学》1957年10月号，据以排印。又收入《迎春集》，北京出版社1958年第1版，题名《从一件小事谈起——驳斥右派分子污蔑今日戏剧事业的谬论》，兹以通校（校注称“迎春集本”）。底本文末附注：“此文选自中国青年出版社即将出版的‘青年共产主义者’丛刊第一集《民主与自由》，现征得作者和出版者同意，在本刊发表。”

1 “抗战时”迎春集本作“抗日时期”。

2 “信拿走了”迎春集本作“信件劫走了”。

3 “年青”迎春集本作“三十岁上下”。

行谈话，问东问西。亲戚朋友，中外古今，无所不问。而最后的话题总是落在：

“先生想必是熟悉社会主义的？——”

“不熟悉。”我说。[1]

“那么对共产主义，您想必是有研究的？”他的鱼眼睛望着我，等待我的答复。

“没有。”

“那么，马克思的《资本论》，先生一定是读过的？”

“没有。”

“哦，您没读过？”他沉吟起来了。吸着烟，无聊地啃着他那熏得焦黄的手指甲，又慢吞吞地对我讲[2]：

“我是读过的。”忽然，叹了一口气，大不满意[3]地道，“可惜得很，不然我可以跟先生讨论一下的[4]。”

几乎每次总是说到这里，他看见太阳偏了西，肚子也饿很了，就拿起那顶破毡帽，怏怏而别。但第二天便准来。我上班[5]的时候，他在家坐候。我想，[6]这个小特务的神气颇似日本的“刑警”，其愚蠢也相似，大约是在日本留过学的。

1　迎春集本无“我说。”。

2　“又慢吞吞地对我讲”迎春集本作“慢吞吞地自语起来”。

3　“大不满意”迎春集本作“不大满意”。

4　此句迎春集本作“可惜，可惜，我是很想领教的”。

5　“上班”迎春集本作“上课”。

6　迎春集本无“我想，”。

以后，[1]我打听究竟为什么搜查我，这样缠着我，但没有结果。我走到哪里，总看见远远的、那个年青人[2]的瘦猫一般的影子。搜去[3]的信件也毫无送回的模样。后几天，我的几个学生莫名其妙地被捕了，戴上了铁镣。我愤怒，但也着实警觉起来。我离开[4]那个小城。临行时，房东的儿子打听出消息，告诉我：这些宪兵、特务对我搜查、谈话和监视，原来仅仅[5]是为了他们从邮局查获了我的一封贺电。《日出》在延安上演，得到观众的欢迎。演员们很高兴，就从延安给我拍来一封贺电。

这封我从未收到的贺电便成了我“通匪”的“罪证”。我获得国民党统治时期的“民主”和“自由”，便是这样[6]。

但我所经受的[7]，仅是一件小事。

在国民党统治时期，戏剧工作者都过着朝不保夕的、刺刀与饥饿威胁着的生活。享受所谓“民主”和“自由”的，是那些向四大家族卖身投靠的无耻文人。有一个国家主义派的文学教授陈铨，写了一个提倡汉奸主义的剧本《野玫瑰》，便得到了御批的“民主”、“自由”，四处上演，蒋介石接见奖励，大小官僚热烈捧场。但郭沫若、田汉、

1　迎春集本无“以后，”。

2　“年青人”迎春集本作“青年人”。

3　“搜去”迎春集本作“劫去”。

4　“离开”迎春集本作“离开了”。

5　迎春集本无“仅仅”。

6　“便是这样”迎春集本作“此为其一”。

7　“但我所经受的”迎春集本作“但这”。

夏衍、欧阳予倩[1]、老舍、阳翰笙、陈白尘、宋之的等的优秀剧本便受国民党检查官们的摧毁、留难、禁演，甚至于在戏的进行当中，特务们公然持枪把门，捣毁舞台，抓住演员们痛殴。这些卓越的作家们的人身自由更不用提了。他们总是被盯梢、盘问、检查，一直生活在监狱的边沿[2]上，随时都[3]准备坐牢。

这时，剧场的资本家们也和国民党特务勾结起来，趁火打劫，对进步戏剧的演出百般要挟。场租奇贵，演出收入除了缴纳国民党的娱乐捐以外，几乎全部被资本家攫去了。而有些话剧演出的时间竟排在剧场映完第三场电影以后，那已是夜晚九时，人们快要安寝[4]的时候了。从事戏剧、曲艺的人在过去都一律被列为舞女、娼妓一类的。我们都被称为干“特种娱乐”的。有一次在北平[5]，一个职业的旅行话剧团竟接到警察局的通知，令女演员和妓女一律按月受卫生检查。这还有什么“民主”“自由”可言！

民歌里有这样一句：“旧社会好比那黑咕隆咚万丈深的井。”无论哪个朝代都是如此。

远的不说，在前清，多少地方戏不准在城市里演。湖北的花鼓戏就被掌权的士绅认为是伤风败俗的淫戏，不能在武汉演出。广东的粤

---

1 “欧阳予倩”迎春集本在“郭沫若”与“田汉”之间。

2 “边沿”迎春集本作“边缘”。

3 迎春集本无“都”。

4 “安寝”迎春集本作“睡觉”。

5 “在北平”迎春集本作“在当时的北平”。

剧因为出了一个伟大的革命演员李文茂，起义反清，便一直被清朝的统治者认为是出过“反叛”的剧种，很久不许上演。今天被北方群众热烈欢迎的评剧在解放之前，就是被过去的所谓“上等人”认为是低下的剧种，绝不允许在剧院上演的。

即便是为更多观众所欢迎的京戏也没有享受过一点民主和自由。在过去，京剧演员需要拜客陪酒，低三下四，向当局献殷勤，不过是[1]求得在观众面前表演的权利。但是，多少戏时常为一些不值一笑的理由被禁止。在直系军阀曹锟任总统的时期，凡《捉放曹》《击鼓骂曹》和一切有关“曹”姓的剧本都不许上演。奉系军阀张作霖率领大军进了关，驻扎北京，他下令不准演《凤还巢》。理由是：“凤”“奉”同音，“凤（奉）还巢”，按他的解释就是，讽刺他的奉系军队要吃败仗，暗[2]咒他要回奉天老巢了。

我记得，在军阀褚玉璞[3]统治天津的时候，我在南开中学读书。我们一群中学的孩子们[4]排演了易卜生的剧本《国民公敌》。上演的前夜，军警督查处突然下密令禁演，说《国民公敌》是暗指褚督办[5]，要抓孩子们入狱。国民党时期更是猖狂凶恶。大革命失败以后，进步的剧团，如上海艺术剧社、南国剧社，以及左翼戏剧家联盟领导的戏剧

---

1 “不过是”迎春集本作“只为”。

2 迎春集本无“暗”。

3 “褚玉璞”底本作“储玉璞”，当作“褚玉璞”。

4 “孩子们”迎春集本作“学生们”。

5 “褚督办”底本作“储督办”，当作“褚督办”。

团体大部分都被反动派勒令解散，封闭。文艺工作者被抓的抓，砍的砍，甚至于一九三五年一个剧团因为演了易卜生的《娜拉》，导演被捕，演娜拉的演员也被赶出南京。

演员的生命是没有保障的。在我很小的时候[1]，我的[2]母亲告诉我，清末，有一个出名的新剧演员王铁声，聪明、博学，才艺双绝，演出宣传革命的戏剧，在京津一带风靡一时[3]。男女老少都发狂似地喜欢听他在台上扮演革命青年慷慨激昂的言论。但不久，就被清政府抓去枪毙了。待我稍知事情以后，听见男女演员被统治者摧残、蹂躏、屠杀的事情更多。

一想起戏来，眼前的灯火锣鼓里面[4]，便隐约出现了血腥的大刀、皮鞭和惨痛的呼喊。致力于无产阶级戏剧的人们被特务抓到监狱里折磨死，被旧社会的恶势力，威胁、迫害、凌辱而致死、逼疯，或者失去了艺术生命的，就更难胜数。

我曾遇见一个老艺人。他告诉我，解放前，安徽的一个地方戏班里，有一个十分出色的女演员被当地县长看中了，勒令她陪县长喝酒取乐。她是一个有气节的女艺人，坚不肯去。第二天县长就捏造理由把她逮捕，差人用草鞋底搓烂了她的脸，血肉斑驳，再用锅底黑烟一揉，从此变成一个花脸，永不能演戏了。

1 “在我很小的时候”迎春集本作“在我小时”。

2 迎春集本无“我的”。

3 “风靡一时”迎春集本作“风行一时”。

4 “锣鼓里面”迎春集本作“锣鼓声中”。

这是人做的事情吗？但是，[1]在旧社会里，这些禽兽一年到头，有形无形地残害着我们，这件令人发指的罪恶不过是千万罪恶事件之一而已[2]。那个老艺人最后对我讲[3]：

“在他们手里，谁敢想民主，想自由？我们只求活命，叫我们从生下地到盖上棺材板，都能侍候有钱的老爷们，一辈子做一个不会说话的畜生！”

想起往日令人悲愤的生活，真像经过了一场噩梦[4]。今天我们翻了身！[5]如一个北京的老伶工对我讲的：“我们不只得到和任何人一律平等的待遇，我们心里也感觉到，从此也不低人一头了。”[6]

他有一天下了装，把我邀到他家里，指着他的老伴和孩子们兴奋地说：

“我的儿子上了大学，学电机，我的女儿当了初中的教员。我的老婆在街道工作，做了街道委员。我最小的儿子——一个十八岁的孩子——也有了选举权，到区上投票。我自己呢，大家选我做人民代表。我跟彭真市长一同讨论首都的建设、社会主义政策，以及其他种

1　迎春集本无“但是，”。

2　“这件令人发指的罪恶不过是千万罪恶事件之一而已”迎春集本作“这种令人发指的酷刑不过是千万罪恶之一而已”。

3　“那个老艺人最后对我讲”迎春集本作“那个压弯了腰的老艺人低声叹着”。

4　此句迎春集本作“想起往日的生活，像经一场恶梦”。

5　此句迎春集本作“解放了，我们翻了身”。

6　此句迎春集本作“一辈子头一回知道平等是什么味儿，这才打心眼里觉得，从此不低人一头了。”。

种关系国计民生的大问题。想起我的祖父、父亲唱戏的时候，成天怕得罪了大官儿，砸了饭碗，再看看今天我过的自由自在，不愁吃、不愁穿的日子，我一心一意就想多活几年！并不是为自己，我想好好为共产党和新社会多唱几年！”[1]

多少老艺人受尽了旧社会的折磨和压迫，到了今天，真是痛定思痛，就百倍珍爱这一代的自由、幸福的日子。他们把平生绝艺都毫无保留地贡献出来，有的办戏曲学校，亲自培养，教练年青的演员。有的热烈为解放军、为农村、为工厂歌唱表演。有的飞往世界各国，为了和平尽情地歌唱，介绍祖国灿烂的戏剧艺术。

中国的京剧宗师梅兰芳先生驳斥右派分子吴祖光时说得好：“我们以人民代表的身份畅论国事，侃侃而谈，难道这是‘金人缄口’吗？我们以演员身份不但走遍全国，而且作为国家的文化使节，远渡重洋，难道这是‘寸步难行’吗？”这几句话正是说明了今天的戏剧工作者亲自感受到的民主和自由。他赞颂今天百花齐放的盛事说：“现在的戏曲艺术比过去任何一个朝代都是大大地发展了，我们的剧本和表演艺术比过去都丰富和提高了。”

梅先生是一位非常谦虚的大艺术家，从来不肯夸耀自己。但今天他也不由地谈起自己来说明他对新社会的感情，他说：“我觉得我的艺术有新的发展，我经常演出的每个节目，从剧本到表演，都有所丰富。”他说，他“已经六十多岁了，但今天还能在舞台上愉快地工作，感到自己更年青了。这难道不是党的领导所给予的吗？这难道不是表

1　此句迎春集本作“并不是为自个儿，我要好好为共产党和社会主义多唱几年！”。

现了社会主义制度的优越性吗?”

解放以前，地方剧种为人所知的寥寥可数，多少民间的戏剧财富被埋没遗弃在穷乡僻壤，暗暗消灭。多少受苦受难的老艺人在旧社会的歧视和折磨下，饿死在古庙荒村里。解放后，中央文化部和各省各地的文艺领导，尽一切力量发扬旧有的戏剧遗产，发掘、扶持各种优秀的剧种，据今天的调查[1]，我们在全国已经发掘、培养了三百五十多种地方戏，加上曲艺就有五百多种。这些地方戏和曲艺都有自己的剧团组织和热爱它们的广大观众。

久藏暗室的珠宝见了太阳，许多半生埋葬在眼泪和饥寒的生活里的老艺人，重新露出满脸皱纹的笑容，欢欢喜喜地走上了舞台。新社会扶持了老的，培养了年青的，今天我们职业的戏曲队伍已经拥有二十几万人了。

“一想起过去便胆战心惊，透不过气来。”一个话剧的老演员对我讲，“过去，我们下乡下厂演出一些爱国的话剧。我们总是一面搭台，一面探望，看看有什么门窗可以跳出，有什么便道可以溜走。因为经常演到一半，就有持枪实弹的特务坐着警备车，‘呜呜’地开到门口，堵住前后门。”

今天呢，无论工厂、农村和学校，到处都欢迎我们的演出。演出的剧目是多种多样的，从发扬社会主义精神的剧本到“五四”以来的优秀剧目，连莎士比亚、哥尔多尼、易卜生、果戈里、契可夫、高尔基的剧本都在解放后短短的几年里，搬上了中国的舞台。话剧已经成

1 “调查”迎春集本作“检查”。

了人民文化生活的一部分，每个城市都有它的话剧剧院和剧团，全国有了话剧的最高学府——中央戏剧学院、上海戏剧学院。而首都的完美的舞台设备和剧场也引起一些国外艺术家的赞美、惊奇，说：“我们多羡慕你们这样的剧场。”

戏剧，和人一样，都需要民主的权利。过去，各剧种不被消灭，不被禁止就已被认为是不幸中的大幸。但今天的戏剧早已不是存在与否的问题，而是从党和政府得到支持、培养、鼓励和无限的关怀。二十多年遭受了冷淡和摧残的昆曲，今天就像春风吹来，古木[1]复苏一样，顿时开了满树的花朵。南方建立了苏昆剧团，演出了轰动全国的《十五贯》。今年，在北京创始了空前的北方昆曲剧院和学校，昆曲的耆宿、学生荟萃一堂。将近二十年未曾演戏的昆曲艺术家韩世昌和白云生又重上舞台，得到广大观众的欢迎。

在戏剧园地里，真是百花齐放，推陈出新。旧的精华发扬，新的嫩苗出现。我们不但有了新的歌剧《白毛女》《刘胡兰》[2]，连西方的歌剧和芭蕾舞也移植到中国的艺术园地里了。全国设立了许多培养下一代艺术家的学校和剧院：中央音乐学院、上海音乐学院、北京舞蹈学校、中央实验歌剧院、北京电影学院、北京戏曲学校等。爱好艺术的中国观众已经从青年艺术家们的身上发现了他们所喜爱的含苞欲放的才能[3]。中国的戏剧是有无限灿烂的前途的。

1 “古木”迎春集本作“枯木”。

2 此处迎春集本有“《赤叶河》《王贵与李香香》”。

3 “才能”迎春集本作“才华”。

“民主”和“自由”对我们戏剧工作者来说，就是，我们的艺术能够蓬勃的发展，我们的意见得到重视，我们的生活有了保障，我们的孩子得到教育，我们在世界[1]的面前有了人的尊严。和一切新中国的人一样，我们是一群顶天立地的、不受压迫、不受侮辱的正直的人，是一群为党、为社会主义诚实服务的戏剧工作者。今天，这一切，我们都获得了。

解放后，大家好说“翻身”这两个字。“翻身”对我们来说，不是两个字，而是渗透在我们生活里“自由了”“解放了”的舒畅[2]！

这随时随地自由舒畅的感觉，这日日夜夜看见国家在成长而快乐的感觉，这为了共同[3]的前途愿意永远歌唱的感觉，便说明了我们是生活的主人，是国家的主人！[4]

---

1 “世界”迎春集本作“全世界”。

2 “舒畅”迎春集本作“舒畅的快感”。

3 “共同”迎春集本作“共同共产主义”。

4 迎春集本此下署“1957年9月”。

十月革命与《带枪的人》

在十月革命40周年的今天，北京人民艺术剧院演出包哥廷的剧本《带枪的人》，是具有很大的意义的。

《带枪的人》是苏联文学的经典著作，它长时期享受着苏联人民和全世界进步读者的热烈欢迎。因为它不只是忠实地深刻地描写了十月革命的伟大时代，更由于它是第一次在若干重要方面表现了无产阶级的革命导师、伟大的列宁的形象。

伟大的十月革命，给人类开辟了自由、幸福、光明的大道。它告诉我们，劳动人民不再是地主、资本家和旧时代的统治者压榨剥削的奴隶，他们做了自己的命运的主人。从此，苏联人民以空前的速度在工业、农业、科学文化各个战线上飞跃发展。

40年来，苏联成了人类仰望着的光芒四射、永不熄灭的太阳。它广泛地传播了劳动人民的真理，使马克思列宁主义照耀着一切黑暗

【题注】载1957年11月11日《文艺报》第31期，据以排印。又收入《迎春集》，北京出版社1958年第1版，兹以通校（校注称“迎春集本”）。

的角落。40年来，苏联人民一直以震撼世界的英雄事迹和行动，保卫着共产主义的理想，维护着全世界持久的和平，空前提高了苏联人民的物质和文化生活。苏联人民把他们在经济、文化、科学上的卓越成就，慷慨无私地贡献给全世界被压迫的民族和人民。40年来，凡是在十月革命的光芒照耀下进行解放事业的人民和国家，就必然获得了幸福和光明。然而在另一个世界里，资本主义国家流着人民的血汗，一直为了争夺超额利润不断地冲突、争斗、掠夺，就必然走上了灭亡的道路。

这正如在剧本《带枪的人》里，幕终时列宁所预示的：

苏维埃共和国的榜样，将永远树立在全世界面前。我们的苏维埃社会主义共和国，将成为国际社会主义的永不熄灭的火炬。

在那里是——冲突、战争、流血、千百万人的牺牲和资本主义的剥削。

在这里是——真正的和平政策和苏维埃社会主义共和国。（根据葛一虹译、北京人民艺术剧院演出本）

谁是《带枪的人》这个剧本里的主人公呢?

是雪特林，是契毕索夫，是无数像他们那样普通的而又是英雄的农民和工人。他们为了“把和平的事业掌握在自己的手里”，抛弃自己的妻儿老小，甚至于自己的生命；为了建立世界第一个工农联盟的社会主义国家，走上了革命斗争的最前线。

在伟大的苏联共产党的领导下，这些不朽的英雄们，在苏联的肥沃的黑土里撒下了饱满的种子。40年后的今天，苏联人民的数不尽的光辉成就：丰裕优美的生活，高度的文化，海洋一般储蓄着的粮食、[1]钢铁和世界上最先进的科学创造，包括全世界第一座原子能发电厂[2]、第一种远距离飞行的“图-104”“图-114”飞机、洲际导弹和象征着共产主义万能的智慧之星，第一颗与第二颗人造地球卫星等等，都证明了十月革命的英雄们领先行走的社会主义道路就是全人类都应该走的道路。

苏维埃红色政权建立起来了。戏中工人出身的赤卫军契毕索夫，遇见了从前线回来的农民士兵雪特林，便以一个工人阶级的同志的热情，教育着雪特林，告诉他“你呀，奴隶！不能一辈子做奴隶啊！”（第1幕第6场）

雪特林　我不跟你争，我是奴隶，可你是什么，是老爷吗？

契毕索夫　得啦，别耍嘴皮子啦，咱们走吧！

雪特林　等一等。

契毕索夫　什么？

雪特林　你是他们的自己人。……可我呢？

契毕索夫　他们……他们——那就是咱们啊。你懂吗？

雪特林　不过，你总是个党员啊？

契毕索夫　你呢？

1　“、”迎春集本作“与”。

2　“发电厂”迎春集本作“发电站”。

雪特林　我还差一点。

契毕索夫　你不是没收过资本家的房产吗？

雪特林　不错……那是刚好碰上的。

契毕索夫　不，兄弟，现在全都定局了。要是一变了天，他们会从地底下钻出来找你雪特林的。

雪特林　这倒是实话。（热烈地）我赌过咒，我什么党都不参加，——你到哪儿去弄人呢？我连列宁的相片都没看到过，可是我心里感觉到他。在前线，我再也不信上帝啦，可是我相信列宁。你说，我们能不能在哪儿看到列宁？要碰巧遇上了，你一定指给我看？

契毕索夫　当然要指给你看了。

雪特林　等一等。

契毕索夫　好，什么，凡尼亚，我真想敲你的脑袋瓜子，你到底是去还是不去？

雪特林　我说了去，那就是去嘛！不过你说，我去做些什么？

契毕索夫　做什么？

雪特林　嗯。

契毕索夫　干革命，懂吗？……社会主义的革命！

雪特林　（等了一会儿，正一正腰带，挽起枪皮带，背上了枪）从古以来没有的事，第一回。走吧，朋友们……

于是，工人和农民拿起枪，“翻转了整个的俄国”，这真是“从古以来没有的事，第一回”！

这正如契毕索夫第一次见到雪特林时，就以无限的豪迈和信心说的："就是这样吧，你和我一道去征服整个世界。……我们除了身上的枷锁以外是不会失掉什么的。"

十月革命，就是千百万像契毕索夫和雪特林这样的工人、农民在伟大的列宁和钢铁一般的苏联共产党的坚强领导下，进行了流血流汗的英勇斗争，才获得成功的。

这就是为什么在剧中第10场列宁打电话给《真理报》编辑部，要他们写普通的平凡人的英雄事迹，用清楚明白的话，真实、迅速地把现实写出来。他指示"要和普通质朴的士兵们谈话，要明白他们想的是什么，采访一些最重要的、必要的和有决定意义的东西"。描写普通人的英雄事迹，永远和劳动人民紧紧联系在一起，难道这不是今天的文艺工作者应该努力遵循的道理吗？

《带枪的人》是一部出色地描写了人民和革命的剧本。使人永难忘记的是作者包哥廷描画出来的列宁的形象。提到列宁，高尔基说："描写他的肖像是困难的。……他朴素，像真理一样的朴素。……他是简单和率直的，就像他所说的话一样。他的英雄主义差不多没有外表的光彩。"这是多么困难而复杂的任务，来描写像列宁这样一位巨人。但是作者抓住主要环节，他把伟大的领袖列宁和人民的亲密关系真实有力地描写出来。他使我们深深感到领袖列宁的伟大中的朴素和他朴素中的伟大。

高尔基说，列宁的思想像指南针一样，总是指向着劳动人民的阶级利益。这一点在《带枪的人》里，剧作者是完全做到了的。伟大的列宁对党和革命事业的无限忠诚，他对同志们的恳切、亲密和热爱，他对敌人不留余地的忿恨和憎恶，他的智慧和伟大的洞察一切的力量，他处理问题的明智、迅速和对革命前途的信心，他的利刃一般地对敌人的无情讽刺和在同志们当中的舒畅和幽默，他对劳动人民的发自衷心的关怀，——这一切在短短几次列宁的出场里，已经鲜明地显露出来。自然，完完全全把列宁这样伟大领袖的精神，用艺术形象表现在读者面前，是一件非常困难的事情。然而，苏联的文学已经向全世界贡献出这样一个卓越的榜样。在这个剧本里，列宁和人民的动人形象，已经成为永远能教育人，鼓动人，提高人的战斗性和热情的力量。它告诉我们要依靠群众，永远和人民联系在一起，这便是伟大的苏联共产党永远不可战胜的缘故。包哥廷出色地描写了党和人民的关系，描写了工农联盟的伟大力量，这便是这个剧本长久吸引住人们的心灵的所在。

第2幕第8场，列宁和农民士兵雪特林在斯莫尔尼宫的走廊上偶然相遇的那一段，是全剧中最动人的一场。谁能忘记伟大的列宁亲切、朴素、有力的对话呢？一切都像在我们眼前发生的真实一样地清楚。作者写出列宁对于这个农民出身的兵士自然而真挚的关心，他的一眼望见[1]主要问题的智慧，他的富有极大鼓动力量的准确而显明的逻辑。雪特林——一个觉醒了的被压迫的农民——开始把命运掌握在自己手里，决心捍卫十月革命胜利的成果，要紧紧握住苏维埃政权伸出来的手，从此自己掌握和平的事业。这一切都是自然而生动，像阳光照射下来一般地明朗、真实，集中地印在我们的心里。这便是社会

1 “望见”迎春集本作“看透”。

主义现实主义的艺术最有力量的笔触。

《带枪的人》是一面十月革命的镜子。它照见了推动革命前进的积极因素和人物，也照见了丑恶腐朽的反动的渣滓。剧中第1幕第4场，帝俄大资本家西比尔采夫、大地主伏尔加人、西欧化的资本家等等是共产党的死敌。他们说，他们的共同目标就是要扑灭布尔什维主义。这些人要联合一切反动的党派“和衷共济”地把俄罗斯献给德国人，因为在他们的面前只摆着一个使他们战栗、恐怖的问题——布尔什维主义。大资本家西比尔采夫说：

“……那么，一切事情都顾不得什么体面不体面了。我们应该毫无愧色地自觉地把彼得堡让给德国人，建立德国的政权和德国的政体，把‘同志们’一个一个的绞死，给俄罗斯一个强有力的政府。”

这和我们在整风初期听见那些恶毒的右派分子扬言要杀死所有的共产党人，推翻中国共产党的领导，造成中国的“匈牙利事件”，欢迎资本主义的复辟，又有什么区别呢？至于剧本所描写的那些打着革命招牌，实际做着资本主义代理人的孟什维克和“活动家”们，他们更是无产阶级革命的最毒恶、最卑鄙的敌人。他们和中国今天的右派分子有同样一副阴险、肮脏的嘴脸。

剧中斯大林对即将出发的赤卫队员们说：“对劳动人民的敌人用不着仁慈!”

在这场极端尖锐复杂的阶级斗争里，我们必须无情地消灭一切反动势力。垂亡[1]的资产阶级在未完全死灭之前，总是在伺机而动，寻

1 “垂亡”迎春集本作“垂死”。

找革命阵营的缝隙，阴谋破坏。这在我们过去“五反”、“肃反”和今天反右派分子的运动中已经屡次证明了。

十月革命翻转了整个世界。中国共产党有了马克思列宁主义的指导，便能领导人民所向无敌地进行无产阶级的解放事业，建立中华人民共和国，造成了解放8年来社会主义各方面的巨大成就。中共中央[1]在第8次全国代表大会的政治报告中说：“尽管我国革命有着自己的许多特点[2]，可是中国共产党人把自己所干的事业看成是伟大的十月革命的继续。”这是完全正确的。

十月革命以后的苏联人民从未间断过给中国人民以巨大的帮助。我们把苏联人民对我们的无私援助比之于滚滚的长江、巍巍的昆仑，那是山高海深的永不磨灭的情感。无论在工业、农业、科学文化建设上，中国人民的伟大成就是和这些年来苏联人民的无私帮助和先进经验分不开的。中苏两国人民之间的深厚友谊是说不尽道不完的。

在戏剧艺术里苏联戏剧艺术的卓越成就和经验给了我们很大的影响。同样，苏联优秀的戏剧专家的教导和指点也给了我们极大的帮助。这些同志的崇高的友情是永难忘怀的。

北京人民艺术剧院能以这样的规模演出《带枪的人》这个戏，便是和过去苏联专家对我们有力的帮助有极密切的关系。这次演出又蒙苏联文化部、苏联大使馆和莫斯科瓦赫坦戈夫剧院给我们各方面的指

---

1 “中共中央”迎春集本作“中共中央委员会”。

2 “尽管我国革命有着自己的许多特点”迎春集本作“尽管我国的革命有自己的许多特点”。

导和帮助，更使我们十分感谢。

《带枪的人》的演出，虽然给我们极大的光荣和喜悦，我们却深深感到我们今天呈献在观众面前的艺术创造还是不容易达到观众对我们的期望的。但是我们鼓起勇气排演了这个戏，为了在十月革命40周年的节日里表达我们的欢喜和中国人民对苏联人民的难以形容的感激。自然，我们更希望借着这个戏的演出，使我们和观众一道进一步地受到深刻的共产主义的教育。

热烈庆祝全人类的节日——十月革命40周年！

全世界人民的革命导师——列宁同志万岁！

伟大的苏联共产党万岁！

中苏友好万岁！[1]

---

1 迎春集本此下署“1957年10月”。

和平的力量是不可抗拒的

64个[1]共产党和工人党代表会议的《和平宣言》中有这样一段话："今天我们共产党人说，现在战争可以防止，和平可以维护住。我们是满怀信心地这样说的。因为现在世界上的情况改变了，力量的对比改变了。"

这段话给我的印象十分深刻。的确，我们已经走到一个新的伟大的历史转折点：战争贩子们与和平阵营的力量的对比，这些年来已经有了根本性的改变。

1949年4月间，我曾随以郭沫若同志为首的中国代表团到捷克参加第一次世界和平大会。那时候，我们个个虽然强烈地感到全世界拥护和平的人民的力量和愿望，但是，和平的规模、气势还远没有今天这样雄厚壮大。历史的惨痛教训和帝国主义的好战本质使世界上有些

【题注】载1957年12月4日《文艺报》第35期，据以排印。又收入《迎春集》，北京出版社1958年第1版，兹以通校（校注称"迎春集本"）。

1 "64个"迎春集本作"六十四国"。

人的心里还不是十分踏实的。许多国家刚经历过第二次世界大战，战争的血迹还未完全[1]洗净。美帝国主义又开始用军事基地、军备竞赛、原子弹讹诈来策动新的战争。假如说，那时我们呼吁和平，母亲们的眼睛里还噙着眼泪，多少人的心情还带着大战后痛定思痛的沉重；那么，今天我们号召全世界的人民保卫和平，是毫无恐惧地对战争贩子们紧握着拳头的。敌人如胆敢发动战争，我们便用铁一般的拳头打垮它。

和平，这绝不是抽象的。它后面站着以伟大的苏联为首的社会主义的和平阵营和全世界千千万万的善良人民。人类要和平，但绝不是向帝国主义者哀求，而是用强大无比的、不可战胜的和平力量来保卫它。

我们对和平事业是怀着强烈的信心的，因为，即在第二次大战后，我们又不止一次地经过帝国主义者策动的战争的考验。帝国主义者一次又一次地向爱和平、自由和独立的人民发动战争，但每次失败的都是好战的帝国主义者而不是强大的和平力量。

1956年，我随中国代表团到日本参加世界反原子弹氢弹大会，大家都亲眼看见日本人民和世界各国人民代表们的炽热情绪，那真是如江翻海涌，是好战分子们用任何力量压止[2]不住的。一切被压迫的人民都要求解放。今天，东风已经压倒西风，和平、正义的这一面已经拥有占全世界绝对优势的人口和科学的、物质的力量。只要我们大家时时刻刻地提高对战争挑拨者的阴谋的警惕，团结一切可

1 迎春集本无“完全”。

2 “压止”迎春集本作“压制”。

以团结的力量，正如《和平宣言》所指出的，“战争可以防止，和平可以维护住。”

12个社会主义国家共产党和工人党代表会议宣言与64个[1]共产党和工人党代表会议的《和平宣言》，是具有伟大历史意义的热情洋溢的革命宣言。它们总结了人类这一伟大的转折时期的历史发展，同时也明确指出了人类历史的发展前途：和平与社会主义。

社会主义是人类发展的必然道路。新世界必定代替旧世界，任何反动势力都不能加以阻拦。资产阶级制造的“共产主义危机”的谰言，今天在事实面前已经彻底破产了。

和平是与社会主义不可分割的。社会主义不要战争，它提倡与一切社会制度不同的国家和平竞赛。列宁在十月社会主义革命刚成功时，便宣布了和平外交政策。世界和平运动是苏联发起和倡导的。7年来，我们的政府和人民全心全意地以人力、物力和最大的道义上的支持来保卫世界各地的和平。抗美援朝和中国首先倡议与执行的和平共处的五项原则，便是两个突出的例子。7年来，我们已经有许多历史事实来证明我们的行动和保卫和平的决心是一致的。

和平的力量是不嫌多的。在国外，我们要争取和团结更多更广的朋友[2]；在国内，我们要在共产党领导下，尽一切力量建设社会主义。全世界社会主义国家的社会主义建设的每一个胜利，便给和平增加一

1 “64个”迎春集本作“六十四国”。

2 “和平的力量”以下迎春集本作“和平的力量在国外，是不嫌多的。在国外要争取和团结更多更广的朋友”。

份力量。我国社会主义的第一个五年计划超额完成的巨大成就，苏联飞跃的科学、文化的发展，与苏联首先发射的人造卫星，是和平的胜利，也标志着人类将要根本消灭战争的胜利。

12个社会主义国家共产党和工人党代表会议宣言指出，“在目前条件下，主要的危险是修正主义或者说右倾机会主义”。联系到这次我们国家的反右派斗争和它的伟大胜利[1]，我更深地认识到：党在社会主义、在人类和平事业中的领导的重要性。没有共产党，便没有和平，没有社会主义，也就没有人类的前途。

全国文艺工作者都需要好好读这两个革命宣言，一读再读，仔细体会“宣言”的精神，认清人类发展的前途，从中更多地[2]汲取创作的力量，更深刻地明确创作的方向。社会主义与和平的力量是不可抗拒的。我们的创作应该完完全全的为中国今天伟大的热火朝天的社会主义建设服务，也就是，为世界和平服务，为全人类的理想、幸福与自由服务。[3]

1 “伟大胜利”迎春集本作“伟大的胜利”。

2 迎春集本无“地”。

3 迎春集本此下署“1957年11月”。

我们的春天

翻开日历，今天下午十五时[1]五十分立春。这[2]似乎说，一到了这个时刻，春气就在土地上开始露出她的眉眼。万物将要滋生，一切生物都会感到心头上降临了一股不可言传的温暖。

其实，今年的春意来得特别早。

两月前，一个大雪纷飞之夜，我在汤山农业合作社一个小队部里明亮的油灯下，便分明看见春天的足迹。两间土屋里坐满了人，老老少少的妇女们围着一炉旺旺的煤火坐在炕头上，笑嘻嘻地在识字。短小精干的小队长在黑板上写着“春天，引水，开稻地”。她们一笔一画地学着写。隔壁土墙上[3]也挂着黑板，几个高小毕业的青年农民正和

【题注】载1958年2月5日《人民日报》，据以排印。又收入《迎春集》，北京出版社1958年第1版，兹以通校（校注称“迎春集本”）。

1 “十五时”迎春集本作“三时”。

2 迎春集本无“这”。

3 “隔壁土墙上”迎春集本作“隔壁的墙上”。

一些老农研究珠算。静极了，雪叮叮[1]地洒在窗纸上，窗外偶尔听得见老饲养员王德禄正在圈里喂料，低声呵弄着牲口。靠近墙根坐着的张兰英，都听得见[2]牲口圈里她顶喜欢的牡牛——“青花”嚼料的声音。

大家从一见亮就兴高采烈地在“西湖坑”里挖肥、抬肥，把一车一车黑金似的肥泥运到麦种正在冬眠的地里。现在夜间九点钟了，每个人——男女老少的脸上还是红扑扑的，没有一点倦意。学习完毕，大家都要求讨论讨论农业四十条纲要[3]。真是春雷一声平地起，谁也不会想到这样安静的小屋里顿时沸腾起来。讨论起多种高产作物[4]，提高亩产量指标的时候，大家你一言我一语，纷纷谈出种植经验，找窍门提高指标[5]。老头儿和年轻人都竖起大拇指，“四百斤！四百五十斤！五百斤！”一个数字、一个数字争论着[6]，最后大家热烈保证，说“跨黄河，没问题！我们还要过长江，自带路费，不要政府多为我们用一个钱！”

社会主义大辩论以后，合作社里，个个农民的干劲足，人人都看清了幸福的社会主义道路，充满了英雄气概。

会散了，大家热热闹闹地走出来，冰冷的雪花落在热烘烘的脸

1 “叮叮”迎春集本作“淅淅”。

2 “都听得见”迎春集本作“甚至都听得见”。

3 “农业四十条纲要”迎春集本作“农业发展纲要四十条”。

4 “多种高产作物”迎春集本作“挖掘农业生产的潜力”。

5 “提高指标”迎春集本作“争取高额丰产”。

6 “一个数字争论着”迎春集本作“一个数字地争论着”。

上，雪已[1]下了半尺厚了。人们踏在雪上发出沙沙的响声。兴致勃勃的郝春和赶到我身旁，大声嚷着："老曹，你看劲头足不足！告诉你，这才是刚开头！"

这时我忽然看见在路边上有几个青年农民披着大棉袄，爬在梯子上，手电筒的光在屋檐下闪来闪去，叽叽喳喳又笑又说。原来他们是乘着雪夜在捉麻雀呢。雪落得更大了，我和郝春和迎着快意的雪花向前静静地走着，他忽然说：

"你别瞧这会儿一点声音都没有。可就在这会儿，全中国的农民都在开会，准备迎接1958年大丰收呢。"他笑了，接着对我说，"全社后天就要开大渠了，你看有劲没劲！"

这时，在我周围，已不是一个严寒的冰雪之夜，眼前忽然[2]看见千百万盏灯火的海洋。明亮的灯光下，全中国的农民喜气洋洋，满怀信心地正奔向丰饶富裕的社会主义。

这时，[3]我深深感到春意弥漫，全中国人民的心头上是温暖的[4]。

亿万农民群众，已经掀起了冬令兴修农田水利的热潮，农村中每天有近亿的人口向自然大进军。我看见大海中的一滴——汤山合作社[5]也热火朝天地在开渠。天气突然冷起来，气温降到零下二十度。

1 "已"迎春集本作"已经"。

2 "忽然"迎春集本作"蓦地"。

3 迎春集本无"这时，"。

4 "是温暖的"迎春集本作"都是温暖的"。

5 "合作社"迎春集本作"农业社"。

北风呼呼地刮着，阳光照在马房村的开渠地带。数不尽的农民群众举着洋镐，敲碎冰冻的土块；他们挖渠、抬土、打夯、筑堰，一个个生龙活虎，矫健如飞。冰凌冻结在人们的眉毛和胡须上，天气真冷，但是有一位六十多岁的老农民还不甘[1]服老，抢着和小伙子们一同挖土抬筐，大家都劝他下来，他眯缝着眼笑着说："我还要为社会主义打基础呢。"

在这群向大自然斗争的人里[2]，还有来自镇上各行各业的人们。一时，堤上有了缝衣站、补鞋站、医疗站、宣传站、开水站、广播站；衣服破了有人缝，鞋破了有人补，碰伤了有医生治。这里还有许多从城里来的知识分子和下放干部，也在参加劳动。他们举着洋镐和农民们[3]把一大块、一大块的冻土刨下来，神情饱满愉快。从农民那样喜欢[4]他们的眼神里，看得出他们已经有了一个巨大的变化。随着洋镐的上下[5]，他们的汗水落在土地上。这使人感觉[6]中国的知识分子也和农民一道脚踏实地的迎接到了春天。

今天春意荡漾在每个人的心里。在怀仁堂的人民代表大会上，个个人的心情舒畅。听了1958年国家预算的报告和国民经济的报告，

---

1 迎春集本无"甘"。

2 "在这群向大自然斗争的人里"迎春集本作"在向大自然斗争的这群人里"。

3 此处迎春集本有"一起"。

4 "喜欢"迎春集本作"喜爱"。

5 "上下"迎春集本作"起落"。

6 迎春集本无"这使人感觉"。

大家都是说不出的欢欣鼓舞。第一个五年计划的辉煌成就，真是[1]使人感到“春色满园，气象万千”。

一切都在大跃进，我们正在干着伟大的前无古人的事情。我们要在三年内改变农村面貌，十五年后在重工业上赶上英国或者超过英国[2]。我们已经开始了第二个五年计划。1958年是新的战斗的头一年。这是一个明媚的春天，一个不平凡的春天，是[3]一个一切都大有希望的春天，因为我们这个伟大的“大有希望”的民族已经完全觉醒起来了。

1958年立春日

1 迎春集本无“是”。

2 “十五年后在重工业上赶上英国或者超过英国”迎春集本作“在十五年或者更短的功夫在钢铁及其他主要工业产量方面赶上英国，更要在不长的时间里赶过一切资本主义国家”。

3 迎春集本无“是”。

推荐“时事”戏

北京人民艺术剧院上演了四出反右的时事讽刺喜剧。

这四出戏是：陈白尘、刘沧浪、王命夫、黄悌的《哎呀呀！美国小月亮》（导演：欧阳山尊、林婧），刘沧浪的《高等垃圾》（导演：柏森），方成的《黄谭探监》（导演：梅阡），陈中宣的《战斗的星期天》（导演：欧阳山尊）。

这是四个深得人心的短戏。说它们“深得人心”，是因为这四出戏说出了我们心中要说的话。它们有的发出反对“冷战”、呼吁和平的巨大声音，有的强烈地表现了今天中国革命群众的昂扬斗志。

去年，右派分子们要复辟资本主义，我们要保卫社会主义。他们攻，我们反攻，人民终于胜利地围剿了这些“高等垃圾”，妖魔鬼怪，连“探监”的“黄”、“谭”和那兴风作浪，[1]像在《战斗的星期天》里

【题注】载1958年2月27日《人民日报》，据以排印。又收入《迎春集》，北京出版社1958年第1版，兹以通校（校注称“迎春集本”）。

1　“，”迎春集本作“的”。

面的右派记者，也一概打灭干净。

这个整风、反右斗争的伟大胜利，和光芒万丈的苏联科学，社会主义的两个“月亮”上了天，同样都是人类对社会主义事业的极大贡献。

反右斗争是国内政治战线上和思想战线上的社会主义大革命，是[1]一个巨大的主题。

与此同时，今天东风压倒西风，美帝国主义者走上了日薄西山的道路，说明“反动派”这个角色在世界舞台上，也遭到失败，更是一个重要的题材。

群众迫切需要作家们在写社会主义建设的巨大题材之外，也反映这类同等重要的问题。这四个讽刺喜剧和最近一些优秀的反右剧本，便是一只一只[2]的锐利的戈矛，刺中了这些中外反动派的心窝。

说这四个戏写得好，当然不仅是指作者们运用了这样适时的题材。大家说，这些剧本和演出的形式都生动、新颖，能吸引人。每一个短剧都是一幅色彩鲜明、节奏明快[3]的活生生的图画。它们有一个共同点，都燃烧着炽烈的政治情感，爱群众之所爱，恨群众之所恨。从人民的眼里，分清爱憎，因此博得这样多群众的欢喜。

我特别喜欢《哎呀呀！美国小月亮》和《高等垃圾》，应该说，这是两本相当完整的讽刺喜剧。看得出，作者笔下的材料非常丰富，他们选择、运用材料的本领也确实高明。

---

1 “是”迎春集本作“这是”。

2 “一只一只”迎春集本作“一支一支”。

3 迎春集本无“节奏明快”。

《哎呀呀！美国小月亮》是一个勇敢的尝试。

本来，“政论”内容和“戏剧”形式难得糅合在一起，二者之间，一般说是有些阻隔之感的。但在作者的生花妙笔下，这篇政论性的题材，成了一本尖锐锋利、别具一格的讽刺喜剧。它的重要还不只在于它是一个冲锋陷阵的戏剧武器，而更在于它继续了我国剧作家多年为了革命斗争，对当前现实，对时事，采取迅速、强烈的手段来反映的光荣传统。

今天我们剧作家为直接服务于政治，单刀直入地宣传政治，写出了以“时事”为题材的成功的剧本，这是大可以高兴的事。

感谢陈白尘，这个尖锐的手笔，老练的行家，你看他把世界舞台上的反面人物揭露得多么活，把这些好战分子不敢告人的思想剖析得多么透：艾森豪威尔、杜勒斯、麦克艾罗伊在他笔下是活灵活现的。他夸张，但他叫人相信。他和他的有才能的合作者们——刘沧浪、王命夫、黄悌——塑造出一群多么可厌、可憎、可鄙、可笑的人物！

舞台上的艺术形式要千变万化，多种多样，但政治的情感，传达给观众，却一丝一毫不能模糊。这两点，作者们是做到了的。

《哎呀呀！美国小月亮》是一面照妖镜。这四位作者，把美国的好战分子进退两难的尴尬心理刻划[1]明白。他们明明确确地告诉观众，美国统治者失败的关键并不在于他们是否能放射出人造卫星，而是在他们的资本主义制度，把美国的技术科学弄得完全落在今天社会主义的时代的后面。前两天，美国终于把他们的那个“小”卫星送上天空，

1 “刻划”迎春集本作“刻画”。

这原在作者和人们的意料中的，无足为奇。然而正如剧中指出，失败就是失败，美国的科学技术肯定的落在苏联后面（今天看报，美国放射“先锋号”火箭第三次又失败了！），是美国好战分子们无可挽回的事实。

“迟了，赶不上俄国人了！”（剧中艾森豪威尔语）这个致命的速度上的失败，使白宫里的四星将军们，也只有垂头丧气的份儿。作者放出一支锥心的利箭，无论美国的小月亮放得出去与否，世界走上了新的转折点：美国走上了下坡路，“俄国人”赶到前面去了。

艾森豪威尔和杜勒斯在小月亮放射失败以后的那一场戏是很精彩的，它说出了美帝国主义者的最大苦闷：既无征服世界的“实力”，又不愿与社会主义国家和平共处。唉声叹气的艾森豪威尔说道：“战不能战，和不能和，上帝啊，美国怎么落到这步田地！”

今天，美帝国主义者的“内心独白”正是这样。

结尾：那个典型的美国产物，专做告密生意的小骗子又卖给他们一个最秘密的秘密。这个秘密是：破坏“美国小月亮”——美国科学发展的象征——的间谍不是别人，却正是总统、国务卿、国防部长这三个为美国垄断资产阶级所豢养的战争贩子！这个结尾出人意外，却又在人意中，确实想得好。

刘沧浪的《高等垃圾》，把一个右派分子头面人物写得相当好。“臧东曦”这个人是有所依据的，却谁都明白这个“臧东曦”又概括了所有这些两面派，新社会的渣子，人人得而诛之的“脏东西”。情节的安排是恰当的。但我更爱作者笔下的正面人物，那个代表劳动人民的“理发师”。讽刺喜剧里出现这样一个令人相信的正面人物，和那同样站得住的“臧东曦”，能够对衬起来，是一件难能可贵的事情。

这个戏发展得快，逻辑性强，是一本有力的讽刺喜剧。

《黄谭探监》的作者是讽刺画家方成。他的文笔和画笔一样，都是嬉笑怒骂，皆成文章。演出上的处理也和作者的企图合拍，接得紧，扣得上。锣鼓一声响，黄谭跳出来，把特务、杀人犯和黄世仁的死硬、反动的后代，一起风格化、程式化，作者和舞台艺术家们的手法是相当干净利落的。

陈中宣的《战斗的星期天》，写出了反右运动[1]中的新中国的儿童。孩子们很欢喜看，大人们也看得津津有味。看完了戏，有人讲："这样的下一代！把祖国的事业交给他们，是非常放心的。"须指出，这个戏里有许多成年演员扮演小孩，却演得有情感，相当像。据说除小演员陈小平外，其余扮孩子的演员平均年龄二十七岁，他们已是二十个孩子的父母了。成年演员热心演儿童剧，大一点的剧院常排儿童剧，是一个应该提倡的好现象。

这几个反右的讽刺喜剧有一个共同的缺点，便在作者如何估计剧中主人翁——被讽刺的右派分子们及如何处理他们的问题上。

右派分子们反社会主义的逆行正像螳臂当车，确有可鄙可笑的一面，但仅仅把这些描写了，他们的面目便不够完全。那样，给我们的感觉就像画完了一个人，忘记画眼睛，没有画出最主要的东西。作者有些忽略右派分子狠毒险恶的那一面，不知不觉地偏重了可笑的那一面，容易使人们在笑声中，忘记了右派分子们在和我们那种"你死我活"的斗争里的致命的危险性。而提醒群众，使人民永远保持着警

1 "运动"迎春集本作"斗争"。

惕，正是我们在剧里首先应该得到的教育效果。

谁都知道，右派分子想颠覆共产党的企图如果实现，便是千百万人头落了地，人民又将堕入反动统治的黑暗里。今天写右派分子，若把他们仅仅写成是一堆可鄙可笑的臭虫，可以毫不费力地一扫而光，那么，仍可以说是还没有完完全全地写出了真实。写时事讽刺剧是一件得人心的事。但要深入人心，就必须击中要害。在反右的戏里，就必须写出右派分子的凶恶险毒，才勾勒得出他们的主要轮廓。

在讽刺剧里，令人笑是很重要的。大家也是[1]欢迎描写右派分子们的愚蠢无知、庸俗虚伪以及生活上那些可笑的地方的[2]。但是[3]大家更喜欢笑了之后，却加深了对事物的认识。使人笑的艺术确实比使人感动的艺术难多了，但笑完了还能使人思索的艺术是更难的。果戈里在《巡按》里所讽刺的市长是我们在描写讽刺的对象时应该学习的典范。市长的愚蠢卑鄙自然写得淋漓尽致，可笑之极。但最使人忘记不了的，还是这个市长的狠辣、凶恶。他给人的印象是：他放出的毒害，几乎可以腐蚀整个帝俄时代的社会（自然，实际上他也是那个社会的产物），世上任何美好的东西，遇见了他，便会遭到毁灭，登时枯萎。果戈里的艺术使人感到市长的刻骨的毒恶就藏在他那表面上非常可笑的言行里。从这一点进一步的要求，这几个戏的中心人物（《高等垃圾》的臧东曦，在这一点上也令人感到不够满足）仍然给我们一种不

1 迎春集本无“是”。

2 迎春集本无“的”。

3 迎春集本无“是”。

够完全，不够深刻之感。

推荐这四个戏，因为它们是嘹亮的号角，告诉我们艺术应该紧密地结合政治。中国的现代戏剧史里，以多种多样的戏剧形式，反映革命现实，从而推动现实的传统，是有悠久历史的。二万五千里长征，和长期的抗日岁月里，出现了多少把政治任务和艺术紧密结合的作品。这些作品有内容，有艺术，它们在时代中起的作用，昭若日月（谁能忘记《放下你的鞭子》和《兄妹开荒》！），人民是永远记得的。

写关于时事的短戏，及时反映当前社会迫待解决的问题，自然要写得好，但更应该反映得快。“赶任务”这三个字仿佛过了时，而且含着既然“赶”，便会写不好的意思。有人甚至于说“赶任务”写出的东西就定然浅薄，这种观念是武断的，须要改变一下。《哎呀呀！美国小月亮》据说从无到有仅用了一个星期，而他们同时还做了其他不少的事情。可见作家（自然，还有其他先决条件），如果平时是关心政治的，手下材料多，知识广，判断力强，他的工作便可以做到在一定程度上“又多，又快，又好”。

关键恐怕首先在政治热情。写出文章来，对那坏的风气，譬如今天的“浪费”，“保守思想”，就要纸上腾起一片火焰，炽猛地烧个干净。对那正面的，应大大加以培养的气象，譬如“勤俭建国”，“多、快、好、省”，“干部下放”等，笔下就是一片细雨和风，浸润人心，催动人们鼓起干劲，力争上游的心情。

我赞同这四个短戏的广告上提出时事讽刺喜剧的字样。“时事”二字，开门见山，说出戏剧写时事，是合情合理，有根有据的。古往今来，为了改革现实，写时事剧，从阿里斯多芬到马雅可夫斯基，有无数光辉的先例。我们的戏曲（如昆曲《十五贯》和地方戏曲《杨乃武和小白菜》等），以及话剧前辈欧阳予倩、田汉、夏衍、老舍、阳翰笙、陈白尘等的创作里，就有举不胜举[1]的热情洋溢，生动活泼，及时发挥强有力的政治作用的好作品。

真希望这个“时事”戏的道路能够引起更多作家们的灵感，动起笔来。

时事剧可长可短，可以讴歌，可以讽刺，可以写成喜剧，或写成闹剧，还可以采取其他种种不同、便宜行事的形式。它可以用真人真事，但也不一定要真人真事。它可以因时因地，千变万化，善于运用的人就能体会它的妙处。它仅有一个要求，便是迅速及时。

自然，反映的迅速是它的好处，但也含着缺点。

要写的快，往往不允许作者对材料细嚼烂咽，因而对主题，对从时事引起的思想内容，难于挖掘得深透。但时事剧最大的局限性，恐怕是在人物的刻画上。作者对他的人物不能长久的观察揣摩，在仓促命笔中，容易把他们写的潦草简单。有人说，时事戏中的人物，往往仅是一个好与坏的脸谱。以特写和短篇小说做比，特写常是应当前需要，尽快写成的，它所描写的人物，可能不如短篇小说的人物写的完美些。但这也不完全如此，波列伏依的特写人物，便生动真实，使人得到完整的印象。

因此，时事戏中的人物并非命定就是简单的，潦草的。自然，遇见那些平时对当前的事变无动于衷，急来便生拉活扯地硬凑来写作的

---

1 “举不胜举”迎春集本作“不胜枚举”。

人,“时事戏中的人物容易脸谱化”，便成了绝对的道理。但如果作者对他的人物一直是熟悉的，他的人物，即便在时事戏里，也必然可以写得活生生的，有深度的。

其次，写时事戏我们还缺乏经验。以时事戏的形式来反映如火如荼的社会主义建设和世界政治的典范作品还很少。这使我们这类体裁的写作，便感到特别的困难。但这是一种极便利，又为群众迫切需要的武器。如立竿见影，它能迅速地直接服务于政治。只要我们常写，多写，累积经验，写熟了，定然会产生既发挥及时的政治作用，又经得住久看的好的时事戏。

今年春天大不同，人人雄心勃勃，意气扬扬，一股革命干劲，奔腾在每个人的行动里，一切都向更美好更丰富的社会主义方向发展。

画出今天这光辉灿烂的伟大时代的风貌，应该添加时事戏这一支锋利的新笔!

于1958. 2. 6

曹禺同志的发言

这几天“大跃进”的形势发展飞速，不可想象。落后的看到前面的人，自然感觉到自己慢了，该追上前去；前面跑的人望[1]更在前面的，觉得自己还是落后，还得追。到处都在比先进，追先进；无论是谁，满身都是跃跃欲试的劲头。

以北京人艺为例，前天,《带枪的人》散场，领导号召话剧创作，立刻就组织了一批剧本。《骆驼祥子》上场前，再一号召，又是一批。从30本，80本，到120本，180本，现在已经是450本了，然而比起其他剧院、剧种订下的数字，这还不是[2]最大的。

又多，又快，这一层无疑是会做到的。前两天还在组织剧本，今

【题注】收录中国戏剧家协会编:《文化部、剧协、音协、北京文联主办北京戏剧、音乐创作座谈会的发言记录》(油印本，1958年3月6日辑)，据以排印。又载《剧本》1958年4月号，题名《让我们的事业飞跃前进》，兹以通校(校注称“剧本本”)。按，本次座谈会于本年3月3—5日在北京召开。

1 “望”剧本本作“望着”。

2 “还不是”剧本本作“远不是”。

天已经陆续地有人交剧本了。大家说这个跃进会开得好，炮竹、锣鼓，紧张、热烈，是一个争比干劲的“大市场”。每人都拿出货来，每个剧种，在组织创作上都有空前的跃进。看得出来，今后音乐，戏剧剧本[1]的大丰收是有保证的。

“多”了，“快”了，接着就是“好”的问题了。

本来这四个字，“多、快、好、省”，是提得很完全的。量多了，当然会有好的。大家都动笔写，作家、导演、演员、设计，以至观众，一起合作，写出多种多样的创作。有写作能力，平时不写的，现在写了；过去写得少的，现在多写了。以前，多少艺术潜力没有发挥出来，现在可以发挥了。这都是创作可以写得“好”的保证。

但，刘芝明同志提出的，今后如何通过一系列的具体措施来保证质量，确实是一个很重要的问题。组织创作，鼓起大家创作的干劲，仅是工作的一半。要尽量使每一个创作都获得群众的批准，达到成功，却还要大大的使一把劲。譬如，尽量集体创作，多吸取群众的批评，反复修改，多有机会听到成熟的作家的意见，尽量接受舞台方面艺术家们的指点；还有，艺术组织工作者们，如何帮助这些搞创作的人，在紧张忙迫工作之余，获得以上这些机会，这似乎是都可以考虑的。

搞剧院工作的人，有一个矛盾，希望剧本源源而来，多多益善，却又希望到手的都是相当完美的剧本。他确实想鼓励创作，多演新戏，但群众的要求和企业化的条件又使他不能不仔细挑选。于是，一

---

1 “音乐，戏剧剧本”剧本本作“音乐、戏曲、剧本”。

些比较不成熟的剧本被淘汰了。但是今天，鼓励创作，必须要使各种新的创作尽量得到演出的机会，放在剧院肩上的担子，就比以前重一些。很多剧院一直是“帮助”（自然，并非“代替”作者）作者们修改剧本，送上舞台，做得很有成绩。今后，这方面的工作更应该开展，与剧作者合作的范围应更广泛。而写作的人，也须要多多听取剧院的正确意见，不怕批评，不怕修改。剧院工作者也要有眼光，有勇气，上演新人的剧本。

田汉同志提出今后将大大加强戏剧批评工作，做到每戏必评，这是戏剧批评家的光荣任务，是戏剧界的一大喜事。这样的工作，定将为今后光辉灿烂的戏剧发展开拓大路的。戏剧离开了批评，犹如人离开了盐，活得下去，但是没有劲。记得，一个青年剧作家提起他未受到注意的剧本，曾对人说：“是好是坏，对我说一句，我都是高兴的。”这个心情我深切懂得。我们希望今后的批评不仅限于剧本，更应该谈到演员、导演、舞台艺术、演出上的各方面，以及戏剧艺术的组织者的工作。有话就讲，不要束手束脚。批评者要有胆量，听批评的要有度量；新的好的，就该鼓励，不要因为一点毛病，全部抹煞，忘却一个指头与九个指头的道理。戏剧批评，同时也应发动群众来写。这样吃力的事情，不要都压在为数不算很多，却已做了不少工作的批评家们的身上。

今天剧本可取的题材广泛极了。为了快，为了省，为了迅速反映生活的斗争，莫若立刻抓起当前的时事题材。今天在大跃进中，各方面的新鲜事物也多极了，譬如天桥商店的服务态度，街道居民的整风运动，除四害讲卫生的工作，每个地方都有它自己的有鲜明特征的新鲜题材，都应该有戏可写。

但这些，必须迅速写出来。等劲头过去，政治感情就不如当时那样敏锐，群众对反映这个“现实”的要求，也就不那样迫切、炽烈，文章便会缺少时间所给予的光彩。

“赶任务”可以写出好剧本。直接服务于政治，迅速起[1]当前的政治作用，写群众当前最关心的事，这一切本身便是“好”。要“快”就要“省”，我们应该提倡短小精悍，反映当前现实的各种各样的艺术作品。

全国都在大跃进，成千上万的戏剧艺术家们，将发挥一切力量，跃进，再跃进，来促进戏剧事业的高潮。

百花齐放的巨大事业，将由我们每个人的努力来完成。我们一定要完成它！

---

1 “迅速起”剧本本作“迅速的起到”。

如鱼得水，飞跃在“大跃进”的海洋里

现在，全国各方面的社会主义大跃进都风起云涌，奔腾而来。文学艺术顿时呈现从来未有的活跃现象。

作家的劳动要“多、快、好、省”。这已成为大家的共同要求。多写，可以促起在写作上的一股猛冲猛干的劲儿。在一个伟大的时代里，缩手缩脚，迟迟疑疑地写东西，是不成的。我们必须放开眼界，学写一切对自己是新鲜的东西：从前没有兴趣的“题材”，现在就应有兴趣；从来不用的“体裁”，现在也该抓起来用。十八般武艺，尽管我们可能只有一样是专长的，但仍应件件拿得起来，以便于在战斗的紧张的时刻里，发挥一个文艺战士的充分力量。

多写，自然不是粗制滥造。

最近全国的文学艺术组织，戏曲、话剧、歌舞、音乐团体，在组织创作的工作上有极大的跃进，他们提出成千上万的创作数字，这

【题注】载1958年3月19日《人民日报》，据以排印。又收入《迎春集》，北京出版社1958年第1版，题名《飞跃在大跃进的海洋里》，兹以通校（校注称“迎春集本”）。

些数字是往日不敢梦想的。有人就有些担心这些作品的质量问题。我看，先不要这样想。

今天我们要大力促进作家们写作，同时更要在群众中发掘、培养能写作的人。认真说，全国创作的潜力远未发掘充足。举个例说，现在很多人读过曲波同志的如龙似虎的长篇小说《林海雪原》了。我听了朋友的介绍，读了一天一夜，兴奋得逢人便忍不住[1]谈个没完。但这是作者[2]第一部作品，在此之前，他没有发表过文章，大家也不知道他。然而在丰富的革命生活的锻炼中，他早已是一个成熟的作家了。

只有引出人民创作力量的巨大源泉，那波澜壮阔的作品便会汹涌而至的。

自然，发动了多少万群众和业余作者来写作，他们的作品可能有不够成熟的，或甚至是失败的。但是写出来了，发表了，演出来[3]，歌唱了，它便尽了当时当地热烈鼓舞群众的作用。

江海不捐细流，有一篇文章，就有一篇文章的力量。我们要天安门前烈士纪念碑的大雕刻[4]，也要供应农民大量小幅的人物彩画。今后即将到来的文艺大丰收，将由各方面汇涌而来，从群众和业余作者们

---

1 “忍不住”迎春集本作“忍不住的”。

2 “作者”迎春集本作“作者的”。

3 “演出来”迎春集本作“演出了”。

4 “烈士纪念碑的大雕刻”迎春集本作“人民英雄纪念碑的雕刻”。

来的创作，必然出现艳丽[1]夺目的花朵。

作家更应该多写，先不要顾虑写得好坏。不要因为仅仅盘旋在提高质量的考虑上，便写得慢、写得少。我们有时因为过分的考虑到写作的质量，反而写不出东西来。保持并且提高写作质量是一件十分重要的工作，但这和多写、快写并不一定是矛盾。想到今天时代的需要，全国人民大跃进的精神，便不由得跃跃欲试，干劲百倍。当前，要起革命文艺应该起的作用，是首先该想到的。

好的长篇巨作自然需要，但短小精悍、泼辣有力的东西就更为今天群众所喜欢。写出多少篇杂文、短诗、短篇小说、独幕剧、鼓书、歌词、人物特写等等，做了文艺上鼓动性的工作，同样也是为了描写今天伟大时代的长篇巨作，做了丰富的练习的积累。没有一个伟大的画家，在构画巨幅之前，不做成千上万的各种素描的。多写，用各种体裁多写，会尖锐了我们的笔，磨快了我们的思想，提高了我们的写作干劲。

精神愈用愈有，文章愈写愈精。艺高人胆大，我们要创出各种各样新的道路来写作。关键还是在于多练、多写、多发表、勇于歌颂、勇于讽刺、勇于迎接新时代一切可爱的事物。一句话，就是永不息止[2]地发挥高度的政治热情。

对创作，对深入生活，有一个时期，有些人（我也在内），很像那种非常羡慕别人游泳的自在，而自己又怕跳进水里的人，今天，革

---

1 “艳丽”迎春集本作“鲜丽”。

2 “息止”迎春集本作“止息”。

命干劲把我们推下去，就一头扎进水里，也就游起来了。其实，今天的革命干劲已把我们推了两次：第一次，推动长期下乡下厂，参加劳动和基层工作，再一次，便是今天订大计划，做大跃进，向群众立下诺言，实现规划。这两“推”都推得好极了，把我们推进“大跃进”的海洋里，任我们飞跃自由，长风万里，使我们不惧一切艰难，奋力直前。

作家们下去参加劳动，与群众在一起，是一件极好的事。我们参加过一段极短时期的劳动，在严寒的冬天，和农民一起挑粪，送肥，开荒，挖渠，浇小麦。虽然为时极短，却没有一样事情使我们能够忘记，使我们不爱。我发现我在他们当中是多么无知、可笑，却又多么愉快、自豪。似乎每天都有可想念的，可记载的。自然，这是极浮面的印象，今后必须长期扎根，切实进行改造才成。然而我们已经些微体会了和人民群众在一块的感觉。那就是，如鱼得水，一个搞创作的人才真找到了家。

“如鱼得水”，是全中国人民在今天“大跃进”的海洋中的飞腾、快乐的感觉，也是全国作家今天双管齐下，又劳动，又写作，生活得热烈而自由的感觉。

我们要响应作协[1]响亮的号召。写得多，写得好，写得快，完成并且超额完成我们订的写作计划！[2]

1 “作协”迎春集本作“作家协会”。

2 迎春集本此下署“1958年3月北京”。

（《迎春集》）后记

日子过的快极了，像坐了神仙的飞车一样。

工作、学习、劳动、开会、看戏、旅行、听报告、参加热火朝天的各种运动——生活仿佛是一道愉快的泉水，晶莹闪耀，奔流过去。我们在歌唱中，在战斗中，过着忙碌而又充实的日子。

清晨起来，新鲜的生活立刻像春风一样迎面扑来，我觉得年轻了，仿佛又回到少年读书的时候。一切都像从新做起，而天地却与以前迥然不同。我们生活在这样一个自由、舒展、人人都能够扬眉吐气的时代里。

我写了一些短文，写得很不好。原因是，近几年来，我才开始学习写短文。还有，眼前新鲜事物太多，生活的斗争也复杂、热烈。提起笔来，往往非常激动，就迫不及待地写出了这些东西。这些短文定然会给人一种生涩和粗糙之感的。

但是，我也有另一种想法，尽管这些短文还像小学生的语文练习

【题注】据《迎春集》所载排印，北京出版社1958年第1版，原题《后记》。

一样，但它究竟写的是一些值得注意的事情，因此，还是被搜集、保留下来了。

回顾这几年，我感到一种说不出的自由和舒畅。在这些短文里，我要说出一个中国人，在今天春光满眼的生活里，油然而生的思想和情感。而过去，在解放前，从春到冬，都过着阴暗的岁月，仿佛整日埋在风沙弥漫的空气里，一张口，便有一种窒息死人的东西塞住了咽喉。

在这个集子里，有些篇是围绕着祖国的春天这个题目写的。但也很有几篇，却写了一些那样令人憎恶、愤怒的人物，他们终于走上了没落的道路。旧事物的毁灭，使我更相信祖国的未来。我心里洋溢着自由光明的时代的欢喜。

因此，就把这个集子名为《迎春集》。

曹禺

1958年3月，北京。

大跃进！为实现文学32条而斗争！

文学工作大跃进32条，是响亮有力的号角，是争取社会主义文学大丰收的战斗纲领，是我们每个人必须采取的行动路线。

它明确地告诉我们，今天的文学工作者必须以空前的规模，更深入，更结实地和劳动群众结合。文学为工农兵，是我们永不更改的方向。社会主义文学，是劳动人民坚决拥护的文学，它将是一个气象万千，波澜壮阔，超过历史上任何时代的伟大文学。

这32条订的很具体，它提出我们应该做什么和怎样做。生活斗争要反映得迅速，作品要写的多，写的好，写出群众喜闻乐见的东西。这些应该是我们对自己创作的具体要求。32条也订得全面，创作、研究、理论、翻译、改革文学、办好刊物、培养青年与工农作者，以及作家的自我改造与学习问题，都包罗尽了。

全中国在大跃进中，人人奋往直前，急冲猛赶，都在比先进、追先进。

【题注】载《人民文学》1958年4月号。

革命的文学工作者，是擂鼓的先锋，是时代的鼓舞者，是一切新鲜事物最早感觉到的人。我们须要快速地改造自己，创作出辉煌灿烂的作品，来迎接新的文化高潮。

万事俱备，只欠东风。而今天，东风也有了，32条便是向我们吹来的，又和暖，又有劲的，使千万花朵怒放的东风。

我们要充分发挥这个战斗纲领的革命干劲，我们要订下挖掘一切潜力的创作规划，并且坚决实现它。

文学大丰收可以在三五年内争取到来，我们一定要做到。

斥叛徒法斯特

一年以前，霍华德·法斯特叛了党。美国情报中心和反动报纸，大做宣传，视为反苏反共的大消息。“自我扩张”到了极度的法斯特，感觉自己那样举足轻重，忽然变成了一架反动的文字机器，到处刊登他的“忏悔”“申辩”和按照美国资产阶级的意愿写的那些反苏反共的捏造。他们——法斯特和他的主子——以为这样就给社会主义一个重重的打击。

有人说：“这真是一件糟糕的事情。”

我们看：“一点也不糟糕，这才是好事。”因为：

第一，法斯特不是他自封的那样一个“神明”，共产主义运动并不因他的背叛就停止了波澜壮阔的发展。他以为在他的“光辉”榜样下会有许多知识分子离开革命队伍。但在他写了《我的决定》背叛美国共产党的时候，同样一个美国共产党员，赫伯特·阿普塞卡也做了他自己的决定，“继续做一个党员”！法斯特得到的仅仅是鄙视、唾弃

【题注】载1958年4月26日《文艺报》第8期。

和冷淡。在法斯特叛党后，全世界各角落又有无数的高级知识分子参加了共产党。在人们的心目中，共产党永远是代表和平、进步、人类光明前途的不可摧毁的力量。

第二，是个脓疮就该挖掉。隐藏在革命队伍的敌人，就不如放在光天化日下让大家瞧瞧。法斯特暴露他的真面目，对我们有很大的好处。当“脱下裤子的”法斯特，锣鼓喧天地在美国最反动的报纸《纽约时报》狂喊着“快来看，免费入座呀，看看一个共产党的叛徒是什么样子啊”的时候，人们是惊异而愤怒的。但立刻我们意识到这是不足轻重，芝麻大的事情。知识分子入了党，有许多成了真正的无产阶级革命战士。但我们也见过像法斯特这样一种无聊可耻的叛徒。“组织上入党，思想上从未入党”的人，便常常会有法斯特这样的下场。

法斯特说，自从他的叛党消息发出后，他忽然收不到从苏联寄来的各种人的信件和电报了。他说，这肯定是苏联的邮电机构扣下了这些信电，由此证明在苏联是不自由的。“真理就是我”的法斯特，以为苏联的无产阶级会因他的叛党寄来大批贺电，并且给他戴上“反苏反共”的勋章，这不但说明他的狂妄，而且是利令智昏了。他是到过苏联的，他竟想不出苏联人民高度的无产阶级觉悟，会立刻把法斯特看成是一个无耻的恶棍；他的苏联读者才真是落在一个“令人难以置信的骗局里”：表面看来，这个美国作家的文章是进步的，而行动起来，却是一个不折不扣的叛徒。和这样的作家难道还有什么共同的语言吗？

第三，法斯特[1]的叛党，告诉我们，修正主义和资产阶级个人主义，是共产党员最大的敌人。法斯特是一手拉着修正主义，一手拉着资产阶级个人主义入党的。尽管他曾经参加过一些革命的斗争，但他从未丢开他这两个亲密的朋友。他自夸是一个有“自己的亲身体验而成的马克思主义者”，好像说，他这个共产党员，也是一种“特殊材料”造成的，但这“特殊材料”就是把“马克思和耶稣基督，达尔文和路加福音结合在一起”的思想，加上资产阶级民主的道路和朦胧的社会主义前途，混淆在一处的荒谬愿望。这种“特殊材料”，只能引他走向毁灭的道路，而贪得无厌的资产阶级个人主义，加速了他的自我毁灭。

法斯特的叛党行为，使知识分子认识了无产阶级革命是唯一的一条正确光明的大道；认真参加革命就必须丢下一切非无产阶级的包袱，努力地进行思想改造。这难道不是一件好事吗？

法斯特是一个有15年党龄的党员，但他只会把那些抽象的名词，什么“兄弟友爱”“人类良心”，念咒似地在他的文章里数落着。然而一种见不得人的龌龊的心肠是显明的，便是他对苏联和共产党的仇恨。

苏联是首先消灭了剥削制度，提高了劳动人民的经济和文化，一直是坚持世界和平和人类正义事业的国家。而他认为苏联的社会主义是“恐怖的和屠杀的社会主义”。

谁在执行恐怖和屠杀的政策呢？

---

1 “法斯特”底本作“法斯”，依前后文当作“法斯特”。

正是法斯特今天所辩护的所谓美国民主笼罩下的美帝国主义。

1956年10月，匈牙利事变发生了，千百万维护革命的人的头落了地，匈牙利全国成了屠杀和血的海洋。这个灭绝人性的武装暴乱，就是美国的情报中心煽动匈牙利的剥削阶级和反动派搞起来的。共产党员成了活的枪靶。在布达佩斯市委会附近，人们落在中世纪的黑暗里。共产党员被吊死在树上，惨无人道的烙刑烧得皮肤嘶嘶作响。这些反动的暴乱者，已经堕落到和禽兽一样，他们活生生的剥去人的背上的皮。但这一切，自命为人类友爱的化身的法斯特，竟视若无睹，毫不引起他的同情和义愤。但当苏联军队为了正义和世界和平，出来援救被屠杀的匈牙利人民，帮助了匈牙利人民重新建立了社会主义秩序时，他忽然和杜勒斯与艾森豪威尔一样地嚎叫起来[1]，说，“这是屠杀和恐怖的社会主义”。

世界上最横蛮最危险的事情他看不见。美帝国主义以惊人的速度扩军备战，用各种原子武器和氢武器，来武装西德和日本，强占中国的台湾。每年支付500亿美元以上的军备，在英、法、欧洲、东南亚建立无数军事基地。坚决违背人民的意志，从新任用日本军国主义战犯和纳粹特务头子。绝不停止举世愤恨的核武器试验，死硬地拒绝苏联为保卫世界和平所提的一系列建议。法斯特所宣传的“那绝妙的东西——美国民主”，就产生了这样一个侵略的好战的怪物——美帝国主义。

这一切他都故意不提，他却大发慈悲地为那3个匈牙利政府监禁

1 “一样地嚎叫起来”底本作“一样的地嚎叫起来”，当作“一样地嚎叫起来”。

的匈牙利反动作家诉起冤来了。这3个反动作家的手，是因为参加了那个暴乱，沾上了人民的鲜血的。他不但不和人民一道痛恨这3个挥动笔杆的败类，却为这件事情，文不对题地向苏联作家协会抗议起来，而且把这抗议书发表在美国最反动的报纸上。像一切无赖的美国外交家一样，他想把这件事情嫁祸在苏联的身上，而且恶毒地挑拨着苏匈两国作家的关系，故意暗示，仿佛匈牙利不是一个自由民主的政权。

真是无耻极了。然而最表现法斯特的鄙劣的地方，便是关于帝国主义侵略埃及战争的歪曲言论。

谁都知道以色列是首先发动战争，勾结英法帝国主义，向埃及发动侵略的国家。英勇的埃及人民愤起反抗。地中海的硝烟，开罗的轰炸，塞得港惨绝人寰的破坏，使全世界的人民都被牵到世界战争的边缘。这是千钧一发的时刻，是强大的苏联严正而坚决的声明，吓退了帝国主义屠杀的军队，地中海上恢复了安静，为争取自由的阿拉伯国家，保证了自由与和平的独立。帝国主义在得意忘形地进行屠杀的当口，被强大的人民的和平、正义力量喝退回去，这还是人类历史的第一次！

这个侵略的祸首以色列是一个犹太国家。法斯特是一个自夸为充满人类友爱的维护犹太利益的人，这时，他却看不见以色列统治者的残酷而狡猾的侵略政策，看不见被侵略的埃及人民所遭受的苦难，却点燃了自己的狭隘的种族仇恨，把苏联的正义行动，说成是“国际的排犹主义”。

苏联在经济上获得的社会主义光辉成就，就连法斯特这样的叛徒也难以否认的，但叛变后的法斯特就忽然把它说成这是“不道德的社会主义了”。

什么是他所指的“不道德”呢?

那就是苏联的无产阶级坚决镇压了反革命，并且不许那些反动派有言论自由。固然其中也有过错误，但是公开消除错误却反而使他更不高兴。他希望在苏联应该有这样一种民主，应该有一个永远是反对派的政党，以便轮流执政，像他的美国一样。这叫什么呢?这就叫作消灭无产阶级专政，重新建立所谓资产阶级的民主，取消共产主义，取消给劳动人民谋得幸福和光明的共产党。这就是典型的修正主义思想，难怪美国垄断资本家的报刊[1]用巨大的篇幅宣扬他的文章，而且连声叫好了。

那个“绝妙的东西——美国民主”现在成了法斯特绝口称赞的对象。

那个“绝妙的东西”我们是领教过的。宪法上载着自由、平等和民主，但那是纸上画的糕饼。今天美国人口有四分之一（即4000万人）被侦探盯梢，成为警察特务追逐的对象。有形无形的阶级压迫，日日在美国进行着，失业、迫害、经济危机和无穷尽的对贫苦人的限制，把劳动人民事实上推出和排斥在政治生活之外，使他们没有任何民主生活。今年美国企业主们，每天把4万人驱向街头，完全失业的有600万人，而这些人只要求最低限度的人的生活，早已谈不上什么民主的要求了。

1 “报刊”底本作“报纸刊”，当作“报刊”。

自然，美国人民可以选举他们的国会议员和总统的，但这不过是允许被剥削的人选谁来代表垄断资本家和资产阶级再来压迫他们就是了。

这是“富人的民主”，是“狭隘的，残缺不全的，虚伪的，片面的民主，对富人是天堂，对穷人和被剥削者，是陷阱和骗局”。（列宁:《无产阶级革命和叛徒考茨基》）法斯特在他述说他的思想受哪些人影响时，心目中是没有列宁的，但是列宁才引导我们更认识了资产阶级民主和资产阶级专政的实质。

“我是一个马克思主义者”，法斯特现在还扬扬得意地这样讲，但他故意抹杀事实，既不承认阶级斗争，也不承认无产阶级专政的必要，而这两者，恰恰是马克思主义最重要的部分。

但是，等到无产阶级像在苏联和人民民主国家一样掌握了政权，并且实行专政的时候，他走上叛徒考茨基一样的道路，故意歪曲马克思主义，把“民主方法”和“专政方法”根本对立，好像无产阶级专政以后，民主就死亡了。自然，法斯特所说的资产阶级民主（只有少数剥削者可以享受的民主），在这些人民坐天下的国家里是没有的。但绝大多数人的民主——无产阶级的民主，如旭日上升，得到空前的发扬。无产阶级专政的巩固，正因为高度的发扬了无产阶级的民主。

40年来，苏联经济、文化、科学和人民生活的空前提高，是苏联建立了真正的劳动人民的民主的结果。40年前，在苏联被污辱和被损害的劳动人民和少数民族，今天有了富裕和高度文明的生活。在国家的最高权力机构，他们有了代表，他们的意志和愿望变成了国家的法律。苏联的公民有权利向任何一个官僚主义者进行批评。批评与自我批评，连国家的高级负责人都不能例外。苏联的持久和平外交政策保障了世界和平。苏联不断地号召裁军，反对冷战，在美、英帝国主义疯狂地试验核武器的时候，首先停止核武器的试验，主张召开各国最高级会议，来争取全世界人民所渴望的和平。

作为中国的作家，我们是多么骄傲，看见苏联出现了无数的为无产阶级的民主而斗争的工农作家。他们写出了几千年历史上未曾有过的为社会主义和神圣的劳动而服务的光辉灿烂的作品。然而这一切，法斯特一手抹杀，恶毒地骂着“暴政”“不道德”“屠杀和恐怖”，就像莎士比亚的夏洛克，一手举着匕首，一手抓着仇人，疯狂固执地要他的那“一磅肉”。

十几年来，进步的读者对法斯特的爱护可谓至矣尽矣，尤其在苏联，法斯特的书不但大批出版，而且他还得到斯大林和平奖金。但正如同他4年前所写的中篇小说《约翰如是说》的主人翁一样，法斯特的心里藏满了金钱的贪欲，极端地羡慕百万富翁的享乐和美国式的成功。一个认识法斯特的美国著名作家说：“尽管他在共产党里，他的内心一直是孤独的。”就是说，他的资产阶级个人主义，使他不得不脱离党和群众。“从这种广漠的孤独中，产生出了一种强烈的自我陶醉和一种通过作品要得到别人承认的渴望。他贪得无厌地要得到称赞，要得到成功。”

资产阶级的走狗和说客们的嗅觉是灵敏的。举一个例，麦卡锡主义者的莱恩斯就来通消息了，他对法斯特讲：“摆脱你心中的共产主义‘压力’（应该说“真理”）重新加入‘自由人’（应该说“剥削者”）的世界吧。”臭名昭著的反苏记者哈里·施瓦茨，也和他通上电话。

以后，法斯特的尾巴就忍不住地向华尔街的老板们做欢迎的摇摆了。

他是曾经被美国资产阶级的靴子踢来踢去的，但是现在，他扑在地上，不知羞耻地反过来津津有味地舐那双肮脏的靴子。

在他最近出版的反苏反共的书里，《赤裸裸的上帝》是最令人恶心的。

法斯特自命是“献身于真理”的“伟大”作家的，但为了美国资产阶级一根骨头，他公然宣称“在民主的资本主义社会里，一个伟大的作家和艺术家，是戴着传统的护身甲的，即使他不被了解，他的艺术也使他有权受到一定程度的尊敬”。

如果说真有这样一副“护身甲”，那只是奖给宣扬资产阶级“道德”，为他们歌功颂德的文棍。历史上没有任何一个为人民说话的作家，得到过这样一副“传统的护身甲”。饥饿、监狱、统治者造成的人为的孤立，把一个有良心的作家逼到失望、穷困与死亡。无产阶级作家的命运比这个还要惨。这样的作家是能得到尊敬，那是来自人民方面的。人民倒是给予作家一种护身甲，那便是，人民的力量逼得资产阶级统治者不得不暂时放下屠刀。

在这本书里，法斯特问：“为什么苏联作家没有向他们的政府挑战！”只有一个叛徒才能想出这样的问题。为什么无产阶级的作家要向自己的忠诚执行了无产阶级意志的政府挑战呢？

法斯特不得不承认过去他“在美国作为一个作家的职业是受到妨碍的”。他用惋惜的口气，提起美国民主给他的封锁，痛心地讲说他“从比较富裕而成功的地位，落到为文学生命进行斗争的情况”。他的“工作越来越不那么为人们所知了”。对于他，这个贪得无厌的资产阶级个人主义者，这大概是一个最沉痛的打击了。

他成了叛徒，他投入了“畅销书”，耸人听闻的捏造，资本家宠爱的叭儿狗的世界里。

像许多骨软神经酥的叛徒一样，法斯特翻了脸后，忽然在反动统治者的皮鞭里（他是挨过这样的皮鞭的），看见他所谓的甜蜜蜜的东西，那“绝妙的美国民主”。他发现他经过“残酷的经历”之后，他还能“继续为愿意写什么就写什么的权力而斗争”。法斯特，我看你不要再在脸上抹粉了，当你已经成为了美国统治者的奴才，歌颂了他们的“民主”（那该死的保护他们剥削和屠杀的“民主”！），你写的就是你“主子”愿意你写的，你还有什么“斗争”可言呢？

关于共产主义运动，他又捏造一个卑鄙的谎话，“每一个作家不管他表面上看起来是怎样忘我的忠诚，……都是共产党潜在的敌人和破坏者”。

这使我想起苏联鲍里斯·伊萨科夫所写的《法斯特的两次自白》，一篇深刻分析了叛徒法斯特心理的文章。文中提起那篇法斯特未发表的中篇小说《约翰如是说》，便是法斯特的自我写照。书中主人翁一面感到共产主义的革命要求对他的拘束，一面深深地被自己不可抑止的爱财贪名的欲望所苦恼，“从加入共产党那一时刻起，就开始为退出共产党的愿望所苦恼，这个心愿在以后几年里一直就没有离开过他”。被个人名利思想浸透了灵魂的法斯特，在党内的15年里，确实是痛苦异常的。难怪他说“共产党员的作家是共产党的潜在敌人”。

我们的阵营中确实有过这样一种潜在的敌人和破坏者，那就是法斯特和法斯特一伙的资产阶级个人主义者。但是这批人永远不能明了我们文艺阵营里的钢铁一般的团结和高度的民主，正如蛆虫不能理解阳光下还有干净的世界。

今天全世界已经把法斯特看成是最肮脏的东西，“誓必消灭美国共产党”的法斯特，为了遮掩自己告密者的面目，还口口声声叫喊着他将为“社会主义”在美国的前途而斗争，这不只是无耻，而且是过分无知了。这真是一条自命不凡的叭儿狗，他懒洋洋地躺在资产阶级的怀抱里，甜蜜蜜地对人讲：我比以前更信仰“社会主义”了，今天我才睁开眼睛，给我肉和骨头的主人，原来还能帮我实现“社会主义”呢。

法斯特是写过许多本书的，他也以他的那些书而沾沾自喜，以为那都是了不起的东西。

我们看却不是这样。

法斯特最早的一部小说《都会一角》里，写了一个患肺痨的青年诗人对一个神父（这是法斯特最寄予希望和同情的人物）说：“你什么都了解，可你写不出来。”今天法斯特的真面目完全暴露出来了，我们不禁要对法斯特说：“你什么都不了解，但你写了一大堆。”

这真是一出滑稽剧。

法斯特丝毫不知道什么叫作共产主义，把自己所有混乱而反动的思想作为共产主义的内容入了党，以为共产主义可以作为神像来装饰他自己。就像拉芳登的寓言里的愚蠢的驴一样，“背着神像傲步慢行，架子十足地接受人们的崇敬，以为旁人都在向他膜拜”。现在他的“神像”没有了，人们看他仅仅是一只愚蠢的驴子。

真正的法斯特既不相信上帝，也从未相信过共产主义，他所唯一膜拜的不过是马蒙（Mammon）而已，这个外国财神，也是华尔街所崇拜的。

我看，法斯特，不要再为文学浪费你的时间了，不如转业当一名华尔街的律师吧。因为据统计，为垄断资本家服务的华尔街律师事务所，每年可以收入400万到600万美元，而一小时的谈话费可以得100美元的。那说不定比你绞尽脑汁写《赤裸裸的上帝》这一类鬼话的收入更大一些。

六亿人民警告你

全中国两千一百万人夜以继日地举行着历史未有的气壮山河的游行示威。我们六亿人民决定以一切力量支持站起来了的阿拉伯兄弟们。全中国的男女老少密切的注视着中东局势的发展，陈毅外长前天严正的警告："中国人民再一次警告美英侵略者，如果再不停止侵略行为，六亿中国人民和全世界爱好和平的国家和人民绝不会袖手旁观。"这就是六亿人民强大的声音，是我们不可动摇的意志。

多少年来，中国人民在自己的土地上起义、扑击，打垮[1]帝国主义，终于坚强的站起来。在这条艰苦复杂的道路上，对帝国主义的斗争，有两条最有效的办法，一个是团结起来，另一个是战斗到底。无论帝国主义表面上摆出多么凶恶的姿态，他们的那点看家本领，我们是彻底摸透了的。只要你用铁一般的拳头一再打下去，他们就会夹起尾巴逃跑，美帝国主义尤其是如此。这已经成了规律，绝无例外。

【题注】载1958年7月24日《人民日报》。

1 "打垮"底本作"打跨"，当作"打垮"。

在最近，千万幅反美英侵略的招贴画中，有一幅画着：在阿拉伯黑色的土地里，突然涌出一只泰山一般的拳头，前面，两个渺小如苍蝇的美英侵略兵，吓得丧魂失魄，抱头鼠窜。这幅画吸引了我，因为它说出阿拉伯民族运动的真实面貌。

今天美英帝国主义者处在空前孤立的地位，这是他们的贫弱的头脑料想不到的。这一对狐朋狗友侵略中东以后，连资本主义世界的统治阶级，也感到大势不妙，岌岌可危。代表垄断资本的美国议员们，普遍显出“沉重而恐慌”的神色，他们都感到“一种前途莫测的气氛”。连英国的统治者中，也在讲着为了追随着美国，英国也“踏上没有尽头的毁灭的道路”。

中国故事里讲一个爱财欲狂的富人，走到街上，直瞪瞪地望着店铺里一块亮晃晃的黄金，伸手就抢，立刻被大家捉住了。人们问他“怎敢这样白昼抢劫呢?”他答道：“我只看见金子，别的什么也没有看见。”

在美英帝国主义的眼睛里，只有他们垄断阶级在中东的石油霸权。他们鸵鸟似地不看苏联和世界人民雄壮的武装力量，还想沿用陈腐可笑的“炮舰政策”来征服中东和已经站起来的阿拉伯人民。这真是利令智昏，不知进退。无怪连反动阶级的喉舌英国《每日镜报》，对英军登陆约旦，大嚷着“盲目、盲目、盲目”。而反动的美国《纽约邮报》也哭丧着脸说，美国干涉黎巴嫩真是一场无底的“悲剧”了。

“悲剧”是要演下去的，美英侵略者正在张牙舞爪在土耳其、利比亚与阿拉伯地带，集结兵力，准备扩大侵略，坚持他们白昼抢劫的计划。

但人民的“喜剧”却也开始了。对这群卑鄙、怯弱、贪得无厌的海盗，还能有一丝一毫退让、妥协的道路吗？我们将以强力来对付强力，迫使美英强盗滚出中东去。中东的火山，将在美英侵略者的脚下爆发，人民的尖刀将穿透海盗们的心脏。阿拉伯的民族独立运动的火把，将点起全世界殖民地被压迫的人民对帝国主义者的反抗和起义的怒火，这才真正是一场势不可挡，不可扑灭的正义的大火。

中国人民从来是热爱和平的，但是我们从来也不怕战争。这一点，帝国主义者特别是美国的战争贩子们应该记得清楚。今天，世界和平已经遭受到战争放火者的严重威胁，我们六亿人民都在时刻准备着，准备为消灭帝国主义侵略者、保卫世界和平付出一切！

不退出，就消灭他！

烈日炎炎，怒火如焚，像沸腾的海水一样，全中国的工人、农民、志愿军、学生、科学家和一切男女老少，个个都在游行集会，愤激抗议美英海盗们对起义的阿拉伯兄弟们的武装侵略，决心时刻准备着付出一切来保卫中东和世界的和平。

正义是在我们这一边。历史告诉我们：对付侵略者只有坚强的反击，才能制止他们的暴行。

当首都一百五十万浩浩荡荡的示威队伍走到英国代办处门前的时候，每个人都会想起不久以前，在这个不光荣的大门里，也站着那几个寥寥落落，孤孤单单，代表英国政府的工作人员。那时为了英法合伙侵略埃及，他们同样无精打采，战战兢兢地聆听中国人民的抗议。结果不出意外，埃及人民的铁拳和世界人民的力量把英法侵略军打得头破血流，狼狈收兵。

悍然出兵，侵略黎巴嫩的美国，是全世界最凶恶的殖民主义者。

【题注】载1958年7月30日《中国青年报》。

但中国人民记得清楚，靠了“小米和步枪”，我们就打垮了美帝国主义大力支持的蒋介石的几百万军队，从此赶走了美帝国主义和他豢养的走狗蒋介石集团。谁能忘记得了，在朝鲜战场上又是这个美帝侵略者的军队，被中国人民派出的志愿军和朝鲜人民一道打得丧魂失魄，惨败而逃。美英帝国主义这一对豺狼是既阴险，又怯弱，在团结起来的人民力量面前，他们总是阴谋搞不成，便公开进行武装侵略。

但，凡是和他们侵略军队交手过的人民，都深信侵略者最后必然被人民的铁拳打下去。他们开始是沸沸扬扬不可一世，结果总是灰灰溜溜、惨惨凄凄地一败涂地。

黑漫漫、昏腾腾的殖民主义时期早已过去。阿拉伯联合共和国总统纳赛尔说：“威胁和舰队绝吓不倒我们，原子弹也绝吓不倒我们。”站起来了的英勇的阿拉伯人民，是任何武力吓不倒的。

这次美英侵略者一开始便遭到全世界人民的反对和抗议，他们陷在一个前所未有的孤立地位。华君武同志在最近他的一张出色的漫画里画着：阿拉伯的夜空，天际一弯新月，寂寞的海滩上瑟缩地走着全副武装的艾森豪威尔和麦克米伦，二人孤孤单单的行军，回顾身后，只有他们两个人的黑影在追随着他们。题目是《对影成四人》。这幅漫画深刻的道破了美英帝国主义今日的处境。

联合国内以前对美国俯首听命的国家，现在对美国侵略中东的举动也戒惧起来，不敢追随。北大西洋公约组织的十五个成员国，是美帝国主义威胁和平的本钱，如今却在中东的问题上也出现了很大的分歧。连美英统治集团内也存在着恐惧和不安。悲观、混乱笼罩着资本主义世界，一个美国参议员提起侵略中东的军事冒险，惶惶诉说着：

“要记住朝鲜战争，现在这又是一个你不能打胜的战争。”正如资本主义世界的舆论指出来的，对美英帝国主义，“这场赌博，将具有毁灭性的灾难性质”。

美英帝国主义者现在已处在进退两难的泥沼里：一面是空前孤立，一面却又不得不铤而走险，更疯狂地在中东、利比亚、土耳其、地中海、红海和波斯湾地区，集结兵力，扩大侵略。但黎巴嫩、约旦和广大的阿拉伯地带的人民如火如荼的反击着美英的侵略。攻袭、狙击、爆炸、罢工、示威游行，阿拉伯的“男人们、妇女们、儿童们”拿起一切武器，用机关枪、步枪、手榴弹，以至于牙齿，向侵略者反击。这使登陆以后的美英海盗和他们保护的卖国王朝都感到前途渺茫，形势险恶。请了英兵保护的约旦国王侯赛因，依然吓的哀求他的主子允许他逃向国外保命，并且在屋顶放了一架直升飞机，随时准备逃跑。阿拉伯兄弟们反抗侵略的怒潮，汹涌激荡，势不可挡，将淹没一切侵略强盗们。

阿拉伯有一句谚语说得好：“当你进去以前，先想想能不能出来。”这正说中了西方资产阶级舆论中所指的“已经陷入了悲惨境地的美国”。美国又一个国会议员担心的说：“我们什么时候才能由黎巴嫩退出来呢？在那里停留的愈久，穆斯林世界对我们就愈仇恨。”阿拉伯人民的光刀，是要刺进这些侵略者的心脏的。

美英帝国主义的侵略军是“进”还是“退”呢？

看样子，疯狂的强盗们还不打算退出，继续在中东发展侵略战争，与世界人民为敌。但中国六亿人民将和全世界爱好和平的人民一道，必然给侵略者以致命的打击。战火一旦延烧起来，那么整个帝国主义灭亡的时期就到了。

美英海盗们如果退出中东呢？他们的统治阶级中有些人早就害怕美英出兵干涉中东将会使他们“威信扫地”。如今退出中东，自然更加“威信扫地”。其实，美英的“威信”早已荡然无存，美英侵略中东固然使他们原形毕露，活脱脱露出一副红了眼的殖民主义者面孔。但如果他们被世界人民的力量强迫退出中东，他们自然还是个贪得无厌的殖民主义者。不过全世界殖民地被压迫人民的反抗的正义火焰更将要一处处地喷发起来，美英和一切殖民者们将仅仅剩下一副破落的殖民主义者的架子。

今天是东风压倒西风的时代，我们正处在伟大历史的转折点。资本主义是一定要死亡的。在这次美英侵略中东的事件中，世界人民都分明知道，对于美英武装侵略来说，“进”，便是加快帝国主义的灭亡，“退”或者“不退”，都将加快殖民主义的消灭。

“实力政策”的美英帝国主义者们，是最不能认识“现实”的。无视和平人民的力量，高估自己和他们的奴才们的武装威力，是美英帝国主义者一向的如意算盘。他们的阶级本能使他们无法从屡次的失败中取得教训，他们只有为着他们垄断资产阶级的利益向更惨的失败和死亡的深渊跳下去。

六亿中国人民将以一切力量支持为正义独立而斗争的阿拉伯兄弟们。我们将迫使美英海盗们退出中东。不退出，就消灭他！

侵略者，小心你的脑袋！

六亿五千万中国人民，热烈地拥护周总理的严正声明。全国各地的人民对美国的军事挑衅愤怒极了，大家一致说：为了解放台湾、澎湖列岛、金门和马祖，祖国要什么，就支援什么，要我们到哪里，我们就到哪里。全中国人民立刻动员一切力量，坚决保卫我们的主权和领土完整。

今天，全世界都齐声赞美在中国共产党的领导下的中国人民的和平建设成就。我们正豪迈地干着一天等于二十年、移山倒海、飞跃前进的社会主义事业。这时，美国侵略者却调派大批军舰飞机，公然要用军舰炮火来封锁我们的沿海岛屿和金门岛群，妄想把战争加在我们头上。

好吧，全中国人民准备给杜勒斯和艾森豪威尔一个响响亮亮的耳光！

我们屡次声明，解放台湾是中国人民不可动摇的决心。天无二

【题注】载1958年9月8日《人民日报》。

日，地上没有第二个中国，凡是中国的神圣的领土，中国人民是坚决要解放的。几年来，美国强占台湾，利用早被中国人民唾弃的蒋介石集团，干涉我们的内政，制造台湾海峡的紧张局势。这是绝不能容忍的。

杜勒斯一连发了几次呓症一般的声明，威胁中国，这再一次证明了这个臭名昭著的好战分子的卑鄙和强横。美国国会又煞有介事地授权艾森豪威尔，用武装力量阻挠我们解放金门和马祖，真是穷凶极恶，只能说明美国国会不过是一个强盗窝而已。

好战的美国侵略者，有两点最是惊人：一是"脸皮厚"，二是"头脑蠢"。说它"脸皮厚"，譬如美帝国主义出兵侵略黎巴嫩，明明是为了镇压黎巴嫩人民的正义的革命，偏把它的侵略说成是为了反对侵略。台湾等地是中国的领土，美国是承认过的，但它侵占了台湾，今天又企图侵占金门和马祖，又强盗一般地否认中国对这些领土的主权，反说我们解放这些岛屿，是"用武装力量夺取新的领土"，这种强词夺理，死装正经的手段，早已是臭不可闻，无人理睬。

说它"头脑蠢"，是指它愚顽无知，侵略成性。其实美帝国主义的军队一直是我们手下的败卒。它屡次侵略，屡次惨败。1946年起，在中国大陆上被我们一拳打得它和蒋帮军队落海而逃。1950年后，又在朝鲜战场上，被中国人民志愿军和朝鲜人民军打得溃不成军。看来，现在它的"头脑蠢"的毛病仍然未改，公然又想到我们沿海挑衅了。但今天我们的拳头比从前又结实得多。它胆敢发动战争，中国人民必然把它消灭在台湾海峡的浪涛里。这正如《苏维埃俄罗斯报》说，这次美帝国主义的冒险，对它自己来说，将不是"丧失手"，而是"丧失脑袋”的问题了。

我们的正义斗争，早已获得了以苏联为首的社会主义阵营和一切爱好和平反对侵略的国家与广大人民的一致的有力支持。这是远比美国那几颗软巴巴的导弹核武器，具有千万倍强大的力量，因为这是正义与和平的力量，是无可抵挡的。前两天，美帝国主义还在偷偷地研究“投降学”，算计“导弹大大落后了”的美国，如何在大战中找到一个投降的最恰当的时机。现在这个好战的纸老虎，又张牙舞爪地来吓唬人了。

这个屡犯错误，腐烂透顶的美帝国主义，真是百般矛盾，如今这个貌似凶狠的侵略者，又假惺惺地想坐下来谈判一下。

久经革命锻炼的中国人民，是吓不倒也骗不了的。我们的政府，一直主张用和平方式来解决国际一些争端，在桌上见面，自然比在战场上见面好。然而有一点美帝国主义者要记住，无论你怎样狡猾，摆在你面前的，只有两条路：一条是尊重中国的主权，老老实实地滚出去。这条路对你们有好处，可以保全自己的脑袋。另一条路是：硬要武装干涉中国的内政，对你们说来就只有可耻的惨败和毁灭。中国人民将奋起自卫，坚决、彻底、全部、干净地消灭美国侵略者。

无论美帝国主义走哪条路，我们要迫使它清醒过来，要它认清强大的中国人民的正义力量是不可侮的。两条路的结果是一样的，都必须按照中国人民的意志和决心办事，解放台湾和一切属于我们的神圣领土。

胜利必然属于我们，失败的必是这群凶恶强横的侵略者！

祖国在飞奔

令天——举国欢腾的十月一日，每个人都望见了贯串一九五八年的一条鲜明的红线，那是：全国大跃进、大丰收，一切都是不断革命、激奋人心的现象。个个人都欢天喜地，意气风发，大家一条心，制造着历史上空前的大变革。

我们的成就震动了世界，使我们的朋友们欢喜，使我们的敌人丧胆。我们推翻了一切自称为“铜墙铁壁”的历史陈规和资产阶级的科学。我们创造了怎样迅速地从社会主义建设走向共产主义的道路。我们将以先进的文化技术、强大无比的生产力量与国防力量，和世界人民一道，保卫和平。

群众昼夜不息地在奋勇战斗。今年的小麦产量大大超过了自命为“小麦王国”的美国海盗。一〇七〇万吨钢，是全国人民今年下了决心要生产的指标，这个数字比去年的钢产量整整翻了一番。创造奇迹的人到处都是。工人、农民、千千万万土专家和又红又专的知识分

【题注】载1958年10月1日《北京日报》。

子，使我们在工业农业上的成就正很快地赶上并且超过国际水平。

这些伟大的成就是从哪里来的呢?

六亿人民的心头上，都燃烧着一腔永不熄灭的火焰：那是党和毛主席的领导和觉醒了的群众的集体主义精神点燃起来的。这就是创造一切惊人成就的力量的源泉。

党解放了人们的思想，使人们破除迷信，敢想、敢说、敢做。每个人的心里只有一个方向：实现社会主义总路线。我们要奋勇斗争，从社会主义的幸福生活，飞向更文明更舒畅的共产主义的生活。

“共产主义”这四个字，真是充满了光、热和力量。当我们从四面八方向首都奔来庆祝国庆的时候，沿途看见数不清的铁水奔流的土高炉，真是“小炉铁，大炉钢，乡乡村村放金光”。各地的农民欢天喜地地建立了人民公社。

人民公社把一切都包下来，包吃、包穿、包住、包生养、包教育、包婚丧、包娱乐。生活集体化了，生产力得到了空前的解放，“我为人人、人人为我”的共产主义精神，成了人民共同的道德标准和行动指南。

我看见一个动人的事例。在安国县县办的机械修理厂用二十昼夜造成了第一部汽车，他们正准备造拖拉机和火车头。全县人民欢天喜地，干劲更大起来。每个人都不花钱吃着丰盛多样的食堂的饭，连热水都由食堂整日供应。家家不用烧灶了，灶上的铁锅就成了一块多余的废物。农民们想：“国家需要钢铁，农业需要拖拉机，咱们就把它献出来吧。”他们说：“丢掉了这个个人‘单干’的破锅，一块儿吃社会主义的美饭。”于是在机械厂里就出现了一座谁也未曾见过的各种各样的锅堆成的山，这座象征着集体主义精神的“大锅山”，不久就将在白热的高炉里，熔成铁水，变成农业生产战线上的重要武器。

在国庆九周年的今年，我们毫不夸张地说，我们已经走上了最先进最文明的道路。在党的教育下，六亿人民开始具有共产主义的精神面貌。这是一个在政治上、在工农业上、在思想革命上，都大丰收的国庆。从现在起，离着“国庆十周年”的十月一日，还有三百六十五天，我们将以“一天等于二十年”的速度，从事建设。向深翻的土地要更多的粮食，向矿山、高炉要更多的钢铁，向时间和不知疲倦的劳动要更高的文化与技术，来巩固和丰富我们的幸福生活，更向共产主义迈进一大步。

把侵略者埋葬在我们的领海里

台湾历来是我国的领土，解放台湾是全中国每一个人一致的决心。我们热烈拥护陈毅外长警告杜勒斯的严正声明。如果美帝国主义胆敢掀起大战、扩大侵略，我们每一个人都是兵。正当今天全中国人民决心用前无古人的干劲，生产钢铁和粮食来建设和保卫祖国的时候，艾森豪威尔和杜勒斯这两个侵略成性的赌徒，现在又想拿最后一次的赌注放在台湾地区，造成世界紧张的局面，他们的前途将不只是输得干干净净，而且是连他们的性命都要葬送在他们必败的侵略战争里。我们戏剧界的同志们，将拿起我们的武器，向全中国人民、全世界，做最强有力的宣传。我们的斗争是正义的，在以苏联为首的社会主义阵营的援助下，在亚非和全世界爱好和平的国家和人民的同情和支持下，我们一定要解放金门、马祖和台湾，我们一定能够取得彻底的胜利！

【题注】载《剧本》1958年10月号。

必须减低稿费和上演报酬

作家的稿费应当大大减低，已成了从事创作的人们的普遍要求。作家应该是一个普通劳动者，他的生活与待遇和劳动人民的生活水平，不该有悬殊。所谓与群众同呼吸，在群众的火热斗争中求改造，不仅指的是在思想、感情上，并且在生活和行动上，都能和群众打成一片。稿费、名声、地位等等观念，只是妨碍作家向共产主义迈进的绊脚石。有人因为稿费多了，私人生活变了，离开群众远了，写不出什么好东西，而且甚至写出反社会主义的“毒草”。稿费过高，便会产生这样的“并发症”。

稿费制度是可以根本取消的。稿费报酬，除了对极少数专业作家的生活有所帮助以外，并没有起多少鼓励创作的作用。大多数业余作家们不需要，也不希望得到高额稿费，专业作家也是如此。

现在绝大部分作家都下去参加体力劳动和基层工作了。大家从劳动人民身上深深体会到高尚的共产主义精神。工人和农民对于自己

【题注】载1958年10月11日《文艺报》第19期。

的劳动成果，都具有一种胸襟广阔的大公无私的态度。他们日日夜夜地工作，多少高产“卫星”放射出来；千千万万的创造发明，在生产上起了极大的作用。但这些伟大的劳动者，从来不想什么“奖金”或“专利权”，在他们心中只有一个思想：迅速建设社会主义。《红旗》刊登了一句“工人的语言”。江南造船厂锻工小组工人说：“提高生产效率，不是为了多拿钞票，而是为了替子孙万代造福。”

这句富有生命力的语言，给人以极大的快乐和启发。这是任何时代、任何资本主义国家都听不见的最美丽的语言。难道从事写作的人不是为子孙万代造福吗？今天多数的作家是有这种共产主义精神与气派的；亿万个新参加这个队伍的老干部和劳动人民，更是洋溢着这种高尚的精神。即将到来的文艺高潮，将是最新的、最美的共产主义文艺高潮。

体力劳动与脑力劳动的差异，今后将被逐渐地消灭。将来的文艺工作者必然同时是生产劳动的多面手。随着社会主义建设的发展和向共产主义的过渡，稿费报酬制度一定要被淘汰。我们热烈拥护张天翼、周立波、艾芜等同志的关于减低稿费报酬的建议，他们的建议是十分适合时宜的。我想，剧本的上演报酬制度也应该重新考虑，或者根本取消，或者减低到原定上演报酬的三分之一。

伟大的文献

——阅读《毛泽东同志论帝国主义和一切反动派都是纸老虎》

《毛泽东同志论帝国主义和一切反动派都是纸老虎》的文献，在十月卅一日《人民日报》上发表以后，全国人民立刻掀起热烈学习这个文献的高潮。

毛泽东同志把帝国主义和反动派比成一只纸老虎的著名论断，多少年来，领导我们从胜利走向胜利，因为它不但解决了我们如何认识革命力量和反动力量的问题，而且进一步地回答了中国人民如何从百年来被帝国主义侵略、剥削、奴役的阶段，走向真正的独立、自由、人民民主的道路的问题。今天，当美帝国主义和他的奴仆鹰犬们用核武器和“战争边缘”的政策来威胁世界人民的时候，帝国主义者鬼叫狼嚎、凶神恶煞的样子，丝毫不能摇动我们对他们的估计，更丝毫不能摇动我们对自己力量的信心。

一个坚强的信念在我们心里炽燃着：今后，我们要结束帝国主义

【题注】载《人民文学》1958年12月号。

及一切反动派对我们和全世界的侵略和压迫。

因此，深刻地学习毛泽东同志这个政策文献，不但使我们看清了中国人民的前途和责任，也看清了世界的光明前途。这是一个给人以无限信心和力量的文献，它将指导世界人民迅速而正确地同一切帝国主义和反动派斗争，获取完全的胜利。

美帝国主义者和垄断资本集团有一套愚蠢的哲学："杀人的是胜利者，被杀的是劣败者。"他们愿意人人都做如是想，人人想引颈待割，做他们实力政策和野蛮主义的牺牲。他们希望任何国家和人民都怕残酷的新式武器，他们以为原子弹的下面就是"死地"，只要举起核武器，全世界便由他们摆布。他们是愚蠢的"唯武器论者"。其实，他们怕人民革命，同样也怕新武器落在他们的头上。前美国国防部长福斯特幻觉原子弹掉下来跳楼自杀。青天白日，艾森豪威尔和杜勒斯心惊肉跳，躲在防空洞里办公，仅仅为了他们庸人自扰的举行防空演习。凶狠、怯弱，却又疯狂地备战，在国内国外制造紧张局势，是帝国主义者外强中干、垂死挣扎的必然表现。十年前，毛泽东同志已经指出来："第二次世界大战胜利以后，代替德意日法西斯的地位而疯狂地准备着新的世界战争、威胁全世界的美帝国主义及其在各国的走狗们，反映了资本主义世界的极端腐败及其濒于灭亡的恐怖情绪。"

美帝国主义者的内外矛盾，层出不穷：一面经济危机扩大，财政赤字空前，一面扩军备战，硬要用原子讹诈，在世界各地进行奴役、垄断，仿佛他是世界的主人，他是最强有力的。今天美国大小城市的贫民区里，一群一群的失业工人，全家老小被赶到街头；而纽约一家"狗寿"保险公司，生意兴隆，一条资本家的狗，一年的保险费竟达到五千美元。统治者和人民之间，划着一道不可逾越的鸿沟。整个社会建筑在“损不足以奉有余”的剥削制度上。为统治者服务的非美活动委员会，日日夜夜罗织、诬陷无辜的平民，用屠杀和牢监来维持他们坐在火山口上的局面。

然而在中国，我们正在欢天喜地地进行着全国社会主义大跃进，大家兴无灭资，消灭着残余的资产阶级的法权观念，人人平等，个个欢乐。我们的生产全面大丰收：小麦、钢铁、棉花、原煤、重型机器、汽车、飞机、轮船和数不尽的农业和工业的产品，许多是比往年多一倍、两倍地增长上去。全国都在大搞人民公社，大搞全民炼钢，大搞全民皆兵、劳武结合，大搞全国电气化、机械化、土洋并举。工业、农业、文化、技术、教育、科学一齐飞跃。今年的钢，眼看就会超额完成一〇七〇万吨的任务。在一切重要生产的战线上，我们将在不久的时间里，不但要超过英国，而且要赶过美国。

想起自己，看看敌人，再读一读十年前毛泽东同志指出的真理：“这个敌人的基础是虚弱的，它的内部分崩离析，它脱离人民，它有无法解脱的经济危机，因此，它是能够被战胜的。对于敌人力量的过高估计和对于革命力量的估计不足，将是一个极大的错误。”我们真是说不出的欢欣鼓舞。中国人民真是幸福，有了毛泽东同志领导我们的革命。毛泽东同志一直教导我们：要在战略上藐视敌人，在战术上重视敌人。执行了这个方针，和帝国主义反动派打交道，我们从来没有吃过亏。我们是胜利者，帝国主义和反动派是可耻的失败者。

从一九四六年，毛泽东同志发表他的天才论断，“帝国主义和一切反动派都是纸老虎”的话以后，中国和全世界人民不断地获得胜利。中国人民从大陆上消灭了美帝国主义者全力支持的蒋介石集团。在朝鲜的战争中，中国人民和朝鲜人民一道击溃美帝国主义和它的仆役军队。十二年来，亚非两洲遍地烽火，北非和西亚的民族，奋起斗争，纷纷树起独立自由的旗帜。埃及、印尼甚至美国的后院——拉丁美洲以及中近东各国人民，都起来反对美帝国主义的侵略，胜利地获得了民族独立和自由。这些巨大的历史事件，有力地证明了十二年前毛泽东同志的预见。

人民的力量是不可能战胜的。不是人民惧怕帝国主义者，而是帝国主义者一直惧怕人民起来革它的命。《史记》述说项羽在还没有出头的时候看见秦始皇和他的威武的仪仗，浩浩荡荡地走过去，说了一句名言："彼可取而代也!"这句话，吓倒历代一切的统治者，因此，一有反叛，便用刀、斧、鼎、镬以及各种残酷的刑法，来延长他们的统治。但结果，"和这反动的主观愿望相反"，永远是残暴的统治者被推翻。腐朽的东西必然有新生的事物来代替。"取而代之"是历史上对立统一和斗争的规律，是一条不可抗拒的法则。

然而，对人民来说，过去的"取而代之"仅是统治者与统治者的更换，是以暴易暴。今天，当新事物的真正的代表者是人民群众的时候，这个"取而代之"的意义，便空前的伟大，那便是，全世界醒悟的人民要结束帝国主义者的侵略和统治，永远消灭剥削和资本主义社会。

帝国主义的腐朽、虚弱和"打肿脸充胖子"的空架子，只能引起我们的藐视。明明已是日落西山，气息奄奄，他还要妄想延长寿命，在世界各地建立军事基地，调动舰队，干涉别人的内政，占据我们的台湾，用战争挑衅来给自己打最后的强心剂。而世界上还有一些迷于帝国主义在咽气之前还在变要的那几套滥旧的“魔术”，以为迎面扑来的真是一只老虎。如果真的悚然退后，那便正中了这反动派的诡计阴谋，他们就会张牙舞爪，再敲诈勒索一个时候。但，认清了这个“老虎”不过是纸扎的，我们团结起来，迎向前去，“纸老虎”便立刻戳穿，便会加速帝国主义的死亡。

实际上经过屡次可耻的失败，美帝国主义的内部也觉出自己并不那样不可一世，可以为所欲为，统治世界了。美国一面调来地中海舰队到台湾海峡，用世界大战的危机来恐吓我们，一面却又在国防部里偷偷盘算着，在原子战争爆发后，他们如何在最适当的时机缴械投降。你说，这不是非常可笑吗?

我们是热爱和平的。却谁也不能肯定美帝国主义不把战争强加在我们头上，因为帝国主义内部是一撮战争狂人在统治着，这些强盗是以冒险起家的。万一他们真把战争发动起来，我们是完全不怕的。因为没有可以恐惧的理由。正如毛泽东同志指出的：“第二次世界大战以后，出了一个社会主义阵营，一共九亿人口。如果帝国主义者一定要发动第三次世界大战，可以断定，其结果必定又要有多少亿人口转到社会主义方面，帝国主义剩下的地盘就不多了，也有可能整个帝国主义制度全部崩溃。”

在台湾海峡挑衅之后，美帝国主义和它的奴仆们，无论在国内国外，都陷在空前孤立的地位。整个世界的局势更是东风压倒西风，将来的世界必然是东风的世界。在这个伟大的文献里，毛泽东同志又一次教导我们，坚决相信和依靠人民的力量。这样才能藐视和鄙弃敌人。帝国主义者的逻辑，是“捣乱，失败，再捣乱，再失败，直至灭亡”。人民的逻辑，是“斗争，失败，再斗争，再失败，直至胜利”。

今天，我们已经走到胜利的阶段，而帝国主义者正在走向灭亡。

我们文艺工作者，应该深刻地研读毛泽东同志这个伟大的文献，但对我们更重要的，是用文艺的武器来宣传这个文献中的无限宝藏，使这些宝藏不只是成为促进共产主义的文学艺术的思想内容，而且通过文学形式，向正在和帝国主义及反动派斗争着的世界人民，准确地传达这个战无不胜的伟大思想，使这些坚强不屈的人们，获得最重要的武器。

创造更完美的现代题材的戏曲剧目

——看陕西省戏曲赴京演出团的演出

陕西省戏曲赴京演出团的演出，在北京获得极大的成功。这是今年首都文艺活动的一件盛事。几乎每个演出都令人难以忘怀。许多新的和整理后的传统剧目，都光彩夺目，激动人心。这些演出说明了，陕西的戏曲工作者和优秀的陕西戏曲艺术家们的劳动有了显著的成就。

他们一共带来了秦腔、郿鄠和华剧（碗碗腔）三种戏曲，每个剧种都有它的极其优秀的剧目。编写、导演和演员，在某些剧目里，合作得非常好。他们做到互相辉映，各尽所长，常是鲜明而深刻地表现了主题思想，使戏曲艺术更高明地为政治服务。

让我就以下几个戏谈一谈。

《游西湖》是秦腔的传统剧目，原是明周朝俊的《红梅记》的一段。但这次演出摆脱了《红梅记》和原秦腔本中的糟粕，在原有的基

【题注】载1958年12月23日《人民日报》。

础上，体现了人民的观点和愿望，是修改旧剧目，使它发挥“古为今用”的精神的好榜样。

故事是这样的：少女李慧娘爱上太学生裴瑞卿，相遇的当晚，李慧娘就被宰相贾似道抢进府去。一天，贾似道率带姬妾游赏西湖，在湖上，慧娘遇见裴生，船头相望，欲语不得，二人的深情，被贾似道窥见。贾回到府中，杀死慧娘，又派人把裴生骗进府里，幽禁起来。慧娘对裴生的爱情，死不能忘，她的魂灵找到裴生，把裴生从贾似道派来的凶手的刀下救出。最后在“鬼辩”那一场里，她抓住凶残的统治者贾似道，对他喷出复仇的怒火，打下了他的气焰，慧娘飞上天去。

这出戏整理以后，紧凑、完整，没有多余的关节、多余的人物，有“戏”即长，无“戏”即短，矛盾尖锐，几乎每个场面都富于内心活动和强烈的动作。这个戏一直是紧紧追住这一对悲剧主角的命运，凡是与主要矛盾无关的场面，譬如贾似道如何抢亲，慧娘如何进府，都不予理睬，不向观众啰啰唆唆。这要归功于改编者马健翎、黄俊耀等同志和这个戏的集体导演，音乐工作者和舞台艺术家们。他们的出色的劳动，使这些优秀的演员们，有机会充分表现人民对这两个悲剧人物的同情和热爱。

李慧娘这个人物，已和原本大不相同。改编者移花接木，把原本里的卢昭容与裴瑞卿折梅、赠梅两场放在李慧娘身上，不仅加深了我们对慧娘的同情，更使以后的悲欢离合增加了深度，因而增强了人民对统治阶级的愤恨。

这个戏的编、排、演、音乐都好极了。“游湖”那一场，裴生等与贾似道撞船，三次不同的安排和那对情人的见面，演出得细致合理，把裴生与慧娘悲痛和愤恨的复杂心情，完全烘托出来。“鬼怨”那一场给人以很深刻的印象。慧娘被杀以后，茫茫黑夜，台上天昏昏，地沉沉，她的鬼魂用“尖板”唱着“怨气腾腾三千丈，屈死的冤魂怒满腔”，走出来。她仿佛落在地狱里，无法解脱。台后的帮腔像无数受压迫的人和她共悲愤。“天哪，天哪，为何人间苦断肠，飘飘荡荡到处闯”，她边舞边唱，音乐和舞蹈，优美、沉郁，整个舞台气氛扣住全场观众的心弦。有一个刹那是令人难忘的。当慧娘唱“一缕幽魂无依傍，星月惨淡风露凉”，导演的处理和演员马兰鱼极吸引人的表演，把慧娘沉重的痛苦挖掘到最深处。在观众面前，慧娘并没有“鬼”的感觉，她仍然是受尽压迫的“人”。

慧娘听见花园里被幽禁的裴生的声音，她多么想去和他相聚，但“……阴阳难合鸿沟挡，咫尺天涯各一方”，她到了绝望的顶点。然而，黑暗里闪出光明，火光中出现了慈眉善目的“土地”，这是“人民的愿望”遣来的神仙。他把九天玄女的阴阳宝扇交与慧娘，霎时间，希望和欢乐使她越过了生死的界限，为了表现慧娘忘形的快乐，她忽然倒在土地老人的身上，一跃而起。这一“倒”，真是排得好，演得好！

《游西湖》这出戏，特别是“游湖”和“鬼怨”两场，是舞台上稀见的创造，是“推陈出新”的香花，而“鬼怨”是旧本所无，更是难得。

“搏斗”一场，裴生（李继祖饰）和慧娘（马兰鱼饰）、廖寅（罗四奎饰）演得热情，火炽，吹火扑打，都见功夫。但动人心魄却在

“分离”那场戏，凶手逃走，慧娘对裴生说出她原是“刀下之鬼”，必须永别，但裴生毫不恐惧，面临那黑暗的世界，他高唱“我不愿做人愿做鬼”！戏到了此地，已经超过了爱情的境界。这句话，道破了戏里的最高命题，诉出一切被统治阶级蹂躏的人们向黑暗的旧社会的反抗。裴生这个角色改写得好，忠实、坚决，不怕强暴。饰演裴生的青年演员李继祖，演的真实有力，令人信服。

这个戏的贾似道使我想起往日的军阀、土皇帝和“黄世仁”。“鬼辩”中，贾似道发现裴生逃走，刑讯姬妾，慧娘的鬼魂“挺身而出”，和他斗争，料不到强暴恣睢的贾似道居然点火升堂，狂嚷“相爷我要审鬼”！统治者不仅要统治人“活着”的世界，还要统治“死后”的世界。这真把统治者写的透骨极了。《游西湖》(原名《红梅阁》)在过去黑暗统治阶级的手里，是一个充满色情与恐怖的戏，今天到人民的手里，才显露出它的代表被压迫者向统治者反抗的光彩。

“鬼辩”是最末一场，虽然打垮了贾似道，但结束的印象，总有些“阴气”。这个戏带着浓厚的浪漫主义的战斗精神，结束的重点不应落在丑恶的半死半活的贾似道身上。是否可以使要“升天”的慧娘把吓得半死的贾似道和他的鹰犬们逼下场去，由欢喜的“土地”——那代表“人民愿望”的神，帮她飞上天（自然，这要干净利落）。让代表“鬼世”的贾似道把世界让与代表“人”的李慧娘，我们需要一个胜利的有快乐气氛的结尾。

我们应该特别推荐《赵氏孤儿》的演出。这是陕西戏曲团带来的最香的一朵花，凡是看过这个戏的人，人人都受极大的感动。这原是一个老戏，经过了马健翎的改编和导演韩盛岫、李文宇在演出上的处理，真正体现了这个伟大的传统剧目的内容和人民热爱正义，崇高忘我的感情。这个戏前半部着力描写赵盾代表人民向昏王斗争的正义性和屠岸贾的奸险阴恶的性格，这才使以后的八个义士的命运，得到观众最深的同情。演员们在这个戏里的表演真是精彩极了。田德年的赵盾，罗四奎的屠岸贾，赵毓平的程婴，李继祖的公孙杵臼，马兰鱼的卜凤和李应真的公主都演的真实、强烈、有内容，非常出色。在这出戏里："赵屠争吵""救孤出宫""拷卜""搜孤"和最后"观画"那场，激动人心，难以忘记。我们学写戏的人，真该向这种"推陈出新"的传统剧目学习中国独有的编剧手法。（可惜的是"程妻舍子"一场，据说秦腔本原来没有，改编者也没有写上去。）

此外我们还看了《三滴血》、《窦娥冤》、《火焰驹》、《白玉瑱》、《金琬钗》、《辕门斩子》、《杀狗》、《老鼠嫁女》、《闹粮》等戏，每个戏都有它的独到之处（但有些，还是有缺点的）。在这些戏里，老演员刘毓中、宋上华、刘易平、孟遏云、肖若兰、樊新民、王仲华和青年演员李应真、陈妙华、蔡志成、陈炎、杨金凤、全巧民等都有很出色、很动人的表演和歌唱。

陕西戏曲团的现代剧目，也有可喜的成就。首都观众热烈欢迎《梁秋燕》、《鹰山春雷》的演出。这两个戏都反映了中国人民生活中的巨大变化。《梁秋燕》的演出，充满了今天劳动人民幸福与快乐的气氛。在刻画梁老大和梁秋燕父女之间新与旧的矛盾和以后梁老大对婚姻自主认识的转变上，都看得出编剧黄俊耀和导演任国保等的才能。这个戏经过了多少次演出和修改，吸收群众的意见和智慧，在西北一带获得广大群众的喜爱。它正确地宣传了婚姻法，表现了摆脱封建残余的新妇女的精神面貌。

李瑞芳演的梁秋燕十分成功。一位陕西的老同志说:“梁秋燕这个角色，演得自然、朴实、亲切，就像自己家里的女孩子一样。”她的演、唱也情深意挚，很感人。饰梁老大的吴德，饰张菊莲的王毓娴，都演得有深度，是农村中的真实人物。张菊莲等候梁小成那场戏，写得真好，王毓娴演得细腻婉转，活生生地塑造出一个受封建压迫，却深深爱着梁小成的青年寡妇的形象。

但《梁秋燕》这个戏，仍有不能令人满足的地方。正面与反面人物都挖得不够深，尖锐的矛盾没有摆开。如果把张菊莲的恶婆婆搬到台上，梁秋燕在为自己的婚姻和父亲争执的同时，出来为年青寡妇的命运向恶婆婆斗争。这就写出了梁秋燕这个人物的另外一面。这个戏的对立面人物仅一个梁老大是不够的(侯下山等不是主要对立面)。必须表现出旧势力很“恶”、很“险”，新力量很“猛”、很“强”，要大开大阖地斗一场，而不是还未怎样交手，旧势力便在区长面前败下阵去。要大写党和群众向旧势力做深刻、坚决的斗争，不要轻易用区长解决问题。

《鹰山春雷》描写陕西人民引水上山，惊天动地的大事情。这个戏的演出效果相当好。我们很喜欢党支书高志宏这个正面人物。第七场，深夜，高志宏在他家院子里，想着鹰山难渡，眼前的难关，群众思想的混乱，反复思虑，坚决拿出一个共产党员在困难当前应有的态度，不顾生死，决定自己爬上阎王岭。那一场表演和唱腔，是用了很大功夫的。自然第八场“爬山”导演处理得很精彩，观众屏气凝神，关心勇敢地爬上绝峰的高支书的一举一动。这出戏写得相当成功，但有些场面很琐碎，看不清楚群众的人物面貌。有些场面排得很紧张，却还不能令人充分感到生活的真实气息。它描写今天的巨大斗争，却还没有抓住最强烈地代表这个跃进时代的人物。

《梁秋燕》和《鹰山春雷》，在演出上是有了一定成就的。但它们既然以地方戏曲形式表现现代生活，因此就使人感到作者和演出工作者还没有充分利用地方戏曲的“家底”，放手放怀，加以推陈出新的创造。这两个戏都过多的受了话剧、新歌剧和秧歌剧的影响；尽管里面也用了不少优美的歌唱和身段，走的仿佛还不是传统地方戏曲的路子。大家要求继承传统，自然并不拒绝向其他剧种吸收好的东西。但戏曲工作者创造现代题材的剧目，必须坚决走自己的道路，破除一切旧的和新的束缚，创造出比传统更新、更好、更有力的艺术表现方法。

一年来，戏剧工作者发挥冲天的革命干劲，创造了许多现代剧目。全国观众也十分喜爱这些剧目，常常是场无虚座。这些剧目不只在内容上表现了观众热爱的现代生活的斗争，却也多少运用了传统的戏曲艺术，有了一定的艺术成就。但现在观众的要求又提高了，他们不能满足于某些现代戏曲剧目的艺术质量。这一点，有些戏曲工作者，是落在群众的要求的后面的。群众要从戏曲里面的现代戏得到深刻的教育，同时更要得到极高的艺术感受。不用说，只有通过高度的艺术，才能使今天这个伟大的时代和生活斗争深入人心。

无疑的，陕西戏曲团的古典剧目和现代题材的剧目，在首都都获得极大的赞扬，但相形之下，古典剧目是更有光彩一些。我想，有些“古典剧目”，在当时就是描写当时生活的“现代剧目”，在经过了长时间的艺术加工和创造，便成了今天的古典剧目。今天的现代生活剧目，如果不断地加工和创造，也可以成为来日的古典剧目。

但如何加工呢？这里就还有一个“推陈出新”的问题。

“推陈出新”，似乎除了用在“整理传统剧目”以外，还包括其他的内容，即如何运用中国特有的、传统的编剧、导演、表演、歌唱、舞蹈、音乐的艺术，来“表现现代生活”的“推陈出新”。“推陈出新”的原则，不但用来丰富传统剧目，也应该用来丰富现代生活戏曲剧目。

我总觉得今天有些表现现代生活的戏曲与传统的编剧方法，似乎有些出入。舞台上的优秀的传统剧目，很多是编剧和演员、导演与音乐工作者密切结合的成果。而今天，有些不成熟的现代生活的戏曲剧目，却使人感到作者没有很好的学习传统的编剧技巧，不很知道如何运用优秀的戏曲演员们的传统的表演艺术，因而没有能和导演、演员以及其他戏曲艺术工作者充分地合作，共同创造。

我们应该摸索出一套中国特有的表现现代生活的戏曲编剧方法，它必须大有别于话剧和新歌剧，尽管有些地方可能是共同的。

看了陕西的古典剧目的演出以后，更使我感到中国确有一套传统的独特的编剧方法，需要我们用心学习的。写话剧也应该学习我国传统的编剧方法，并且找出一条更宽阔的道路。我感到好的传统剧目，主题单一，万变不离其宗，故事可以错综复杂（自然，头绪纷繁是不好的），但总说明一个道理。如《三滴血》，故事性强，矛盾尖锐，而且开门见山，很少拖沓的感觉，在《赵氏孤儿》、《游西湖》等的演出里（其中当然有改编与导演的“推陈出新”的功夫），有“戏”即长，无“戏”即短；在矛盾尖锐的地方，可以足写足演，在不关重要的地方，就一笔带过，毫不啰唆。因此，它活泼自由，节奏流畅。很多好的传统剧目，结构谨严，以少胜多，往往人物用的不多，却表现了巨大的事件和强烈的感情。《游西湖》仅有十四场戏，寥寥几个人，但从头到尾，紧张明快，精练无比。

那些戏曲里的人物，也鲜明突出，对比强烈，如同《赵氏孤儿》的赵盾与屠岸贾，一忠一奸，两个大臣在桃园门口就打闹起来，写得胆大，却又真实。但这不摒除细腻和委婉，如程婴和卜凤，同是刚强的义士，二人的表现却大不相同。好的传统剧目里，表现人物，总是多用动作，少用语言，那些语言，也明快简洁，感情充沛。

戏给人以教育，但首先要通过演员。因此，好的传统剧目的作者编排戏，总注意要使演员有戏可演，要充分利用戏曲的特性，音乐、舞蹈、歌唱，使演员得尽其所长。自然，这一点是导演首先要注意的，但编剧在写的时候也要放在心里。用戏曲写现代生活，不应把时间浪费在冗长的对话、琐碎的交代和无戏可演的场面上。

看了陕西戏曲的古典剧目，使人觉得绝大多数的古典剧目是现实主义的，是从生活的斗争里提炼出来的东西，这一点正需要我们学习，研究他们如何从现实生活的素材里提炼出“戏”来。应该指出，传统剧目里的故事有许多是陈套。我们应该分辨出哪些是真实的，合乎生活规律和人民愿望的，哪些是庸俗的、因袭的、没有创造性的。故事成了滥调，当然不好。因此，应该从生活的真实出发。创造表现现代生活的戏曲剧目，我们固然应该深刻地、有创造性地向传统的编剧方法学习，但更应该深入今天火热的斗争生活。这是一点不能放松的。

在陕西戏曲的演出里，使人发生极大兴趣的，是古典剧目所表现的浪漫主义精神，那往往是战斗的、乐观的，有丰富想象力的，代表人民的意志的。这种浪漫主义的气息和现实主义的精神，在古典剧目里巧妙地糅合起来。我们要表现今天社会主义的饱满昂扬、气象万千的时代。大家都在努力用革命的浪漫主义和革命的现实主义相结合的精神来从事创作，就更有必要创造性地学习古典剧目里的浪漫主义传统。

提高表现现代生活的戏曲的艺术质量，要靠编剧者，但更要靠导演和演员。现实生活的动作当然是表演的基础，但似乎还要多多领会传统的表演艺术的客观规律，学习如何恰当但又充分地提炼、集中、夸张，更艺术地表现今天的生活现实。我们须要破除迷信，解放思想，大胆而又细心地来创造在艺术质量上也赶上古典剧目的表现现代生活的戏曲剧目。

陕西戏曲团在首都演出最末一场戏的时候，观众们拥到演员的面前，祝贺他们优异的成绩，但也表示了一个希望：

“别了，可爱的演员们！请你们一定再来，让我们看更好、更新、更有内容、更富于艺术性的陕西戏曲。”

这句话不但包含着对陕西戏剧工作者“推陈出新”的工作和现代题材剧目的称赞，也包含着一个更重大的要求：首都观众总是希望从任何剧种，都看到最完美、最动人，表现今天火热的斗争的戏曲的。

切忌“浅尝辄止”

很久以来，我一直在病中，看戏不多，对目前话剧创作和演出上的问题了解得也不够。今天的话剧是必须提高质量的。但如何提高，我还谈不出很多的意见，只能简单地谈一谈对话剧创作的一点看法。

首先，深入生活是肯定必要的。我自己就深切地感到缺乏生活，我曾写过我熟悉的生活，现在想要写的生活却不知道。自然一方面要有生活，一方面还要善于想象。这和党的八届六中全会提倡的科学分析精神是没有矛盾的。善于想象，要多研究马列主义，多思考、多观察、多体验、多酝酿。相反，只图现贩现卖，平时想得少，在生活里只看到一点就加以想象，这样写出的作品，就不会真实。因此，善于想象，并非靠一点凭借，即上天入地想入非非，而是要有丰富的生活、思想和艰辛的写作劳动，才能曲折如意，发挥行云流水的想象。

【题注】载1959年3月17日《戏剧报》第5期。按，本年2月28日，田汉召集首都老剧人举行座谈，讨论话剧的提高与发展问题，出席人包括郭沫若、欧阳予倩、夏衍、阳翰笙、李伯剑、陈其通、沙可夫、吴雪、欧阳山尊、罗光达、孙维世、舒绣文、严正、于村、石一夫、李超、李之华、伊兵、孙福田，本文系曹禺的书面发言。

想象力不是天赋的，而是长期学习、下苦工夫的结果。

要从中国和外国的好剧本学习技巧。读一个好剧本，在最吸引我们的地方，要反复地读。研究它为什么吸引我们，是思想感情好？是人物好？是结构好？是文章好？为什么它给我们这样美好的印象？作者用了什么办法？在这种地方反复地读，才能看出“窍”来。很奇怪，这个“窍”时常只在这个剧本里能用，在另一个剧本里未必能用，所以“抄”不得，“搬”不得。但是任何“窍”都有它的“道理”，如果我们把那些“道理”找到了，消化了，那些“窍门、招数”才成了自己的东西。任何技巧是和作者的思想与感情分不开的。脱离了思想与感情，技巧便是“把戏”。“把戏”是可以互相抄袭的，因此世上有许多坏剧本，这些剧本的特点，是一般化，平庸，没有真实的思想感情。观众时常被那些“把戏”闹得眼花缭乱，根本不知作者想说什么。技巧脱离了人民的思想感情和生活，可能有两个结果：一是将“戏”写成一篇糊涂账，一是将“戏”写成一枝毒草。

要从观众中去学习技巧。观众是活的，要研究他们为什么在这个地方哭，在那个地方笑；为什么他们在这个地方鼓掌，在另一个地方又一点声音也没有。应该从观众的眼睛里，看出什么叫“紧凑”“简洁”“洗练”，什么叫“震撼人心”，什么样的文章才是有“光彩”、有“音乐性”、有“节奏”。同样也必须从演员与导演学习写作技巧。我们的大剧作家，关汉卿、郭沫若、田汉、夏衍都是从人民喜爱的剧场、舞台、导演、演员们得过益处的。

当然对于作家来说，马列主义是最主要的。离开了马列主义，一切都谈不上。问题就在于要把上述这些道理和马列主义联系上。马列主义对我们有些人还是新东西，要下功夫掌握它。

过去写东西，我们总找那些最尖锐的地方写。对于自己憎恨的人物，就写那让你恨得要死的地方；对于喜爱的人物，就写那让你爱得要命的地方。这就要爱憎分明。写的时候要有感情，深深相信笔下的人物是真的，相信他们的台词是对的，这才敢于放胆地写。因为写东西是做不得假的，它必然要显露自己的爱憎。但爱憎不是凭空来的，总是和作者的阶级立场有密切关系。我们爱憎的感情，有时候不是无产阶级的，而是小资产阶级的、资产阶级的。这就联系到作者的马列主义修养了，作者的思想水平要高，要常读马列主义的经典著作，读消化了，就有把握了。现在，我们有时写起来就很犹豫，有的作者有依赖的思想，点点滴滴都要领导帮助。这不够好。于是就产生了所谓“领导出思想，群众出生活，作家出技巧”的说法。思想、生活、技巧是作者动笔的先决条件，不可缺一。掌握了正确的思想，才如遇到源头活水，行所当行，止所当止。思想、生活、技巧的位置，似乎可以这样摆：有了马列主义的思想，才看得见生活的全貌，有了正确的充足的生活知识，才能学会如何适当地表现这些生活的技巧。我们创作绝对不能离开党的领导，但这不是说作者可以放弃自己的马列主义思想斗争方面的锻炼与修养。马列主义思想必须先化为作者的思想感情，才写得出好的作品。技巧不能脱离思想，犹如花叶不离枝干。

写我们最有兴趣、最关心的东西。我们最有兴趣、最关心的东西，往往是我们最了解的。大题材完全应该写，但是当我们仅仅从理性上认识到该写它，而还不够热爱它的时候，就先不要写，先去了解它。周扬同志谈起提高话剧质量的问题，说：我们提倡写工农兵，但同时我们也主张各种题材都要写。百花齐放，好坏叫人民来评定。（原意大致如此）我看这是一个真理。要写我们最有兴趣的、最关心的题材，应该包括我们要写工农兵。同时也写配合任务的时事剧、活报剧。作家热情地写配合任务的戏是对的，虽然不一定都写得深刻，但在社会主义斗争中起了较大的作用，便是我们的幸福！

我们的优秀的作家都是勤于作笔记的。在生活里，看到使我们感兴趣的人，听到有道理、有情味、有性格的语言，马上按原样记下来。晚上再整理一遍，经过整理，才能看出哪些才是最发光的东西。

提高话剧质量，确实需要我们能够掌握语言，培养对文字的鉴别力，使自己对文字的感觉敏锐起来，琢磨怎样使文字光彩夺目。文字不是古人说的陈腐的“辞章”，而是指生动、恰切、深刻地表达思想、感情、境物的语言。高尔基的戏，常常用一两句话就把一个人物勾出来了。关汉卿的《三勘蝴蝶梦》，第一折里有这样的情节：王氏三兄弟的父亲被恶霸葛彪搞死了，后来，三兄弟又打死了葛彪。这时候，王母指着葛彪的尸首骂，有这样一段词：“想当时。你可也不三思。这一还一报从来是。想皇天报应不容私。则道你长街上装好汉。谁想你血泊里也停尸。正是将军着痛箭。还似射人时。”这前几句已经是感情充沛，充分表现出这位母亲的刚强的性格。而后两句，“正是将军着痛箭，还似射人时?!”就更见笔力，这个不畏强暴的王母的风貌，便跃然纸上。这是关汉卿的话，却又是王母自己的话。这样的文字有个性，有劲道，又有高度的概括力量。

生活中原来的语言，不是在用的时候照抄，而需要大大加工提高。我们有一些剧本里的话，往往就是生活里原来的语言，在舞台上，这些语言就显得黯然无光，引不起人的兴会。

要读小说，读古典小说，读现代小说。读曹雪芹、施耐庵，读鲁迅、茅盾、赵树理，读托尔斯泰、高尔基。也读今天的《林海雪原》《青春之歌》《苦菜花》等这些广大群众所喜爱的小说。要学习他们安排故事的本领，描写性格的本领，遣词用字的本领。剧作家不能只读剧本。一切文学艺术都是相通的，要扩大眼界，丰富我们的修养。

看戏、读书，最忌“浅尝辄止”，浅尝一下，就说这也会了，那也会了，世上哪有这么便宜的事？我读书往往不求甚解，急于求知，自以为了然，其实常常还在糊涂着呢！现在才明白“浅尝辄止”的害处，所以也提一下。

拉杂地说了一些，就到这里为止。

提高戏剧艺术的质量

主席，各位代表：

我完全拥护周恩来总理、李富春、李先念副总理和彭真副委员长的报告。

去年——一九五八年，是中国从未有过的大跃进的一年。人民群众的思想觉悟大大提高。全国成立了人民公社。我们取得了工业农业的大丰收，钢铁战线上的大丰收，科学文化的大丰收，群众文化运动的大丰收，真是“一天喜事奔人来”！每个人都感到生活在共产党领导的时代里，浑身是劲，要创造，要贡献出自己的力量，建成更美好的共产主义社会。

大跃进以来，戏剧也出现空前繁荣的景象。各剧种都有了大量的处理革命历史和反映当前生产斗争的题材的剧本。在全国城市、农村、工厂和部队里，戏剧演出的场数之多是空前的。各个剧种都出现

【题注】1959年5月3日载《人民日报》，题下署“曹禺代表的发言”。按，本文系曹禺于本年4月27日参加第二届全国人民代表大会第一次会议大会上的发言。

了许多有希望的、有成就的青年演员；有的简直像星星一样，闪耀在舞台上。许多久已不演的旧剧目，许多死了的剧种，都经过挖掘和整理，又复活了它们的美丽的生命。死了七百年的大剧作家关汉卿，在今天，获得了他生前绝不能得到的这样广大人民的喜爱和荣誉。被国民党军阀灭绝了的湖北的高腔班，它的演员只剩下三位七十高龄的老人，如今在党的扶持下，又出现了崭新的湖北高腔和优秀的青年一代。这一年来的戏剧成就，不但有力地促进了生产，提高人民的思想觉悟，更大大丰富了我们的文化生活。这是党坚持百花齐放、百家争鸣和推陈出新的英明政策的结果。

我们正在从事于一个轰轰烈烈的“文化大革命”。摆在我们面前的任务，是如何采取较快的办法，来发展我国的文化科学与艺术，使它们能够和现代工业、现代农业的高度发展相适应。

深入生活，提高思想水平；认真学习技巧，提高艺术质量

我们要提高一切文化工作的质量，因此，在戏剧范围内，我们首先就需要提高剧本的质量。其次便是要大量培养有政治水平，有文化修养，有严格的艺术锻炼的青年演员。

去年，我们有了较多的好剧本。但是随着人民思想觉悟和文化要求的提高，群众更迫切地要看不只是在思想上，并且在艺术上也给予极大满足的演出。去年，绝大多数的文艺工作者，深入工厂和农村，他们和工人农民同吃、同住、同劳动。这些优秀的文艺工作者，密切

地和劳动群众联系起来，在实际锻炼中，提高了思想水平。马列主义的思想和丰富的生活知识，是我们的基础。下放以后，大家更认识清楚这两个因素对写作的重要意义。

群众要我们写出比较深刻、全面地概括了时代的好剧本。这就要我们不仅是根据党的原则来进行独立思考，而且要认真地学习戏剧技巧，来尽善尽美地表现出我们对今天这个伟大时代的赞颂，古人说："文以载道。"又说："言而无文，行之不远。"可见"文以载道"这句话只把真理说了一半，因为如果我们的"文"没有文采，我们的"道理"就不能深入人心。一句口号人人会说，但是一句口号的真理，说的透，讲的明，使人听进耳朵里，记在心窝里，变成了促进行动的力量，这就需要我们全部掌握了语言的技巧。我们有时忽略了技巧，或者误认技巧是资产阶级的东西，这是不全面的。当然，马列主义思想在文艺作品里是有决定意义的，但是掌握了文学技巧，写出一篇有思想内容，又有优美动人的形式的文学作品，岂不更好。舞台上也是如此。只凭主观的一片好心，没有客观的一身本领，就演不出更好的戏，写不出更好的剧本。思想觉悟越高，就越想掌握一套技术，来为政治更好地服务。为了写好剧本，我们要提倡好好钻研一下古今中外的丰富的文化遗产，从里面学习如何生动深刻地表现生活的艺术。要提倡在文艺批评上讲究写作的技巧，严格的要求文学作品的艺术质量，只要这一切是在马列主义思想和深入群众的基础上进行的，那就会有利于剧本质量的提高。

更多更好地培养青年一代

这些年来，培养青年演员和艺术家们是有极大成绩的。在党委亲自领导下，很多剧种都培养了出色的年青的一代。就我所看到的，就有川剧、陕西戏曲、湖北楚剧、河北梆子、南北的昆曲、无锡的锡剧以及评剧、京剧、话剧和北京舞蹈学校等。这类例子是举不胜举的。这里，大家都可以看出一个规律，凡是党领导亲自抓，抓得紧，抓得对头，人才就出得多，质量也高；相反地，人才就出得少，质量也差。

文化高潮的到来，不仅需要群众文化的繁荣昌盛，同时还需要许多伟大的科学家、文学家、艺术家和演员们的出现。今天在党的领导下，许多优秀的前辈演员们正在把他们丰富宝贵的艺术和经验传授给青年一代。中国的青年演员确是幸福的，他们在各方面都获得了有史以来从未有过的学习机会。但是为了迎接文化高潮的到来，我们必须对青年演员在政治上和艺术上有更严格的要求，要让他们和劳动群众经常密切的联系。同时在各方面给他们创造条件，使他们有更多更好的机会在艺术上精益求精，迅速地成长起来。

让我们写出和演出更多为生产服务的好戏，也培养出更多优秀的后一代，作为对祖国的社会主义建设的贡献，也作为向伟大祖国十周年庆典的献礼吧。

最后，我们对于印度扩张主义者企图利用西藏一小撮叛乱分子和被劫持的达赖喇嘛，实现扩张野心的阴谋，甚至侮辱我国家领导人，我们感到无比的愤怒。印度狂妄的暴徒侮辱我们亲爱的领袖的行为，就是对六亿人民的严重的挑衅，这是万难容忍的。西藏是祖国大家庭中的一员。从唐代文成公主远嫁以来，汉藏文化及生产风习结成了不可分割的兄弟般的关系。十三世纪以后，西藏就一直是中国的领土。我们绝不能允许任何外国干涉者和野心家干涉我国的内政，破坏我国的统一。西藏将永远是中国神圣的领土！我们提出严正的警告：印度扩张主义者必须立即停止他们的挑衅行为，他们和帝国主义者一同策动西藏叛乱和侵略西藏的阴谋，一定在中国各民族团结的铁拳下，遭到可耻的彻底失败！

对种族歧视的控诉

——中国剧协艺委会座谈《黑奴恨》（节选）

看了这个戏，给自己印象最深、感受最深的是我们的老前辈、老同志——欧阳老在剧本中所表露的如此蓬蓬勃勃的生命力和旺盛的政治热情。老树开红花，老院长的精神使人感佩。

原小说是用宗教感情，资产阶级人道主义，用一种感化的精神来写的。现在的这戏，给人的感受就完全不同。只要是一个正直的人，一个有正义感的人都会因为戏里所淋漓尽致地揭露的种族歧视和种族压迫的罪恶而感到痛恨，从而叫人得出这样一个结论：这种制度不推倒还行吗？我觉得这个剧本虽然写的是十九世纪的事情，但它给你的感情是今天的感情，它让人联想到今天。这就是这个剧本成功之处。

昨天读到欧阳老在《北京晚报》上发表的《幕前的话》，他说，

【题注】载《戏剧报》1961年6月30日第11、12合期。按，本文系曹禺于本年6月10日参加中国剧协艺委会召开的话剧《黑奴恨》座谈会上的发言，本次会议由田汉主持，发言者包括田汉、曹禺、舒强、阳翰笙、陈默、金山、凤子。

1907年春柳社改编和上演这个戏，是“针对当时所谓‘列强’瓜分中国的阴谋，立意借种族压迫的实例，唤起国人的警觉”。所以当初上演的戏已不是原小说的样子。今天，我们更可以清楚地感到这个戏所反对的种族压迫的实质是阶级压迫，戏的作者充满了阶级的感情，不仅是对剥削者压迫者阶级的仇恨的情感，同时也是对汤姆所属阶级的同情、支持、兄弟般的手足的情感。这个戏之所以能提高到今天这样的水平，一方面是由于观众的觉悟水平提高了，他们对戏剧的要求也提高了；一方面由于欧阳老的思想和艺术比《黑奴吁天录》的改编者有了更高的发展，他对自己这次改编这个戏提出了新的更高的要求。我们把1907年的《黑奴吁天录》和现在的《黑奴恨》一比较，也可看出欧阳老不停息地向前迈进，从一个爱国主义战士成为一个无产阶级战士的光辉道路。

这个戏是很有教育意义的，它的观众对象范围很广，无论是儿童、妇女、工人、干部、青年……都爱看这个戏。尤其是在今天，当黑人挺起腰板起来斗争的时候，看一看这个戏，回顾一下过去是很有意义的。在今天的美国，帝国主义者对黑人的迫害在程度上是不下于剧本所揭示的奴隶主对黑人的残暴的。在美国，不仅有黑奴，还有“白奴”，帝国主义者不仅迫害黑人，而且也迫害那些受压迫受剥削的白人。到现在，美国南部农庄的黑人和穷苦的白人还受着残酷的迫害，他们甚至一生连美国的纸币都没有看见过。

整个演出都很好，但末了这一场戏，不像是欧阳老写的，可能是大家提了意见加上去的。(舒强：这场戏在欧阳老原剧本里确是没有的。凤子：原剧本的结尾是写哲尔治、薏里赛、薏麦苓、凯西等逃到了加拿大。其实当时的黑奴无处可逃。删掉到了加拿大这最后一场戏是必要的，问题是如何把结尾写好。)

欧阳老一次又一次地修改这个剧本，我觉得这样改是可以的。这是古为今用。有人认为，把汤姆写成像原小说一样，一直到最后都不觉悟，不仅他的肉体受到残害，连他的灵魂都受到残害，这不是会更深刻些吗？这种意见对不对呢？我觉得这意见有道理，是可以这样写的。可是，我以为汤姆照现在戏里那样处理，是能为今天广大的观众所接受的。戏是演给今天观众看的，它应该教育人，鼓舞人起来斗争，鼓励人向前。这两种写法都可以。剧作家写历史题材的戏，不可能写得跟历史完全一样。我觉得欧阳老写《黑奴恨》，是用历史的材料来为今天服务，同时基本上又是符合历史的。

剧中厂主威尔逊这个形象是写得好的，很像现在北边的美国富翁，这个人比起那些奴隶主，他懂得更巧妙地剥削人。

哲尔治这个人是符合今天的期望的，我们希望奴隶起来，反抗一切压迫者。黑人的智慧、勇敢和反抗精神表现在哲尔治身上。但是现在这个戏的结尾似乎可以不要，把戏结束在汤姆身上比较好。(凤子：让汤姆临死那一场戏更有力量，就可以结尾了。) 假如可以去掉最后这一场，自然要考虑到怎样巧妙地交待哲尔治这条线。事实上，多少已经通过哲尔治妹妹凯西交待了。整个戏都很好，就最后一场是个弱点。

整个演出真实、动人、激动人心。黑人汤姆的形象真挚、朴素，仿佛他身上蕴藏着黑人无限的潜力，使人印象深刻，难以忘起。这应该归功于导演和演员出色的合作。整个演出的成功是和导演孙维世同志的才能和努力分不开的。

汤姆排得、演得都很成功，很感动人。他的几次上场都很好。特别是汤姆在家里那一场戏，排得很细致。汤姆的最后一场戏也处理得出色。凯西、李格里也演得好。

演员的台词念得有一定的功夫，听起来清楚、明白，有感情。

那些反面角色写得和演得很真实，不仅过去的奴隶主是那样，而现在的美帝国主义者，殖民主义者也仍旧是那样。美国我去过，他们的确是那样横行霸道，凶暴、残酷、野蛮。我看完戏后，很激动。我有一点意见，就是觉得戏里鞭子抽来抽去的场面用得太多了，奴隶主的凶残本质已经揭露了，就不必过多地来鞭子抽打的场面，这里有一个美感问题。

谈读书

提起学习就想起“不学无术”这句话来。当我碰到一些问题而无法解决的时候，我真感到“不学无术”的痛苦。“不学”的结果自然就“无术”，不学习就掌握不了解决矛盾的方法。这是一条真理。

列宁的文章《宁肯少些，但要好些》，也不知听人说起多少次了，但是长期以来，我没有找来读。后来我的孩子给我指出这篇文章在哪里，我找来读了。读了之后才发现，列宁的名言，“学习，学习，再学习！”原来也出在这篇文章里。我们的确需要学习，学习，再学习。我们要学习党的方针政策，要有文化修养。文化修养的范围是很宽阔的，譬如对书画、音乐，我们都应该具有一定的欣赏能力，而欣赏能力也要学习，才得到的。现在我要讲的仅是学习中的读书问题。

读书有几种目的。有人读书是为了点缀、装饰门面；有人读书是为了满足好奇心；有人读书是为了丰富学识，提高修养，从而能够解决工作中的问题。前面两种目的都是不足为训的。

【题注】载《戏剧报》1961年第17、18期。

读书很重要。譬如现在我们提出要提高文艺作品的艺术质量，这个质量的标准不应当是个抽象的标准。凡是从事文学艺术的人，他们心目中的艺术标准都应该是具体的、鲜明的。拿从事戏剧文学的人来说，要提高作品的质量，提到什么水平呢？这个水平不能是个抽象的东西。如果多读些古今中外的经典著作，多读些莎士比亚、关汉卿，那么，对于这个水平的高低，也就会有点具体的感受，对如何提高艺术质量就有一个可以摸得到的标准。如果不读书，就没有个比较，就不容易知道提高到哪里去。我们常常一方面要提高质量，一方面又不十分清楚提高到怎样一种境界。就像一个跳高的人，假如没有前面横着的那条杆子，凭空跳去，缺少一个看得见的努力的目标，就不容易长进。因此我说要读书。

茅盾同志曾说他读书是“一个字一个字地读”的。我认为这一点非常重要。我过去读了一点书，但是大而化之，也没有系统，“好读书，不求甚解”。这不好。

那么，应该读些什么书呢？马克思列宁主义的经典著作是必要的，毛主席的著作更要反复地研读。此外，我觉得应该读通史。包括西洋通史、中国通史、中国近代史、中国共产党党史等等。历史上的一个朝代或一个时期的基本特征是什么，用很概括的几句话说，我就说不出来。这方面的知识，我感到欠缺极了。碰到问题来了，只得赶忙去翻范文澜同志的《中国通史简编》。这样，好像瞎子摸路，走一步，是一步。我很想改变这种状态。其次，要读文学史上的经典作品。我知道我很难做到像有些同志那样渊博，但是我希望这些同志能帮助我们拟出一个最低限度的必读书目来。言必引经据典，咬文嚼字，是浅陋的；但是经典著作一本不读，或者读得很少，也是不好的。当提出要批判十九世纪资产阶级文学作品的时候，有一个人说："正好，我一本都没有读过。"这怎么成呢？只要我们学着批判地读，这些书至少也要挑选地浏览一下。否则岂不因噎废食吗？还有，对于当前我国文艺作品（解放以来，出现许多应该读的作品）和现代的外国文学著作也要经常留心，多读一些。每次和朋友们谈到当代世界文学的时候，我便觉得腹内空空，简直讲不出什么东西来，真是惭愧极了。

想读书而又懒惰，这常是使我"腹内空空"的主要原因。郑振铎同志在世时，生活非常有规律，每晚九时前入睡，第二天清早五点就起来读书，做学问。一般人起床的时候，他已经用功好一会儿了。多少年来如一日，真是了不起。我们应当学习这种勤奋的精神。

我读书，除了"懒"，第二应克服的毛病便是"乱"。"乱"就是没有条理，没有重点。我们读书往往东抓一本，西抓一本，不知从何读起。这样读法，事倍功半。读书要订一个阅读的计划。

还有一个恶习必须克服的，那就是：不读书，还要强不知以为知。这真是糟糕之至！读一点书，知道了一点，就夸夸其谈，不懂装懂，这是很坏的。在失眠的时候，我想起从小以来，从背诵"诗云""子曰"以来，强不知以为知的事情我是做过不少的，回想起来，背上火辣辣的，如同针刺一样。我往往是无知或少知的。要改变这种状况，别无他途，只有想办法使自己知，或多知。

有些同志参加革命斗争很早，他们没有读书的机会；但是我是有读书机会的，我念过大学，进过研究院。而在我可以读书的同时，无数革命同志在流血战斗。为了创造一个新的社会，他们没有充分读书的时间。因此，如果说有些老革命同志读的书不够多，是可以原谅的话，那么我们这些有的是读书机会的人，读书不够多，就更应该觉得惭愧了。我们要赶上去。当然，读书不够多的老同志也要在今天补足这方面的欠缺。

今天，党号召我们要学习政策，学习生活，学习艺术规律，学习中不可少的一部分是读书。许多同志真忙，真辛苦，但不能因此而放松养成随时读好书的习惯。“挟泰山以超北海”，是不可能的，做不到的；“力足以举百钧而不足以举一羽”，便说不过去，这不是“不能”，而是“不为”了。我们很多党的负责同志，学识渊博，博览群书，难道这些日夜辛勤的负责同志们不比我们更忙得多吗？我曾经和故去的黄敬同志，在一次不重要的集会上遇见，那时他才调到机械工业部做领导工作。我看他一心一意地做笔记，几乎手不停挥。休息时，我才发现他是在演习高级数学习题，会开完的时候，练习簿上已经密密麻麻的写满好几页方程式了。这件事很教育我。我才知道对这样一位老同志，没有一个问题在他是困难的；为了党的工作，没有一件事他不是踏踏实实，从头准备的。

让我们根据自己的文化程度开列个最低限度的书单，有计划地读书。艺术质量提高的标准要具体，就要读书。我感到在基层做文艺领导工作的同志们读书的机会太少，他们需要读书；直接从事文艺工作的人，更要多读些书。这才能帮助我们提高欣赏能力，扩大我们的眼界，增强我们的创造力量。

杂谈文艺工作

很久就有和内蒙古文艺界同志们见面的愿望了，昨天阎部长让我来和大家谈谈，这正是个好机会。但不知道该谈谈什么，我姑且把自己感到的问题和大家谈谈，请同志们指教。学习写过一点东西的人就像走过了一小段路，我先谈谈我这一小段路是怎样走的。今天谈过去，就像站在山顶上俯望爬上来的小径，有些清楚了，而当时却迷迷茫茫仿佛在云雾里。

文艺工作者一辈子需要解决的事，就是文艺与政治关系的问题。在这个问题上，有时候看见了自己的缺点，有时看见了自己的长处；有时候也遇到困难，感到苦恼。"为艺术而艺术"的思想，我们自青年时代就看不起，所以还不是个问题。

谈起为政治服务，我们自然会想到：一、为什么样的政治服务？

【题注】载《草原》1961年第11期。另，部分内容以《雪浪花》为题，载1961年12月21日《文艺报》第12期。按，本年7月29日起，曹禺与老舍、叶圣陶、梁思成、吴组缃、端木蕻良等作家、艺术家前往内蒙古参观访问，历时近两月，本文应为曹禺在呼和浩特与内蒙古文艺界人士座谈的讲话。

二、如何为政治服务？我们小时候处在半封建半殖民地的旧中国，读线装书，受封建教育，启蒙便是“君君、臣臣、父父、子子”，叫我们尊敬统治者，让我们服从统治阶级。我出身于旧官僚家庭，特别感到这个问题的复杂。在那漆黑一团的环境中，有些不甘于鬼混的人很苦恼，有的委委屈屈地过了一生，有的则振作起来，斗争过来了。除了封建教育外，我们还受了当时以为是很进步的资产阶级教育，对“赛先生”（科学）、“德先生”（民主）很崇拜。那时，阶级教育是没有的。所以我头脑里有两个东西很长时间[1]是模糊的，直到解放后才搞清楚。这就是“自由”和“国家”的概念，当时总觉的这两个东西是神圣的，永不变的，是鼓舞我们前进的力量源泉。

在封建统治阶级的压迫下，“个性”不得自由；在“外国人”（实际他是今天孩子们都明白的“帝国主义者”）的压迫下，“民族”不得自由，所以争自由有两个目的：一是个性解放，一是民族解放。大家都想跳出家庭的牢笼，把帝国主义赶出去，求得民族的解放。当时最流行的格言是“不自由，毋宁死”。我第一个接触的外国诗人就是匈牙利的裴多菲，他那首著名的诗：“生命诚可贵，爱情价更高；若为自由故，二者皆可抛！”道出了那时的知识分子渴望自由的心情。

直奉战争时期，社会简直黑暗极了。记的我在南开中学读书的时候，演易卜生名叫《国民公敌》的话剧。这戏写一个医生，他不肯与贪污腐化的市政府同流合污，揭露了他们，被指为是“国民公敌”，

1 “时间”底本作“时时”，当作“时间”。

给赶了出去。剧刚排好，督办就派来了侦缉队，不让演。原来督办他认为自己就是“国民公敌”。那时候，我们很盼望北伐军来，看见“青天白日满地红”，就觉得它是自由的象征；但那时蒋介石早已叛变了革命，有的只是国民党反动派的“自由”。在蒋介石的统治下，局面就更黑暗了，人杀的更多了。我才感到自由不是绝对的，这部分人有自由，那部分就没有自由。以后进一步认识到，在阶级社会里根本没有超阶级的自由，统治阶级有自由，被统治阶级就不可能有自由。有一段时期，还以为欧美有“自由”。后来，许多残酷的事实告诉我：那里，只有少数的统治阶级有压迫人的自由，绝大多数的人是没有自由可言的。我逐渐明白旧的“自由”的概念是毒药，它麻醉人，使人看不清阶级社会的真实面目。

旧的“国家”观念，也是一个极能迷惑人的东西。我们那时认为“国家”对于一切人都是平等的，它既保护富人，也保护穷人。它是一切人的最公正的代表。实际上这种超阶级的“国家”是没有的。法国君主路易十四说过，“国家就是我”，正说明国家是他一个人的，而不是我们大家的。把国家说成是一切人的、全民的，正是统治阶级用来愚弄人民的手段。解放后，一位同志介绍我读列宁的《国家与革命》，我反复读了几遍，才恍然大悟。原来社会和国家都是有阶级性的，“国家”是产生在阶级社会里的，为统治阶级服务的，是阶级斗争的工具。法院、警察都是暴力，是阶级压迫的工具。

然而，直到参加了一些实际斗争，更证实反动派绝不肯自动退出历史舞台，必须和他们进行你死我活的斗争，才能保护住今天人民的幸福生活，我才进一步明白阶级斗争和无产阶级专政，是我们手中最重要的武器。列宁说过："谁仅仅承认阶级斗争，那他还不是马克思主义者，他还可以是没有离开资产阶级思想和资产阶级政策范围的人。……只有把承认阶级斗争扩展到承认无产阶级专政的人，才是马克思主义者。"这句话真是对啊！我常想，一个文艺工作者，如果能更早一点认识这些道理，他的作品会有怎样不同的精神面貌哪！

事理的认识的过程往往是艰难而曲折的。我们有时可以为它睡不着觉，吃不下饭。一旦明白了，就像太阳出来了，在你面前哪处是陷阱、哪处是绿水青山，就清清楚楚，豁然开朗了。

如何为政治服务呢？周扬同志说：为政治服务，就是坚决执行党的政策。这句话应该是我们的座右铭。违反党的政策，实际上就是违反事物发展的规律，党的政策总是根据事物发展的规律定下的。我们的文艺工作在过去几年里有很大的成绩，但也存在一些问题。譬如有些作品的质量不高，作品不够多样化，这是因为我们贯彻党的"双百方针"不够彻底的缘故。

我们有些人把文艺为政治服务理解的狭窄了，以为文艺作品都应"立竿见影"，顿时发挥作用。文艺有鼓动群众的任务，这个任务是非常重要的。但文艺也有为长期教育群众，培养人民的共产主义精神，提高人民群众的艺术教育水平的任务。

文艺除了思想感情的教育作用而外，还有使人认识生活和理解生活中美好事物的作用。它可以扩大我们的认识领域，提高我们的审美能力。因此，文艺必须反映人民想知道的生活中最深刻、最丰富、最壮丽的东西。有的地方，组织一些人下去很短时间，就回来创作，因而写不好，或者写不出来。这虽然是极个别的现象，却说明有人只要求马上见效，忽视了认识生活、深入生活的艰巨工作，忽视了掌握创作技巧、长期的辛勤锻炼和劳动，也轻视了文艺为政治服务能起的重大作用。（这里，应该指出，运动中即时反映问题，迅速写出鼓动群众的短小精悍的作品是非常重要的工作，而且一样也可能写出好作品。问题在于作者是否平时注意深入生活，用心思考，锻炼创作技巧的劳动。）

文艺为政治服务是不能走“小路”的。鲁迅先生在世的时候，有人写文章鼓吹，看见西瓜就应该想到帝国主义要“瓜分”中国。鲁迅先生说：如果一吃西瓜就应想到帝国主义要“瓜分”中国，其结果连西瓜也吃不下去了。唐弢同志提起他看见的一幅画，画的是一竿笔直的墨竹上题“干劲冲天”。这样硬装思想，他说“看了实在叫人不舒服”。文学艺术的作用是不能这样“简单化”的。

“简单化”的土壤是不能遍开丰盈多彩的好花的。要百花齐放，我们可以写今天，也可以写过去。题材、风格应该多样化，也应该各有特点。这样，文艺为政治服务的道路就宽了，也只有这样，才符合人民的需要。

文学艺术可以帮助人理解生活，可以推动社会向前发展，这便需要我们写出各色各样的英雄和人物性格。但我们的戏里写的光辉夺目的英雄人物还是不够多的，写领导干部似乎只写到师级和市委，往上写就很少了。这些“干部”有时也是姓张和姓李的差不多。青年人认识今天的生活，有的是通过文艺作品获得理解的。我们写的简单，他们就不会理解的丰富。古典小说的人物大都写的血肉丰满，这便大有益于我们对当时社会和各阶层人物的了解。我生在旧社会，总以为自己对那些腐烂的阶层是有所了解的。但读了清末谴责小说如《官场现形记》《二十年目睹之怪现状》[1]等书以后，才晓的过去自己对这些阶层知道的多肤浅。处在今天伟大的时代里，更需要我们写出能反映壮丽而丰富的生活的作品。只有真正写出了人物的气韵神态，表现了时代的风貌，才能更好地教育下一代，发挥文艺推动社会前进的作用。

我们必须提高文学艺术的质量。这几年来文学艺术各方面出现了许多优秀的作品，但也有不少文艺创作仍然存在一些缺点。听说夏衍同志提起今天一些创作的毛病，他归纳为“直”“露”“多”“粗”四点。我想这是说中了病处的。

什么叫作“直”呢？人物性格、故事结构都采取“直”铺“直”叙的办法，波澜较少，开门见山，没有“起承转合”，看了上面就知道下面。文章写的“直”，有一个原因，那就是写的急促，酝酿没有成熟就动笔，因此故事和人物的发展便容易简单肤浅。今天我们要写波澜壮阔的各方面的生活斗争，要写斗争中的英雄人物和动人心魄的场面，我们仅仅采取“直铺直叙”的写法是不够的。

写斗争中的大事不该“直”，写普通事物写的“直”也不好。用“直来直去”的写法写人物，往往只写出人物的一般的一面，难写出他的特有的精神面貌。用“直来直去”的写法写一件普通事情，往往只写出它的平凡部分，难以写出这件事情的深厚的一面。一篇文章要写的好，必须经过作者千锤百炼，才能显出它夺目的光彩。如果能避

1 “《二十年目睹之怪现状》”底本作“《二十年同观之情现状》”，当作“《二十年目睹之怪现状》”。

免“直、露、多、粗”这四个缺点，许多文章都可以锤炼成为动人的作品。(不用说，文章离开生活和思想，是写不好的。)

最近在《红旗》杂志第二十期上看到杨朔同志的短篇小说《雪浪花》，读了真使人心花怒放，愉快极了。这是一篇好文章，恰恰说明一篇文章如果写得不直、不露、不多、不粗，会给你多么大的艺术享受，多么委婉而深刻的思想教育。事情很简单，仅仅叙述作者在北戴河遇见了一个名叫“老泰山”的老渔民，一次在海边礁石旁，他正打鱼归来，一次在休养所的苹果树前，替人磨刀。但这个人物却深深印在我们的脑里。他的音容笑貌，尤其是他的深厚朴实、勤勤恳恳的精神，使我们无法忘记。作者写老渔民，说他的“眉目神气，就像秋天的高空一样，又清朗、又深沉”，用笔细致委婉，一点不直来直去。他描绘这个人物和衬托人物的环境，如铁画银钩，鲜明有力。

你看，作者介绍人物出场，用的手法是多么高明。凉秋的海边，“……几个年青的姑娘赤着脚，提着裙子，嘻嘻哈哈地追着浪花玩”。她们议论起浪涛上的海鸥、沙滩贝壳，连奇形怪状的礁石也逃不出她们好奇的眼睛:“礁石硬得跟铁差不多，怎么会变成这个样子？是天生的，还是钻子凿，还是怎的?”

这时作者仿佛随意一领:

“是叫浪花咬的。”一个欢乐的声音从背后插进来。……

作者便这样自然地，却“不直”“不露”地介绍出“老泰山”来，听，“老泰山”这段话是多么有味道，又多么真实:“别看浪花小，无数浪花集到一起，心齐，又有耐性，就是这样咬啊咬的，咬上几百年，几千年，几万年，哪怕是铁打江山，也能叫它变个样儿，姑娘们，你们信不信？”

好文章在曲不在“直”，在含蓄不在“露”。这篇文章起得巧妙。整个篇幅都充满了结构的美丽，有起、有承、有转、有合，写得匀称，写得舒坦。仅仅两千五百字左右的文章，写出深藏在一个普通人物心中永不磨灭[1]的真理。作者的笔曲折有致，陡然一转，便转到美帝国主义身上。（那个“大白熊似的”外国胖子，是个活脱脱的坏东西。）文章像一道清澄的河流，在人眼前流过。作者把“老泰山”这个令人深思的老人刻在我们的记忆里，不着一丝雕琢痕迹：

他“……弯腰从路边掐了枝野菊花，插到车上，才又推着车慢慢走了，一直走进火红的霞光里去”。

接着，作者回忆起来：“……老泰山恰似一点浪花，跟无数浪花集到一起，形成这个时代的大浪潮，激扬飞溅，早已把旧日的红山变了个样儿，正在勤勤恳恳塑造人民的江山。”

然而作者还不肯放笔，又徐徐地推出一道浪纹。“老泰山姓任。问他叫什么名字，他笑笑说：‘山野之人，值不得留名字。’竟不肯告诉我。”

就这样结束了。这是怎样一种细致、有回味的笔触啊！这个结尾，看出作者对中国古文文学传统的修养，无意中流露出来的。

古人说：“晦之义，大矣哉！”文章写得晦，晦得人都不懂了，是文人学士的坏习惯；但“晦”作为含蓄不尽，经得起揣摩的意思来讲，这句话还是可以说得通的。人民喜闻乐见的绝不是“直、露、多、粗”的东西。民歌，老百姓最喜欢了。有人说民歌就是又直又露的，

---

1 “永不磨灭”底本作“永不磨休”，当作“永不磨灭”。

这才能通俗。我看不然，许多动人的歌谣，都是在“不直不露”的手法上下了功夫，才能打动人的。“直而露”常是表面现象，好歌谣多半是“深入”了以后，才“浅出”的，因此表达了深刻的思想和感情。如《红旗歌谣》里选的一首《县长同志你不要走》。

一把拉住县长的手，
县长同志你不要走！
你又耕田又插秧，
浑身泥泞汗水流，
水田耙得平如镜，
秧苗栽得直溜溜。
泥里水里忙一天，
烟没抽一筒，
茶没喝一口。
我们不能放你走！
姑娘们，快烧水，
小伙子，快打酒，
快把门儿关，
堵住大路口，
一把拉住县长的手，
县长同志你不要走。

这首歌谣把群众对县长同志的情感，点点滴滴都写出来了。它表现得多细致，多么有层次，又多么简练。从开始一句“一把拉住县长的手”起，便看见一群老老少少的农民围住那位浑身泥泞，满脸热汗的县长，你一句我一句地劝着他，一只一只灼热的大手拉着他，不放他走。叙到他们喜爱的县长同志“泥里水里忙一天，烟没抽一筒，茶没喝一口”就要离开他们的时候，从心腔里流露出来的那一句：“我们不能放你走”是多么亲热、多么赤诚！“不能”这个词[1]真是用得好极了。“快把门儿关，堵住大路口”，这“不能放你走”的情感真是红火似地滚热！它生动而深刻地说出社会主义大跃进的时代里党与群众的关系！单凭表面上“直而露”的写法，不先从“深而曲”的构思着手，这种深厚的情感是难以表现的。

精练是很重要的。然而这个道理仿佛还没有十分重视起来。梅兰芳同志谈盖叫天老先生的艺术时说过，搞艺术的人，大都经过三个阶段：第一个阶段少，第二个阶段多，第三个阶段又少了。年青学艺，有多少使出多少，后来慢慢懂多了，就要求精练了。这时的“少”应该说是恰到好处，达到真正的丰满，说明功夫深了，知道选择。在“精”不在“多”，任何艺术都是这样的。

要“精”，便须多“练”，一般文章的文字还嫌粗糙，是提炼得不够。有人批评一般文章写女孩子的眼睛只能找到“大、黑、亮”三个字，再没有别的了。这表现出文字的贫乏，也表现了用字的粗糙。唐朝诗人贾岛写“鸟宿池边树，僧推月下门”，觉得“推”字不够好，要换一个“敲”字，边走边想，不觉撞上了不相识的大官韩愈。韩愈

1 “词”底本作“字”，当作“词”。

也是个诗人，为他选用了“敲”字，说“敲”字活一些。从此就有了“推敲”的说法。这两句诗并不怎么好，但我们却看出古人用字是肯下苦工夫的。“多”不好，“粗”也要不得，我们必须养成反复推敲的习惯。如果我们遣词用字能像作战的将军调兵遣将，部署军力那样精细、慎重、负责，想到每个字的“生命”，想到每个字的“作用”，不多用，不滥用，文章会写得好的。

党号召我们学习文艺工作的规律，我们应该重视这个学习任务。文艺工作的道理我们都知道一些，但往往了解得不够透，认识得不够深，因此有些道理明明白白的摆在眼前，却被忽视了。譬如关系到作品的思想内容，有一条道理，是大家都知道的：作品的主题思想，如果不出自作家心灵的话，作品是不会感人的。用外来的思想生硬地加在自己的作品里是不行的。作品的主题必须从作者自己的思想感情和深厚的生活土壤里产生出来。因此，我们要写出好作品，首先要不断学习马列主义，深入生活，使自己的思想感情和人民的思想感情息息相关，而不是急于交卷，抓着一个主题、一个题材就写。没有自己深刻的生活感受，很难写出好东西。但这个规律我们时常忘记了。

此外，生活中的故事和材料本身往往有它具体的主题思想，最好不要更动。更动了已经活在故事和材料里的思想感情，作品容易写得生硬。譬如蒙古的《瑙力格尔玛》的故事，材料很丰富，像是一本悲剧的题材。据说根据这个故事，写过两种不同处理的剧本。一种写儿媳受婆婆虐待，写旧社会一个蒙古妇女的悲惨命运。另一种却离开了故事材料中最丰富的源泉，写了牧民和王爷的斗争（据说，材料中有一些这方面的事情，但似乎不是重要的），最后牧民起来反抗的内容。

为什么要使用《瑙力格尔玛》这个材料来反映牧民和王爷的矛盾呢？有人问我：哪一种写法合适？我看，第一个写法更好一些。因为它是根据了《瑙力格尔玛》丰富的材料里自有的思想感情来写的。

又一个道理：我们写完了一个作品，自己常常很不满意。为什么呢？因为心中悬着的一个标准分明没有达到。艺术质量的提高，总得心中有一个具体的艺术标准，只空空洞洞地不满意自己的作品，是不能有助于提高的。必须有“的”，才能放“矢[1]”；悬“的”高，才能放得高。因此我们心中必须有一个较高的具体的艺术标准。我们一再着重“具体”这两个字，就是因为“具体的艺术标准”并不能轻易得到，要付出很大的劳动才能领会得出。古今多少艺术大师，学戏、学画、学音乐，求师访友，跋涉千里，求的就是一个“具体的艺术标准”，要求亲眼见到他们梦寐以求的闻所未闻、见所未见的“具体的艺术标准”。有了较高的具体的艺术标准，才有迈开大步的可能。我们自然要从生活中学习，从马列主义和毛泽东的经典著作中学习。但眼前还有大片肥沃的土地也需要我们开拓，那便是从古今中外多少文学艺术的著作学习。只有从那些光辉灿烂的经典著作里（不用说，今天一些优秀作品中也有很多值得我们学习的东西），我们才能逐渐体会到“具体的艺术标准”是怎么回事。要善于[2]读书，要善于把古今中外的艺术大师们的“艺术标准”和自己的作品具体地联系起来，扬弃其中我们不需要、不可学的部分，学习其中可学的部分。这不只帮

1 “矢”底本作“失”，当作“矢”。

2 “善于”底本作“善热于”，当作“善于”。

助我们提高心目中必须有的具体的艺术标准，也必然会丰富我们的文化修养。修养是和艺术标准有密切关系的。修养之于创作，有如水与船，水涨，船自然高。

内蒙古的文学艺术这几年来是很有成就的。无论是小说、诗歌、戏剧、音乐、电影、舞蹈，各方面都出现了优秀的作品和有前途的新人。这是万分可喜的事情。我很愉快，能够在呼和浩特参加这次文艺座谈会，认识了许多新朋友，这是我[1]难以忘记的。我相信这次文艺座谈会一定开得好。

我想起诗人杜甫。他是一个伟大的诗人，但是他没有生活在今天这样美好的时代，他半生饥寒交迫，颠沛流离，至死不能实现他的“致君尧舜上，再使风俗淳”的大志。在他青年时，他曾写过一首题名《房兵曹胡马诗》的诗，赞颂一匹好马：

胡马大宛名，
锋棱瘦骨成[2]。
竹批双耳峻，
风入四蹄轻。
所向无空阔，
真堪托死生！
骁腾有如此，

1 “我”底本作“们”，当作“我”。

2 “锋棱瘦骨成”底本作“锋棱疲骨成”，据杜甫《房兵曹胡马》原文改。

万里可横行。

诗人的豪情壮志使我想起党对我们的期望。让我们在党的政策的指导下，在群众的鼓舞下，沿着社会主义的道路，像这匹横行万里的骏马，向前奔驰吧！

图书在版编目（CIP）数据

曹禺全集. 第八卷 / 曹禺著. — 北京 : 北京十月文艺出版社，2023.6

ISBN 978-7-5302-2265-2

Ⅰ. ①曹… Ⅱ. ①曹… Ⅲ. ①曹禺（1910–1996）—全集 Ⅳ. ①I216.2

中国版本图书馆CIP数据核字（2022）第155341号

曹禺全集 8
CAOYÜ QUANJI 8
曹禺 著

出　版　北 京 出 版 集 团
　　　　北京十月文艺出版社
地　址　北京北三环中路 6 号
邮　编　100120
网　址　www.bph.com.cn
发　行　新经典发行有限公司
　　　　电话 010-68423599
经　销　新华书店
印　刷　北京盛通印刷股份有限公司
版　次　2023 年 6 月第 1 版
印　次　2023 年 6 月第 1 次印刷
开　本　700 毫米 ×980 毫米 1/16
印　张　48
字　数　530 千字
书　号　ISBN 978-7-5302-2265-2
定　价　136.00 元
如有印装质量问题，由本社负责调换
质量监督电话　010-58572393